澳大利亚文学经典

Australian Classics

Carpentaria

Alexis Wright

卡彭塔利亚湾

（澳）亚力克西斯·赖特／著

李尧／译

青岛出版社
QINGDAO PUBLISHING HOUSE

编委会

主　　编　孙有中

副 主 编　梅卓琳（Jocelyn Chey）　张海峰

执行主编　李建军

编委会委员　（按姓氏笔画为序）

刘　坤　刘树森　芮捷锐（Geoff Raby）

何康文（Kevin Hobgood-Brown）

沈　威　张　剑　武海燕

林漠怡（Maree Ringland）　罗伯特·迪克逊

魏柯玲（Katherine Vickers）

鸣　谢

WESTERN SYDNEY
UNIVERSITY

Foundation for Australian
Studies in China

本译文集荣获北京外国语大学、内蒙古师范大学、西悉尼大学、在华澳大利亚研究基金会的大力支持，特此感谢！

总序 ❶

General Preface

I am pleased to introduce this important collection of Australian literature translated by Li Yao.

The 40th anniversary of Li Yao's career as a translator is a timely occasion to revisit some of Australia's great literary works.

Thanks to Li Yao's unwavering commitment to translating Australian literature into Chinese, works by Alexis Wright, Patrick White, Thomas Keneally, and Colleen McCullough, among others, will continue to delight readers in China.

We can see in this collection the uniqueness of Indigenous stories and writing that reflects Australia as a contemporary, diverse society.
The breadth of this collection and the interest in China in Li Yao's translation of Australian works reflect both the richness of Australian literature and the depth of the ties between Australia and China.

The publication coincides with the 45th anniversary of the establishment of diplomatic relations between Australia and China in December 1972, providing an opportunity to celebrate what has already been achieved and to consider how we can further enrich each other's societies, including through literary exchange.

The many partnerships between authors, translators, editors, publishers and readers that have made this collection a reality form an important part of the great fabric of the Australia-China relationship,

I congratulate the Editorial Board, in particular Professors Sun Youzhong, Zhang Haifeng and Li Jianjun; Beijing Foreign Studies University, Inner Mongolia Normal University, Western Sydney University and the Foundation for Australian Studies in China, as well as the publisher of the collection, Qingdao Publishing Group.

I am sure these stories will continue to inspire interest in Australia and in Australian literature in China.

Jan Adams

Jan Adams Ao PSM
November, 2017

总序 ❶

General Preface

我很高兴在此向大家介绍李尧翻译的这套重要的澳大利亚文学作品选集。

在李尧翻译生涯进入第四十个年头的时候，重温澳大利亚一些伟大的文学作品可谓正逢其时。

正是由于李尧对澳大利亚文学作品中译的不懈努力，亚力克西斯·赖特、帕特里克·怀特、托马斯·肯尼利和考琳·麦卡洛等人的作品将继续给中国读者带来愉悦。

从这部译文集里，我们既能看到澳大利亚独特的原住民故事，也能读到反映澳大利亚现代、多元社会的作品。

译文集的跨度以及李尧译作中的中国兴趣既反映了澳大利亚文学的丰富性，也体现了中澳两国关系的深度。

中澳两国 1972 年 12 月建立外交关系，译文集的出版正值建交四十五周年。这也为我们提供了一个契机，庆祝所取得的成就，并思考如何通过文学交流等方式丰富彼此的社会。

作者、译者、出版社和读者之间的诸多伙伴关系促成了这部译文集的完成，这也是构成中澳关系丰富肌理的一个重要部分。

我祝贺编委会，特别是孙有中教授、张海峰教授和李建军先生，也要祝贺北京外国语大学、内蒙古师范大学、西悉尼大学、在华澳大利亚研究基金会以及这部译文集的出版方——青岛出版集团。

我相信译文集中的故事将继续在中国唤起人们对澳大利亚及其文学的兴趣。

澳大利亚驻华大使 安思捷

2017 年 11 月

General Preface

德国文学、法国文学、英国文学、俄罗斯文学、美国文学和日本文学介绍到我国已经有了很长一段历史，从十九世纪末到二十世纪初期出现了大量各国文学译本。特别是日本文学，据查，在明代已经有李言恭、郑杰编纂的日本短歌39首被译为中文。澳大利亚文学进入中国则是比较近期的事。1953年上海出版公司出版了詹姆斯·阿尔德里奇(James Aldridge)的小说《外交官》(*The Diplomat*)的中文译本，这是我国出版的第一部澳大利亚小说。1954年出版了弗兰克·哈代(Frank Hardy)的《幸福的明天》（*Journey into the Future*）和《不光荣的权力》（*Power Without Glory*），此后又陆续出版了一些长篇和短篇小说以及一些诗集和剧本，包括凯瑟琳·苏珊娜·普里查德(Katharine Susannah Prichard)的《沸腾的九十年代》（*The Roaring Nineties*），朱达·沃顿(Judah Waten)的《不屈的人们》（*The Unbending*）等。[①]但是，总的来说，在二十世纪五十至七十年

①陈弘：《20世纪我国的澳大利亚文学研究述评》，《华东师范大学学报（哲学社会科学版）》2012年第6期。

代，我国的澳洲文学翻译不仅数量很少，而且，由于当时的时代背景，翻译的选题范围狭窄，作品内容单一。

这一局面的改变得益于1978年我国开始实行的改革开放政策。在这一年，发生了一些对澳洲文学翻译具有深远意义的事情。安徽大学成立了大洋洲文学研究所，推出《大洋洲文学》期刊，翻译出版了澳大利亚、新西兰的一些文学作品。人民文学出版社出版了刘寿康翻译的《劳森短篇小说集》。这一年年底，教育部将全国选拔出的9位中年教师集中于北京，准备派往悉尼大学。这就是日后人们戏称“九人帮”的一批学者。在悉尼大学，他们虽然分属英文系和语言学系攻读硕士学位，但多数都选学了澳大利亚文学课程。这一批学者在学成归国后，在推动澳大利亚研究方面发挥了重要的作用。也就是在这一年，李尧先生开始了他漫长的文学翻译之旅。

二十世纪八十和九十年代是一个热气腾腾的时代。澳大利亚文学翻译呈现出勃勃生机。在这一时期出版的澳大利亚文学作品包括艾伦·马歇尔(Alan Marshall)的《我能跳过水洼》(*I Can Jump Puddles*)，罗尔夫·博尔德沃德(Rolf Boldrewood)的《空谷蹄踪》(*Robbery Under Arms*)，帕特里克·怀特(Patrick White)的《风暴眼》(*The Eye of the Storm*)、《人树》(*The Tree of Man*)、《探险家沃斯》(*Voss*)、《树叶裙》(*A Fringe of Leaves*)和《镜中瑕疵》(*Flaws in the Glass*)，迈尔斯·弗兰克林(Miles Franklin)的《我的光辉生涯》(*My Brilliant Career*)，兰道夫·斯托(Randolph Stow)的《归宿》(*To the Island*)，托马斯·肯尼利(Thomas Keneally)的《辛德勒的名单》(*Schindler's List*)和《内海的女人》(*Woman of the Inner Sea*)，彼得·凯里(Peter Carey)的《奥斯卡和露辛达》(*Oscar and Lucinda*)以及一批短篇小说集和诗集。

杰克·希伯德(Jack Hibberd)的剧本《想入非非》(*A Stretch of the Imagination*)不仅翻译出版，而且在京沪两地公演。综前所述，可以看出我国译者不断拓展澳大利亚文学翻译的范围，将不同背景、不同流派的作家纳入自己的视野，使得澳洲文学翻译在我国不仅数量激增，而且内容也发生了实质性的变化。

致力于翻译和介绍澳大利亚文学的中国学者是一个群体，既包括早期的马祖毅、刘寿康等，也包括八十年代初从澳大利亚归来的留学学者黄源深、胡文仲等，他们一直处在澳大利亚文学翻译、教学和研究的第一线。译者中还包括朱炯强、叶胜年、曲卫国、欧阳昱、李尧等。这一大批译者在介绍和推广澳大利亚文学方面成绩显赫。其中李尧的贡献尤为突出。除了文学翻译，还应该特别提到黄源深教授撰写的《澳大利亚文学史》以及王国富教授主编翻译的《麦夸里英汉双解词典》，这两部巨著对于澳大利亚文学研究和翻译都起了重要的作用。

李尧先生致力于文学翻译四十年，主要从事澳大利亚文学翻译，也翻译出版了部分英美文学作品，总计52部，字数逾千万，在我国翻译界如此多产的译者实属少见。李尧翻译的作品涵盖澳大利亚作家老中青三代，既包括老一代作家帕特里克·怀特，托马斯·肯尼利，亚历克斯·米勒等，也包括中年作家彼得·凯里，尼古拉斯·周思等，还包括一些年轻的儿童文学作家。从文学流派看，现实主义、现代主义和魔幻现实主义都囊括其中。此次出版的《李尧译文集》只占他翻译的澳大利亚文学作品的约三分之一。收入集子的作品大部分获得过文学大奖，在澳洲文学中具有一定的代表性，有些则是考虑到作家在中国的影响或者题材与中国有关。这一译文集集中反映了李尧在澳大利亚文学翻译方面的成就。

李尧先生1966年毕业于内蒙古师范大学外语系，从事记者工作和文学创作二十余年，发表过报告文学、散文、小说等近百万字，1986年成为中国作家协会会员。正是由于李尧的作家背景，他翻译的文学作品具有一个突出特点：文字优美，行文流畅。阅读他翻译的作品，给人以欢畅淋漓的感觉。李尧回忆说："我翻译小说的时候，常常是从一个写小说的人的角度出发，像我自己写小说一样，体会、捕捉作者的思路，创作的技巧，注意人物性格化语言的翻译。不是只从字面上去对应。我看懂原文，就用自己的语言而不是字典上的意思去翻译。这样译出来的东西就比较鲜活，可读性强。"翻译亚历克西斯·赖特(Alexis Wright)的《卡彭塔利亚湾》(*Carpentaria*)难度很大。作者是澳大利亚当代最有成就的原住民作家。小说涉及澳大利亚原住民的宗教信仰、部族矛盾、生产生活方式、风土人情、历史渊源等，而且写作方法也比较独特。李尧在翻译这部小说前，大量阅读了有关澳大利亚原住民历史文化的著作，同时不断和作者联系，取得她的帮助。悉尼大学在授予李尧荣誉文学博士学位时指出："《卡彭塔利亚湾》是李尧毕生从事文学翻译和四十余年来中澳文化交流的巅峰之作。"有评论指出："《卡彭塔利亚湾》是纯文学性文本，李尧先生翻译策略的选择，让译文洋溢着一种梦幻般的抒情色彩，充满文学情调，让读者感受到澳大利亚古老土地的荒芜。"①

翻译从来都不是简单地把一种语言变成另一种语言的过程。王佐良先生对于翻译，特别是文学翻译，曾经发表过许多重要的论述。他指出："因为有翻译，哪怕是不免出错的翻译，文化交流才成为可能。

①张华：《纽马克文本翻译理论与李尧文学文本翻译策略》，《安徽工业大学学报（社会科学版）》，2016年第5期。

语言学家、文体学家、文化史家、社会思想家、比较文学家都不能忽视翻译。这不仅是因为通过翻译者的辛勤劳动才使得一国的文化遗产能为全世界的人所用，还因为译者做的文化比较远比一般人要细致、深入。他处理的是个别的词，他面对的则是两大片文化。”①李尧正是通过他的文学翻译将独特的澳洲大陆文化介绍给了拥有悠久历史文化传统的中国人民。

李尧先生几十年来耕耘在澳大利亚文学翻译这片土地上，他的勤奋努力非常人所可比拟，他经常夜以继日地工作，节假日也很少休息。他在澳大利亚文学翻译方面的成就获得了广泛的认可，于1996、2008、2012年三次获得澳中理事会颁发的澳大利亚文学翻译奖。2014年被悉尼大学授予荣誉文学博士学位。表彰词指出，李尧“在中国，在文学翻译和澳大利亚研究方面作出了杰出的贡献。他把许多澳大利亚作家介绍给中国读者，包括帕特里克·怀特，托马斯·肯尼利，亚历克西斯·赖特，为中国读者更好地了解澳大利亚和澳大利亚人民提供了丰富的资源”。

澳大利亚文学翻译在中国的成功首先是由于译者的努力和奉献，但与澳大利亚作家们对中国的友好感情也紧密相关。许多译者都与澳大利亚作家有过密切而友好的交流，从他们那里得到了无私的帮助。澳中理事会在推动澳大利亚文学翻译和澳大利亚学术研究方面也起了至关重要的作用。最后，还应该提到中国出版界对于澳大利亚文学翻译的兴趣和关注。没有他们一以贯之的支持就不可能有今天澳大利亚文学翻译在中国的丰收。

①王佐良：《翻译中的文化比较》，《王佐良全集》第8卷252页，外语教学与研究出版社，2016年。

2018年适逢中国澳大利亚学会成立三十周年，也恰是李尧先生从事文学翻译四十周年。北京外国语大学、内蒙古师范大学、西悉尼大学和在华澳大利亚研究基金会共同发起出版的十卷本《李尧译文集》既是对于李尧几十年来从事澳大利亚文学翻译的充分肯定，更是繁茂的中澳文化交流之见证。我们相信，澳大利亚文学翻译事业今后在我国必将取得更长足的进步，在促进中澳文化交流方面也必将起到更大的作用。

胡文仲

2017年8月27日

总序 ❸

General Preface

It is my great honour to have been asked to write a General Preface for this important series of award-winning translations of Australian literature by Professor Li Yao, to be published by Qingdao Publishing House. The series is in celebration of Professor Li Yao's 40th Anniversary as a translator of Australian literature, which coincides with the 45th Anniversary of the establishment of diplomatic relations between our two countries. As I will explain, these two anniversaries are closely connected.

The Australian Labor Party, led by Gough Whitlam, had recognised the Peoples' Republic of China as early as 1955, but it was another seventeen years before it was elected into government, on 2 December 1972. Less than three weeks later, on 21 December 1972, Prime Minister Gough Whitlam signed the joint communique establishing diplomatic relations between Australia and The Peoples' Republic of China. Under the terms of the Communique, the two Governments agreed to "develop ... diplomatic relations, friendship and co-operation between the two countries on the basis of the principles of mutual respect … equality and mutual benefit, and peaceful coexistence".

The Australian Embassy in Beijing was opened on 12 January 1973, and later that year Gough Whitlam became the first Australian Prime Minister to visit China, holding historic meetings with Zhou Enlai and Mao Zedong. Whitlam's establishment of diplomatic relations between Australia and China has been described as the single most important event in relations between our two countries in the twentieth century, and remains the foundation of the relationship today.

In addition to trade and tourism, cultural and educational exchanges have been of increasing importance to the relationship between our two countries. Since the 1970s, these links have included the study of Australian literature. The first five Chinese students to study in Australian universities after the establishment of diplomatic relations arrived in 1975, and the number increased rapidly from the late 1980s. Professor Li Yao's career in translating Australian literature for generations of Chinese readers has been central to this story of cultural exchange.

After graduating from Inner Mongolian Normal University in 1966, Li Yao worked as a writer and editor for journals in Inner Mongolia until his appointment as Professor of English at the Training Centre of the Ministry of Commerce in Beijing in 1992. He became a member of the Chinese Writers' Association in 1986, specialising in literary translation. At that time, he started collaborating with Professor Hu Wenzhong at Beijing Foreign

Studies University on the translation of Australian literature. Professor Hu is a graduate of the University of Sydney, a member of the so-called "Gang of Nine", who were among the first students from China to undertake graduate study in Australia after the Cultural Revolution of 1966 to 1976. In 1979, the "Gang of Nine" studied under my predecessor as Professor of Australian Literature at the University of Sydney, Professor Dame Leonie Kramer. I was then a young tutor in the English Department researching my own PhD thesis, and I well remember the presence of our Chinese visitors in the Department. The "Gang of Nine" proved influential in developing Australian Studies in China after their return. Since that time, over 30 Australian Studies Centres have been set up across China. A number of these centres have courses on Australian literature, and have people working on translating and introducing Australian literature to Chinese readers. They include Peking University and Beijing Foreign Studies University, where Professor Li Yao teaches advanced translation studies, as well as, Shanghai's East China Normal University, Renmin University, Anhui University, Suzhou University, Inner Mongolia University and Inner Mongolia Normal University.

It was Professor Hu Wenzhong who first encouraged Li Yao to make his career in the study and translation of Australian literature. When they met in Beijing in the mid 1980s, Professor Hu explained that Australian literature was still an untouched field in China, and he encouraged Li Yao to devote himself to this area and make a contribution to it as a translator. Before the Cultural Revolution, Chinese readers had some familiarity with American, British, Russian, French, German and other European literatures, but they knew little about Australian literature. At that time, only Henry Lawson, Frank

Hardy and a few other "social realist" writers were known through translation. Collaborating together, Professor Hu and Li Yao translated Patrick White's The Tree of Man, which was published by Shanghai Translation Publishing House in 1991. Patrick White was Australia's most famous writer, having won the Nobel Prize in 1973. Unlike the earlier realist writers, he was significant because his novels mediated Australian experience and the Australian landscape through the stylistic innovations of international modernism.

After collaborating with Professor Hu, Li Yao continued to translate Australian literature, carrying on the tradition that he had initiated. Li Yao today has translated a staggering total of 35 titles. The list of his translations includes novels by Brian Castro, Richard Flanagan, Anita Heiss, Colleen McCulloch, David Malouf, Alex Miller, and Kim Scott, as well as important works of history and non-fiction. Most of Li Yao's translations were generously supported by funding from the Australia-China Council, the Literature Board of the Australia Council and FASIC, the Foundation for Australian Studies in China. The works selected for re-printing in the 45th Anniversary series include many of the novels that have gone on to achieve fame both in Australia and internationally through their winning of prizes such as the Miles Franklin Literary Award, the Commonwealth Writers Prize, and the Man Booker Literary Award. His translations include Patrick White's novels, The Tree of Man and A Fringe of Leaves, and his autobiography, Flaws in the Glass; two of the earliest novels about Australian-Chinese relationships, Brian Castro's Birds of Passage, and Alex Miller's The Ancestor Game; and Avenue of Eternal Peace, by academic and former cultural officer in Beijing, Nicholas Jose. The list also includes titles by the three Australian authors who have won the prestigious Man Booker Literary Prize: Peter Carey's True History of the Kelly Gang, Tom Keneally's Woman of the Inner Sea and Richard Flanagan's Gould's Book of Fish. In addition to The Ancestor Game, which won both the Miles Franklin Literary Award and the Commonwealth Writers Prize, there are two other novels by Alex Miller, Landscape of Farewell and Coal Creek. In addition to works of fiction, Li Yao's translations of important works of non-fiction include David Walker's memoir Not Dark Yet, and Mara Moustafine's Secrets and Spies: The Harbin Files, both of which in different ways touch on people-to-people Chinese-Australia links.

In more recent years, Li Yao has continued to provide leadership and innovation by keeping up with the latest developments in Australian literature, and continuing to introduce new works by Australian writers to Chinese readers. He has recently shown a particular interest in the areas of Australian children's literature, and writing by Australia's Indigenous authors, and there are examples of these works also included in the Anniversary series. Sponsored by the Australia-China Council, from 2010 Li Yao worked to select and translate 10 Australian children's books, including such well-known and loved classics as Ethel Pedley'sDot and the Kangaroo, May Gibbs' Tales of Snugglepot and Cuddlpie, Ethel Turner's Seven Little Australians, Dorothy Wall's Blinky Bill, Ruth Park's The Muddle-Headed Wombat, and Colin Thiele's Storm Boy. These books were published by People's Literature Publishing House and have become very popular in China. New editions of Dot and the Kangaroo and Seven little Australians are to be published by China Youth Publishing House. Li Yao has reaffirmed his commitment to promoting Australian children's books in China, and will introduce more titles into this series, which is to be called his Koala Books series.

Since 2006, with the help of his great friend, the novelist, academic, and former cultural counsellor, Professor Nicholas Jose, Li Yao has been researching and translating Australian Aboriginal Literature. His translations include Kim Scott's Benang: From the Heart, Alexis Wright's Carpentaria, and Anita Heiss' Who Am I. He is currently working on a translation of Alexis Wright's The Swan Book. He hopes that these books will expand Chinese understanding of Australia, aware that Australian Aboriginal literature has not been introduced to China systematically so far, and so to most Chinese readers this is still an unfamiliar field.

In addition to his translation and teaching at PKU, Li Yao has served as a council member of the Chinese Association for Australian Studies since it began in 1988. He won the Australia-China Council's inaugural Translation Prize in 1996 for his translation of Alex Miller's The Ancestor Game, in 2008 for Nicholas Jose's The Red Thread, and again in 2012 for his translation of Alexis Wright's Carpentaria. He was awarded the Council's gold medal in 2008 for his distinguished contribution in the field of Australian literary translation in China.

Perhaps because of White's own fame as Australia's only Nobel Prize winning writer, Li Yao is known especially in Australia as a champion of Patrick White in China. His translation of The Tree of Man has been reprinted three times in the past twenty five years, selling over 20,000 copies. White's autobiography, Flaws in the Glass, has also been reprinted three times, seeling more than 12,000 copies. His translations of The Tree of Man, Flaws in the Glass, The

Ancestor Game, True History of the Kelly Gang, and Carpentaria have been well reviewed and well received in China, and many students have gone on to write their Masters and PhD dissertations on these world-class Australian novels, having been first introduced to them by Li Yao.

Li Yao's translation of Carpentaria perhaps deserves special comment as the culmination of a lifetime's work, and some forty years' cultural exchange between the two countries. The novel imagines Australian life from an Aboriginal perspective; it is written from within the Aboriginal life world, in a unique style that might be described as a kind of Aboriginal magical realism. Among Chinese translators of Australian literature, only Li Yao had the depth of experience to take on the challenging task of translating such a masterwork from another culture into Mandarin. He saw it through to publishing with the prestigious People's Literature Publishing House and gathered support from leading Chinese writers, including Nobel literature laureate Mo Yan, who launched it at the Australian Embassy in Beijing.

Today Li Yao remains very actively engaged with Australian literature. Most recently, he was an honoured guest of the 2017 Conference of the Association for the Study of Australian Literature (ASAL) in Melbourne, where he addressed an interested and appreciative audience of Australian scholars about his life's work. Li Yao is always open to advice on new titles of interest. Chinese readers are currently very interested in Tom Keneally's works, for example, and he plans to translate Shame and the Captives. He remains interested in Australian Indigenous Literature and Children's books, and plans to translate further new novels by his friend Alex Miller. He is also co-writing, with Professor David Walker, a memoir about his and his family's experiences in and after the War of Liberation and in the early years of New China and in the Cultural Revolution. This is a book that will be eagerly read by his many friends in Australia.

Li Yao has shown extraordinary dedication in his sustained commitment to the translation of Australian literature in China. No one in China knows more about Australian writing today than Li Yao, who has many friends among authors and literary scholars in Australia. In 2014, I attended a ceremony in the University of Sydney's historic Great Hall in which Li Yao was awarded an Honorary Doctorate for his services to Australian literature. It was a proud moment for the University that had played so foundational a role in Australian literary studies, both in Australia and China. "I love Australian literature', Li Yao has said. "It is an important pillar of world literature. Over the past four decades, I have nurtured great friendships with many outstanding authors from Australia. In translating their works, my own life has changed immensely". In retrospect, we can see that Li Yao's career in literary translation has been exemplary in fulfilling the terms of the 1972 Communique, with which it is approximately contemporary: that is, to "develop … diplomatic relations, friendship and co-operation between the two countries on the basis of the principles of mutual respect … equality and mutual benefit, and peaceful coexistence".

Professor Robert Dixon, FAHA

Professor of Australian Literature

The University of Sydney

July 2017

总序 ③

General Preface

我十分荣幸地应邀为李尧教授这套重要的澳大利亚文学优秀翻译作品写序。这套书为庆祝李尧教授从事澳大利亚文学翻译四十周年，由青岛出版社出版，恰逢我们两国建立外交关系四十五周年。我要指出的是，这两个周年纪念日密切相关。

高夫·惠特拉姆领导的工党早在1955年就承认了中华人民共和国。可是直到十七年之后，1972年12月2日，该党才成为执政党。1972年12月21日，高夫·惠特拉姆就任总理不到三个星期，便与中国政府签订了澳大利亚与中华人民共和国建立外交关系的联合公报。根据《公报》，两国政府同意“在互相尊重……平等互利、和平共处的原则基础之上，发展两国间的外交关系、友谊和合作”。

1973年1月12日，澳大利亚驻华大使馆在北京正式开馆。同年晚些时候，高夫·惠特拉姆成为第一位访华的澳大利亚总理，并且与周恩来、毛泽东进行了历史性的会晤。惠特拉姆创建的澳大利亚与中国的外交关系一直被描绘为二十世纪我们两国之间发生的最重要的事件，时至今日，仍然是两国关系的重要基础。

除了贸易和旅游业，文化教育交流对于我们两国关系的发展起到越来越重要的作用。从二十世纪七十年代起，这种交流便将澳大利亚文学研究囊括其中。建立外交关系之后，1975 年，第一批五位中国学生到澳大利亚大学学习。李尧教授为几代中国读者翻译澳大利亚文学的生涯一直以这种文化交流为中心。

1966 年，李尧从内蒙古师范大学毕业之后，作为作家和文学杂志编辑一直在内蒙古工作，直到 1992 年到北京商务部培训中心任英语教授。他 1986 年加入中国作家协会，专事文学翻译。从那时起，开始和北京外国语大学胡文仲教授合作翻译澳大利亚文学作品。胡文仲教授是悉尼大学的研究生，所谓“九人帮”之一。“九人帮”是 1966 到 1976 年“文革”之后，第一批从中国到澳大利亚攻读硕士学位的学者。1979 年，他们师从我的前辈——悉尼大学澳大利亚文学教授雷欧妮·克雷默爵士。我那时是英语系一个年轻的辅导员，正在做博士论文。时至今日还清楚地记着活跃在系里的这几位中国访问学者。

“九人帮”学成回国之后，对推动中国的澳大利亚研究起到很大的影响作用。从那时候起，在中国各地已经建立起三十多个澳大利亚研究中心。许多学者把澳大利亚文学翻译介绍给中国读者，不少“中心”开设澳大利亚文学课程。包括北京大学、北京外国语大学——李尧教授在这两所大学教授澳大利亚文学翻译——华东师范大学、人民大学、安徽大学、苏州大学、内蒙古大学、内蒙古师范大学。

最初，是胡文仲教授鼓励李尧从事澳大利亚文学研究与翻译。二十世纪八十年代，他们在北京相识。胡教授说，澳大利亚文学在中国还是一块未开垦的处女地。他鼓励李尧作为翻译者致力于这一领域，作出贡献。“文革”前，中国读者对美国、英国、俄罗斯、法国、德国和其他欧洲国家的文学比较熟悉，但是对澳大利亚文学知之甚少。那时候，只有亨利·劳森、弗兰克·哈代和少数几位“社会主义现实主义”作家通过翻译为中国读者所知。1991 年，上海译文出版社出版了胡教授和李尧合作翻译的帕特里克·怀特的《人树》。帕特里克·怀特是澳大利亚最著名的作家之一，1973 年获得诺贝尔文学奖。他之所以影响深远，是因为和早期现实主义作家不同，他的小说通过国际现代主义文体创新，展示了澳大利亚社会与澳大利亚风土人情。

和胡教授合作之后，李尧坚持翻译澳大利亚文学，把他已经继承的传统传承下去。迄今为止，他已经翻译了多达三十五部的澳大利亚文学作品，其中包括布莱恩·卡斯特罗、理查德·弗兰纳根、阿尼塔·海斯、考琳·麦卡洛、大卫·马鲁夫、亚历克斯·米勒和金姆·斯科特等多位作家的小说。还有历史与非小说译作出版。李尧大多数翻译作品的出版都得到澳中理事会、澳大利亚理事会文学委员会、在华澳大利亚研究基金会的资助。为纪念中澳建交四十五周年重新选择出版的这套译著包括业已在澳大利亚和世界范围内赢得盛誉的作品。这些作品有的获得“迈尔斯·富兰克林文学奖”，有的获得“英联邦作家奖”，有的获得“布克国际文学奖”。他的译著还包括帕特里克·怀特的长篇小说《人树》《树叶裙》、自传《镜中瑕疵》；表现澳中关系最早的两部小说：布莱恩·卡斯特罗的《候鸟》和亚历克斯·米勒的《浪子》；著名学者、前澳大利亚驻华大使馆文化官员尼古拉斯·周思的《长安大街》。还有赢得“布克国际文学奖”的三位作家的作品：彼得·凯里的《凯利帮真史》、托马斯·肯尼利的《内海的女人》、理查德·弗兰纳根的《古尔德鱼书》。除了获得“迈尔斯·富兰克林文学奖”和“英联邦作家奖”的《浪子》之外，李尧还翻译了亚历克斯·米勒的《别了，那道风景》和《煤河》。还有一些重要的非小说类作品，包括大卫·沃克的家族史《光明行》

和马拉·穆斯塔芬的《哈尔滨档案》。这两本书都从不同的角度记录了中澳两国普通人之间的关系。

最近几年，李尧紧跟澳大利亚文学的最新发展，继续把澳大利亚作家的新作品介绍给中国读者。他对澳大利亚儿童文学和澳大利亚原住民作家的作品特别关注。这个纪念译文集也收入了相关作品。从2010年起，李尧在澳中理事会的支持下，选择并组织力量翻译了十本澳大利亚儿童文学经典，包括深受几代读者喜爱的埃塞尔·帕德利的《多特和袋鼠》、梅·吉布斯的《小胖壶和小面饼》、埃塞尔·特纳的《七个澳大利亚小孩儿》、多萝西·沃尔的《眨眼睛的比尔》、鲁斯·帕克的《糊里糊涂的树袋熊》和科林·蒂勒的《暴风雨中的男孩》。这些书由人民文学出版社出版，在中国很受欢迎。《多特和袋鼠》《七个澳大利亚小孩儿》新版将由中国青年出版社出版。李尧决心为推动澳大利亚儿童文学作品在中国的翻译出版作出更大的贡献。他将翻译介绍更多的儿童文学作品，收入他的“考拉丛书”。

自从2006年起，在他的好朋友——学者、作家、前文化参赞尼古拉斯·周思教授的帮助下，李尧一直在研究、翻译澳大利亚原住民文学。已经出版的作品有金姆·斯科特的《心中的明天》、亚历克西斯·赖特的《卡彭塔利亚湾》和阿尼塔·海斯的《我是谁》。他目前正在翻译亚历克西斯·赖特的《天鹅书》。鉴于澳大利亚原住民文学到目前为止还没有被系统地介绍到中国，对大多数中国读者而言，那还是一个不熟悉的领域，李尧希望这些书能使中国读者对澳大利亚有更多的了解。

除了从事文学翻译以及在北京大学、北京外国语大学教授澳大利亚文学翻译之外，李尧从1988年中国澳大利亚研究学会成立以来，一直担任学会理事。1996年，他因翻译亚历克斯·米勒的《浪子》获得澳中理事会首次在中国颁发的翻译奖，2008年因翻译尼古拉斯·周思的《红线》、2012年因翻译亚历克西斯·赖特的《卡彭塔利亚湾》又连续两次获此殊荣。2008年因其在澳大利亚文学翻译领域的杰出贡献，获澳中理事会颁发的金奖章。

也许因为怀特作为澳大利亚唯一的诺贝尔文学奖获得者享有盛名，李尧也因其在中国翻译介绍帕特里克·怀特的作品在澳大利亚广为人知。在过去的二十五年里，他和胡文仲教授合作翻译的《人树》先后印刷三次，销售量超过20000册。怀特的自传《镜中瑕疵》也被印刷三次，销售量超过12000册。他翻译的《人树》《镜中瑕疵》《浪子》《凯利帮真史》和《卡彭塔利亚湾》在中国受到好评和欢迎。不少学生依据李尧第一次介绍到中国的这些世界第一流的澳大利亚文学作品，撰写硕士和博士论文。

李尧的译作《卡彭塔利亚湾》作为他毕生从事文学翻译以及四十多年来两国文化交流的巅峰之作，也许特别值得一提。这部小说从原住民的视角出发，以一种也许可以称之为原住民魔幻现实主义的独特风格想象了澳大利亚的生活。在中国的澳大利亚文学翻译者中，也许只有李尧因其具有丰富的经验，可以接受挑战，将这样一部杰作从一种完全不同的文化翻译为中文。2012年，他克服了重重困难，在久负盛名的人民文学出版社出版此书。该书翻译出版过程中，得到多位中国著名作家的支持。诺贝尔文学奖获得者莫言在澳大利亚驻华大使馆为《卡彭塔利亚湾》举行的新书发布会揭幕，并做了热情洋溢的发言。

今天，李尧依然活跃在澳大利亚文学研究的舞台上。最近，作为在墨尔本召开的“澳大利亚文学研究会2017年会”（ASAL）的贵宾，他对兴趣盎然、不无赞赏的澳大利亚学者讲述了自己毕生的工作。李尧总是乐于倾听同事们对新的、有趣的选题的建议。比如，最近中国读者对托马斯·肯尼利的作品很感兴趣，他就计划翻译这位文学大师的《耻辱和俘虏》。他对澳大利亚原住民文学和儿童文学依然表现出浓厚的兴趣，计划翻译他的朋友亚历克斯·米勒的新小说。他与大卫·沃克教授正在合作撰写关于他和他的家族在解放战争前后、新中国建立初期以及“文革”中经历的纪实文学作品。这是一本令他许多澳大利亚朋友热切期待的书。

李尧在中国长期致力于澳大利亚文学翻译，表现出非同寻常的献身精神。在中国，没有人比李尧对澳大利亚文学作品更了解。他在澳大利亚作家和文学工作者中有许多朋友。2014年，我在悉尼大学历史悠久的大会堂参加了授予李尧荣誉文学博士的典礼。对于这所无论在澳大利亚还是中国都在澳大利亚文学研究领域起到基础性作用的大学来说，这是一个骄傲的时刻。“我热爱澳大利亚文学。”李尧说，“它是世界文学的重要支柱。在过去的四十年里，我和许多澳大利亚优秀作家结下了深厚的友谊。在翻译他们作品的过程中，我自己的生活也发生了巨大的变化。”回顾往事，我们可以看到，李尧的文学翻译生涯，堪称实现1972年《公报》初衷的楷模。今天，我们依然为之努力，那就是“在互相尊重……平等互利、和平共处的原则基础之上，发展两国间的外交关系、友谊和合作”。

罗伯特·迪克逊
澳大利亚人文科学院院士
悉尼大学澳大利亚文学教授
2017年7月

目录

CONTENTS

就像早晨漂浮着污物的河水，
开篇被封套华而不实之词污染。
我唯一的创作源泉来自脑海深处，
来自鸟儿、花草和岩石。
让一切都流动起来，
主宰万物的四大元素
水，土，火和空气。

——谢默斯 · 希尼《开篇》

献给托利

因为拥有、守卫并且深深热爱古老的家园，他们至善至美。我就是在他们，特别是我的乡亲穆拉杜·亚诺和克拉伦斯·瓦尔顿的鼓舞下写成此书的。

第一章 从远古时代开始

一个部落齐声呼喊：我们已经知道你的故事了。

钟声到处回响。

教堂的钟声呼唤信徒们到泰布伦克尔。天堂之门将在那里打开，但是对坏人大门紧闭。钟声召唤天真无邪的黑人小姑娘从一个遥远的村落走来，在那里，叼着橄榄枝的白鸽永远不会落地。星期日，从教堂回家的小姑娘们环顾四周，看到人类的沉渣，语气平淡地宣布：世界末日降临了。

从老祖宗的故事中流传下来的那条大蛇——一个比暴风雨中的乌云还大的怪物，满载他自己创造的“穷凶极恶”，从星星上盘旋而下。如果你一直用飞翔在大地之上、苍穹之下的鸟儿的眼睛观察，就会看见它的动作十分优雅。俯瞰大蛇湿淋淋的身体，你会看到它在古老的太阳照耀下闪闪发光。那是远在人类学会思考问题之前。那是几十亿年前，它从天而降，肚子贴地，在卡彭塔利亚湾潮湿的泥土之上笨重地爬来爬去。

这条富有创造力的大蛇一头扎到地下，穿过滑溜溜的泥滩，身后留下的地洞塌陷下来，发出雷鸣般的响声，形成深深的峡谷。海水翻滚着滔滔巨浪，沿大蛇留下的“尾迹”，潮水般涌来，原先湛蓝的波涛，很快就变成黄色的泥汤。那泥汤注入蜿蜒曲折的沟壑，形成一条条弯弯曲曲的大河，流淌在海湾辽阔的平原。大蛇爬过海水漫过的平原，爬过盐碱滩，爬过盐渍的沙丘，穿过红树①林，进入内陆，然后又回到大海。它在沿海岸线的另外一个地方冒出头，又向内陆爬去。在它的“尾迹”创造了许多条河流之后，它又创造了最后一条。这条河和以前的河流相比，不大也不小，它对那些压根儿就不知道它的人颇为不满，而且绝不会因此而表示歉意。这也正是大蛇在巨大的石灰岩地下河床网络下面居住的地方。人们说，那儿地质疏松，气孔很多，什么东西都能渗入。清新的空气中，宛如贴在河边居民身上的一层皮肤。

这条由于潮水作用而定时涨落的“蛇河”泥水奔流，它那沉重的呼吸我们很难领悟。想象一下潮水向内陆涌来时的情景：古老的石灰岩高原上枯黄的衰草在风中飒飒作响，潮水向峡谷里静静流淌的泉水慢慢推进。突然，它呼出一口气，大蛇掉转头向大陆河湾里巨大的湖泊那一摊浅水游去。连绵逶迤的山岭在这里把大陆和大海隔开。

要想看到大河的呼吸，你得有几天什么都不做的耐心。如果你坐在河边桉树下等待，死树枝指给你一个地方。从那儿，你能看到大蛇如何挣扎着呼出一口气。那气又如何像一股风，创造出银光闪闪的涟漪、宛如昼伏夜出的小蛇身上的鳞甲。而那小蛇，阳光一照射到它滑溜溜的、半透明的身体，就愤怒地摆动着，挣扎着，扭动着，逃回黑暗之中。

这条河和沿海地区的秘密，是开天辟地以来老祖宗传下来的“原住民训诫”。要不然，在西南风带来的雨季，人们怎么能在洪水肆虐的辽阔平原，找到蛇、鱼满河的地下河道呢？一个人倘若不是在这样一个时而洪水泛滥、

①红树：任一种属于热带海岸红树属的热带常绿乔木或灌木，具有织状致密的根和茎，在有潮汐的海岸群生密长。

时而土地龟裂的地方长大，怎么能知道什么时候，横扫南北半球的信风①会在夏天如约而至呢？怎么能够对气候变化比对自己还更了解呢？季风期，他们到从排水渠流来的浑黄的水里捕鱼。那时候，一大片一大片的深水注入宽阔的河流，漫过堤岸，淹没辽阔的平原。龙卷风流连忘返，重新集结，大雨滂沱，一直没有停息，但是肥美的鱼多得依然唾手可得。

和大河相处，不管它“心情”如何，你都要有特别的知识。河水按照自己的“心情”，依季节变化改变河道，你和他必须保持一致。河以一种引人注目的姿态对人类的努力嗤之以鼻。它抛弃一位不为人知的恋人，就像遗弃殖民主义鼎盛时期河岸上的一座边境小镇。那座小镇是北澳大利亚腹地的人们为运输、贸易而建的港口。

上世纪初的一个雨季，仅仅因为大河决定改道，从离这座镇子几公里远的地方流走，码头的水便销声匿迹。于是，这个没有水的港口小镇再也派不上用场，但是它并没有就此消失。这里的居民继续谈论祖祖辈辈流传下来的话题——为什么这个镇子要继续存在下去？他们坚持扎根在这里，是为了保护北部海岸线不被“黄祸”侵略。那是一幅可怕的图画，一支黄色大军跟着箭头向前挺进，箭头直指德斯珀伦斯小镇。最终，保卫家园的热情烟消云散。“黄祸”没有入侵。大家都环顾四周，为它的存在寻找一个更为现实的理由。也就是说，小镇还得时刻提高警惕。责任不是在一两个人身上，而是人人有责。因此要密切关注，要超越个人的经验，对黑人的现状做一番评论。如果能做到这一点，就认为你为维护国家权利做出了经济上的贡献，为维护这个民族的整体利益，做出了贡献。

诺姆·凡特姆是部落里的一个老人。他一辈子都生活在镇边稠密的普瑞克尔布什灌木林里。他居住在茂密的、细长的枝条上几乎没有可以称之

①信风：也叫贸易风，占据大部分热带地区的稳定的主导风系，构成了大气总循环的主要成分，在北半球向东北方向刮，在南半球向东南方向刮。

为叶子的灌木丛中。那些灌木一千根刺人的枝条下，也不会给蚂蚁一英寸遮风挡雨之地。德斯珀伦斯镇边外来的这种有百害而无一利的灌木早在诺姆家族任何人有记忆之前就已经生长了一个纪元。自从诺姆出生，他们这个家族就住在小镇垃圾场旁边。他们从垃圾堆里捡来铁皮、破布、塑料，搭起一间间东倒西歪的小棚屋，一家人挤在里面连气也喘不过来。那些开拓者家族的后代宣称，他们是镇子的主人。但是又说，土著人实际上根本就不是这个镇子的一部分。没错儿，从前他们的活儿就是掏露天厕所，运垃圾，扫大街。除此之外，他们说，是牧场主把他们逼到这步田地的，因为即使能给黑人点活儿干，报酬也不一样。所以只能在镇子边儿干这种活儿，难道不是吗？

不，普瑞克尔布什早在汽车出现之前，就已经是沟通南北的要冲。那时候，各种商品都由骆驼队运送，直到阿富汗人阿布杜尔和阿布杜勒老哥俩在被称为“生命线”的路上失踪。过了好长时间之后，人们开玩笑说，阿富汗人是“诡诈的狗”，“骗人的狗”，“凶残的狗”，“不能信任的狗”。等到食橱里的东西都吃光了的时候，大伙儿才终于意识到，骆驼队很可能再也回不来了。镇子里的人估计，他们都死了。有几个有头脑的人想投资做买卖，解决镇子里物资匮乏的问题。他们鄙视地说：“哼，现在总该接受点教训了！难道不是吗？”可是没多久，就没有人再想这事儿了。因为邮政局的卡车运来了格洛格酒①和食物。谁都认为，你不管怎么想象，公路运输这种办法要方便得多。

一个阴云密布的夜晚，骆驼队终于出现在德斯珀伦斯。骆驼脖子上的铃铛晃荡着，像晚祷的钟，在寂静的夜晚，发出叮咚、叮咚的响声。镇子里的居民像孩子一样从梦中惊醒，直挺挺地坐在床上，眼睛瞪得老大，活像蛇神。他们看见黑色的影子在伸手不见五指的卧室里移动，于是认为那是散发着阿富汗气味的幽灵，真正的神迹，不请自来，在黑暗中漂浮，在

---

①格洛格酒：一种用水稀释的朗姆酒。

一幢幢房屋周围游走，行为举止绝对谈不上好，甚至不懂得先敲门，再进别人的家。这是让新澳大利亚人无法忍受的事情。镇子里呼声一片：“连死人也没规矩了！”这实在太不合常规了。压根儿就不是澳大利亚人的习惯！“你们应该派出一个搜寻队出去看看到底怎么回事。”天亮了，大伙儿才舒了一口气，原来是可怜的老阿布杜尔和阿布杜勒的骆驼。

随后几天，谁也没想去抓那些骆驼，也没有人去卸驼背上已经腐烂变质的东西。镇子里的人都不愿意碰那几个皮肤黝黑的外国人留下的货物和他们的牲畜。于是这几头骆驼就由着性子，四处游走，一包包食品——面粉、砂糖、粮食——在背上磨出累累伤痕。谷子长出长长的芽，枯死之后从背上耷拉下来，直到再不采取措施实在说不过去了，“官方”才出面想把它们聚拢起来。那些尖叫着不肯合作的骆驼当然听不懂英语，也听不懂黑人的土话。人们有的步行，有的骑马，又用石头砸，又用鞭子抽，追赶了好几个小时，才把它们赶到黏土湖，开枪打死。镇政府那位笨手笨脚的秘书用鹅毛笔在档案里做了记录：“骆驼被赶走。”这是载入史册的镇自治委员会完成的第一件工作。

先前骆驼队的宿营地有许多驼驼粪。到了雨季，骆驼粪里残留的含羞草的种子抽出细小而坚硬的新芽。成千上万粒种子撒在每一条小路和溪谷，被雨水冲到浅浅的水洼，在那里得到新生。新芽把肥大的根深深扎到泥土之中，将大地连成一片，让人产生一种幻觉，似乎即使没有水，这里也会永远一片葱绿。在这道宛如海市蜃楼般的风景线，在这块古老的土地上，畜牧业蓬勃发展。虽然花开花落，但人们从来没有放弃。现在，干旱的季节，婆罗门牛①繁殖的牛群为了啃食蓝草②在这道风景线踩出纵横交错的小路，表层土变成飞扬的黄尘。

---

①婆罗门牛：产于美国南部的家养牛，原产自印度，其肩与颈下垂肉之间有一隆肉，适于热带气候，主要用于杂交。

②蓝草：早熟禾属的各种草，包括许多有价值的草坪和牧场植物，如肯塔基蓝草。

普瑞克尔布什的人们说，诺姆·凡特姆应该像他父亲的父亲的父亲们一样，把这条河牢牢记在心里。他的祖先是河边的人。自打开天辟地，他们就和这条河生活在一起。诺姆像时涨时落的潮水，随着那条与大海相连的长河来来去去。他外出到河边，想待多久就待多久。他和海湾里巨大的鳕鱼十分友好。这些鱼经常和他结伴而行，五六十条鱼浩浩荡荡跟着他的小船向大河上游游去。老人们说，鳕鱼已经在这儿的大海和大河里游了几百年，诺姆可能也已经活了这么多年。谈到星星的时候，人们都说，他对天空的了解就像对大海的了解一样多。普瑞克尔布什的人们说，他一直追赶星座。“我们看见他就像一个小男孩儿，在茫茫夜色中奔跑，想去抓天上的星星。”他们断言，他知道上天的秘诀；他们断言，海上刮起风暴的时候，他一定和鳕鱼一起到星星上了。因为那时候大海和天空连在一起，要不然他怎么能再回来呢？

“你是怎么上去的呢？”谁都这样问他。

“水难不倒我。”诺姆·凡特姆有点答非所问，尽管他知道，心里想走路，身子就得跟上去的道理。

德斯珀伦斯人对诺姆开着吉普车一路向北到河边，早已司空见惯。这是他有过的唯一一辆汽车。人们更常见的是绑在屋顶上的那条铁皮小船。船身上布满凹痕，还有一两个流弹打在上面留下的小洞。他买这条小船似乎是为了在公路上驰骋，而不是在水面上平安地航行。

人们说，他对深深的泥水塘比对辽阔的盐碱地更了解。午夜，鳄鱼会落入他布下的罗网。那些眼睛像玻璃球似的怪物游到他的小船旁边，要和这个河边巨人决一死战。鳄鱼张开嘴，做出一副“所向披靡”的架势，向沼泽中的小船猛扑过来。它们咔嚓咔嚓地咬着嘴巴，在水中翻腾跳跃，尾巴在船边愤怒地抽打着水面，飞溅起一片片水花。人们还记得诺姆用略带悲凉的语调（模仿当代一位完全美国化了的胡克船长）说，那些咬得咔嚓直响的嘴巴对他来说根本算不了什么。这当儿，他像兔子跳来跳去，似乎摸索了好长时间才找到那支枪。诺姆以这样的方式结束了几百条史前活化石的生命。他把枪口指向飞溅的水花和那些皮像盔甲一样坚硬的、发了疯似的家伙，直到月光照亮的一刹，扣动扳机，朝那个爬行动物两眼之间开了一枪。

这个只有三百口人的小镇，倘若没有这一声枪响，总是十分宁静。生活在这里的人谁都不知道这个港口以前是个什么样子。连一张能摆放到纪念遥远往事的博物馆橱窗里的照片也没有。因为在它的鼎盛时期，谁都没有想到应该给它留个影。但是谁都知道，这是诺姆的河。

雨季热浪滚滚的几个月之后，人们都处于短暂的恍惚不安之中。有一天，镇里有个人——他的名字不值一提——百无聊赖，等待下雨。他像一具尸体，四仰八叉躺在走廊光溜溜的亚麻油地毡上。他住的那幢房子和隔壁那幢一模一样。北边海上吹来的风像跳华尔兹舞一样旋转着， 刮过二十五公里泥滩，一路喧嚣，从前门进来，从后门出去。门开开关关，发出很大的响声。这人长长地舒了一口气，在海风带来的凉爽中十分惬意。突然，这个无足轻重的家伙想到应该管这条大河叫“诺姆”。在这个改变一样东西从来都很难的小镇，他的这个想法居然变成了现实。

那天，当地郡理事会正在举行庆祝活动。这个活动是为纪念港口建成一百周年而举行的。当时正值土著人在理事会占主导地位的时期。这个时期虽然十分短暂，但发生了许多非同寻常的事情。“对当地人做点让步也没有什么坏处。”“社会计划者”哼着鼻子说。他们急于让采矿业在这里蓬勃发展。有目的的和平共处使得土著人那段时间有求必应，包括把这条大河的名字改成“诺姆河”。而“蜜月”时期，有幸成为“理事”的土著人，很聪明地利用公职，为生活在“第三世界”水深火热中的家人尽可能谋点利益。

这是第一家跨国矿业公司进入这一地区时，德斯珀伦斯发生的一些事情。这个大公司为了自己的利益，编造出许多短时间内有利于当地人的计划。曲线图向人们展示出这一带地下矿藏分布的范围。他们要掠夺这个地区的宝藏。

这个精心安排的庆典由矿业公司出钱，吸引了南方的政客专程坐飞机来参加。不过当地的头头脑脑都知道，这帮人靠不住。更有甚者，有的当地人一边满脸堆笑，表示欢迎，一边在这些非常重要的客人背后压低嗓门儿说些难于启齿的骂人话。还有些当地人喜欢说他们自己的方言土语，干脆恶语相加，直截了当地攻击这些政客。乱哄哄的叫喊声，随着一阵阵风断断续续飘到人们耳边："你们怎么总往地下缩？你们是澳大利亚小政客里的小崽子，还是别的什么玩意儿？呸！聚集在国会门口台阶上的外国投资者。你们拜倒在他们脚下，使劲敲着大门，浑身散发着铜臭味儿！"

那些政客和矿山经理主管人员站在人群中不知如何是好。后来都簇拥到老英雄诺姆身边合影留念。新闻记者们一个个手持相机，大显身手。他们都是和矿业集团高管一起坐喷气式飞机来的，机票自然免费。后来，平常从南方刮来的那种旋卷着沙尘的风暴把什么都毁了。红色的沙尘就像一堵厚厚的墙，夹带着一路刮起的柴草、树枝、树叶、塑料袋铺天盖地而来，把刚切好的三明治吹得一塌糊涂。坐卧不安的大人们惊慌失措，赶快去找脸上抹着红色、绿色油彩的孩子们。孩子们惊叫着，跟着父母拔腿就跑，去找遮风挡雨的地方。

电闪雷鸣，倾盆大雨彻底毁了这天举行的庆典——正如镇子里的"怀疑论者"预料的那样。尽管平添了这些颇富戏剧性的插曲，这次活动还是照常进行，而且有足够的时间由州总理完成这个仪式，正式宣布把这条以已故女王的名字命名的大河改成"诺姆河"。那些来参加庆典的、比较传统的人们嘀嘀咕咕。诺姆面对扩音器，做非常简短的发言。表示感谢时，说的也是这番话，不过声音很大，不无恼怒。那些知道"水果沙拉"是当地骂人话的人都明白，他可不是说"谢谢你！谢谢你！"他们一个个傻乎乎地笑，因为这条河开天辟地以来只有一个名字：万加拉。

关于这条河有许多有趣的故事。任何人，或者说每一个人都以为他们可以像传说中叫狄赛尔，或者基德基，或者姆尔加的野马一样，驾驭这条河。长周末，人们开着汽车驶过海湾崎岖不平的公路，来到北部海岸线，或者乘船改变航向，或者直接让船驶入浑黄的河水。华丽俗艳的渔船都用六十年代乡下和西方人的名字命名，比如“堂娜”，“斯特拉”，“特里克茜”。那些色彩鲜艳的船，发动机的马力都很大。为了买船他们花了好多钱。那些钱是他们从镶嵌在地下两公里深处层层岩石中的母脉挖来的品位极高的矿石换来的。那岩石看起来宛如一个古老的、力大无比、不断成长的巨人。

他们在水面上东甩一条钓鱼线，西撒一张捕鱼网，但是对大河的脾气一无所知。他们从来没有为大河考虑过什么。现在，随着矿工大批涌入，这个地区居住的人越来越多。休息的时候，他们都无所事事。矿业公司雨后春笋般在这一地区兴起，全然不管当地人的意见和看法。

采矿停止之后，诺姆·凡特姆也好，他的家人也罢，或者他们的亲戚——过去的和现在的——都没有把这件大事载入这个地区的“史册”。没有可以触摸到的东西去证明这段历史的存在。就连米凯大叔收藏的子弹、弹药筒里也没有留下这里曾经大肆开矿的蛛丝马迹。

米凯有一个金属探测器。天知道这玩意儿已经跟了他多长时间。他说，他有一种热情。这种热情驱使他不断地搜寻。因为他永远不会知道什么时候才能搜集完对这个地区土著人部落大屠杀的证据——所有那些口径为四十四、三十、三十三、十二的弹药筒。他有地图、证人的名字和许多细节的详细描述。他是一本活百科全书。现在他把自己的声音作为历史档案留在盒式录音带里。他相信总有一天会来一场战争大审判。那时候，这些东西就能派上用场。但是没有旅游者到米凯的博物馆，也许因为建错了地方。这是为你而战，为一小块土地、为一点点认可而战。

所有那些老矿井，老设备，老矿工，老矿工的棚屋，放在橱柜里矿工的遗骨，所有和采矿有关的东西都被“打包”到一起，作为当地吸引旅游者的“杀手锏”，推向市场。旅游手册选择历史遗址和博物馆印在精美的封面上，吸引你从机场、酒店、汽车旅馆以及把采矿业作为卖点的旅行社，去参观游览。你甚至无法遮掩它那彩虹般的光彩。

然而这不是杂耍表演，战争还在进行。如果你的土地被毁坏，你也会大声疾呼。大蛇当年的誓言仍然束缚万物，就连把头发梳到脑后、迈着轻快的脚步去教堂的小黑姑娘也不例外。她们静静地倾听这个声称除了不知道世界末日准确的时间之外，什么都知道的民族的呼唤。然后压低嗓门儿，羞羞答答地问，今天的天气预报准确吗？

如果你去老公墓造访，如果你要看看河边的人，请你等一会儿。充斥我们记忆的老海湾的男男女女会从泥土中爬出来，告诉我们这里曾经发生的真实的故事。

第二章 安吉尔·戴

有一天晚上，在这片世界上最干旱的草原，一个这里的人们并不陌生的孩子问，谁能找到希望。

寓言和预言书里的人们认真思考什么是“失望”之后宣布，他们不再知道什么是希望了。

时钟嘀嗒嘀嗒响着，好像这样一来就能把时间消磨完。幸运的是，乡亲们记忆中的鬼魂在倾听。他们说，谁都可以在这些故事里找到希望——长长的故事和短短的故事之间所有那些故事，于是……

山雨欲来，海岸线乌云满天。诺姆·凡特姆被海湾分岔处的景色吸引，转过脸，注视一个人生活中所有灰色的灾难。他看到张开双臂欢迎他的家。那是一座似乎永远都在嘎嘎作响的波纹铁皮棚屋，一座碉堡。用喷洒的圣水、驱邪的符咒、满腔的热情、染发剂给予的诱惑以及从公路对面垃圾场拣来的废物建造而成。

诺姆·凡特姆这幢房子是“一号”，是黑人建在德斯珀伦斯的第一幢房子。那时候，这两个民族——一个有地，一个没地——还没有结束用幢幢房屋将整个小镇环绕起来的斗争。他这幢房子是一首颂歌，赞美了一座座代表不容忽视的历史时刻的纪念碑。

他娶安吉尔·戴为妻使他攀上了“疑虑的巅峰”。“只有在她去了之后”，他才明白那个女人一直是个等待被捅的“马蜂窝”。共同生活三十年之后，这样一种经过独立思考之后产生的想法对于像诺姆·凡特姆这样一个伟岸的汉子，简直是神的启示。

这幢房子像安吉尔·戴一样，是个“马蜂窝”。诺姆说起它就像说起自己的妻子。当年，他们无意之中把房子建在一个蛇精的巢穴之上。他一直为这事儿责怪她。从第一天起，他就知道问题出在哪儿，总说：“这房子让我骨头疼。”他对她说，他怎么觉得不对劲儿，怎么觉得好像有什么东西从地下升起，一直钻进他的骨髓。她对他说的这些话充耳不闻。但是他自个儿心知肚明，只要一离开那个家，就好像从背上卸掉千斤重担；一回到那个家，就好像被人施了催眠术，神情恍惚，即使心里愿意，也永远走不出那个吸引力巨大的“磁场”。也许有一天，他会永远困在那里。那又怎么样呢？他应该把这些事情告诉关心他的人。

他知道，这种现象确实存在。因为，他每次离开家的时候，都觉得比上一次更难。“走呀，”他对她说。听到他的话，她像平常那样，看着他翕动的嘴唇，干巴巴地说：“绝不！”

“我生在百合花旁边，必须看到百合花。”有一次她绷着脸，朝房子后面沼泽地盛开的水百合努了努嘴说道。说完这话，你就是用撬棍也撬不开她那张好看的嘴巴，再让她说点儿什么。

如果有人自命不凡，指着丛林里一块地就大言不惭地说：“这是我的！”那么，公平地说，安吉尔·戴为了选择这块被她称为“我的地盘儿”的土地，一直转悠了好多天。哦，我们的安吉尔确实是费了一番周折才选中这块地的。这块地在一片低矮、多刺的梨树林里，紧挨蚊子漫天飞舞的沼泽地。她说，她之所以选择这块地，是因为这儿很隐蔽，从公路上看不到。就这样，为了找一个栖息之地，她出没于山野之间，在仍然兴奋激动的时候，在这里停下脚步。

先前生下的六个孩子和她一起，坐在一棵枝繁叶茂的大桉树树荫下面，直到她用两块毯子撑起一片更为长久的荫凉。这是她拥有的唯一的财产，不过已经足够了。诺姆下次从海边回来，在这儿找到她之后，她说，她再也不想搬家了。他听了气得好几天没跟她说话。他们俩这样争论不休的时候，全家人就生活在那两块毯子下面。六个月的寒风，然后是炎热，接下去是从四面八方袭来的冷雨。直到……直到终于安宁下来。诺姆什么也不做，一丁点儿活儿也不干。他不想帮助她在头顶盖起一片屋顶。好像这样就可以阻止安吉尔·戴做她想做的事情。

如果愿意，他就去捕真鲷[①]。他不多捕，也不少捕。如果家里没有鱼，他就让她想办法。她也总能弄回几条让他满意。镇子里的人都同情、赞扬这个领着一堆孩子住在大树下的可怜的土著女人，指责诺姆·凡特姆。如果他以为采取这种战术，就能让安吉尔搬家，他就大错特错了。她比蛇还机灵。出于同情，她勤勤恳恳，将自己生命的精髓倾注于大地，一如她施了魔法，用废物搭起一座房子。

安吉尔·戴坚持让诺姆在这块土地上继续建设他们的家园。她宣称，这是他们日子过得最好的地方。因为她只需走过公路，到垃圾场，就可以不花一分钱得到她需要的任何东西。就像任何下层社会的穷人一样，她觉得这个垃圾场简直太棒了！她说话那副样子，让你觉得她是个非常有钱的女人。她推个小车，每天来来回回几十趟，到垃圾场运回破铁皮、旧油桶、生了锈的汽车零件、绳子、木头、塑料、人家扔了的窗帘和旧衣服。就这样，她让全家人在雨季没有淋着雨，一个个干干爽爽，就像干透了的树枝。她非常勤快，承担起全部家务，从积攒的垃圾里选择更合适的材料，修补漏雨的地方，东改改，西扩扩，或者再往原先那两块毯子上缝补点什么，直到终于用垃圾建起一座拱形圆顶房子。

---

①真鲷：一种鲷科咸水鱼。

诺姆烦躁不安，总爱说，废话！废话！或者诸如此类真正的“废话”。他还说，他的孩子们迟早会永远消失在这幢阴冷、潮湿、昏暗的房子里，消失在那一堆堆破衣烂衫里。他怕孩子们被藏在那里的蛇咬死，经常喊他们：“快到外面来！”似乎不出来就再也看不到他们了。她把他的话当作耳旁风，正忙着从一根烂木头上拔钉子，两只光溜溜的手上沾着血。六个孩子帮她按大小挑拣那些钉子、螺栓、螺丝钉。就这样，一个月又一个月过去了。

诺姆还年轻。他想出海打鱼，或者在三齿稃[①]丛生的高原纵马驰骋，放牧牛羊。他愿意到远方的牧场干活儿。啊，那日子虽然艰难，但也不无乐趣。干放牧牛羊的活儿，已经长大的人从另外那些长大的人身上呼唤出活着的耶稣。可是谁会在意这些呢？他看着安吉尔因为固执，因为一心要自给自足，一点一点建起来的房子，最后对她说：“我们再回河边生活吧。”古老的棕榈树和河边果实累累的海枣树枝叶婆娑，发出阵阵呼唤。呼声之下是已经埋藏了几百万年的森林的化石。清澈的河水从森林中流过。他喜欢听那潺潺的流水声。但是安吉尔·戴已经走过那座小桥，不想再走回头路。你瞧，难道你看不到她积累的这一大堆财富吗？所有这一切难道一钱不值吗？“我怎么能把这些东西都搬到那儿去呢？”她回答道。

天哪，时代变了，安吉尔·戴已经成了非常富有的女人！和过去背着行囊到处流浪的日子相比，现在简直就在天堂。可是诺姆梦寐以求的恰恰是那已经逝去的岁月。她的财富是靠自己一双手创造的。她现在有几十个海因茨牌烘豆铁皮罐，许多装满钉子、螺丝钉、螺栓的泡菜瓶。她成了澳大利亚土著人进步发展新理念的天才。土著人事务部的官员们说，她有一种“精神”。她证明了政府执行的政策完全正确，并且已经开始取得成果。她成了先进典型。于是他们写关于她的报道，还拿着宾得牌照相机来给她拍照片。

---

①三齿稃：一种产于澳大利亚的四季常青的丛生草，主要是三齿稃属，生长在干旱地区，叶子呈钻状尖形。

普瑞克尔布什的老人们说，安吉尔·戴能拥有这一切，确实是奇迹。可是，很遗憾，她的这笔“财富”不会给任何人带来好处。他们私下里还说，她以别人的垃圾为生，一定会得病。谁知道白人的垃圾里会藏着什么病？垃圾场到处都是病菌。普瑞克尔布什的人们都说，如果她还有理智，就该离那些垃圾远一点。即使她有魔法能让自己变得更像白人，对别人也没什么用。

与此同时，也没有必要否认他们面对的事实。因为毫无疑问有这样一些事实无法视而不见。萦绕盘桓于那臭气冲天的垃圾堆和垃圾倾倒场深处昏暗的、滴答着黏液的蛇洞里的幽灵赋予安吉尔·戴一种宽厚和气量。普瑞克尔布什比较有头脑的人跳出来为她说话。诺姆以为自己是谁呀！他真的想住到别的地方，躺在一根原木旁边，盖件破衣服，过连狗都不如的生活吗？安吉尔指责他往自己脸上扔垃圾。她说，他想的一点儿也不对。她对他说，一想到要像狗一样在丛林里生活，她就恶心、反胃。他回答道：“你敢担保不是蛇让这个地方有点暖和气儿吗？不可能是别的东西。”她不听。她是个妖怪，像百万富翁一样数她的钉子，像女王一样让整个世界听从她的摆布。你要当心。

可怜的老诺姆·凡特姆，一个人搭顺风车来到河边的山野。几个星期之后他再回来的时候，她又盖起来一间房子。“你用不着回来。”她对他说，除非他是回来帮她的忙。老人们一个个兴趣盎然，压低嗓门儿说：“这个女人很会装腔作势。”诺姆坚持到最后一分钟，大声说：“那么好了，五年之内你不会再看到我。”老人们说，她不是个期望取悦于人的女人。她说，诺姆的最后通牒也太过分了！事情就这样定了。他上路的时候，孩子们都哭了。她充耳不闻，继续摆弄她那些钉子，就好像他压根儿就不存在。

诺姆·凡特姆没有食言。他到海上整整走了五年。暴风雨过后，他回来了，还带回一条属于自己的小渔船。他继承了父亲对大海的记忆，径直走到安吉尔·戴的面前，告诉她，准备就在这一带待下去了。他说，反正桥下的水多得是，用不着为了和老婆作对，一年四季到别的地方瞎转悠。为什么要浪费生命呢？不管怎么说，她选的这个地方就在大海冲来的一堆堆漂流木对面。她骂他身上一股鲶鱼味儿。不过这并不妨碍他们生下第七个孩子：凯文。

安吉尔正在去垃圾倾倒场的路上。她的几千只海鸥哨兵栖息在枯枝败叶、破纸箱子、生锈的铁片、破旧的轮胎、粉红色塑料女用小包、廉价的小玩意儿上面，茫无目的地守卫着这一大堆说不出名堂的财富。

她想，这是安吉尔·戴的宫殿。普瑞克尔布什别的女人说，她只想她自个儿。因为垃圾倾倒场是大伙儿的。哦，倘若真是这样！应该说，有时候，微风会变得像柠檬一样酸，就像那个特别的日子一样。诺姆·凡特姆驾着小船干活儿的港湾是世界上所剩无几的宁静安谧之地，也是被无知和愚昧统治的地方。那些游手好闲的人虽然对诺姆不太关注，但是喜欢看他干活儿。看他忙忙碌碌擦洗他那条小船，或者干别的什么活计。这个纯朴的男人在温暖的阳光下，裤腿卷到膝盖，小腿上粘着潮水带来的泥巴，他那种亲切友好、安谧宁静像施了催眠术，迷住了那些人。由于风吹日晒，船身已经变了颜色。他懒洋洋地刮着上面沾着的鱼内脏，在心里琢磨该油漆成什么颜色：血一样的鲜红色，还是翠鸟羽毛那样的天蓝色，或者油漆成向日葵的金黄色。啊，那过去美好的时光！那美好的记忆！那时候，人都是堂堂正正的人，鱼也多得是，人们从来没有想过要把船刷成可以伪装的灰色。

孩子们还在床上睡觉，安吉尔向垃圾场走去。她想一个人和守卫在那里的海鸥待在一起，别的海鸥静静地拍打着翅膀跟在她身后，向这里飞来。有时候，会有一只海鸥叽叽喳喳叫着，在她头顶转着圈儿飞，告诉她一些秘密，回想往事，背诵转世轮回前的祈祷文，然后，倏地飞起，盘旋着，汇合到从后面飞过来的群鸟之中。在海岬和退潮后的沼泽地栖息了一夜之后，一大群一大群的水鸟加入到已经等候在那里、吵吵嚷嚷分配一天食物的同伴队伍之中。

清晨，垃圾场又变得拥挤不堪。越来越多的鸟儿来到这里，张大嘴巴吱吱喳喳叫个不停，或者在垃圾场上空盘旋，对那些相互充满敌意的鸟儿不无威胁。安吉尔在鸟群中走着，如入无“人”之境。雾仍然很浓，她只顾干自己的活儿——翻捡周末倒到这儿的垃圾。

热气蒸腾，垃圾堆散发出一股扑鼻的臭味儿。她的“追随者”伸开爪子，兴致勃勃地拨拉着城里人倒掉的已经腐败的食物。哦，棒极了！炸鱼加炸土豆片，牛排加炸土豆片，香肠加炸土豆片。安吉尔在几本翻烂了的儿童故事书前停下脚步，然后坐在地上，把那几本书堆到一起。那些带插图的书打开，扔在地上。有《米老鼠历险记》《唐老鸭》《彼得·潘》《灰姑娘》《艾丽丝漫游奇境记》。她用孩子般纤细的手指翻那几本书。蓝眼睛海鸥飞来飞去，用轻蔑而又很感兴趣的目光从她的肩膀望过去。它们像她一样被这块在寒冷的冬季、遥远的地方、阴凉的森林、富人的乐土创造出来的神奇之所在吸引。后来，她把这些书小心翼翼放到袋子最下面，这样就不至于损坏那些好看的图画了。她还有更多的事情要做。前面那堆绿颜色的袋子里，还有许多奥妙等待她发现。

大雾渐渐散去，天很快就会变得太热。她已经感觉到阳光照到头顶。空气的湿度很大。想起自己毫无秩序的生活，她不由得皱了皱眉头，两条眉毛之间的皱纹变得很深。

她继续往前走，动作优雅地爬过一座枝叶堆成的小山。她认出这些枝叶是从镇子里什么地方砍伐而来的。她看到过镇政府的人用链锯锯掉长得太高的夹竹桃篱笆墙。那些夹竹桃像一道屏风把镇政府要员们的房子和办公室遮挡得严严实实，里面干什么外面一点儿也看不见。后来，一卡车一卡车的夹竹桃枝叶被倒到垃圾场，镇政府要员们则在电风扇下面争论是否在镇中心竖立一个可以作为纪念碑的什么东西。也许可以竖立一个世界上最大的树桩，也许可以竖立世界上最大的醉鬼的雕像。不过这两种意见都被否决，代之以征服大海的图腾。不过还有人提出一些更有吸引力的创意——可以建一座世界上最大的玻璃钢澳洲肺鱼，或者能想象到的最大的水泥鳕鱼。有的人则建议竖立一尊鬃毛像钢针的野猪雕像，庆祝艾比利尼，或者一头硕大无朋的健壮的公牛——棕色的印度产的牛，或者前额有一颗耀眼的星的圣格特鲁斯地菜牛[①]。它像夜空下的灯塔，照亮了主街。但是，所有这一切似乎都没有显示出这座小镇的特点。如果竖立一座手拿镐头的矿工的雕像怎么样呢？真是艰难的选择。安吉尔·戴对这场争论一无所知。因为没有人对她提过城里正发生什么事情。她刚刚爬过官方堆起来的那座树枝的“小山”。“小山”依然挺立在那里，“气宇轩昂”，因为没有向她暴露小镇的秘密。但是他们应该问一问她这样的人。她经常说，德斯珀伦斯的上帝不知道到了什么地方，他应该到城里人们居住的地方，用他的光芒救赎那些该死的家伙。

橄榄绿色的树枝和柔软的树叶贴在她的皮肤上，不无凉意。安吉尔·戴走过那堆枝叶，来到下面那些绿袋子跟前。她在那堆枝叶里找到一个可以保持平衡的地方，然后在阴凉下坐好，仿佛藏匿于整个世界之外。她逐一打开那些袋子，查看有没有值得拿走的东西。那里面装的都是白皮书，她觉得一定是镇公所扔掉的。她没有看上面写着什么，因为她对那些玩意儿不感兴趣，不想浪费时间琢磨那些和她根本不搭界的数字或者别的什么玩意儿，那是镇子里那些人的事儿。

如果那些“官方文件”不把她吓得看一眼就心怦怦直跳的话，安吉尔·戴一定觉得非常惊讶。她翻垃圾的时候，手指碰到那堆“官场”上的玩意儿，都要颤抖。如果她稍微感点儿兴趣，哪怕只随便翻一翻，草草瞥上一眼上面写着什么，她便有幸看到白皮书的内容和她的家族有关。她还能看到，他们贫苦的生活状况至少在镇公所成了一个议题。特别是这位母亲建造起来的那幢“房子”。周围人都认为，她那幢房子挺好，事实上，很有独创性，和他们自己临时搭建的房子有许多相似之处。那些人说：“他们为什么不等政府拨款盖房呢？”对于安吉尔·戴“自力更生”的精神却不予理会。安吉尔·戴太太梦幻中这幢房子被镇子里的人视为眼中钉。荆棘丛生的灌

①圣格特鲁斯地菜牛：一种大型抗热和抗病虫性强的食用牛，在美国由婆罗门牛与短角牛杂交而来。

木林里所有那些东倒西歪的房子都应该拆掉。这些“眼中钉”不能和圣格特鲁斯地莱牛的梦幻比肩而立。镇公所里那些官员满脑子想的都是玻璃钢澳洲肺鱼、鬃毛像钢针的野猪，或者身披铁甲的什么雕像。他们用了足够的墨水和纸张，记录下相互间喋喋不休的争论。

生活除了为自己和孩子建一个遮风挡雨的屋顶之外，并无别的意义，所以有什么必要看那些“白皮书”呢？只能让你越看越心烦。她只需看一眼白人的脸色，就知道他们要说什么话，尤其那些写“官方文件”的人。她管他们叫“胡说八道的伪君子”。

淹没在这堆废纸中，她越是触摸它们，心里越有一种悲凉之感。对于安吉尔·戴和她的“百宝囊”，这堆垃圾似乎没有什么“油水儿”。不过至少她可以在那堆正在干枯的夹竹桃枝叶中找个阴凉地儿坐一会儿。后来，在那堆废纸中，她突然发现一个壁炉台上放的挺大的黑色座钟，不过玻璃门儿上有道裂缝。她小心翼翼拨拉开那堆纸。座钟是市长办公室扔的。她简直无法相信自己的好运气，不仅仅是有人扔了这样好一个物件儿，被她捡到了，而且她发现上发条的钥匙就插在座钟背面儿那个小洞里。她拧了拧钥匙，脸上露出高兴的微笑，钟嘀嗒嘀嗒地走了起来！

她认为，镇公所的人扔了这个钟一定是因为它的样式太老，和新盖的“现代化”办公楼不匹配。安吉尔·戴现在不得不决定把已经装到土豆袋子里的什么东西拿出来扔掉，好装这个钟。该扔什么呢？扔什么呢？她一边自言自语，一边掏出那些罐头盒子、瓶子，给这个亮闪闪的大座钟腾地方。渐渐地，安吉尔·戴从在垃圾堆里拣到这么贵重的东西的兴奋和激动中清醒过来，意识到，这玩意儿或许会给她带来麻烦。她从藏身之地向外面瞥了一眼，想看看周围有没有人在走动。她问自己，如果碰到镇公所倒垃圾的卡车该怎么办呢？他们会诬赖她偷了这个座钟，并且到警察局告她。她想象自己像一条肚子塞得鼓鼓囊囊的鲻鱼，被关在警察局里那副可怜样。

她仿佛看见治安官走进她这个夹竹桃中的藏身之地。晚上来拿，她警告自己。晚上再来拿！她四下张望，找一个藏座钟的地方。她知道，到了夜里，这儿是野猪的天下。她寻思，等晚上诺姆来打野猪时候，让他带她来。可是一想到茫茫夜色中和他一起走过灌木林，心里就不舒服。为了装座钟，她已经把袋子里一半东西倒了出来。把钟丢在这儿不往家里拿，简直就是对她想象中美好未来的背叛。有了这个钟，凡特姆家的孩子就可以按时上学了。凡特姆家的人再也不用看天上的太阳估计时间了。未来的新生活里，凡特姆家的孩子就可以像学校要求的那样按时上床睡觉了，第二天早晨，他们可以按时到学校，做功课。

她把座钟装到口袋里，准备离开那个白皮书、腐败的枝叶组成的世界。这时候，什么东西吸引了她的目光。她先看到一个雕像的底座。上面是手写的日期：一九四七年。一定是个打碎了的雕像。可是拨拉开周围的垃圾，她发现，那尊雕像完好无损，甚至连一道裂缝也没有。她再仔细查看，原来是圣母玛利亚。雕像看起来已经很旧，有的地方油漆剥落。安吉尔想，诺姆也许有油漆，她可以跟他要点儿重新油漆一下这尊雕像。特别是斗篷上面的金丝银线都得重新画一遍。圣母玛利亚穿白色长裙，蓝色斗篷，右手高举，给人们永远的祝福，左手拿着一串金色的念珠。安吉尔激动得连气也喘不过来。“这是我的。”她轻声说，无法相信这个普普通通的早晨，她的运气会这样好。

“这是我的！”她对聚集在那堆夹竹桃枝叶周围等待着的海鸥大声宣布。她知道，她也不能把这尊雕像丢到这儿，否则别人会拿走。她必须现在就把它拿回家。她知道，有圣母玛利亚保佑，谁也不能干涉上帝降临到他们家的恩泽。“从现在起，我要时来运转了。”她对海鸥说。因为现在，她——安吉尔·戴太太，有了白人的运气。

现在，不但她们家的人能知道时间，能告诉别的和她一样穷的人几点几分，而且他们的日子也会越来越好。她会像白人一样祈祷，说他们也信基督教。而这正是普瑞克尔布什的穷人和镇里那些白人的区别。白人富裕，就是因为他们攒了足够的钱，因为他们家里供着圣人的雕像，所以就看不起别人。那些精神上的老祖宗如果看到他们多么起劲儿地祈祷，就会因为他们的虔诚而给他们钱。这也正是他们拥有城里所有产业的原因。

海鸥在垃圾场上空飞来飞去，就像唱圣歌一样，发出让人产生幻觉的声音。上帝的颂歌！颂歌，圣母玛利亚颂。那氛围萦绕心头，大地蒸腾起迷蒙的水汽，鸟儿在四面八方飞翔，她好像突然之间从哪儿冒出来一样，走出那座夹竹桃枝叶堆成的小山。她用那双仿佛有魔力的棕黄色眼睛偷偷摸摸地朝四周张望，看有没有藏在那里会抢走她这些宝贝的人。她搜寻垃圾堆的每一个角落，看那些破烂儿里有没有什么动静。她抱着那尊雕像，提着装土豆的袋子，希望在镇公所的人开着缓慢移动的卡车来这儿干活儿之前，逃离“现场”。她没有预料到大清早，就会有那么多从普瑞克尔布什来的人在周围走动。

原来还有几十个普瑞克尔布什人在大纸箱子里、瓦楞铁皮下面、四十四加仑柏油桶，或者破储水箱里藏身。要不是她惊扰了他们，这些家伙一定还在宁静的梦中。现在他们突然现身，见了废品就拨拉，把垃圾场翻了个底儿朝天。孩子们在水洼里玩，当父母的唠唠叨叨，另外那些人提着装满破烂儿的袋子走来走去。

安吉尔·戴觉得自己就是垃圾场的女王，她审视着他们凝视的目光，开始首先发难，瞪着他们说：“你们都看我干什么？”毫无疑问，她这一声大喝镇住了那些住在垃圾堆里却又不把垃圾当回事儿的人。安吉尔坚守着自己的立场，毫不忌讳地对那帮人大声说出自己的观点，就像她一贯以来对在她那幢房子周围的人厉声呵斥那样。

“嗨，你们在那儿干什么呢？”她大声叫喊着，“你们有毛病吗？这儿是你们的地盘儿吗？你们有什么权利在这儿转来转去，在别人的土地上翻来翻去，想拿什么就拿什么！这儿历来的主人是谁？”她的声音在垃圾场回荡。大多数人以前都听过她的这番主张。现在安吉尔·戴又一次老调重弹，说什么“历来的主人”，而她的说法又一次被人们当作耳旁风。今天一定是个很不走运的日子，他们什么也没捞着。你听得到那些人唉声叹气，啧啧连声。安吉尔对于自己给他们造成的麻烦毫无羞耻之心。她扬长而去，无缘无故地骂那些人，好像她掌握着人家的生杀大权。“泼妇，第一流的泼妇！”老人们听见有人压低嗓门儿骂她。

天知道那时候发生了多少事情，多得真是目不暇接。穷人的日子相当艰难，安吉尔却全无感觉。那些人都铁青着脸，对她怒目而视，她就像压根儿就没有看见一样。过了一会儿，仿佛有什么东西在半空中爆炸了一样，而且炸得干脆利索：“我们也是迫不得已！你算老几呀，这位不知天高地厚的太太！”这话出自于一个根本不属于这儿却也干起她这个行当的家伙之口。她大声叫骂着，让他们大伙儿瞧瞧，她到底“算老几”。于是，一场不大不小的战争就要爆发。那些人不甘示弱，在这个阴冷的早晨，全都“唇枪舌剑”起来。“她什么都不是，就这么回事儿！”

大家开始争论，谁稀罕这个破地方呀！这儿不过是个又脏又臭的垃圾场罢了。不过话说回来，这个地方也一直充满了斗争。他们相互叫喊着，向前猛冲。然后开始奚落、辱骂，朝那些试图“维护安宁”的人们扔棍子和石头。谁也不听别人的劝告，因为他们要么自个儿发疯了，要么压根儿就不在乎他们是否在“维护安宁”。谁都厌倦了这一切，厌倦了安吉尔·戴。

有一个块头很大的女人，穿一件肥大的白颜色裙子，看起来简直像多佛尔港那座白色的悬崖。她吵得最凶，她骂呀，骂呀，前言不搭后语，就像永远不会停下来一样。她一边吐唾沫，一边叫骂，问这个女人：“你以为你是谁呀？狗屁不是！”安吉尔·戴骂那个女人像个大白肥猪，跑到从来就是别人的地盘儿找食吃。那个女人说，她就是要来，以后还要来，永远来！于是，战事重起。想想看吧，脆弱的“现代作风”被潜伏了四百年的敌意击得粉碎。安吉尔·戴以一个老式座钟和一尊雕像为“导火索”开始了这场战争。也许所有战争都是由一件小事引发的。

人们都随手操起可以拿到的任何东西，武装起自己。大人小孩四处乱跑，有的捡起一块木头，有的捡起一根铁条，还有的人捡起棕黄色的啤酒瓶子，把玻璃瓶口砸碎，当武器。于是，到处都是砸玻璃瓶子的声音。关于那天的记忆都成为过去之后，砸玻璃的声音还不绝于耳。

你看，所有的“同盟军”不得不就在那个时刻、那个地点重新组合。一直几十年比邻而居、相处很好的人们，此刻想起老祖宗为了种族、部落之间的利益曾经打得你死我活。一切虽然令人难以置信，但是安吉尔·戴就那样怀里抱着圣母玛利亚的雕像，一脸茫然站在垃圾场，喝令那些人从她的土地滚出去。一群群黑色的小苍蝇在她脸前飞舞，但是她一点儿也不理会。似乎谁也没有注意到那些仿佛触了电、成群结队飞来的苍蝇。但是人们散发着热气的皮肤好像吸铁石吸引无数的苍蝇围绕着他们的脸嘤嘤嗡嗡。

老人们很相信这种灵异现象，都说这些苍蝇穿过几千年漫长的岁月来参加这场战斗。他们宣称，幽灵永远不会让你忘记过去。他们在泥土中勾画着，号召人们从自鸣得意的阴影下走出来。马上到你应该去的地方！人们一定觉得这冰冷的“勾画”犹如声声号角，激励他们武装起来，在古老的战争史册上再抒写新的篇章。否则，他们永远无法知道如何像先人那样，走上战场。在边缘地区和睦相处是入侵者政府制定、并且贯彻执行的政策。凡是有像安吉尔·戴在沼泽地旁边建造的棚屋的地方都被叫作“社区”。老人们则把这些战争的历史镌刻在石头上。

现在，几个世纪之后，老账又翻腾出来，而且没有丝毫让人感到欣慰的东西。生活在普瑞克尔布什的人没有一个被战争带来的损害压倒，而是背负着沉重的负担，一如从前。那时候，安吉尔·戴心胸豁达，但也愚昧无知。她认为自己接替诺姆的祖父，成为这块土地的守护者。在她的心目中，不管是谁，要想进入这块土地，必须先和她这个“守护者”打招呼，说明来意。她欢迎那些骨子里充满了对古代遗址的崇敬，迈着庄重的步子走进这块领地的人们。每当看到那些人因这里风景秀丽而一脸痴迷，因老祖宗的发明创造而激动不已的时候，骄傲之情在她心中油然而生。她守卫着那些饱受磨难的幽灵。他们因为被奸污、凶杀和对世代相传的土地的掠夺而哭泣。随着时间的流逝，他们都变成边缘地区的居民，和富有的白人的城镇相邻，栖息在安吉尔·戴的湖边，她称之为“领地”的地方。她像女王统治着这块土地。可此刻，他们居然无视她的存在。

很难确定“战线”是如何形成的，但是开打之后，当玻璃碴在脸和胳膊上划开一道道口子，或者身体被铁器扎伤、脑袋被木头一次次击打时，像平常一样流到地上的血是以家族为单位从血管里流淌出来的。安吉尔·戴没有动手，她像抛了锚的船，稳稳当当站着，怀里抱着圣母玛利亚的雕像，鼓励大家坚守阵地。“谁是这里世代相传的主人？”她还在声嘶力竭地叫喊着，维护自己崇高的权利。也许她没把这场斗殴看在眼里。那个看起来像多佛尔港白色悬崖的女人已经打到离安吉尔挺远的地方。听见她的叫喊声，用迷惑不解的目光看着她，然后退出“战场”，径直走到她最初向安吉尔发起挑战的地方，从她怀里夺走雕像。

孩子们扭动着身子，在混战中的大人中间钻来钻去，不知道下一步会发生什么事情。他们像发了疯的蝴蝶，一会儿“飞”到鲜血淋漓的亲人旁边，一会儿“飞”到倒在地上一动不动的人们身边。小威尔·凡特姆和弟弟妹妹们奔跑着，保护妈妈不被大块头女人袭击。那个女人眼睛瞪得像铜铃，和安吉尔扭打着，争夺那尊溅满鲜血的雕像。她仿佛着了魔，用尽平生力气搏斗，脑子里只有一个念头：既要把安吉尔·戴打翻在地，又要保住圣母玛利亚的雕像。

小威尔·凡特姆脑子飞快地转动着。他以一个十岁的孩子能够奔跑的最快的速度跑回家，冲进厨房，抓起放在餐桌上的打火机，又跑回到垃圾场。他点着一堆堆能够点燃的纸，还点着垃圾场周围的干草。大火立刻向四周蔓延，垃圾场黑烟滚滚。燃烧的枯草和垃圾冒出来的浓烟呛得人们不停地咳嗽，连气也喘不过来。他们相互搀扶着，穿过燃烧过的枯草，沿着小路走出垃圾场。小路两面浓烟滚滚，人们一瘸一拐尽可能快地走着。他们默默地从别人身旁走过，把受了伤的亲戚扶到车上，送回家。等到镇子里救火车的汽笛响起时，这群人已经四散而去。

看到垃圾场升起一团团黑烟时，斗殴声已经传到所有人的耳朵里。他们都希望能打死安吉尔·戴。可是此刻安吉尔正怀抱圣母玛利亚的雕像，在孩子们的簇拥下，向家里走去。消防车本来就慢得像蜗牛，出城刚刚两分钟，就在泥泞不堪的道路上抛了锚。

镇公所的头头脑脑有一半人徒步走过积满泥水的公路，跟警察一起来调查这件事情。但是凡特姆家周围普瑞克尔布什的人们都谨言缄口。他们都说，调查起火原因是他们的事儿。他们跑这趟路纯粹是浪费纳税人的钱财，因为住在沼泽地的人谁也没有看见垃圾场发生的事情。也许是什么人扔到这儿的破木头闷燃了一个周末，后来突然着起火来。这可真是怪事儿。不过，那位年轻警察楚斯福尔说，他无论走到那儿都能碰到受伤的人。他不得不问："你怎么了？"随行的人都指望能听到不同的回答，可是那些人几乎都说："只是小小的事故，先生，没问题。"

"没问题？"

"没有，我们这儿真的没出什么事儿。"

"没出事儿你怎么头破血流？"他问道，只是为了让镇公所的人看他对工作多么认真负责。

"啊，我摔了一跤。"

"你是怎么摔的？"

"就那么摔的。"

"在哪儿摔的？"

"摔跤？"

"是呀，难道还有别的什么事儿吗？"

楚斯福尔走到哪儿都问这几个问题。那些人一个个比比画画，神情自若，倒是让他大开眼界。"嗯！哦！哎呀，我觉得挺不舒服，一整天都不舒服。你要是个好小伙儿，就行行好送我们到医院去吧。"那个穿白色长裙的女人对他说。安吉尔走过来，张开双臂把她紧紧抱住，不过那拥抱充满仇恨。

镇公所那些男男女女跟在楚斯福尔身后，走进营地每一个家庭。他们一脸讥诮，虽然一言不发，但都心照不宣，用胳膊肘子你碰碰我，我碰碰你，你朝我眨眨眼，我朝你皱皱鼻子。"真对不起！他都干什么来着？难道已经在夜半时分跳过后篱笆墙通风报信了吗？”看看那股亲热劲儿。如果警察对这些人没有一点儿权威，这个世界会是个什么样子呢？调查毫无进展，而且听到背后那些人窃窃私语，楚斯福尔很是尴尬。最后，他以布里斯班峡谷警察特有的敏捷，终止了这场“表演”，说他要逮捕第一个他看到的嫌疑人。镇公所来的那些人一个个困惑不解，挤作一团，极力避开普瑞克尔布什人家里任何一件可以称之为摆设的玩意儿，似乎生怕沾上什么可怕的东西。看够了这令人难以置信的贫穷之后，他们对楚斯福尔说道：“把这个包袱从我们身上扔掉，这些该死的杂种无论如何对谁也是个麻烦事儿。把这两个该死的杂种送到感化院或者别的什么地方。他们在那儿会明白谁是这座城市真正的主人。”

官员们扬长而去，回家干他们自个儿的事情去了。整整一天，寂静都如巨大的斗篷，盖住了所有这些东倒西歪的铁皮小屋。诺姆·凡特姆坐在厨房桌子旁边，一看见安吉尔走进来，就对她怒目而视。两个人谁也不说话。他已经知道这天早晨发生的事情。她对自己的所作所为并不后悔，一点儿也不！只顾抱着捡来的那尊雕像没完没了地擦抹，检查上面的裂缝和掉了皮儿的地方，用诺姆油漆渔船用的油彩描画着。然后非常骄傲地放在自己卧室最显眼的地方。夜幕降临之后，死一般的寂静笼罩营地，那些东倒西歪的铁皮小屋没有亮起一盏灯。乌云低垂，普瑞克尔布什黑得伸手不见五指。

天刚亮，诺姆·凡特姆走出家门，来到船边。这时候，他感觉到了那种古怪的寂静。那寂静他难以理解，甚至连鸟儿也不叫。而且没有鸟儿飞来的迹象。

他想报复，向树枝间张望着，想找到他的鸟儿。他向四周巡视的时候，突然觉得不大对劲儿。那是一种离奇的、梦幻般的寂静。那寂静代替了孩子们的哭声和家人的争吵声。凡特姆家还在原来的地方，别的人家已经趁夜色搬走了。他们带着家里所有的东西，一声不响，搬到小城那边。垃圾场之战造成了分裂，人们开始重新组合——城东人和城西人，仅此而已。凡特姆一家失去了或远或近、或亲或疏的所有亲戚。除了几个因为年事已高拒绝搬迁的老人，谁也不想再忍受这位被他们叫作安吉尔·戴太太的女人哪怕一分钟。

垃圾场之战炸开了凡特姆一家以及所有和他们有关系的人那个小小的世界。普瑞克尔布什每一个人，从老到小，从所谓城东人到城西人，从受伤的人到没有受伤的人，都想起早已淡忘了的那些古老的战争。往事历历在目，桩桩件件都是铁定了的事实。谁都知道，自己的家族里曾经有人被指派赶着破破烂烂的牛车在广袤的土地上艰难跋涉——那时候他们部落的领地已经远远近近，出现了几十座牧场——寻找已经非常老的哲人。那些老人总是行踪不定，亲戚们好不容易找到他们应该在的地方，结果发现，“哲人”早已无影无踪。

“啊，‘白胡子’哪儿去了？”

“他一定已经离开这儿了。”

他们面临的挑战是，要永远处于活动之中——走遍记忆中他们那块土地至少一千个地方，寻找那些老人。那也是一场考验，考验他们对家乡的土地究竟了解多少，然后才能找到正在等待他们的“白胡子”老人。每一个家庭都必须知道自己的历史，都必须走过一条条各不相同的、漫长的道路，将很早以前就已经开始的收回土地的斗争继续下去，并且了解部落久远的故事。

另一方面，德斯珀伦斯镇子里住的人搞不清楚，为什么他们像三明治一样，被土著人夹在中间。这些人不仅住在镇子两边，而且不和任何人打招呼，就建立起两个营地。想要躲开凡特姆一家的人夜半时分穿城而过，发出很大的响动。每一个人似乎都处于一种非常激动的状态之中。围绕是否应该搬迁，他们大声争论。“应该，不应该”的叫喊声和年轻人用沉重的棍子击打篱笆的声音交织在一起。人们都相互抱怨身上背的那些破烂儿太重。小孩子们在大街上跑来跑去，叫声、笑声在夜空回荡。现在呵斥这些小孩，让他们不要叫喊还有什么用处呢？许多狗被棍子的刮擦声惊动，聚到一起，加入到这一片混乱中。它们沿着白人的篱笆墙跑来跑去，拼命吠叫，一边撞铁皮墙，一边往上蹿，想跳过篱笆，冲到白人院子里。而城里白人的狗也不甘示弱，都想冲出来厮杀一番。狗的主人们没有一个人为这场混乱而焦急。这群要流浪到别处的人似乎觉得他们压根儿就没有给小城的安宁带来丝毫影响。有什么呢！没关系！就好像镇子里的“居住法”以及与居民切身利益有关的“议事日程”都不存在似的。就好像他们根本就不在乎住在镇子里的那些家伙会被这吵闹声惊醒，半夜五更打开灯，一个个目瞪口呆，默默地站在院子里，心里琢磨怎么会陷入这一片混乱之中？

他们在镇公所都说了些什么，很快就传到诺姆的耳朵里。天亮之后，镇子里的人们早早地起来，又跑到院子里东张西望，似乎在寻找某种秩序，想产生一种“一切都很正常”的感觉。大街上倒是和往常没有两样，好像夜里什么也不曾发生。那些皮肤白皙的家伙钻到淋浴的热水下面，使劲揉搓。这些有权有势的人们在跑出家门之前，如果觉得自己身上不干净，就这样拼命地擦洗。然后他们就到镇公所，讨论夜里那场喧闹。

会还没有开始，一个个就火药味儿十足。他们总是这样，说话直截了当。不，绝对不能让这些有色人觉得他们是这里的主人，不能让他们干完这种无法无天的事情，然后忘个一干二净。关于谁是始作俑者的流言不胫而走。“是该死的诺姆·凡特姆！你不信吗？除了他会是谁呢？这个家伙管不了她的老婆。”“是吗？那就该教训教训他！”“好呀，不能让他不知道天高地厚。”就这样，诺姆·凡特姆这年失去了成为小镇公民的机会，而且也许永远不会再有这样的机会。

钟在响，整整响了半个小时，但是诺姆·凡特姆对这种钟声从来充耳不闻。多刺的灌木丛营地里面没有人看到凡特姆卷入城里这场纷争，所以也没有注意这钟声。凡特姆一家只有海上出事时敲钟才去城里。诺姆说，只有这样重要的时刻钟声才会响起，因为海上发生的事情影响他们每一个人的生活。“我们是大海的血肉，是大海养育了我们，把我们送到陆地。”现在不是海上有事儿，所以普瑞克尔布什没有一个成年人跑出去看到底发生了什么事情。

其实该着急的事儿还不少呢！当然是镇子里的人着急。镇公所利用晚上的时间召集了一连串会议，好让每一个人都有机会发表意见。这就是民主。用“偏执”这个词形容镇公所拥挤的会议室恰如其分。关于土著人，每个人都有话想说。有的人看见土著人坐在树下，在心里琢磨放火；有的人看见土著人已经逼近小镇——住在白人丢弃的破汽车里。你可以看见他们就待在篱笆墙外面的破汽车里，甚至就在他们家的后院。土著人想再建立一个营地。镇子周围的“保护网”已经不起作用了。这个网怎么了？当年拉这道网的时候不就是为了保护镇子不被和他们不一样的人“入侵”吗？“你们是说那些黑鬼吗？”人群中响起一个激昂的声音——镇长在说话。他身高六英尺二英寸，魁梧结实，但不喜欢咋咋呼呼。“黑就是黑，白就是白！”这是他的座右铭。在这个小镇，他一手遮天。

“对不起，布鲁泽先生，镇长。你也用不着这样说话，我们只是说，他们实在太刺眼了。你打算怎么办？”

斯坦·布鲁泽说话直爽，在德斯珀伦斯镇颇受欢迎，过去的十年，他每年都被选为“优秀市民”。有人说，镇公所的投票箱有猫腻。但是，不管怎么说，当那些要阴谋搞诡计的“理论家”不留痕迹地大行其道的时候，投票箱里做点儿手脚也算不上什么罪过。布鲁泽现年五十六岁，是个很富裕的牧场主。他连鬓胡子、头发梳到脑后，染成圣格特鲁斯地菜牛的颜色。他本来是个小贩，可是在采矿业方兴未艾的七十年代，有一天夜里，他从收音机里得到启发，下定决心向澳大利亚股票市场进军。第二天，他就把全部积蓄投到西澳大利亚一个羽翼未丰的矿业公司，很快就发了大财。

大家都觉得他运气好，因为他用股票、赢得的利润和其他“金融手段”赚了许多钱。他从一位每逢发放养老金的日子，就开着汽车到内地[①]满目萧瑟的城镇和土著人的营地出售生活必需品赚三四倍利润的小贩，重新塑造

①内地：指澳大利亚偏僻而人口稀少的地方。

了自己。可是一个和他们一样没有受过教育的人，有生之年怎么会赚这么多的钱呢？听起来真有点奇怪。他开玩笑说，谁都能做到这一点，只要你精明得足可以像买棒棒糖一样，收购旱季里的牲畜，支付不曾支付的欠账，就能发财。

普瑞克尔布什的老年人对于他大发其财的事儿却另有说法。因为布鲁泽身上有一条很不寻常的疤痕。这条疤就像长在他的皮肤上一样。他们看到那条疤痕从他的头颅骨开始，沿着左边的脸一直向下通到脚后跟，再沿着后背向上，回到后脑勺。难道这还不算非同寻常吗？好像打了一块补丁！普瑞克尔布什人都这样想。有的老太太比好奇还好奇，每每看到布鲁泽向普瑞克尔布什营地走来，就冲他喊：“喂，魔鬼怎么把你缝得像个大豆荚！”布鲁泽对自己身上这道伤疤讳莫如深，对她们的问题当然充耳不闻。于是她们散布说，他是个怪物，尽管谁也不敢当他的面儿这样说。当然了，除非你是个疯子，否则谁会对布鲁泽说这种话呢？

布鲁泽说，就他而言，虽然见多识广，但生活的格言只有一个：“没用的东西，就吃掉它，吃不掉就让见鬼去，然后就没那么多麻烦了。”像平常一样，他的“至理名言”博得满堂彩。城里人就这样评估、解决蹲在他们房子后面的那些土著人的问题。他一边大声拍着巴掌，一边解释自己的“格言”，鼓励别人也这样做。他说，政府应该让土佬[1]去干活儿。他要给每个政界人物都写一封信，把自己的见解告诉他们。他还想出如何让“雇佣政策”生效的办法。他说，他们可以做他做过的事情，赚口饭吃。“让他们去做钥匙，这样就可以把食物锁起来，不和家里人分享。”他解释说，他当小贩的时候，人们最需要的东西就是钥匙——“钥匙就是钱。”第二，他又解释道，得强迫他们做澡盆，就是过去那种铁皮打的澡盆。这样一来，他们就可以定期洗澡。第三，“如果这些家伙不像别人那样，对赚钱感兴趣，就把他们送到牧场去干活，管吃管住，不给工钱。”

①土佬：Abo，对澳洲原住民的蔑称。

布鲁泽的发言赢得一片掌声。大家抱怨了一阵子政府的“不作为”之后，有人提出，应当采取行动。一旦调动起与会者的积极性，布鲁泽就和他的几个牧场主朋友到后院呼吸新鲜空气，喝几杯酒振作振作精神，“充充电”，等一会儿再回去发表高见，结束会议。结果一个个喝得烂醉如泥，早把开会的事儿忘到九霄云外。究竟应该运用什么策略呢？会议就留给镇公所新来的秘书主持了。这个家伙名叫利比·瓦伦斯。大家都指责他不是当地人，对这个地区的风土人情、价值取向一无所知。

不过瓦伦斯对地方政府的工作很有经验。他之所以得到这个职位，首先因为上面认为他通情达理，有办事能力。他用好听的、不高不低的声音对与会人员说，作为一个基督徒，他有责任告诫大家应该以更为文明的政策，对待住在这里的公民。“没办法，”人们七嘴八舌地说，“为什么不能把那些废物从营地撵出去，平了那块地呢？为什么不能？”“嘿，上一次镇公所不就这么干了吗？”瓦伦斯说，“可他们很快就又建起新的营地。因为他们无处可去。”会议继续进行。“让他们滚！他们总能找到个去处。干吗非得赖在这儿不走？”那些应邀来参加会议的普瑞克尔布什的“乌合之众”又一次惊讶得目瞪口呆——这些白人居然如此无视他们的存在！瓦伦斯继续说：“因为他们和任何别人一样，有权居住在这里。”这时候，布鲁泽已经回到会议室，代表所有那些头头脑脑，接过瓦伦斯的话茬儿，说：“哼，就算这样吧，那他们就得像别人一样生活！好吧，我们找他们谈谈。”

于是，有一天下午，他们组成一个由镇子里的白人和参加这种“民众会议”的、爱管闲事的黑人组成的小小的“代表团”，找到诺姆·凡特姆，要跟他“谈谈”。诺姆自己也说不清，城里的白人怎么就会给他戴上一顶桂冠——土著人的领袖。他们说，他们想让他把那些离开城西，住在别人扔掉的破汽车里，或者在人家房子后面临时搭建的棚屋里的人们叫回来。如果他们想住在城里，可以像白人一样，开始新的生活。

“我可管不了他们的事儿。”诺姆哼着鼻子说，依然弯腰曲背，看一只个头很大的明虾。

塞拉·姆赤是镇子里白人寄予厚望的一个土著人。当时，澳大利亚政府正以发展经济的名义在全国各地开展一个“以劳动换救济”的项目，而塞拉·姆赤也正努力把自己改造成白人，所以就在镇公所找到一份差事。他站在瓦伦斯旁边。按照镇公所事先的决定，他也是“代表团”的“发言人”之一。大家觉得，诺姆·凡特姆可能更容易被他的同族人说服。于是，姆赤用很不流利的英语结结巴巴地说：

“你知道吗？！他们就是这样说你和大伙儿的。说……现在这儿，那儿，到处都是我们宿营地的破烂儿……都是从你这儿开始的。说……他们不得不阻止这一切。要表现一点对这个地方的尊重。这个地方属于德斯珀伦斯郡议会。别再让这个地方像一个黑脑袋或者别的什么玩意儿出没的垃圾场。”

“你听起来怎么就像一个令人作呕的糊涂虫，姆赤。你跟我说的哪门子英语呀。”诺姆生气地说，还一手拿根牙签，一手拿个很大的放大镜，埋头仔细观察那只明虾。明虾一直让诺姆无法忘怀。不过他并不总去捕捞，只是这只很特别，很少见。因为只有在他父亲的父亲的峡谷里，在那水晶般清澈的河水里才有这种虾。至于它的个头，更是独一无二。

诺姆本来指望，他少说几句话，这些不足挂齿的“白蚁”就会一走了之，让他继续干自己的活儿。没成想，适得其反。他的如意算盘没有打成。“姆赤，你到这儿干什么来了？”安吉尔·戴风度翩翩，走进诺姆的“鱼屋”。她说，她一直在周围转悠，想听听他们说什么。她刚刚恋恋不舍地离开那尊圣母玛利亚的雕像。她已经按照自己的喜好，重新给雕像着色。她十分认真地看了儿童祈祷书里的图画，仔细考虑过需要修补的每一个细节之后，对如何修复这尊圣像已经胸有成竹。她把时间和精力全都倾注到了这件工作上。经过这番努力，圣母玛利亚已经不再是人们都熟悉的那个模样，而是一位俯瞰、关注海湾地区黏土湖生灵的女神。诺姆的鱼的颜色和纹理使她茅塞顿开，她“创作”出来的是生活在海边的土著女人色彩鲜艳的雕像。这件事儿花了她好几天的工夫。她甚至没有注意到别的人家已经离开这里。诺姆指责她弄得乡亲们四处流浪时，她还认为绝对不会发生这种事情。

“如果他们走了，肯定还会再回来。”她口气坚定地对他说。她对从城里来找诺姆的代表们也这样说。她说，她认为他们根本就没有能力、更没有钱财在城那边建立一个营地。“水从哪儿来？你们谁能告诉我？有水龙头吗？没有水龙头！所以，你让他们上哪儿去喝水呢？”她冷冰冰地看着“代表团”，等他们回答。看到谁也不敢吱声，她重重地叹了一口气，发起进攻：

“你们这些先生着的哪门子急呀？愚蠢！如果你们还有理智，就应该动脑子想想。如果在城那头，他们不得不四处奔走，拉车取水，很快就烦得要命了。”

“代表团”现在把注意力从诺姆身上转到安吉尔·戴身上。她已经带动他们讨论被她称为“巡回者”的饮水问题。诺姆不得不佩服她误导这些家伙的能力。“代表团”的成员们满脸敬畏，看着她跟他们说话时那副居高临下的样子。诺姆纳闷儿，她从哪儿学会“巡回者”这么个词儿？普瑞克尔布什人可不这样说话。

“代表团”里有的人开始大谈，他们背负着耶稣的十字架保护自己。“今天，我们向上帝祈祷，祈祷上帝保佑。我们背着巨大的十字架，消灾避难。”那些脖子上戴着十字架的人，从衣服下面掏出来，互相展示着，证明自己没有说假话，似乎这样一种姿态会给他们以温暖，而且上帝发火的时候不会殃及到他们头上——他们认为，这股怒火正在诺姆·凡特姆家的上空盘旋。那是神圣的烟火，灼热的烟火！安吉尔对城里白人总是打着宗教的幌子为所欲为，嗤之以鼻。诺姆眼巴巴看着她跑回家，和别人一起听她踩在走廊铁皮地板上咚咚咚的脚步声。然后，突然之间她又冲进诺姆的“鱼屋”，手里高举着那尊雕像，不停地挥舞着，在“代表团”周围跳来跳去，就像一只神气活现的鸽子。那真是让人目瞪口呆的一幕。这种亵渎自己神圣信仰的行为让“代表团”大为震惊。有的人甚至认出这尊雕像原先供奉在哪儿。“我知道雕像是从哪儿来的。”可是话到嘴边儿，却又说不出口。所有的目光都跟随着这个在他们身边跳来跳去的土著人“玛利亚”。诺姆看了不以为然，趁着光线还好，抓紧时间，专心一意地干手里的活儿。他知道安吉尔能做出什么事儿，或者认为自己知道。

她说的话很长，态度也很严厉："我们都是体面人。我这个家族。我们从来不给任何人找麻烦，你们为什么总是来找我们的麻烦呢？我要告诉你们，我受不了！我甚至连看都不想看你们这些人。我不想让你们这些家伙来这儿打搅我们，听到了吗？你们甚至包庇有一次想谋害我的人，包庇别的残忍的罪行。如果你们这些家伙敢再来这儿，（她停了一下，想了想），我就告诉你们，我会怎么办。我会通过土著人法律事务所，以谋杀罪控告你们。就这么回事儿。我会把这个小镇作为阴谋的帮凶而告上法庭。你们杀死了我们的人。早在我们出生之前，这个家族就有许多人被你们杀害。现在活着的人依然被你们残害。只有老天爷知道，我们因为害怕，每天夜里都睡不了一个安稳觉。我不知道你们在银行里存了多少钱，但是你们必须赔偿我们的损失。也许把整个小镇都赔进去还不够。我给我的律师打过长途电话，他说，这可能是一个非常好的试验案件[①]。用他的话说，无懈可击。你们怎么想呢？嗨！"浓云密布，天早早地黑了。一道道闪电划过昏暗的"鱼屋"，镇"代表团"的成员面面相觑。他们被极大地震动，就像从大海里刚刚捕捞上来的银鱼，吓得跳来跳去。

诺姆记得，自从得到那尊雕像，安吉尔的行为一直令人迷惑不解。她甚至把雕像拿到卧室，摆放在正对他们那张床的地方。这样一来，他就不会再为在那儿睡觉而烦恼生气了。她已经强迫他住在"鱼屋"。而"鱼屋"现在也被她"接管"。同时"接管"的还有与镇子里那些白人正在进行的争论。风雨中，拼命尖叫的凤头鹦鹉[②]绕着这幢房子飞来飞去。被它吵醒的蟋蟀不甘示弱，也都扯开嗓子，唱了起来。人们都竖起耳朵，听那陌生的"天

①试验案件：为了考验法律是否符合宪法而进行的法律行为。

②凤头鹦鹉：一种大鹦鹉，尤指澳大利亚和相邻区域的葵花鹦鹉属，特征为有可竖直的长冠。

籁之音”。那暴雨中刺耳的歌声犹如管弦乐团演奏的亨德尔的清唱剧。“代表团”听了一小会儿，这奇异、凄厉的“即席之作”一定有一种不可抗拒的力量，因为他们都发了疯似的往外跑。跨过瓦楞铁皮地板上的水洼时，走廊里发出隆隆的响声。

诺姆不得不卷入这一片混乱之中，帮助“代表团”那些连方向也搞不清楚的家伙向屋外的风雨冲去。他们踏上通往小镇泥泞的道路，希望在黑暗中找到回家的路。直到……哎哟，你瞧！布鲁泽镇长来了！他喝得烂醉如泥，浑身精湿。安吉尔那番话他只听了个大概，就气得暴跳如雷，叫喊着冲进厨房，说他用不着一帮黑鬼教给他怎么把城里的事儿做好。

布鲁泽看见安吉尔·戴还在大谈律师的事儿，醉醺醺地笑着说：“这个女人欠揍。安吉尔，你是不是想好好挨顿揍呀？”接着又拿基督徒瓦伦斯寻开心。“去问问她，能不能让你试一试。”看到安吉尔不理睬他，布鲁泽就开始奚落她，讲起当年他怎么骑着马追她，一直追到小河边，她那两条瘦骨嶙峋的小腿儿再也跑不动。“哦，别忸怩了，你记得我的！”城里人谁都知道，他喜欢吹嘘自己追遍了城里的土著女人。他追呀，追呀，直到她们倒在地上，任由他奸污。他还得意洋洋地说，他就像给牲口打烙印一样，在她们每个人身上都留下了印记。

安吉尔·戴端着满满一铁锅开水，从屋子里走出来，朝黑暗中传来布鲁泽声音的地方泼去，可惜没有泼到他脸上。她又跑回到屋里。“代表团”听见从厨房里传来咚咚咚咚脚步声，她把东西扔得山响，大声叫骂着，说要找一把锋利的刀，把布鲁泽的脑袋从左到右割下来。“代表团”站在雨水中，十分尴尬。这时候，诺姆也冲出来，手里挥舞着剔骨刀，叫喊着：“我要你闭上你那张臭嘴，你这条狗！”诺姆嗖嗖嗖地挥舞着手里的刀，推着布鲁泽走过一片泥泞，一直走出院子。布鲁泽一边走一边不停地叫喊：“我一会儿还要来！诺姆·凡特姆，我非把你抓起来不可！”就在这时，紧接着海鸥震耳欲聋的喧嚣，一声焦雷在院子上空炸响。人们都抬起头，闪电照亮天空的时候，他们看见成千上万只海鸥在他们头顶聚集，在凡特姆的房子上空盘旋，仿佛挡住了通往德斯珀伦斯的路。

在这个人们大声疾呼要实现民族和解的时代，这一天却很少或者压根儿就没有和解的机会。这支小小的“代表团”离开普瑞克尔布什的纷争，冒雨向城里走去。它的成员一个个低头弯腰，就像被雨水淋湿的海鸥。不时有人劝布鲁泽赶快醒醒酒，因为谁也不想拿自己的性命在那个可怕的、摇摇欲坠的破房子里冒险。就这样，丢尽脸的布鲁泽被大伙儿连拉带拽离开诺姆的家。泥水一直溅到他们的膝盖。

安吉尔·戴“意犹未尽”。尽管诺姆已经把她推回屋子里，她还在不停地叫骂，斥责布鲁泽之流在搞阴谋。她那张臭嘴就像卡纳维拉尔角[①]发射场的火箭发射器，把绞尽脑汁想出来的最令人作呕的丑闻或者半真半假的流言一股脑儿喷发出来，矛头直指布鲁泽和他那几个喽罗。诺姆本想扇她两个耳光。碰到这样的情况谁都会怂恿他这样做。“打呀，打呀！你告诉她闭上她那张臭嘴！”但是他没有这样做。他已经平静了许多，强迫自己把紧握剔骨刀的手放到身边。这是怎样一个女主人呀！对于一个只想拿着放大镜观察明虾的性格温和的男人，安吉尔·戴实在太强悍了。

①卡纳维拉尔角：亦名肯尼迪角。一多沙海角，从佛罗里达州中东部海岸边的一个滨外岛屿延伸到大西洋，是美国航空航天局肯尼迪宇航中心所在地，为美国宇航发射地区。

第三章　埃利亚斯·史密斯来了……又走了

很久以前，或者说不那么久以前，航海还处于夜半时分最黑暗的时刻，大海之上有一个非常强壮的人。这个人是许多大海的巫师。他的记忆力被专以偷盗为能事的海怪偷去。那些海怪嘶嘶嘶地喷吐着浪花和泡沫，越过比大树还高的浪涛。

这位水手，被剥夺了在大海施展才能的可能性，剥夺了他与生俱来的航海的权利和判断力。但是，他没有责问神，而是用家乡最恶毒的语言诅咒愤怒的大海。大海没有听到他的叫骂，名叫勒达的、非常严厉的飓风却夹带着百年不遇的暴雨横扫茫茫大海。水手追赶着黑色的飓风，想要夺回他的记忆。海天相接，巨浪和乌云一起翻滚。他像着了魔一样，在万顷波涛间奔腾跳跃。在那可怕的、动荡不安的大海的梦魇中，难以计数的巨浪张开大口咆哮，发出震耳欲聋的怒吼。可怜的埃利亚斯·史密斯在波峰浪谷间上下颠簸，被大海的巨掌抛来抛去。他也大张着嘴巴，但沙哑的喉咙发不出声音，只是在永远失去记忆之前，拼命追赶黑色的飓风。

就在埃利亚斯·史密斯为拯救自己而拼死抗争、并且看起来注定要失败的时候，在世界的这个角落，发生了另一件非同寻常的事情。这件事情和任何其他事情都相差十万八千里。一道分叉的闪电从大海升起。这道闪电从海底一个神圣之地的出口喷发而出，沿一条直线向南朝海岸线穿行许多公里，直到那耀眼的金色闪电最后一个枝杈从那一带流传甚广的梦幻故事中的闪电之树的树干抽出新枝。这株大树矗立在卡彭塔利亚湾的海边小城德斯珀伦斯。这件事情对有些人是幸运 的，对另外一些人却是不幸的。

现在活着的人没有一个敢说见过这奇异的一幕，但是历史总是不断地重复。古老的传说中，伫立于小城中央的那棵大树也经历过雷电的洗礼。巨雷曾经在这棵大树上炸响！据说，万钧雷霆穿过巨蟒般翻腾的乌云，从天而降。后来消息渐渐传开，人们又说，那雷电来自更远、更远的地方。他们听到滚滚惊雷，一路回响，一直回到大海。最后，等到雷声终于在远方消失，狂风拔地而起，在海面旋卷着，呼啸着，夹带着漫天黄沙，向海岸扑来。与之相伴的是无法想象的豪雨。那以后，时间仿佛停顿了。

时间停顿，因为空气中湿度太大，钟表的齿轮、发条都锈成铁疙瘩，最后只能扔到垃圾堆。

那天早晨，德斯珀伦斯小镇睡眼蒙眬的人们长长地舒了一口气，因为勒达没有给他们带来太大的灾难。可他们第一次觉得家里寂然无声，那种怪诞的感觉让他们陡然清醒，镇子里那些该死的公鸡还没有打鸣，他们就一骨碌从床上爬起。发现钟表不再嘀嗒作响，镇子里的人只好打开收音机。他们默默地听天气预报。预报说，具有毁灭性的勒达已经席卷海岸线，它像一个发疯的女人，对这一地区——方圆一百公里海面——的船只造成了极大的破坏。尽管镇上人庆幸他们逃脱了时速高达二百二十五公里的飓风的袭击，焦虑不安却仍在扩散。一种莫可名状的东西重重地压在心头，他们突然有一种预感，用不了多久，厄运就会降临到自己头上。因为祸不单行。先是狂风暴雨、钟表失灵，接下去肯定会再发生什么祸事。我们很难描述这种奇妙的感觉生成之后，焦虑如何迅速传遍全身。反正大伙儿都觉得浑身瘫软，骨头疼痛，昏昏欲睡。第二天，那种感觉便演变成流行性感冒。

静电还在空中飘荡。早晨，城里的人们睡眼惺忪、声音重浊地睁开眼睛，万分惊讶地发现，他们每触摸一样东西，都会被电流击打一下。但是这并不妨碍他们到处转悠，一会儿摸摸这儿，一会儿摸摸那儿——比方哼哼唧唧的狗或者受惊的家猫带电的皮毛，看看会发生什么事情。结果，整个地区，无论白人还是黑人，无论络腮胡子还是连鬓胡子，都像豪猪身上的刺竖了起来。不知不觉之中，他们都成了“猫王”埃尔维斯·普莱斯利那副模样。

静电的怪事儿发生的时候，这块平原所有潮湿的厨房里，炉子上煤烟熏黑的水壶还没有发出哨声。行将就木的一家之主们坐在那儿纳闷，到头来，在他们身上到底会发生什么事情。就在平平安安住在城里的人们张开嘴唇干裂的嘴巴，从玫瑰花图案的瓷杯，或者从边上刻着主人名字的马口铁杯，或者从塑料杯，或者从分量很重的、浅黄褐色陶瓷杯里喝第一口茶，让生命的活力和循规蹈矩之感重新出现在阴郁的脸上之前，谁都知道，这个世界出差错了。

对于任何一个城镇而言，倘若那些信仰《圣经》的人一直认为自己沐浴着上帝的恩泽，而现在突然被最低级、最原始的不安全之感所困扰，做出什么怪诞之举，实在不足为奇。更让人不寒而栗的是，大家意识到，像德斯珀伦斯这样一个小镇，倘若碰到什么灾难，根本没有力量与之抗衡。清晨，没有一只小鸟歌唱。最让人百思不得其解的是，谁都亲眼看到，整个世界变得一片通红。看到自己白皙的皮肤也变成红色时，他们愈发惊讶得目瞪口呆。

生来就在当地居住的人也都硬着头皮走出家门。他们想弄明白到底发生了什么事情。因为目光所及，山水树木，就连碧波万顷的大海也都染上一层红色。谁也没有看见过这样奇异的日出。德斯珀伦斯南边很远的地方，燃起丛林大火。太阳挣扎着，从密布的浓云与烟雾中升起。实在是非同寻常的一天。云翻水怒，海天一色，辽远的天空把奔涌的潮水带到内陆几公里远。海水拍打着城边儿，波浪吞噬着平展展的田地。人们相互比对破损的钟表。不知道为什么，所有的钟表都在午夜过后十一分钟停下。城里的智者说：“这件事情实在太蹊跷了！”

一具具腐败的尸体从海底冲到家门口，可是谁也没有明言空气中散发的那股略带咸味的腐臭。人们只是兴致勃勃地谈论，镇子里那些和基督教有关的装饰安然无恙，一点儿也没有损坏。而镇公所免费放在各家各户前院的《耶稣诞生图》居然没有被勒达的狂风刮走，这简直是不可思议的奇迹！它那魔鬼般的啸叫让整个镇子里的人神经紧张，烦躁不安。但是令人庆幸的是，勒达没有选中它作为摧毁的对象。

清理工作完成之后，大家看到，他们这个镇子的损失最小。虽然至少十二个塑料驯鹿被大风吹倒，一路向南，上了天堂，那位色彩鲜艳的塑料圣诞老人还端坐在雪橇上。究竟是什么原因，不得而知。那些睡眼惺忪的人还万分惊讶地看到，经历了一夜风雨，镇子里每一根篱笆柱子上当积雪装饰的棉花绒还软绵绵地、可怜巴巴地挂在那儿。第一眼看上去，就好像小镇遭遇了暴风雪的袭击。大家——镇子里宣称自己笃信基督教的居民——都心怀卑微之感，觉得这场飓风没有摧毁小镇和他们的家园实在是万幸。除了别的馈赠，他们把这次好运气看作是看不见、摸不着的全能的上帝迟到的圣诞礼物。他们都说，他一定听到这一夜人们压低嗓门儿真诚、急切的祈祷。

但是，感谢上帝使他们幸免于难的祈祷还没来得及说出口，危险的信号就又在眼前出现。小孩子们兴奋地叫喊着，在泥泞的大街上跑来跑去，关于另外一个奇迹的传言就像野火蔓延开来。“怎么了？怎么了？”那些还没有听到这个消息的人焦急不安地问。听着，求求你，那些小孩儿！那些在德斯珀伦斯备受父母呵护娇惯的孩子大声叫喊，圣诞老人的雪橇从狂风暴雨中的云朵里掉下来了。父母们叫喊：“孩子们，快回来！”

有一个孩子停下脚步，说：“他来了！你们最好都去看圣诞老人。他从大海出来，一直向德斯珀伦斯走来！”圣诞节早该过完了，怎么没完没了？当爹妈的简直要发疯。紧接着，一群人张开双臂，在泥泞的大街上奔跑。他们像表演哑剧一样，相互追赶着，把那些淘气的孩子往家里撵。

真实情况是，镇子里的人们成群结队地向海边涌来，看那个在海里行走的陌生人。这个人长须齐胸，白发飘飘。因为大家都站在海岸上，所以谁也说不清楚这位水手最初是从哪个锚地起锚，扬帆远航的。在镇子里人的心目中，这事儿本身不足挂齿。但是这个小小的细节可以扩展成为完全不同的另外一个故事。这个镇子里的人和别的地方的人不同，只要有时间闲聊，绝对不会让事实妨碍一个好故事的“创作”与流传。

流言像一阵强劲的风吹遍整个海岸。镇子里的人们聊啊，聊啊，只要有人听，两只猫头鹰在旁边打架也不在乎。确实有人在听。普瑞克尔布什的老人们保存着开天辟地以来这一带的编年史。他们用“暗语”说，注意到一群群“苍蝇”聚集在海滩。这些老人说，瞧瞧城里人那副装模作样的样子，把这些离奇事儿和德斯珀伦斯港原住民的信仰相提并论，简直可笑极了。只需看一眼，你自己就能发现，大多数白人——大约二三十个大人、五六十个小孩站在比海平面高出半英尺的高地，真是一代不如一代，就像七拼八凑的一堆原始混合物。哦，庆幸那小小的幸运吧。你可以指望城里有人甚至到过大海。

那些人派不上什么用场。他们不信上帝，老人们解释道。他们熟悉大海，甚至远到“南大陆”那面的情况也有所了解。所以把航海的人看作英国神的后代。

他们甚至不记得自己的宗教。

城里的白人都站在离水边很远的地方。如果你能看到他们心之所想，就会发现他们对大海很惧怕。因为海水会跳上岸，一个回头浪把人卷走，接下去便是可怕的死亡。所以他们聚集在一起，站在高处，一个个点头哈腰，指手画脚，自以为是。宣称自己一眼就能看出某某人在海边长大。你能听见他们的声音随风朝西边海滩飘来，说的全是老水手才说的话，比如：“海港长大的人，就连小孩儿也能一眼看出走过来的人是不是海员。”

在这个漫长的上午，他们看出这位水手粗糙的皮肤和他们一样，都是金黄色。看到只要有阳光从乌云的缝隙射出来，落到他身上，他的皮肤便像火炬一样亮光闪闪，一个、两个、三个，也许更多女人叫了起来：“啊！

啊！”“噢，啦——-啦！”有人描绘这种皮肤时说，“他的皮肤真漂亮，只有水手才能这样”。因为有一点显而易见，他不是有色人。比方说，既不是黑人，也不是黄种人。

他那宛如南极白雪的长发编在一起。很久以前，在辽阔的大海航行时，淡黄色的头发便被狂风和含盐的海水，“漂染”成白色。有些人像合唱似的齐声赞美，仿佛他是神父。“他马上就到了。这个老人真是我们的楷模，是大海最典型的精英。”德斯珀伦斯一带已经有人宣称，在海里看到巨蛇，所以这位水手神奇的出现和那个故事相比并没有引起轩然大波。还有的人说，这位不为人知的水手在他纠结不清的装饰物里，宛如一粒完美无瑕的珍珠。他像约拿[①]一样，在雪浪花上和海扇壳、绿色的海草、海星纠缠在一起。他们注意到，他一双眼睛炯炯有神，闪烁着迷惑不解而又极具穿透力的海蓝色的光芒。哦！这位哲人“引吭高歌”：“我再说一遍，在南大陆，陌生人也没有什么可怕。”他们齐声赞美。“让他自在一点。”人们都叫喊着。在普瑞克尔布什，“在他们的梦中”，人们喃喃着。

你一定要相信德斯珀伦斯人家里的真实情况。一个古老的民间故事珍藏在这些人的思想宝库里。像他们这样来自远方而又迷失方向的“海员”们，永远把大海装在心里。那是他们的故事。

普瑞克尔布什的年轻人视力好，可以看到很远的地方。他们说，他的手皮肤粗粝，布满伤痕而又十分敏捷，和那些习惯于撒网捕鱼的人的巧手没有两样。站在高高的海岸线上，人们很容易想到，这个后来被大伙儿称之为埃利亚斯·史密斯的人来自这个星球某个遥远而又神秘的地方。在那里，痛失亲人、身穿黑色羊毛衣的人们向饱经风霜的圣母玛利亚的雕像祈祷，为葬身大海的亲人一遍遍吟诵玫瑰经[②]。

---

①约拿：《圣经·旧约》中的先知，被一条大鱼吞噬，三天后被完好无损地吐出。

②玫瑰经：对圣母玛利亚表示虔诚的修炼方式，主要由三套经组成，每套经由万福玛利亚的五篇祈祷文构成，每篇祈祷文以主祷文开头并以“荣耀颂”结束。

你可以看出这个人的经历堪与梦幻时期[①]发生的那些事情相比。因为，他的记忆被偷走之后，漫天翻滚的乌云和飓风便化作闪电，销声匿迹。老人们说，他们知道埃利亚斯·史密斯失去记忆的确切时间，因为他们彻夜未眠，眺望大海，亲眼看到乌云、巨浪和狂风集结而成的灾难向另外一个方向滚滚而去。埃利亚斯面朝下漂浮在卡彭塔利亚湾狭窄的入海口。他很走运，抓住了一个塑料箱子。箱子里还有一点水果可以吃。"他朝我们这个方向漂来了。"

老人们拒绝去海岸围观，因为白人在那儿。他们说，谁也不应该把一个从大海里走出来的可怜人当热闹看。哪怕他是在雨季高峰，在翻滚着泥水的滩涂走了二十五公里的路。没错儿，可这是城里，城里的水壶也不一样！普瑞克尔布什人气愤地抱怨，也想去看看。

普瑞克尔布什人在家里待着的时候，城里人蜂拥而至，好像那是一件让人高兴的事情。我们可以把它称之为生怕古老传说消逝的恐惧症。也可以把它称之为想象力的迸发，驱使着每一个男人、女人和儿童跑到潮水最高水位的吃水线，站在没过脚踝的泥泞中，耐心地等待。他们完全抛开日常工作，只是为了复活一个关于他们起源的古老的传说。与此同时，海岸线那边，离小镇很远的海滩上，老人们眺望白人在做什么。西普瑞克尔布什的土著人也开始行动起来。

听到阵阵喧闹，老人们从飓风袭来时睡了一夜的潮湿的地铺上爬起来，想看看喧闹的人声从哪儿传来。"今天有人很激动，"他们都说。一边说一边又在高高的草丛中安顿下来，极目远眺。他们总是以一种有节制的兴趣看镇子里正在发生的事情，然后，时隔不久，就开始修正自己的记忆。这就是老人们为了大家的切身利益，津津有味地做的日常工作——口述关于小镇"有争议财产的暂行保管人"的历史。他们不时把严厉的目光投向

①梦幻时期：澳大利亚土著神话中开天辟地的时期。那时候，整个土地上游荡的传说中的图腾生物……歌声形成了世界。

通往小镇的公路。这天，那个年老的猫头鹰脸女人和别人一起凝望海滩。天知道她看见了什么，反正她代表她的人用充满讽刺意味的声音，大声说："哈？哈！瞧瞧我们。我们是老人。你们不知道自己打哪儿来的时候，我们就已经知道你们了。"她说的"我们"是指她的亲戚——城西面的黑人。他们属于诺姆·凡特姆家族，从历史上看，是这一地区合法的所有者。

城东的营地属于老约瑟夫·迈德纳特家族的地盘儿。他们是从西边流落到这儿的。因为他们想说，他们是现在德斯珀伦斯镇那片土地真正的主人。这个想法源于约瑟夫·迈德纳特的父亲"老旋风"。他们甚至给自己取了个名字——万嘉比亚。他们都说，早在诺姆·凡特姆家族来卡彭塔利亚湾之前，他们就已经在这里繁衍生息。他们管这个部落叫"新来的家伙"。啊，即使这个世界压根儿就没有一个叫万嘉比亚的部落，你也会发现周围的人都管他们自己叫万嘉比亚人。早已湮没无闻的万嘉比亚人突然从许多地方聚集到卡彭塔利亚湾：布里斯班、悉尼，有一个人甚至从洛杉矶来。此人自称万嘉比亚人，还会说早已失传的万嘉比亚语。其实是风传这一带发现了大矿藏才吸引这些人不期而至。说来可悲，城东老约瑟夫·迈德纳特家族那些人真是些令人讨厌的家伙，简直就是一堆垃圾。

他们和野猪一起生活在一百零一只猫之中。城西的老人们这样指责城东的人。他们说，那些家伙只要继承了约瑟夫·迈德纳特的"垃圾基因"，就对文化一无所知。他们看到他的"垃圾血"在那些号称万嘉比亚人的身上流淌。即使你看到他们院子里躺满了野猪，也不能开枪去打。他们管这些猪叫姑姑和叔叔。"哦，你不能打这只猪，他是叔叔。"他们睡在破汽车以及诸如此类的破玩意儿里。这是非法的，但也是约瑟夫·迈德纳特和政府达成交易的一部分内容。他同意交出矿山，政府给了他一大笔钱——一千块，还说："去买真空吸尘器，胡佛牌电动吸尘器和别的家用电器吧！还有那些野猪。"有钱能使鬼推磨。他获得了原住民的权利。他可以去打所有那些野猪。他似乎应该把卡彭塔利亚湾的野猪永远消灭，可是他从来不去做这件事情。他让他那些派不上半点用场的亲戚把小猪仔拿回家当宠物养。每家养了十头。

城东所谓万嘉比亚人还负责消灭蔗蟾蜍[1]。到现在为止，几百万只蔗蟾蜍在这个地区跳来跳去。听说政府每消灭一只蔗蟾蜍就给你五角钱之后，你就听吧，城西的人们议论纷纷，巴不得蔗蟾蜍都跑到他们这边来。“哦，那些家伙有那么多癞蛤蟆可真走运！”呸！你知道这些癞蛤蟆是怎么跑到我们这个从来没有受过污染的地方吗？是约瑟夫·迈德纳特从汤斯维尔[2]偷偷运过来的。根本就没有人管他。现在，晚上你打个火把出去看吧，到处都是癞蛤蟆。他们就是这种人：无所不为，寡廉鲜耻。他们连个招呼都不打，就想把土地都偷走。

最让城西那些长者生气的是，这些游手好闲的家伙居然厚着脸皮开口要别人的土地。“他们忘记，这一千年他们连一寸土地也没有。”如果你看到我们这一带连一个小动物也没有，那是因为都被他们吃光了。他们什么都吃。他们靠别人的土地生活，就像真空吸尘器，把这儿的野生动物“吸”了个精光。你或许认为我们这个地区没有这些人骚扰，一片宁静是一件好事儿。你可以这样认为，可是那些信口开河的家伙，压根儿就不知道“宁静”这个词儿是什么意思。

城东，那些“贼”一天到晚什么话也不说。这就足可以把人吓跑了。有些人那么爱说话，喋喋不休，也能把人逼疯。有的人倘若落入城东人之手，也逃不脱，因为没钱买票离开那个地方。于是不得不搭乘坐飞机出诊的医生的飞机，向南飞去，任由人家把他们送到哪个精神病医院。

许多人都想知道，城东人难道真的一句话也不说？如果说，到底说点什么？哦，他们真的很少说话。脑子里冒出什么就说什么。冒出一个词，就说这个词。冒出一匹马，整整一天就说这匹马。冒出一个买东西的念头，可以

---

①蔗蟾蜍：也叫海蟾蜍，原产于中美洲和南美洲的有毒大蟾蜍，20世纪30年代为控制甘蔗甲虫而大量出口。

②汤斯维尔：澳大利亚东北部港市，或译敦斯维尔。

从天黑说到天亮。说起打架，吃完饭拔腿就走，非得把什么人打个半死不可。城西的老人们指责这些人一脑子糨糊，都说他们辱没了这块根本不属于他们的土地，无论如何要受到神灵的惩罚。

就这样，处在边缘地区的营地把德斯珀伦斯镇夹在中间。营地里的人无所事事，只有坐在那儿，看城里的白人做自己的事情。有些习惯之根深蒂固很难想象，宛如地毯上一滴墨水，无法擦掉。也像血迹。确实如此。

就这样，“边缘人”——生活在垃圾场周围破烂棚屋里的黑人，多刺的灌木丛里探头探脑的长者，小镇周围蜘蛛网似的交织的泥土小路上行走着的人们——都停下手里的活计，看那个“雪人”走上海滩。这是大海与风暴的神灵那天共同编写的故事的开头。他们有充足的理由把埃利亚斯从遗忘中解救出来，送到德斯珀伦斯。这就是关于埃利亚斯·史密斯的故事。这个故事日后将由律法的监管者放到“梦幻时期”的神话和传说中，解释为什么干涸的黏土湖静静地躺在那里展示在世人面前？为什么人们看了之后，会奇怪世界都发生了什么事情？他们或许会满心喜悦地认识到，这是人间天堂。可是既然是天堂，为什么人们还要到别的地方生活？

坦率地说，埃利亚斯这样两手空空从大海里来，实在有点说不过去。而且像他这样，脑子里空空如也，连记忆也所剩无几的人，无论到哪儿也派不上用场。如果你把一个空贝壳放到城里，或者像生活在带刺的灌木林里的人们说的那样，放到“居住区”里，就会有一大堆坏事儿发生。他的情况糟糕到了极点。哪怕他是树叶下面一只小蚂蚁，只要还有点儿什么，也比现在强。可惜他把什么都忘了个精光，连耍点小手艺的本事也没有留下。

属于白人的小镇都是这样。你能听到镇子挣扎着，要生存下去，要让自己成功。他们叫喊着：“救救我！救救我！”可是谁听呢？这是一个古老的、无法回答的问题：怎么样才能避开海水？毋庸讳言，作为权宜之计，像德斯珀伦斯这样的小镇唯一可以做的正确之事就是，和别的镇子分享他们发展过程中的相似之处。你知道，他也在探寻自己传奇中的荣耀之事。

一个世纪，或者两个世纪中口头流传下来的传奇故事：

神用符咒镇住那些人，
无法从陆地或者海洋到达。
他们像岩石伫立在那里，
永恒的爱，
让他们觉得太难离开。

啊，时髦的城里人！喜欢嘈杂的南方人说，像德斯珀伦斯这样位于摩羯座[1]北面热带地区的小镇静得出奇。可是，如果你侧耳静听，就会听到，那“宁静”呼喊着要让你听到。到处都是嘈杂声。如果这儿原先就有一个和白人一起到来的上帝，他一定为他们创造了一切，这个地方便成了他制作音乐的地方。世界上不会有比这儿风更大的地方。就像一个交响乐团，随着岁月的流逝，它的声音越来越大。他们从来不知道，或者说从来没有意识到，这音乐简直要把镇子里的人们逼疯。你应该看看那风之音乐，因为它是人终日辛劳的一剂“解药”。

啊，风！风从世界别的地方吹过黏土湖，毫不感谢这座正好建在它的通道之上的小城。渐渐地，当地不停旋卷的风谱写出新的、现代乐章。风钻过每一个缝隙和窟窿，松动了瓦楞铁皮屋顶，让空气中的盐锈蚀露了头的钉子，直到破旧的铁皮在风中发出阵阵哨声和啸吟。再往后，便发出叮叮咣咣的响声。每一天，有时候不分白天黑夜，镇子里都充斥着松动了的铁皮拍打粘着泥巴的菲帛罗[2]墙壁顶部的喧闹。爬满白蚁、蜂窝结构的木头框架已经完全腐朽，只有一层油漆“支撑”着那一幢幢破房子的“门面”。

这难以描绘的各种节奏与韵律的混合飘逸到空中，迅速越过大陆，来

①摩羯座：南半球赤道区域的一个星座，在宝瓶座和人马座附近。
②菲帛罗：一种人造黏胶纤维（商标名）。

到比德斯珀伦斯更充满现代色彩的地方。在那里，宛如星尘团[①]的光，飘到当代作曲家的脑海之中，激发他们的灵感，创作出神秘的、高深莫测的交响乐。老人们打开收音机，从这乐曲中听出难以掩饰的德斯珀伦斯风情，他们大吃一惊，关上收音机。

埃利亚斯·史密斯的到来开始了一个自我剖析的新纪元。这种情况在卡彭塔利亚湾已经好久没有过了。事实是，你要更认真地想想住在城里那些白人的事情，才能得出一个正确的结论。因为关于他们怎样来到这个地方，怎样得到这片土地，有不止一种说法。城里那些白人几乎都声称，他们来历不明。通常在大街上见了面，他们都这样打招呼："嗨，陌生人，你是哪儿的人？"他们说，他们不是陌生人，因为压根儿就不知道自己从哪儿来，所以谈不到陌生不陌生。这也正是他们为什么把等待埃利亚斯登陆演变成是对祖先到来的尊敬。他们通过表现一个人非同寻常的登陆，抒发他们这样一些同样不知道来自何方的人的情怀。

真正的德斯珀伦斯人都是那些金发碧眼、傲慢无礼、瘦骨伶仃、满脸雀斑的家伙。他们属于古老的家族，根就在小镇，可以上溯到好几代人之前。不是那些新来的人。不是。这些早期居民的后代会应你的要求，从现在还活着的长辈到公墓里已经长眠于六英尺泥土之下的先人，如数家珍、一个不落地告诉你。这些人可以在一张纸上画出他们的家谱，或者拿根小树枝在地上"追根溯源"，只是为了证明他们可以寻觅到无限之远。"跟你说吧！"他们经常这样说。他们的祖先是一个幽灵似的白人男人或者女人，有一天，就像埃利亚斯那样，突然从大海走来。如果按比例衡量的话，他们的历史只是把事情真相的开关打开一半——比两代人生命期限中留下的记忆多不了多少。

关于小镇，还有一些小秘密。没有一张地图标过它的名字。镇子里的

---

①星尘团：星团，由于太远而不能逐个辨认，类似发出微光的尘团。

人生性固执。经过许多年的艰苦努力，他们渐渐适应，并且可以抵御热带地区的潮湿和夏天的滚滚热浪。白皙的皮肤像水龙头一样渗出水来。他们很坦诚地表示，惊讶于培养教育出一代代坚忍不拔、不以苦乐为意的人。而正是这一点，使他们卷入那个闹得满城风雨的事件。普瑞克尔布什的土著人自视甚高。老人们交给每天到城里念书的孩子们一个任务。“去，”他们对那些小学生说，“把白人的历史教科书从头到尾、字里行间都琢磨个透。”

小男孩儿、小女孩儿们翻遍潮湿的课本，寻找白人的秘密。他们报告说，连一个关于城里白人英雄业绩的字儿也没有找到。老人们责备这些孩子撒谎，或者懒惰，或者兼而有之。“怎么能什么也没发现呢？”“小学者”们坚持说，他们没有撒谎。“那么，好吧，他们的书里都写什么来着？”祈祷文和宗教课本里提到的那些宗教圣地以及崇高得不能在上面行走的土地，都不属于城里那些白人。“他们没有奉献给神的地方？”确实没有。

啊，虽然这是不可能的事，但又千真万确。环顾四周，你就发现，德斯珀伦斯没有一座青铜或镀金纪念碑，没有任何显示文化与艺术内涵的东西。没有莫扎特、贝多芬，什么也没有！那些厚脸皮的小家伙对所有这些东西都嗤之以鼻。“好啦，好啦！”他们在地上铺平从课本上撕下来的图画。结果，普瑞克尔布什人错误地认为，他们接受了教育的孩子，满脑子都是关于白人的知识，并且开始相信城里人也没有什么了不起。他们没有文化，没有歌曲，没有敬奉神灵的地方。然而，不要再天马行空胡思乱想了。勒住你的马。为什么？他们错了！错了！这座小镇之所以看起来不无蒙昧，仅仅因为他们把大多数“南方人”拒之门外，因为他们远离自己真正的同胞的政府。而这个政府对他们的漠不关心，达到令人难以置信的地步。哦，必须生活在南方的水母怎么能习惯一年四季三百六十五天天天赤日炎炎的北方呢？

真正的德斯珀伦斯人对普瑞克尔布什人说，他们是当地一切的一切的“始祖”。住在边缘地区的人说，他们不信。普瑞克尔布什的小学生继续他们的学业。有一天，他们从城里跑回家，信心十足地站在老人们面前，大声说，城里的白人可以是他们自己梦幻的主人。是的，就像一群石匠，夜半时分传递一块块石头，在环绕小城的无形的边界线，筑起一堵高墙。这堵墙那么结实，宛如中世纪一座要塞的城墙。“但是在黏土湖上哪儿去找石头呢？”那时候，人们认为，梦幻的局外人，如果从远古时期别的什么地方形成对世界万物的看法，就永远看不到德斯珀伦斯的石头。这些“局外人”只能看到辽远的天空和无垠的平原。

普瑞克尔布什人看到老祖宗创造的硕大无朋、孔武有力的神灵占据了陆地和海洋，跨越了每一条江河，每一座山林，甚至走进那些不同民族的人的家门。他们建起石头围墙、紧紧地锁上大门、在窗户上装了铁栏杆，院墙上又拉了一道带刺的铁丝网，希望以此抵御黑魔鬼的威胁。但是这种幼稚的梦想有百害而无一利。普瑞克尔布什人认为，城里人划定的边界简直是无稽之谈。城里的白人却说，这条边界古而有之。他们在纸上勾画着给普瑞克尔布什人看。为了证明他们说得没错儿，还特别指出，这是按照古老的测量方法在大地表面测定的。那些测量员是最早来这里开拓、建设这座小镇的“先驱”。他们和他们的测量方法早已“入土为安”了。

后来，一届臭名昭著的州政府把德斯珀伦斯改成马斯特顿。这个新名字印在所有新出版的地图上，但是经纬度和按照原先的测量方法测出来的度数完全相反。城里人用两根手指比画了一个V字。他们为了保留那些制作精良的德斯珀伦斯城的标志，和公路局公正不阿的“产业工人们”展开激烈的斗争。这些人带着安装标牌的全套设备和政府统一制作的标志，住在“银弹”牌活动房车里，一待就是好几天，竖立更多马斯特顿的标志。

愤怒的居民集结到一起，全力保护小镇的“署名权”。他们气得满脸通红，就像一群发了疯的魔鬼，侮辱、谩骂无所不用其极。政府派来的工人却漠然视之。他们坐等开拔离去的那天，只是从牙缝里挤出一句话：“记住，星期五是发工资的日子。”德斯珀伦斯人推倒工人们设法竖立起来的马斯特顿新标牌。在把他们这种坚定的集体主义精神和骄傲之情付诸行动的过程中，他们又在通往小镇的公路两侧竖起许多标牌，确保人们知道，德斯珀伦斯就是某个想青史留名的南方政客强行命名的那个地方。普瑞克尔布什人也说，他们一听见马斯特顿这个名字就恶心。这话城里的白人倒觉得很顺耳。

当地人都把官方印在地图上的马斯特顿看作和他们完全无关的另外一个地方。陌生人倘若来到这一带，就只有迷路的份儿了。“不对，不对，伙计！你的地图错了。”只卖“壳牌”汽油的加油站工作人员对一瘸一拐走过来问路的人说。城里的白人从来就不愿意和陌生人多说话，而小镇和政府之间的僵局使得这条偏远地区亏本经营的公路上，车祸死亡率居高不下。

普瑞克尔布什人本来可以把这个地方的变迁史告诉来旅行的人，而不该一味指责那些特意来普瑞克尔布什讨教的旅游者：“见鬼去吧！”而城里那些执掌大权的人，给南方什么人写信的时候，从来也没有提到过，他们的小镇还叫德斯珀伦斯。这个名字是以小镇的缔造者马修·德斯珀伦斯·弗林德斯船长的名字命名的。毋庸讳言，城里的白人谁也不会接受这样一个事实，那就是，弗林德斯是个头号大傻瓜。他到处宣扬，说他发现了一个深水港。可是河水一改道，难得的良港就成了一个小水塘。不等蛇神再开辟一条新的河道，一个世纪已经过去了。

城里的白人说，人生来都没有土地，也没有带什么行李来到德斯珀伦斯的新世界。知道了他们这种观念就不难理解，为什么那么多人冒雨聚集到海滩上，看埃利亚斯·史密斯从大海走向陆地的壮丽景观。泪水和雨水混合到一起，从他们的面颊潸潸流下。人们心里满满的，珍藏着往日美好的记忆，即使那记忆早已偏离了宛如公路那边的墓地一样古老的历史。

可是，哎呀，对于埃利亚斯，虽然他在浊浪滔天、被暴风雨撕碎的水草和陆地上的杂草纠缠在一起，汹涌翻滚的大海拣了一条命，但这一天绝对不是天使展翅飞翔的好日子。他本来可能沉入很深很深的海底，和古老的失事船只残骸待在一起，永远淹没在成千上万破烂瓷器的碎片发出的音乐声中。那是沉船货物里棕色的熊、黄色的鸡、带斑点的狗和粉红色的娃娃在超脱尘俗的深渊，在怪石嶙峋的暗礁周围相互碰撞发出的响声。

可怜的埃利亚斯暂时什么也看不见。整整一夜，他的一双眼睛被海水浸泡、抽打。现在，走出大海，从南面刮过来的风扑面而来，那风中还弥漫着丛林大火呛人的浓烟。人们只能寄希望于梦幻，但愿那是完全不同的另外一副景象。如果他希望自己运气好，就应该更仔细地看看海岸上，蒙蒙细雨中挤在一起、目瞪口呆的人们。他们站在那儿，没有一个人哪怕伸出一个手指头帮助他。他要是自我感觉没有那么良好，也许更好一点；他要是把逃脱变成一具披挂着海藻的骷髅，小鱼在骷髅四周游来游去的命运看作奇迹，也许更聪明一些。

如果上帝赐福于他，埃利亚斯应该看到藏在高高的草丛中的普瑞克尔布什人。也会像海滩边巡游的巨大的槌头双髻鲨[1]，立刻分辨出挤在海滩上的人们目光中的恐惧。槌头双髻鲨能看出这些人看陌生人时的模样。埃利亚斯虽然淹得半死，也不该是他对这一切目无所视的借口。你应该看到，这些人头顶就笼罩着这样一种氛围。这样的小镇，如果上帝答应每天满足人们三个心愿，不管那心愿是什么，他们都会立即照办。你刚说了一句“鲍勃是你的叔父”，就相互举刀向后背刺去，包括向鲍勃叔父刺去——如果他就在旁边的话。

一个更聪明的人会再潜入浑黄的水里，和退去的潮水一起，游过二十五公里泥滩，消失在大海之中。他应该像住在边缘地区的土著人那样，看待这事儿。因为他们最清楚。埃利亚斯应该说：“嗨！这只不过是那些患陌生人恐惧症的家伙‘闭关自守’的怪异之举罢了。正如沿黏土湖地平线看到的所有那些孤零零的景物。”

因为这个地区有史以来，谁也没有真的见过有什么人从大海直接走到

①槌头双髻鲨：属于双髻鲨属的大型食肉鲨鱼中的一种，它们的头部向前延伸，又大又胖，两只眼睛位于顶端。

城里，所以聚集在海滩观看的人们都被这奇观迷住了。老人们担心城里的白人没有能力应对出现在他们生活中的这种无法把握的“新事物”。对于他们而言，在快乐与痛苦中沉浮已经习以为常。时至今日，苦乐更没有什么区别。这个人会是个什么人物呢？是他们称之为全能的上帝派来送信的天使，还是凶神、恶魔，或者海怪？或者只是一个普普通通的人？埃利亚斯离他们越近，那一群像云朵一样的人越往后面的高坡上退。这当儿，连城西和城东营地里的土著人，从高高的茅草丛探出黑脑袋张望的时候，也能听到那些城里的白人在相互议论，这情景简直奇异得宛如可怕的“外星人”踏上他们的土地。

太阳越来越高，老人们眼见得城里那团“云”，无意之中聚集成宛如澳大利亚地图的形状。他们越发兴致勃勃地用那些可怕的词语谈起鬼怪、幽灵的出现。是的，他们确实在说自己心之所想，他们甚至用“现实主义”的语汇描述这可怕的现象。孩子们身上涂着泥巴，看起来好像是某种宗教仪式的一部分。他们的耳朵像雷达一样转动，听到大人们说，光环升起，他们正在见证上帝派来的水上天使的时候，那耳朵立刻支棱起来。

真不要脸！哦，那些已经结婚的女人也不是什么好鸟！让人惊讶的消息沿着茅草丛生的小路迅速传来——那些傻女人居然说：“看他的大腿！”哦，哦！快看！那两条金黄色的大腿真棒，涉水走过几公里长满杂草的浅滩，在膝盖后面留下宛如羽毛的水痕。只有天知道，看到他那不无讥诮的斯拉夫人目光朦胧的眼睛，她们的脑海里会萌生出多少堕落的念头。老人们羞愧难当，连忙低下头，把目光移开，只是透过高高的茅草，偷偷瞥那些女人一眼。他们在茅草丛中相互打着口哨，看大地蒸腾起的热气在头顶形成的“海市蜃楼”——仿佛一座矿山和一个大工厂的烟囱喷吐出团团烟雾，直入云霄。老人们在茅草之上打着手势，“告诉大伙儿，她们男人的眼睛都瞎了”。如果黑人能脸红就好了，只要……可是，那些水做的女人，那些品行端正、值得尊敬的城里的女人，逃不脱那位水手的“符咒”，只是直盯盯地看着他那两条赤裸的大腿，看他涉水走过浅滩。

哦，老人的心当然被这一幕刺痛。他们不得不眼巴巴看着这些悲伤的女人。她们一定又想起充满童年时代美好想象的闷热的夜晚。那时候，父母给她们读欧洲的民间故事。故事里，嘚嘚的马蹄声穿过层层云雾和异国他乡渐渐远去的风景，化作催眠曲。浓雾里出现一个独自溜冰的小伙子。他毫不费力地滑过冰雪覆盖的湖。湖的四周长满了枯黄的芦苇。大榆树呻吟着，被披着白雪斗篷的精灵压弯了腰。

海边这一切都是在尼克莱·芬上尉说他发现有个人从大海走来之后发生的。这位上尉是住在城里的白人。他也声称不知道自己是从哪儿来到德斯珀伦斯的。芬是个老人，在海滩这道靓丽的风景线，他也是个人物。城里人都不叫他的名字，而是把他当成一个物件儿，管他叫“那个癫狂的玩意儿”。发现埃利亚斯那天，他像平常一样，监测海岸线。由于潮水猛涨，现在大海已经与小镇相邻。而这一天发生的事情完全改变了芬的生活。

芬穿着打扮稀奇古怪。无论睡觉还是干活儿，他总是穿一套过冬穿的斜纹哔叽布衣服——澳大利亚军队橄榄绿军装。人们普遍认为，这是一个公共卫生问题。他那油腻腻的灰色长发上扣着一顶军帽。他的后背特别招苍蝇，爱出汗的人们在他背后不无沮丧地说：“瞧瞧他！”可是，许多时候，特别是大热天儿，人们尽量不去看他，似乎这样就可以免得自己也染上严重的皮疹。

芬把许多事情都忘到脑后，他从来没有注意到潮气把他身上那套破旧的、散发着霉味的制服变成雨天之后来德斯珀伦斯造访的蛀虫的家。这些入侵的小虫子在他的制服上留下许多小洞，然后继续前进，咬碎他身上别的衣服。那时，他已经像花儿传播花粉一样，把孵化出来的幼虫“播撒到整个小镇”，直到有一天，大家为芬把困扰他们一辈子的蛀虫带到小镇，而正式表示“感谢”。

芬从事“秘密工作”的生涯——他说，他是作为未登记在册的士兵，为澳大利亚军队工作的——在埃利亚斯从大海走向陆地那天之前，一直没有发生过什么值得一提的事情。每天他都按照固定程序工作。开始“军事行动”之后，他便早早地出发，到海边执行“秘密”命令，不管从城里到海边当时的距离有多远。通常，他看起来就像一个黑色的斑点，在清晨笼罩大地的雾霭中移动。那雾霭弥漫在海天之间，把水平线隐藏起来。他低着头，撇着嘴，满脸严肃，在海滩上走来走去，寻找可疑的迹象，准备向军队情报部门报告。为了满足“秘密工作”的要求，他煞费苦心，装扮成一个穿军装的疯子。不过，也许正是此举，让人们对他究竟干什么活儿，产生疑惑。你很难说清楚，他是个骗子，还是真的为军队服务。他用从海滩上捡来的空瓶子，在海边创造了一道别具一格的风景线——费了好大气力，在渔人酒店后面筑起一道琥珀色的玻璃高墙。高墙前面摆了一张塑料桌子，他就坐在桌子旁边一把椅子上，吃旅馆免费给他吃的放在柜台里的饭菜。

埃利亚斯到来、事情发生变化之前，芬那副样子很容易招来人们的嘲讽。在城里，无论走到哪儿，人家都躲着他。女人们讨厌他，见了他都嗤之以鼻。那些曾经像丘比特娃娃[①]的已婚妇女，现在为了保持那么多美好的记忆，打扮得格外性感。她们隔着一条马路，在他背后压低嗓门儿说：“那个浪费生命的老疯子又来了，真是个大傻瓜！别看他，假装没看见。”你能感觉到嫉妒之火在德斯珀伦斯大街上烧过来，烧过去，让你好几天喘不过气来。

芬对这些闲言碎语从不计较，只是继续走自己的路。不，不是走，而是拖着一双脚在主街人行道上画出一个又一个“之”字。他弯腰曲背，肩膀上背着在海滩上打的老鹰。打老鹰本来是一件毫无意义的事情，可是芬花了好多时间，对着天空放枪。那些穿着被太阳晒得褪色的裙子的女人一想到要从他身边走过，就面无血色，宛如晒干了的珍珠。和芬擦肩而过的时候，她们下巴颤抖着，愤怒的眼睛直视前方。

但是，那天早晨，当浓雾初开，空气中还蒸腾着红色水汽的时候，脚

①丘比特娃娃：胖脸、大眼的小玩具娃娃，头顶上有一缕头发。

蹬沾满泥巴的军用皮靴、站在海滩上的芬的生活开始向好的方向发展。就在这个红光满天的奇异的早晨，当他开始射击，像平常一样，对着一群在大海上盘旋的老鹰浪费军用步枪的子弹时，他第一个看到埃利亚斯上岸的奇迹。鸟儿在芬发现这个奇迹的过程中，功不可没。芬的手有点颤抖，为了端稳枪，不停地左右晃动，而那群老鹰俯瞰着他，不时飞出射程范围。那是老鹰和这位上尉做游戏。它们上下翻飞，时远时近，偶然会有一只被他打中，从半空中掉下来，但是许多年来，它们都知道，他根本就瞄不中，碰运气而已。就在他这样发疯似的跳来跳去追赶那群鸟，朝它们大声叫喊着，让它们停下不动，一会儿高举起枪正对天空，一会儿平举着枪朝大海瞄准的时候，他发现了远处的人影。

好长时间，他眼巴巴地看着那个人走过涨潮时芦苇飘摇的浑黄的海水，走过泥滩。芬对这一带的地形了如指掌，他知道埃利亚斯绕过已经在泥水中浸泡了好几十年的破汽车——有“赫尔顿”、“福特”和挂在汽车后面的拖车。车里积满淤泥，成了螃蟹和贪吃的人们喜欢吃的水产动物的家。芬不明白为什么这个人似乎不知道现在正是海蜇伸出长长的、刺人的触须在水面游动的季节。那个人走过平静的海面，在芬眼里几乎就是个幽灵。芬一动不动地站在那儿，仿佛泥塑的一般。可怜的芬！鳄鱼、鲨鱼、鳕鱼、黄貂鱼、石鱼……几百种侵入他童年梦境的鱼，现在都在他脑海里盘旋。他听见他的太阳穴扑扑跳动的声音，想起城里白人到大海捕鱼或者在海滩野餐时发生的一个个悲剧。那声音仿佛在说，他们记得那一切，仿佛就发生在昨天。住在海边，看着那一场场悲剧。他注视着那个人，觉得随时都会有巨大的海洋食肉动物吃掉他，然后，海面卷起血的漩涡。可是突然之间，宛如晴天一声霹雳，从他的记忆深处传来一个铿锵有力的军人的声音：“方圆几英里只有你一个澳大利亚边防部队的工作人员，害怕是不对的，也是不允许的。”想到这儿，芬爬上周围扔着的一个空柴油桶，举起步枪，从瞄准器观察，这样可以看得更清楚一点。万一需要开枪，不至于措手不及。

后来，他指天发誓，那一刻，他清清楚楚听见从海水里升起风琴弹奏的声音。他说，那是上帝的音乐。他还轻轻地哼哼了几个残存在记忆里的乐句。谁都听出那是亨德尔《弥赛亚》里的片断。比阿特丽斯·史密斯轻松自在、无忧无虑的时候，经常一个人在家里的风琴上弹这个曲子。

上尉无法抑制自己内心的激动，决定要把这个消息和全城人分享。他忘了自己腿瘸，穿过一片泥泞，一口气跑到城里，累得精疲力竭、上气不接下气。不过，他还有足够的力气，未经允许就抓起镇子里新铸的那口钟的绳子。大钟骤然间发出刺耳的响声。这口钟已经运来好几个月，吊在新建的镇公所前面草地上那座塔楼里，由于潮湿的空气里盐分很重，已经锈迹斑斑。

第一个作出反响的是镇公所五大三粗的职员利比·万伦斯。遇有紧急情况敲钟，正是他的职责。当然了，因为年纪大了，再加上湿气太重，严重影响了他的身体，他很希望有人接他这个班儿。

“你干吗敲我的钟，芬？”利比·万伦斯一边大步走过草地，一边大声叫喊着，不让芬敲钟。

芬停下来，看了利比一眼，又拔腿向大海跑去。他说不出话，只是朝利比·万伦斯挥舞着胳膊，让他跟上来。

不一会儿，随着孩子们“圣诞老人来了，圣诞老人来了！”的叫喊声，城里的人们都踏着枯黄的草向海滩跑去。这些小孩儿从穿开裆裤的时候起就接受听见叮当叮当的钟声就要应对紧急情况的训练，都从家里冲出来，跌跌撞撞，边跑边问：“怎么了？怎么了？”

孩子们站在水边看那个陌生人走过和他身后的深水相连接的几公里长的浅滩。他们叫喊着：“他的发卷上怎么都是泥！”一直出神地凝视他那两条光溜溜的大腿的女人们闷声闷气地说：“那是因为他是个奇人。”这是镇子里的人第一次看见留“骇人”长发绺的人。

人群中比较务实的人们说，要找条船去救那个人。他们不顾别人说什么，只是发表自己的意见：“他显然需要救助。”他们走了，年轻人心里痒痒，也想做点海上救援之类的事儿。年纪大一点的人在泥泞中吃力地走着，心里明白，十有八九找不到可以出海的船。

大家遇到的麻烦是，刮季风期间，谁也不出去打鱼，除了诺姆·凡特姆。他是真正熟悉这一带水域的人，可是已经到港湾什么地方捕鱼去了。现在是雨季，城里人的船都在大修。小镇周围修船的工棚里，发动机拆卸下来，油腻腻的零部件放在旧报纸上。

站在海边观望的人们想起应该祈祷，于是有人跪下来，大声祈祷：我们的天父，万福玛利亚。等到那个人安全上岸，海滩上人们的议论已经变成阵阵惊叹。太不可思议了！大家都认为，以前谁都没有见过这样的奇观。总算发生了一件好事儿。不管谁的愿望都会实现。真是不同寻常的一天！城里人站在那儿，围成一圈儿，凝视着那个仰面朝天躺在沙滩上的人，都说："让开，让开！快给他腾个地方！"你可以从那些人没有神采的眼睛里看出，他们已经把希望寄托在这个人身上。这也合乎逻辑。表面上看，确实发生了一件好事儿，但是在感谢与赞赏的背后，他们脑子里还有一些担心和忧虑。

时间一点一点过去了。利比·瓦伦斯代表城里人打着手势对那个人说："看在上帝的分儿上，你总得告诉我们你是谁呀？"他想劝说那个躺在地上一动不动的人开口说话。那个人没吱声。他绞尽脑汁，想方设法，让那个人给出一个理由。可还是一无所获。突然，几个人忍不住叫了起来。他们回答了利比·瓦伦斯的问题，说他是救世主。镇公所秘书回转头看着他们，不相信。利比很为自己受过教育而骄傲，此刻，血从他那张红得不正常的脸颊退去。妻子玛丽·索菲娅恶狠狠地瞪了他一眼，他咬了咬舌头，什么也没说。

利比·瓦伦斯不肯罢休。他对背后那些人愚蠢的议论嗤之以鼻，笨手笨脚、摇摇晃晃在那个仰面朝天躺在海岸的人身边蹲下，大肚皮耷拉到膝盖上。他想使自己成为可以给那人以安慰的人。好长时间过去了，阳光直射在沙滩上。利比觉得仿佛是上帝从芸芸众生中把他挑选出来担此重任一样。太阳怎么会单单照射到他的身上？他下定决心一定要把这件事情弄个水落石出。那个浑身湿透了的人说不出话来，只是重重地喘着粗气。但是看起来精神完全错乱了。

“喂，你到底是谁？”城里人都没了耐心，生气地说。他们都想回家。沙滩上躺在他们面前的这个人——利比·瓦伦斯黑色的外套浸透汗水，在他旁边转来转去——对于大伙儿来说太让人困惑不解了，所以谁也不想费心劳神多想。他们让利比追问下去，因为谁都想现在就知道个所以然。

因为利比派不上用场，人们的目光开始四处搜寻，想找一个能和这个陌生人搭上话的人。这时候，响起一个声音：“让那个该死的、号称执行法律、维护秩序的家伙来。”大伙儿都把目光投到警察埃·斯特瑞恩吉身上。他还有个诨名——楚斯福尔。人们早就把这个家伙从记忆里一笔勾销了，觉得他比没用还没用。这位警察站在后面，非常镇定地观察周围的人和正在发生的事。他喜欢这样一个事实：生活在德斯珀伦斯，对自己的坏名声却浑然不知。嘘，瞧这个倒霉蛋儿！高高的茅草中，一个黑人朝海滩指了指。“快来看！”孩子们都把食指拢成一个圈儿，放在耳朵上。

雷达！雷达！所有这些讽刺、挖苦都是冲可怜的楚斯福尔来的。一个没有当地人作耳目的警察，也许听不到人们在你背后叽叽喳喳、说三道四才好。这位警察是几年前来德斯珀伦斯的。但是，事实上，这个小镇似乎根本就用不着什么警察。于是，谢天谢地，在警察局安顿下来的埃·斯特瑞恩吉舒服得简直无人能比。闲来无事，这位生性温和的“执法者”就在警察局那幢灰颜色的砖房子周围，开辟了一座漂亮的玫瑰园。现在，那儿便成了女人们散步、赏花的好去处。他花好长时间学会如何讨城里那些面颊肌肉松弛的家庭主妇们的好，拿几枝已经蔫儿了的花草树木的插条，换她们珍爱的“奇花异草”。镇子里的人甚至大白天走进警察局，帮他把装了铁丝网的牢房改造成种无花果和蓬莱蕉的温室。渐渐地，花开花落，枝繁叶茂，警察局变成一个大花园。楚斯福尔压根儿就没有想到，如果有朝一日需要他抓什么人的话，该把那个人关到哪儿。

就是现在，楚斯福尔也认识不到，城里人对他意见还不少。他只把自己看作人群的一分子，全然忘记自己对抓捕犯人之类的事曾经情有独钟。

“哦，别招惹他。”有的女人不无尖刻地、干巴巴地说。这是北方女人在这种情况下说话时典型的语气。城里没有人给他说好话。人们都压低嗓门儿，悄悄地说，他干自己的事儿时间太长了，对仰面朝天躺在海滩上的埃利亚斯显然不感兴趣。这个陌生人到现在为止也没说一句话，更没有做出令人满意的什么举动，谁也不知道他究竟是朋友还是敌人。

楚斯福尔不停地看他那只破旧的劳力士金表，估摸时间。他急着回办公室，参加可以免税的函授减肥课程。这个课程承诺三十六个月百分之百减肥成功，需要自己掏腰包的钱却很少。有时候，他会突然出现在刺人的灌木丛边土著人的营地，想和他们交朋友。他向老人们剖白自己的心迹。“我要重做新人。”他解释道。他谈起所谓“精神之旅”，包括自我催眠，祛邪用的咒语，自我心理分析。“这个家伙要是再来跟我胡说八道，我就杀了他！”他走了之后，老人说。更重要的是，普瑞克尔布什的人们害怕，要是被楚斯福尔逮捕了，他会拿他们怎么办？可是，听着！这个专门派来处理麻烦事儿的家伙说，他原来是布里斯班峡谷和暴徒、强盗打交道的刑警，后来一步步升迁，才熬到这个位置。他说，住在灌木林里的人们应该把他当作朋友，当作一位乡绅似的警察。他还说，他甚至想像城里人一样，把自己的绰号改成史密斯。

从表面上看，德斯珀伦斯的社会秩序不怎么好。实际上，这儿的治安并没有因为老警长杰伊·史密斯去世后，接替他的这位来自南昆士兰峡谷的警察不称职而变得一塌糊涂。杰伊是个好人。他献身于警察事业六十一年零一个月，没有耽误过一天工作，直到有一天，说了一声“对不起”之后，颓然倒下。现在，史密斯家族一代又一代人对小镇的罪恶都缄口不谈。小镇有办法对付小酒馆的斗殴、强奸、抢劫、欺诈、性骚扰、家庭暴力。所以，直到此刻，虽然大家都清清楚楚地看出，利比根本干不了这活儿，身为警察的“楚斯福尔”居然想不到自己应该做点什么，而是和普通老百姓一样，围在沙滩上躺着的那个人旁边袖手旁观。

你可以看出，当人们怒目而视、交头接耳、窃窃私语的时候，他是何等的无动于衷。哦，太多的焦虑！太糟糕的命运！没有一个合格的警察，就没有快乐可言。这个浑身沾满海藻的人还躺在海滩上。炽热的阳光把人们照得思维迟钝。现在，站在高高的茅草中朝海滩张望的普瑞克尔布什人，听得出城里人的紧张和焦虑。

这个家伙如果很危险，身患传染病，或者得了不治之症，怎么办？他如果是个有暴力倾向的、拒绝遵守规定、与群体疏远的人，怎么办？

他如果是个杀人犯，或者想非法入境的外国人，那该怎么办？他如果是个疯子或者别的什么危险分子，又该怎么办？

他如果是个间谍，来刺探情报怎么办？

他如果是个外星人怎么办？

城里人还在继续吹牛，说空话。因为地球上任何别的地方都是一片芬芳。他们在白金汉宫还天天换岗，可是世界上没有一个人关心德斯珀伦斯发生了什么事情。谁也不会嘲笑他们这些想法，因为外星人是他们经过深思熟虑做出的判断。镇子里流传着不少关于外星人的故事，让人听来毛骨悚然。有的人会亲口对你说，他们曾经被外星人劫持。那一刻，天上划过一道红光，他们坐在圆盘形金属飞行器上，在太空漫游了好几个星期。回来后，逢人便说，天知道这些外星人会不会入侵他们这个偏远的乡村。海湾地区到处都是空阔之地，谁知道会发生什么事情呢？那些被劫持的人讲他们的历险记的时候，神智健全，活像条疯狗。

当什么东西都能在平坦的黏土湖登陆的时候，你确实很难把思想理出个头绪。是啊，什么事情不可能发生呢？遇到红光满天的日子，整个世界都上下颠倒了，一切都崩溃了。一船船非法偷渡的人，海上天使，不幸的亡灵，臭气冲天的死鲸鱼，甚至一卡车一卡车被污染的鱼，都出现在德斯珀伦斯海滩。现在，一个人从大海走上岸。

沙滩上躺着的这个人宛如超现实的梦幻。太阳晒干了他身上的泥巴，卷起一个个牛奶巧克力色的薄片，粘在身上的海藻和水草在微风中轻轻拂动。海里的小螨虫爬过砂砾，钻进他身上的水疱，吸食伤口里的血。支棱着耳朵听大人们讲外星人故事的孩子们都被往学校赶。“拿水袋去！”家长告诉他们。“哪个水袋？”孩子们一边磨蹭，一边不高兴地叫喊着，一副自作聪明的样子。“挂在学校门廊下的水袋！”大人们撸胳膊挽袖子，吓唬那几个小孩儿，让他们赶快去取。“再给这个人带几个三明治来！”

“你们自己去取！”小家伙们朝父母嚷嚷着。家长似乎忘记今天是学校放假的日子。他们不愿意走，生怕错过什么热闹。“快滚！”父亲们厉声喝道。孩子们知道再磨蹭下去就会遭到一顿暴打，撒腿就跑。他们在回小镇的路上你追我赶，拿水的拿水，拿食物的拿食物，不一会儿就又回到海滩。

那个半睡半醒的人皮肤上布满水疱和已经溃烂的伤口，发出难闻的气味。围观的人们不由得向后退了几步。他的嘴唇肿得老高，有多处溃疡。因为一直在大海里浸泡，再加上山火送来阵阵烟雾，他总是眯着一双眼睛。芬因为在大家眼里是个傻瓜，甚至被孩子们挤到了后面。他气得要命，觉得大家居然都不把他放在眼里，特别生气。他下定决心不能让自己在别人眼里像只患疥癣的狗，只能躲在后面。这算什么事？他是守卫海岸线的人，为什么现在连瞥一眼都这么难？普瑞克尔布什的黑人看着芬，都活跃起来。“嗯，嗯……要打起来了。”他们开玩笑地说，一边咧开嘴笑，一边用胳膊肘子你捅捅我，我捅捅你，谁都想喊他的名字：“芬！芬！”喊那个身穿制服的家伙快往前面挤，可是都没有喊出声音来。人贵有自知之明嘛。

芬环顾四周，朝闹哄哄的人群瞥了一眼。其实这群人里只有他知道如何应付突发事件——难民，船民，想非法入境的外国人。也只有他知道，如何嘴对嘴地给受伤的“外星人”做人工呼吸，让他再活过来。他是唯一在秘密训练营里接受急救伤员训练，并且获得证书的人。他使劲挤到前面，从一个小孩手里夺过水袋。“好，好！”普瑞克尔布什的黑人们打心里为芬叫好。他在地上坐下，把只装了一半的水袋送到那人肿得像棉花团似的嘴唇跟前，非常缓慢地把水一滴一滴倒在他的舌头上。估计那人已经喝够之后，他从三明治里取出一小点已经碎了的鸡蛋，放在那人嘴里。大伙儿都看着，等待着，不时瞅一眼腕上的破表。芬从眼角看到利比·瓦伦斯把“楚斯福尔”拉到一边，和他商量如何讯问这个可能成为他的囚犯的人。

楚斯福尔显得很激动，毕竟他是警察。可是又有点不大情愿。因为他正在想，如何把摆满花草的牢房腾出来，关这个陌生人。他站在那儿，身影落在那个人的脸上，开始漫不经心地问诸如“你是怎么弃船潜逃的，先生？”之类的问题。

楚斯福尔居然提出这样一个问题，芬听了非常惊讶，他看着他那张脸，一字一顿地大声说：“你是怎么弃船潜逃的！”他嘴里嘟嘟囔囔，不停地唠叨什么“弃船潜逃”，唠叨这种毫无意义的“现实主义”，唠叨上帝要提升傻瓜思想境界的时候，傻瓜总是要抓同样的“救命稻草”。他再也忍受不了“楚斯福尔”的愚蠢，朝他大声叫喊着，想挤到前面。“老百姓们，躲开！”围观的人们似乎都同意他的意见，往后退了退，让芬去负责处理这件事情。

芬轻轻地问那个人，他是谁。他等待着，然后万分惊喜地看到那个人嘴角露出一丝微笑。他又悄声说，他不知道他是谁。那个人有气无力地朝南边的森林大火指了指，又朝北边大海之上的朵朵乌云指了指——人们都希望一场豪雨能浇灭大火。“我！”那个人挣扎着对俯身在他头边的芬的耳朵只说出这样一个字。听见这个字的人面面相觑，压低嗓门儿说，他被引诱到了亚洲鱼类市场早已失传的浪漫故事里了。“听口音就能听得出，”芬面带微笑说，“当然。”他不停地说。因为他觉得已经和那个人沟通，思想的洪流倾泻而出，有一把火炬，照亮了他们的心。芬完全理解那个人灵魂深处闪烁的朵朵火花。他突然想起遥远的童年时代、已然忘记的故土的圣埃利亚斯山①，高兴地大声说：“他的名字是埃利亚斯·史密斯！”

①圣埃利亚斯山：圣伊利亚斯山脉中一座海拔5492.4米（18008英尺）的山峰，是美国阿拉斯加州东部和加拿大西南部之间海岸的山脉。

哦，天地之光！能成为被涂油①的人，成为保护神，哪怕德斯珀伦斯这座偏远、凄凉的海滨小城的保护神，也是件好事。埃利亚斯·史密斯从沙滩上站起来，他又活了下来。就像一座气候炎热的城市，冷库里满满地储藏着那么多的事儿。这些发生在当地的事儿就像真理，永远珍藏在人们心里，重压在他们散发着鱼腥味儿的背上。星期五夜晚，在潮气很重的家里，他们一边吃炸鱼，一边谈论记忆中的往事。那是暴风雨中遇到的不幸。幸存下来的渔民们经历的苦难让这些不幸重现。在阴雨连绵的日子里，他们不停地叹息，而不谙航海的人为洪水中损失的牲畜或者明年的干旱，心情沮丧。他们像比较不无悲伤之感的战利品那样，比较测量雨水用的仪器。那是无可奈何面对风雨剥蚀的建筑物时，唯一分散他们注意力的东西。要不然就是白蚁，潮湿造成的腐败，或者鼠疫，蝗虫。姐妹们！兄弟们！对于城里人，那是一次又一次的灾难。在尚未走进孤独的坟墓之前短暂的时日，一个人还能指望什么呢？来自天堂的吗哪②？明虾和澳洲肺鱼从来都不在它们应该在的地方。对于几十年来笃信宗教的人们虔诚的祈祷，难道不能给予更好的回报？冥冥之中，上帝那双大手总是以一种当地人难以理解的方式摆弄着人们的生活。那么，这为什么不会是上帝送来的一件礼物呢？

是的，就好像上帝把埃利亚斯送给了这个小镇。确实如此，因为他们都说："我们早就向上帝祈祷，希望他帮助我们。"

现在，如愿以偿。

"上帝把埃利亚斯送给了我们。"

埃利亚斯在德斯珀伦斯生活的日子里，将讲述许多关于他自己的故事。这些故事和城里人对作为"上帝馈赠"的这样一个人的经历的解释不谋而合。"还能怎么样呢？"将他的传奇——像一封信，从天堂飘落到暴风雨中，

①涂油：在宗教仪式上涂油是神化或任圣职的象征。

②吗哪：《圣经》故事所述，古以色列人经过荒野所得的天赐食物，喻精神食粮、天赐、甘露。

经历了地狱中种种苦难，苟活于世——极力“理智化”之后，他问道。但是，这样慷慨激昂一番之后，埃利亚斯·史密斯又像普通人那样，无法相信在他身上会发生什么特别的事情。

“不，不，别傻了。”有时候，他生气地说。因为人们像做奶油蛋糕一样，把“一层层”敬意加到他的头上。一个人只能承受这么多。埃利亚斯在无人知晓的地方发泄心中的怨气。他叫喊着，请求上帝的怜悯，让他保持常态，他觉得他简直要发疯了！普瑞克尔布什人说，夜深人静之时，他们看见过埃利亚斯站在黏土湖，扯开嗓门儿大声叫喊。这话没错儿。老人们踏着皎洁的月光漫步回来，说他们看见埃利亚斯也在狂野里凝望冬夜的星空，也没错儿。大家都说：“他是个非常古怪的白人。”他们又为他确定了他已经失却的身份。人们都说，他是一个以古老的方式安排从德斯珀伦斯逃跑计划的人。他对普瑞斯布什的老人们说，绝对不是。

人们问他：“既然这样，你为什么行动那么古怪，看起来像个疯子？”他说，他为他收集的银河新星和南极光寻找新的星星。他们还跟他坐在一起，数天上的星星。普瑞克尔布什人屏声敛息，谁也没有对城里人提过埃利亚斯在黏土湖到底做什么事儿。倘若人家告诉你：“哦！是呀！猪也会长翅膀！”你可别当真。对于城里人来说，凡是看不到的事情，从根本上讲，没有任何意义。作为澳大利亚人，他们自有随机应变之道。许多年前，当他们第一次听普瑞斯布什人说这话的时候，就把他们赶出城，而且好长时间拒之门外。城里人说：“如果你们像疯子似的说这种鬼话，就不能再到这里。”老人们头脑简单，也没有什么圆滑、老练的办法去报复，只能恶毒地诅咒了好长时间。最后，黑人和白人达成和解。双方都说，他们都是小小老百姓，没有必要这样争论不休。老人们说：“我们只能把它当秘密保守了。”

这就是为什么普瑞克尔布什人闭口不谈对埃利亚斯夜间让自己的想象自由驰骋的原因。他们看见他站在那儿，举起瘦骨嶙峋的双臂，伸开手掌，和地平线保持平行，左右摇晃，模仿鸟儿飞翔或者鱼儿扇动鳍。普瑞克尔布什人只是内部悄悄地流传，说他看起来就像月光下的一个十字架。如果有人问起他，他就耸耸肩，仿佛他也觉得这个关于他的故事难以置信。

当埃利亚斯对自己失去信仰的时候，时日就变得格外艰难。他失去往事的记忆，悲凉之感油然而生。比如说，他的童年是个什么样子，在哪儿度过的，他全然不知。知道自己和普通人不一样之后，埃利亚斯十分沮丧。每逢纪念他来德斯珀伦斯多少周年的日子，城里的白人就十分焦急，不知道该如何表达他们的敬意。这时候，埃利亚斯会像一只满腹狐疑、扇动着一双翅膀的鸟儿，到处游走，说他不存在，甚至说这样的话："为什么会是我？"在城里，人们觉得这简直怪异透顶，一个人居然对自己天神的地位提出疑问。他们对他说："你也许是，也许不是，但你是。"

怀疑自己的同时，他也营造出一种疑云重重的氛围，让人们觉得这个城市和整个国家其他地方相比，别具一格。它不但和所有大都市不同，而且和所有拥有广播电台以及电视台的城镇不同。那里，所谓幸运的人们控制着这个国家品质更好的商品和服务。"世界上没有一个地方像德斯珀伦斯一样，得天独厚，能拥有一个天使！"利比·瓦伦斯每次开始讲话都有这样提醒大家。"没有一个地方，得到上帝这样的恩典。"他为"这个地方"大唱赞歌。

芬现在在城里颇受尊敬，名声大振。大家都说他对预测和评估夏季的湿度很有一套。他也成了了解埃利亚斯到底有多么烦躁不安的专家。芬抽抽鼻子，发觉空气中有什么异样，就径直跑到镇公所利比·瓦伦斯的办公室，跟他嘀咕几句。不一会儿，利比就把镇子里那些好事的人召集到他那间干净的、刷成乳白色的办公室里发号施令。于是，城里每一户人家都厨房飘香。同时烹调的炖肉、炸鱼、烤牛肉、咸牛肉和布丁的香味儿，让你食欲旺盛，一天到晚都觉得肚子饿。平常总是满目萧瑟的镇子摆脱浓重的湿气，其乐融融。人们不分昼夜地聊天、宴饮，和穿着纱笼跳草裙舞的女人们一起唱歌。诸如《绑只袋鼠来运动》这样的老歌又飘然而起。还创造出一种名为"解决难题"的游戏，比方说，四个人出海，只回来三个，剩下那个怎么办？

他们乐呵呵地背诵古老的祈祷文，还在权且充作小教堂的工棚里编出新的祈祷文。

还有的人在小酒店后面荒草萋萋的空地就着煤油灯光赌博。他们赌什么呢？赌埃利亚斯为什么想法总是不对的原因。聊呀，聊呀，聊呀。也就是这个时候，不忠的城东人占了优势。城西人看到他们“入侵”那些空地的样子就觉得恶心。老约瑟夫·迈德纳特走在前面，掺和到那些白人永无休止的谈话之中。“欢迎！欢迎！”城里人请这些马屁精、懒汉过来。狗、猫、上百万的苍蝇都聚集到这块空地聊天儿。就这样，埃利亚斯·史密斯在人们心中造成的恐慌慢慢地、一点一点地成为过去。这个人说一桩关于他的小事，那个人仿佛捡起一小块色泽黯淡的宝石，在家里琢磨，直到晨曦微露，终于找到答案，加到关于埃利亚斯真实情况的无穷无尽的长卷之中。

埃利亚斯是个白发老人，或者夜间出没的天使，或者是个浑身覆盖着浅绿色甲壳的妖精的传说已经变得久远。现在，人们只记得他从淡蓝色的大海那边来，像他们大家一样，不得不自己动手开拓生存之地，没有别的什么不同凡响之处。当地流传的故事比你从收音机里听到的广播更可靠。南方的政客大谈他们自己和他们正做的事情，而这些事情和德斯珀伦斯的小小老百姓没有任何关系。城里人从来不说那些家伙的好话。

尽管埃利亚斯不记得自己的来龙去脉，他却能从别人的记忆中找到点什么。他们把自己的想象告诉他。他把他们的童年记忆当作自己的过去，从而填补了已经忘记的那段历史。他只记得，他是被一声惊雷、一道闪电抛进夜幕笼罩的大海。他能十分生动地描绘出他倏然之间被闪电带到空中的情景。因为记忆跟不上闪电的速度，先前的事情就都忘了。他的故事很有说服力，对于别的细节，人们也没有提出什么

疑问或者相反的意见，或许大家觉得他神经不正常。他对聚集在茅屋周围听他谈论这件事情的人们说，如果在大海上听到惊雷滚滚，一定要当心。

他说，因为一个天使不能关照城里所有“罪人”，要再派一些天使和恶人斗争。“你们听到的滚滚惊雷实际上是上帝和魔鬼为这件事情争论。”

人们都认为，是他把风暴从大海带到德斯珀伦斯。暴风雨来临时，黑压压的乌云布满黏土湖上空的奇观让人们相信，埃利亚斯说的是真话。他已经变得几乎像芬一样癫狂。

每逢电闪雷鸣，埃利亚斯就跑到雨水浸泡的大街，大声叫喊：“当心！当心！”普瑞克尔布什的老人们看到瓢泼大雨中奔跑的他都说，他说被跳蚤咬了。他那嘹亮的“天籁之音”让城里人听了害怕。他高举手里那根神圣的手杖，直指满天翻滚的乌云，说：“更多的天使来了！”他说的没错儿。乌云漫过长长的地平线，向小城压过来，仿佛天空就要在这里裂开。在德斯珀伦斯，什么事情都有可能发生。

“好的，我们一定去看看有没有什么情况发生！”镇公所的工人们说。他们开着公家那辆卡车冒雨到小镇每个角落，粗略地看了一下，撒下鲁恩莱发明的那张无形的网。鲁恩莱是个误称，其实鲁恩莱一点儿也不鲁恩莱（孤独）。[①]他只是城里另外一个无赖，用白人的话说，是个“跳篱笆墙的人”，意思是白人男人和当地黑人女人结婚生下的孩子。鲁恩莱和他的妻子总共生下十二个孩子，一家人闹哄哄地挤在普瑞克尔布什一个瓦楞铁皮做屋顶的小茅屋里。孩子们一天到晚这个喊那个叫，这个哭那个笑，和我们大家一样，好日子也好，坏日子也罢，反正都熬了过来。人们倘若仅仅因为他过得不是白人的生活就认为他孤独，实在太愚蠢了。当然，日子十分艰难倒是真的。可怜的老鲁恩莱一天到晚在海湾捕鱼，养活一家老小。

这个家伙的真名叫 A.D. 史密斯，不知道是从哪儿来的。死的时候家里人都围在床头。他的坟墓已经没有了，因为他死的那年龙卷风席卷海湾地区，公墓已经荡然无存。浑黄的水旋卷着，撕裂层层泥土，寻找所有老渔民和他们的妻子的躯体。当紧贴那些木头盒子的泥土不再抗争的时候，棺材便

①这句话的原文是：Lonely was a misnomer. Lonely was not lonely at all. 按字面上的意思很难翻译。Lonely 的意思是“孤独”，这里是人们给某人取的绰号。如果直译，就是：“孤独”是个误称，其实“孤独”一点儿也不孤独。这样翻译读者不知所云。译者以为，译成“鲁恩莱是个误称，其实鲁恩莱一点儿也不鲁恩莱（孤独）”为好。

漂浮起来，漂向大海。直到现在，还常常看得见德斯珀伦斯的棺材在海湾的环流中漂来漂去。谁也没想着再把那些棺材弄回来，哪怕那里面装的是他的姑姑或者舅舅。你只能朝他们招招手，别的什么事情也不能做。如果你触摸一下死人的“家”就会给你带来坏运气，连一条鱼也抓不到。可是如果你敲敲棺木，又会怎么样呢？不会带来好运吗？

人们拿这块到处都是洞穴的墓地一点儿办法也没有，除了用压路机把它压平，在上面再建一座新的公墓。属于城里人的这座灾难性的墓地把人们逼得像被狗咬了的水手。大伙儿提出，一个家庭有权利在大海埋葬他们刚刚死去的亲人。尽管镇公所根据“地方法”禁止水葬。死人对海水能否造成污染的讨论在人们心里造成很大的恐慌。到底谁对谁错？当亡灵来到镇公所，乞求允许葬身大海的时候，人们提出，什么是基本人权？什么是家庭的权利，什么是镇子的权利？关于这些无法解决的生与死的问题，没有人知道答案，也没有人同意改变这项“地方法”。因为底线是：如果改变意味着更坏的运气该怎么办？没错儿！其实，在人们思想深处，真正担心的是，那些住在破烂的赫尔顿牌客货两用车里的坏透了的家伙会干出怎样伤天害理的事情——在他们死后，拽着死尸的脖子一直拖到海湾的浅水滩。

A.D. 史密斯临死前做了一个活灵活现的梦。在这个梦里，他想象出一个保护小镇的“防卫系统”——一张用祈祷文和敬畏上帝者的虔诚编织的大网。这张大网犹如一个巨大的盾牌，阻挡龙卷风袭击小镇。这个梦犹如一份精神遗产，每年十一月，雨季袭击海湾的时候，便会“发扬光大”——镇公所负责人秘密聚集在一起，商量对策。你知道，大网已经收紧，因为高高的茅草丛中燃起点点火把的亮光。在普瑞克尔布什，丛林里所有动物都屏声敛息，人们都停下手头的活计，侧耳静听。蟋蟀和青蛙是一代代普瑞克尔布什人夜间的“保护人”。老人们说：“别着急。”他们解释说，人们在查看篱笆柱子上有魔力的钉子，防备有贼人来偷东西。三月初，雨季过后，镇公所的工人又受命开车出来收“网”——让小镇更美好。他们收回“大网”，雨后新鲜的空气扑面而来。

是的，鼻翼张开，呼吸那清新的空气。美丽的芒果花芳香四溢，飘到宽阔的大街，飘过一块块空地，飘进宽敞的院落。屋子里，孤零零地坐着未婚女人，用钩针织地毯，或者织补渔网上面被海鸥弄破的窟窿。就这样，冬天她们彻夜辛劳，一边小心翼翼地织补，一边想着为不幸婚姻所累的女伴们，直到渔网重新补好，恢复原状。那时，旱季也过去了。

有一天，镇子里做了一个决定，让埃利亚斯守卫“城池”。没有什么特别的原因。埃利亚斯高高兴兴地接受了这件了不起的工作。德斯珀伦斯急于有个人“看家护院”，完全在预料之中。因为每个人都发了疯似的想保持心灵的宁静。萨利亚尼·史密斯，镇公所的抄写员，前前后后到郡政府跑了好多趟，提醒那些议员，他们的镇子一直就有警卫。于是他们决定让埃利亚斯干这个差事。

那以后不久，老约瑟夫·迈德纳特想偷偷地在萨利亚尼小姐身上做点文章。他说，这是对埃利亚斯当警卫的报复。就连他的妻子也开玩笑地问他：“什么？莫非你想当警卫或者别的什么玩意儿？”他说，如果别人像他一样精明，也会这样做。他还说，即使大家都劝她不要浪费时间，他也不会停止想要偷她一把的想法。但是，要跑到城里偷东西也非易事。他得偷偷溜进那个白人女人拉了铁丝网的后院，然后用石头砸开棚屋上的挂锁，才能偷到“书中之书”。约瑟夫·迈德纳特知道，如果他能把她的书弄到手，他就会成为一个非常有用的人。那是史密斯家族传奇的全集。一卷卷书就那样白白地放在尘封已久的纸箱子里，扔在锈渍斑斑的棚屋里。

那些发黄的、虫子蛀了的纸张上，蓝墨水留下成千上万的字迹，描述了郡议会召集的会议上，人们就想象出来的侵略威胁展开的争论。那无数龙飞凤舞般的字迹描绘出许多“重大事件”。比如，无人防守的、鳄鱼出没的海岸和沿北部边境泥滩上生长的红树林经常看到有人用小望远镜向这边窥视。“当然，地球上谁都渴望得到这块土地。”她写道。一群群亚洲人跨过太平洋蜂拥而至。他们叫喊着："我们要这块土地！我们要这块土地！"国家的军队哪儿去了？在别的国家，在南方各州，没有人会像普瑞克尔布什人这样，满脑子胡思乱想。

每天，埃利亚斯隔四个小时，就会准时到小镇周围纤毛狼尾草、三齿稃和刺人的灌木丛溜达，不管手头正干什么活儿。他最好的渔友诺姆·凡特姆没有他的陪伴也到海边。现在带他坐船出海打鱼已经不可能了。因为即使没有表，他也能判断出时间，到点儿就到城边干他的事儿，哪怕踏平万顷波涛他也得走。

"真实的情况隐藏在哪里？"埃利亚斯问普瑞克尔布什的人。可是在这个国家最顶端普普通通的海边小镇，谁能说清楚这事儿呢？谁知道埃利亚斯想象中的战争是什么样的战争？什么战争，哪一场战争，谁心目中的战争？或许有人会说："埃利亚斯，这里没有战争。"战争在别的地方，在美国，或者欧洲、中东、亚洲那些地区的国家。是的，所有这一切都发生在很远很远的地方，和德斯珀伦斯人们关心、谈论的事情相去甚远。

几年之后，就在埃利亚斯在海边巡逻，寻找引起他警惕的任何蛛丝马迹的时候，发生了一连串非常蹊跷的事情：城里莫名其妙地发生几起火灾——草垛起火，女王的画像被烧，后院起火。紧接着，他家的棚屋屋顶被炸飞，萨利亚尼·史密斯的"书中之书"付之一炬。同一天晚上，又发生了一起爆炸案。郡议会办公室被炸开个口子，直面远方淡蓝色的大海。那口大钟从正在燃烧的"炼狱"咣当一声，平展展地落在地上。谁能想到有人要焚烧这座小城的历史？非常感谢你说过，要撒下一张保卫安全的大网。"纵火"成了德斯珀伦斯人每天都要面对的新词。

那天夜里很晚的时候，埃利亚斯·史密斯的命运被城里的成年人锁定。这些人挤在渔人饭店散发着啤酒味儿的布拉蒙第酒吧。虽然不是周末，人们不得不对新发现的生活的含义妥协。谁也别想幸免。城里每一个华而不实的俗人都不无懊恼地穿上塑料雨衣、雨鞋，呱唧呱唧地蹚过挺深的泥水，来到主街唯一的酒馆。"生态系统"难以计数的、呱呱叫的青蛙都被他们的脚步声惊动，安静下来。没有别的地方可去，没有一个热热闹闹的社区服务中心。尽管这里号称“所罗门宝库”——一座富矿的入口，可以蜿蜒而下，直通海湾下面的地下宝藏。

人们穿着工作服走进酒馆。这几天湿气一直很重，他们身上的衣服就没有干透过，腐臭味又平添了一股汗味儿。酒馆地板上踩满了泥巴，都得酒吧老板劳埃德过后打扫。为了吸一口新鲜空气，人们“死而无憾”。城里的女人们平常很少光顾酒馆，每隔几分钟就会往自个儿身上喷洒一点散发着熏衣草味儿的香水。许多直接受到火灾影响的人都说，他们应该优先发言。他们一致声讨埃利亚斯，因为这是他们的基本人权。他们的生活被毁了。他们表达了共同的心愿：把他赶出去，枪毙这个狗杂种！人们的声音在墙壁间回响。“枪毙他！用步枪……枪毙这个杂种也太便宜他了。”人们都大声叫喊着，生怕别人听不见。埃利亚斯到处乱走，给城里造成那么大的损害。酒吧里乱作一团，有一个住在城外的土著人好奇心大发，趴在窗外，想看个究竟。他看见人影绰绰，谴责埃利亚斯的人们哄笑着，几乎要掀掉屋顶。“哦，天哪！”他自言自语着，拔腿就跑。

酒馆外面，一湾湾泥水像一个个浅浅的小湖。孩子们在水里尽情嬉戏，全然不顾已经是夜半时分，而且大雨如注。他们就这样，在本来应该睡觉的时候，冒着大雨，在大街上跑来跑去。在车轮碾过的、比较深的水洼，他们借着路灯洒下的光，互相踢着水玩。被雨水浇透的衣服贴在身上，闪着幽幽的光。只有绕着街灯在雨中飞翔的海鸥瞥他们一眼。父母亲们只顾在酒馆里开会，没有注意到夜幕早已降临，甚至没有注意到暴风雨正在酝酿之中。不过，话说回来，谁能注意到呢？在德斯珀伦斯，暴风雨似乎已经成为这里人的第二天性[①]，融入他们的心灵之中。

当地生气蓬勃的小伙子和他们身穿紧身衣的女朋友，围在铺了绿呢子的台球桌旁边，紧张不安地观看一周一次的台球比赛。另外一个角落里，

①第二天性：一种经过长久实践形成以致看起来像是天生的行为或特性。

一帮年纪比较大的男人，挺着大肚子，一边朝挂在墙上的轮盘扔飞镖，一边看着各自的分数打口哨。

与此同时，酒馆那边，普瑞克尔布什人坐在这一片混乱之中，透过一扇小门，伸长脖子，向布拉蒙第酒吧张望，看埃利亚斯如何为自己辩解。他们一边张望，一边对身后站着的人们喃喃：“可怜的家伙，可怜的家伙！”

满头白发的埃利亚斯独自一人站在大伙面前，满脸傲气，一身铁骨。谁都在指责他。他连插话的机会都没有。面对城里这样一群有头有脸的人物的攻击，他能为自己做怎样的辩解呢？整整一天，他到处游说，直说得口干舌燥，也没有人给他一口水喝。“嗯，嗯，真可耻！这个过时的家伙，再做什么也于事无补！”那些人挤到埃利亚斯跟前，一张张自鸣得意的脸在他眼前晃动。那些家伙的叫喊声越来越高，他得扯开嗓门儿，才能回答他们不知道已经重复了多少次的指控。

可是，听！听！宁静，后面一片宁静。听。也许你不会相信，可是老埃利亚斯确实在直抒胸臆。好了，你就听吧！谁都不信。酒吧安静下来，他说，人类历史上，恐怕还找不到这样全然的愚蠢和无知，居然把一个城镇的命运和他们挑选出来的某一个人联系起来。难道不是这样吗？以前从来没有听到过他这样慷慨激昂。他对他们说，作为世界上最可笑的地方，这个小镇一定在上帝的“天书”上“榜上有名”。哦，他的话真是掷地有声。德斯珀伦斯有它自己的标准。埃利亚斯真是有胆有识。

他说完这番话之后，人们都冲到他跟前。“你在指责我们，是吗？埃利亚斯。”他们都大喊大叫起来，谁都认为他是在谴责自己，都伸出一根手指对他指指点点，样子十分滑稽。“天哪，难道他不知道他们是主流？如果有谁不这样想，那么问题一定出在他们身上。”但是，一个社区面临的问题、采取的行动不是孤立的，也不是德斯珀伦斯所特有的。无论走到哪儿，都一样，都一样！

如果这些城里人能够看到说出去的话能起到什么作用，如果他们能够想象出——哪怕只有那么一刹——随便说出去的话就像乱弹的琴弦，制造出一片混乱，连意大利面条也能在碗里跳起舞来，事情就好办了。可惜他们并没有认识到这一点。现在，面对一片责难，埃利亚斯·史密斯宛如被德斯珀伦斯所有史密斯家族泼出去的洗碗水。然而，难道他真的有时间、有精力去制造最近城里出现的所有这些灾难吗？比方说，昨天Y·潘代格瑞家那条狗在大街上乱跑，结果光天化日之下，被车轧死，这能怪埃利亚斯吗？要怪只能怪它生下来就是个没脑子的家伙。你知道我们是在说谁呢！或者，I·达梅吉的丈夫在炎热的夏夜，跑到公用电话亭，压低嗓门儿和一个没人感兴趣的妓女大谈云雨之事，而I·达梅吉却不知道该如何谴责这种不贞的行为，这难道也怪埃利亚斯吗？还有，A·科伦一家——你知道我们是在说谁呢——餐桌上连一粒米也没有，只因为发救济金那天，就把"社保"给的那点儿钱输了个精光。还有昨天夜里，加油站的助手、保守的U·特伦特和同样保守的B·伊塞之间发生的那些风流韵事！哦，你知道我们是在说谁呢！你当然知道。可是谁会站出来替埃利亚斯说句公道话呢？

C·考克斯太太是那家卖炸鱼和土豆片的小店——"火热的鱼"的迪娃[①]。她眨巴着眼睛，撇着嘴唇，说出一番话来。此话一出，别人再也用不着啰里啰唆地指责埃利亚斯了。"你们知道应该负责的是谁吗？"她大声说，就像啪的一声把一包报纸包的土豆片扔到柜台上你的面前。然后，和缓了一下口气，"我的好乡亲，如果你们能明白我的意思，如果我能给你们提供点来自上面的线索，你们就知道，我们应该责怪高层决策人，而不是他，埃利亚斯！"

可是谁能承认自己对这场大火负责呢？这场火把郡议会办公室那些记录了百年不遇的洪水、大火以及这一带别的自然灾害的文件烧了个精光。那些宝贵的资料化为灰烬。还有萨利亚尼·史密斯那本"书中之书"？纵火犯！预告洪水的占卜者！没有人打过电话，没有人留下什么信息，或者来承认应该对这件事情负责。没有。结果就都推到埃利亚斯头上了。也许

①迪娃：意大利歌剧中的女主角、女神。

随着时间的流逝，人们会同意德斯珀伦斯的看法。他们这个夜晚的决定是，让这个世界别的地方收留埃利亚斯·史密斯吧。天一亮，他就得离开小镇。

毫无疑问，那天上帝又在埃利亚斯身上创造了一个奇迹。早晨醒来，他没有一丝焦虑，轻松得仿佛没有一根羽毛压在心上。

轻轻的羽毛确实落在埃利亚斯住处的外面。在这个让人惬意的黎明，他醒来的时候，看见一群群阔嘴鹬从泥滩飞起，尖叫着在他的铁皮棚屋上空盘旋。

“这种浑身斑点的棕黄色小鸟是阔嘴鹬。”那天早晨，上第一节课的时候，新来的老师说。他解释说，这些鸟是因为“遭遇了从南向北和从北向南而来的气旋的碰撞，才飞到这个地方的”。他把这件事情记到当天的教学日志上。鉴于城里所有的档案都在那场大火中化为灰烬，他的这一举动还是很有意义的。这将是小镇新史建立在事实基础上书写的第一页。遗憾的是，这件事并没有在课堂上引起大家都注意。一是，大多数孩子压根儿就没有来上课；二是，来上课的那几个孩子也都趴在桌子上，脑袋搁在胳膊上，很快就进入梦乡。这些可怜的孩子！他们心里害怕，不敢上学。硬着头皮来的这几个孩子昨天夜里也没有睡好。再加上，满天飞翔的鸟儿在他们这个地方不是稀罕之物，除了丹尼·瑞尔，谁也没有注意今天突然到来的阔嘴鹬意味着什么。这位年轻教师对这个地方的自然风光还满怀热情。他今年年初才到德斯珀伦斯，现在还是雨季。

丹尼从布里斯班来。对于这个消瘦的、一头硬发的年轻人，这里的一切都那么新鲜。他早睡早起。在课堂上，他听到过关于埃利亚斯的那些传闻。但是他觉得，那只是一场闹剧，所以没有深究。他是受过教育的人。酒吧里私设的“袋鼠法庭”[①]越发让他认识到，这些乡下人太土、也太愚蠢了。他能知道什么呢？丹尼是局外人。这位年轻教师继续讲那些鸟如何在从南往北吹向大海的、不同寻常的微风中滑翔，在银色的云朵中飞翔。作为小

①袋鼠法庭：一种违反公认的法律程序设立的模拟法庭。

镇唯一早起的另外一个居民，他只是在讲述这一天的所见所闻。他是到草地里找鸟窝的。他“新来乍到”，所以没有注意到，在这块平展展的草地那边，还有别的“思想”在这一带漂浮。

现在，雨季即将过去，陆地只高出海平面一米。在这个寂静的早晨，当黎明的曙色照亮平展展的草地时，仿佛有一个声音在埃利亚斯耳边回荡：“每一朵云彩都会有银色的‘衬里’吗？”他一直在思索：有，有！他在那儿站了一会儿，向四周眺望那连一棵树也没有的风景。在德斯珀伦斯住了这么长时间，他经常纳闷，城里别的那些人每天早晨醒来，心里想的是不是也是头天晚上想的事情？这倒不是因为他真的希望别人和他有同样的想法。尽管这种想法现在看来并非全无道理。不管怎么说，早晨醒来想头天晚上想过的事情，想头天晚上之前的事情，埃利亚斯还是觉得很有趣。他纳闷，是不是仿佛有人按了两次电钮，向镇子里的人们发出这一天的指令。首先，告诉他，在他已经生活了若干年的这个单调的世界，他是何许人也；第二，告诉他，今天是个好天儿。

短暂的记忆有时候比悠长的记忆，或者干脆没有记忆更好。这就是埃利亚斯永远离开德斯珀伦斯那天心之所想。

第四章　一号房子

诺姆·凡特姆从窗口望出去，目光越过狂风暴雨吹积而来的一堆堆可以用作烧柴的漂木，越过一直延伸到海边的、一块块散发着刺鼻气味的平地，看他的朋友埃利亚斯·史密斯。埃利亚斯身穿他那件深橄榄绿色军用雨衣，向大海走去。诺姆看到他之后，第一个念头是，他看起来更加怪异，仿佛另外一个世界的逃亡者，仿佛他是在冰封雪盖的大海捕鱼，而不是投入热带海洋的怀抱。

埃利亚斯身后拉着一条绿色铁皮小船。这条勉强可以漂在水上的小船，叫“选择”。“谁会驾驶一条叫‘选择’的船呢？”诺姆·凡特姆一边眺望埃利亚斯的背影，一边一本正经地喃喃着。每次看到埃利亚斯拖着他的“选择”，他都会这样说。有时候，看着他这样全然不计后果，勇敢地向大海走去，他真是百思不得其解。可是大多数时候，他是怀着一种对朋友的钟爱之情，心里想，听天由命吧。他把这一幕看作天堂宁静安谧最好的象征。诺姆·凡特姆，你是谁呀，有什么资格对别人指手画脚？人家怎样出海，关你什么事呀！

现在，诺姆第一次想到这个破旧的灰绿色的玩意儿像一口飘浮在海面的棺材，而不是埃利亚斯喜欢的、可以在万顷碧波上航行的小船。他倾听对埃利亚斯呢喃细语的大海：哗啦啦，哗啦啦。就连一群群白凤头鹦鹉也像拍打着翅膀的天使，在海滩上空飞舞，用沙哑的声音向他叫喊。那叫喊声吓跑了一群群沙丁鱼，而被埃利亚斯抛弃的伯劳[①]落在诺姆家的窗台上，为它想吃的鱼歌唱。它的歌声像悠扬的笛声，从一堆堆灰色的木头上飘过。

埃利亚斯还没有开始他的旅程，诺姆就知道，他将拖着小船慢慢走过一公里长泥泞的浅滩，走进深蓝色的大海。在那里，水天相接，朵朵乌云从约克角低气压槽飘来，密布在海湾盆地上空。黑压压的大海之上，伊地梅尔星从早晨低垂的天幕、从埃利亚斯眼前升起，俯瞰小镇。诺姆看那颗星，就像看一个给他们家带来麻烦的女人。他吐了一口唾沫。诺姆知道的关于这颗星的故事能让你像豪猪一样毛发倒竖。在海上，他和埃利亚斯曾经长时间地讨论天象。“她是维纳斯。”埃利亚斯说。大海恢复了他对于星星的记忆，他面带微笑，为自己的天文知识骄傲。他兴致勃勃地对诺姆说：“她也是诞生在大海之上美丽的阿芙罗狄忒[②]。”在大海之上，她用美色引诱伤心的水手和捕鱼人投入她的怀抱。结果，那些人一去不返。“照这么说，她是个妓女了？”诺姆哈哈哈地笑着说。埃利亚斯报之以沉默。

回到陆地之后，他们俩好长时间都不再提星星的事儿，也不再提鱼的事儿。在海上的时候，第二天，或者别的任何一天，他们也不再提这事儿。两个人只是一声不响，埋头捕鱼，宛若一对儿幽灵，连鱼也吓得远远地躲着他们。困扰海湾的真正的神灵不知道这两个人就在附近。那条小铁船仿佛变成一艘油轮。从大海回来之后，两个人便默默地分手。

一年之后，他们在大海捕鱼的时候，在深蓝色的鳕鱼洞相遇。有一天晚上，他们再次捡起这个话题。诺姆淡淡地问：“你的呢？”两个人都行单影孤，鱼没有咬钩。这个世界仿佛只留下真诚，让你觉得，仿佛银河系

---

①伯劳：百舌类的鸟。

②阿芙罗狄忒：希腊神话中爱与美的女神。

所有的星星从你的头顶划过。“你的呢？”他记得埃利亚斯心不在焉地回答道，只顾看着鱼线。

“埃利亚斯总是相信他自己的故事。”诺姆自言自语地说，咬紧牙关，一副听之任之的样子，继续向窗外望去，看见蓝的、红的、绿的蜻蜓围绕着埃利亚斯的船飞舞。诺姆了解埃利亚斯。他知道，埃利亚斯会看到那颗偷走他的心的星星，挂在天幕上等他。他充满信心，准备跟着她的信号前行。诺姆还站在窗口，呆呆地看着，完全理解朋友的心愿，但是心里想的和埃利亚斯全然不同——她只为死亡而来。

在这个国家，传说和鬼怪并存。在普瑞克尔布什，当晨星在渔船上方闪烁、等待的时候，没有一个男人——无论是被爱遗忘的还是不曾被爱遗忘的——会出海打鱼。你是不是认为他也许已经死了？诺姆很为自己这种想法惊讶。是的，当他眺望埃利亚斯的时候，其实他并不能确定他还活在人世。他在想象，也许他看到的只是埃利亚斯的鬼魂。晨光熹微中，诺姆从窗口望出去，看得见晨雾中，死人的灵魂推着自己的棺材。麻鹬[1]鸣叫的时候，听见那些人和他们道别。诺姆丢开这些可怕的想法，尽管他还坚持认为，一旦他的朋友跟上某颗星星，她就会把他永远带走。这恐怕千真万确。

“我想，我应该去跟他道个别。”诺姆喃喃着。他告诉自己，对朋友，这样做才是体面的。啊，只有这样做才是正确的：不管他是装死，还是真死。可是，他动弹不得。腿上的肌肉像下巴的肌肉一样，紧紧地绷着，仿佛拉船的是他自己。他知道，他不能去。几近瘫痪的小镇有它自己的法律。城里人也从窗口眺望，他们要确保这项法律在执行过程中不受干扰。

什么是好法律，什么是坏法律？没有人，特别是普瑞克尔布什人，走过去对埃利亚斯说一句类似“不要走了！”的话。普瑞克尔布什人知道，一个人的权利是多么不足挂齿。人，就连诺姆·凡特姆这样的人，也很难介入别人的命运。诺姆，你难道想被人家说成是“麻烦制造者”吗？每一

---

①麻鹬：一种杓鹬属淡棕色长腿滨鸟，生有长而细的、向下弯曲的喙。

个人都心甘情愿地接受自己的命运——受白人统治者的法律左右的命运。谁认为自己好得了不得，可以在黑人中间说三道四。你知道人家会得到装满珠宝的百宝箱，还是一个空盒子？诺姆觉得他是从窗口对埃利亚斯说这番话的，但是又觉得，他正和埃利亚斯一起，肩并肩拉着那条船走过泥泞的滩涂，就像许多年来那样。他突然生出一个古怪的想法："你知道，我是像平常一样和他聊天儿。"他看着埃利亚斯。看见他回过头看他那条小船的时候，汗水顺着金色的面颊流下。于是诺姆意识到，他们之间不可能再促膝谈心。他还清楚地看到他早就认识到的那个事实——埃利亚斯属于另外一个世界。想到这里，心不由得打了个沉。

关于捕鱼，海湾人有话要说。他们的诺姆·凡特姆是海上的大人物。尽管乡下人比较封闭，但是人们的谈话不胫而走，而且总能抓住人们的心，各种人也都会走进渔人酒店，目光落在卡彭塔利亚湾的"海洋之子"身上。在"海洋人"这个圈子里，关于德斯珀伦斯的诺姆·凡特姆的故事远比真实情况丰富多彩。这是他们知道的唯一一个生活在壮丽的海洋世界里的人。他可以在全能的上帝创造的大海自由驰骋，战胜一次又一次龙卷风。他能跟着一条大鱼穿过万顷碧波，直到终于将它捕获，而别的为了同样目的出海的渔人早已葬身于波峰浪谷！他隔一段时间回家看看，第二天早晨天不亮就又向大海走去。他是怎样一个人呀！他是这个镇子的宝，是他那个民族的宝！

然而，人总会被痛苦煎熬。哦，全能的上帝，无奈有时候是一件很可怕的事情。此刻，诺姆就像被胶水粘在窗口，站在那儿一动不动。他无法想象，他失去了卡彭塔利亚湾唯一可以在航海技艺上与他匹敌的朋友。他只能这样呆呆地站着，眼巴巴地看着埃利亚斯渐行渐远。

后来，一种莫可名状的东西攫住诺姆·凡特姆的那颗卑微的心。那也许是伯劳鸟的歌声、蜻蜓、一种突然涌上心头的危机之感混杂在一起的感情，或者因为看见到处拉屎的燕子从他家的屋檐下飞出。因为他没有出去阻止埃利亚斯，而是做了远比他失去这样一个朋友荒谬得多的事情。对于那些再也不想看见埃利亚斯的人、那些想把他从记忆中彻底铲除的人，他将是一个会让他们持续不断地想起他们的法律的人——好的法律和坏的法律。一个忘记那些法律的人看到诺姆，就会有一种被猛击一掌的感觉。他们希望生活一如往常，平平淡淡，希望不靠运气就能传颂那些值得记忆的故事。遗憾的是，往事再也不会重新复制。因为，想到诺姆·凡特姆，想到大海，他们就会想起埃利亚斯。就是这样！所以，诺姆·凡特姆不要再捕鱼了！那会是怎样一个故事呢？就这样，诺姆决定毁了他自己的“传奇”。他很高兴。这是一种牺牲和奉献。是这个小镇应得的报偿。跨越了这条界限，实现了这个承诺，诺姆知道，他将结束自己的生命给予别人的希望。抹掉往事的记忆！对于那些无心将埃利亚斯呼唤回来的人，这是无条件的回应。

可是，为什么不喊埃利亚斯？只要愿意，诺姆有足够大的嗓门儿去呼唤整个世界。他的声音那么洪亮，高音在脊柱震颤，能损坏你的中枢神经系统，然后一直颤动着，向通往小镇的公路蜿蜒而去，猛烈地撞击那口大钟，发出刺耳的响声。就像诺姆·凡特姆说“能把黄油递给我吗？”之类的话时，他的声音所及之范围内人们作出的反响。听到的人立刻跳起来，侧耳静听，惊讶地说：“什么？谁？什么？他在喊我吗？”诺姆·凡特姆本可以这样扯开嗓门儿大声叫喊，让埃利亚斯回来。他本来可以对整个小镇呐喊。他本来可以说：“哦，不！你不能这样做。”甚至在埃利亚斯要离开的时候，对他说：“总有一天，你会听到的！你知道凡事都有个限度。不能再让那些白人不得安宁了。”这也是一种礼仪，埃利亚斯！这样一条重要的信息，埃利亚斯，为了和谐的生活。

诺姆许多次扯开嗓门儿，站在同一个窗口对着难以把握的海岸线大声叫喊，让他七个孩子中的某一个或者某几个赶快回家。“真是傻瓜，快回家！你们看不见暴风雨就要来了吗？”他说的话总没错儿。海洋女神谦恭地朝他鞠一躬，让他的叫喊声暂时盖过她的歌声。如果孩子们没有马上听到他的喊声，她就突然刮起一股狂风，掀起一阵巨浪，作为对小家伙们的惩罚。

孩子们吓了一跳，浪涛拍打着他们的胳膊和腿。她拦腰抱住他们棕黄色的身体，让他们在波峰浪谷颠簸，然后把他们面朝下扔到沙滩上。“你们干什么呢？”当这种事情发生的时候，你就能听到诺姆对大海和孩子们的咆哮。

没关系！为什么要为诺姆·凡特姆大声叫喊呢？这位住在“一号”房子里的、个头很大、鼻子也很大的“城西人”已经合上那本书。他对城里的“好人”们做的决定没有起到推波助澜的作用。“城西人”总说：“我们是普通而又普通的土著人，生来皮肤就不白，而且为这个事实骄傲。”诺姆总爱说：“我们不是当地的黑手党。”埃利亚斯听了哈哈一笑。他不可能卷入这种事情，不可能仅仅因为诺姆·凡特姆说出这样的话，就跳过任何一堵无形的墙壁，用斧头把它砍倒。

一切都在变化。小镇和埃利亚斯宛如一个巨大的贝壳扑通一声落到海滩那个时候已经有很大不同。

德斯珀伦斯已经变成一个繁荣的小镇，看起来更加“纷繁复杂”。因为它已经完全属于那家大矿。那时候，矿业公司运来它所有的大型设备，还有他们的宏伟蓝图和从银行借来的大笔贷款。哦，为什么不呢？城里人趋之若鹜。矿业公司收买了他们所有的东西，包括城东跑来跑去的狗。城西的人们对那些跑到矿山摇尾乞怜，讨份工作的“叛徒”们说，他们迟早会得到报应。他们都在做交易。

诺姆记得，他曾经对埃利亚斯说过，没有必要卷到这种事情里。可是埃利亚斯为了几个臭钱也卖了自己。埃利亚斯说，只是守卫这个镇子。诺姆问：防备谁呢？以后会发生什么事呢？诺姆还不止一次告诉他，一旦你被别人掌控，会发生什么事情。可是埃利亚斯，可怜的、失去记忆的埃利亚斯，全然忘记在海上捕鱼的美好时光。他觉得自己简直幸福到了极点。“没有时间捕鱼了。”他对诺姆说。诺姆听说埃利亚斯同意接受守卫小镇的活儿之后，大为震惊。他出海捕鱼的时候，埃利亚斯只能远远地看着他的背影发呆。除了诺姆，谁也没有试图警告他这个差事会给他带来怎样的后果。诺姆说，许多事情他心里都明白，只是因为矿业公司对他家族的所作所为，没法儿说罢了。埃利亚斯，记住谁是你的朋友。关于给小镇当警卫的事儿，诺姆对他说的已经够多了。当然他也多了个心眼儿，知道在德斯珀伦斯说话要留神。天知道他的话会传到谁的耳朵里，过后给自己带来什么麻烦。

普瑞克尔布什的老人们抱怨，他们说过的话都被坏人“偷走”了——矿业公司的奸细在丛林里转悠。矿山巨大的黄颜色的挖掘机，像可怕的魔鬼，在满眼碧绿的土地上挖出一个个巨大的窟窿。大家都说，亲眼看见那些“特务”在丛林里转来转去、写写画画。目击者还声称，在河边也看到过那些陌生人。他们简直随处可见。头上都戴着细细的金属线，在泥泞的车辙上开着车，目不斜视。人们问，这些陌生人来他们的丛林里想干什么？你想知道吗？他们是在偷听，想弄清楚我们这儿的人都知道些什么，老人们解释说。

为了让老人们明白那些白人为什么头上都戴着细细的金属线，孩子们开始研究故事书。这是老人们接触科学、也变得满嘴技术名词的开始。老人们解释说：“你们的话现在很重要了。你们的话可以传到几千英里之上的人造卫星，通过看不见的电波辐射全世界。不要费心劳神琢磨电波是个什么玩意儿。他们的故事书就是这么说的。电波是你做梦都不会想到的东西。那玩意儿能把你说的话都带走，变成一种更好的语言，这样一来，人们就能更清楚地明白你的意思。然后，电波绕着地球在太空旋转，把你的话送到荷兰、德国、美国，甚至‘老母亲’英格兰，或者天知道什么地方的跨国矿业公司董事会会议室。你话音儿未落，他们就听到你说的话了。所以，说话时当心点儿！”他们说，“这就是为什么，人们要老老实实待着，就像老鼠在有钱人家偷奶酪时那样，小心翼翼，处处留神。”城里人，哼，哼！他们已经属于矿业公司。那公司拥有速度，还拥有空间轨道。

海浪轻轻地拍打着海岸线，把诺姆的思绪带到正涉水向大海深处走去的埃利亚斯身边。诺姆感觉到每前进一步，从一米深的泥水中拔出腿时承受的压力。海水在他身后留下一条条“尾迹”，宛如银色的缎带。“往前走，”诺姆给埃利亚斯鼓劲儿，“不要停，老伙计。”很快，两个人就感觉到彼此的存在。他们一起把水淋淋的绳子搭上肩头，拉着“选择号”，走过齐大腿深的海水，浓重的鱼腥味儿在鼻翼间缭绕。海鸥在头顶盘旋，就像人们出海时，这些红眼睛的鸟儿总是不离左右一样。

埃利亚斯停下脚步，爬到船上，拿起桨。诺姆等待着，可是埃利亚斯连头也没回，只是朝前划着，好像无法跨越他们之间那条思想上的鸿沟。突然，他们永远分道扬镳、各奔东西了。

就这样，诺姆眼巴巴地看着埃利亚斯变成一个小黑点儿，永远从他的生活中消失了。他叹了一口气，一切如前，除了与之相称的寂静不复存在。因为城里已经不再宁静。镇公所前面草坪上临时挂起的那口钟又当当当地敲响，让人觉得今天是星期日。镇子里的汽车齐声鸣笛。镇政府的卡车驶向每一个角落，扯起那张大网。发了疯似的女人扯开嗓门儿，高唱亨德尔的神曲《弥赛亚》。那刺耳的声音足足延续了十分钟。这是德斯珀伦斯人庆贺埃利亚斯从他们的生活中永远消失。

“耶稣基督，让我告诉你，”诺姆大声叫喊着，“没完没了的怨恨会在你的世界做出多少蠢事呀！”

埃利亚斯走了之后，诺姆觉得，他应该再去镇公所问一问，他们打算什么时候把网拉到他住的地方。普瑞克尔布什那些城西人说，为什么安全网到他们家门口就停了？这毫无道理呀！仅仅因为那块半英里长的荒地——被称之为“容许量”——环绕小镇，黑人又被允许住在荒地那边，就可以这样做吗？普瑞克尔布什人抱怨说，他们和别人一样，也有权享受城里的种种设施、商品和服务。“去给他们找点儿麻烦！”老人们站在诺姆家的前门大声喊道。他们说，如果他能像他的父亲一样，有点正义感，就应该到镇子里找那些白人，把这个道理告诉他们。

诺姆走出大门，跟那些老人们说话。他说，找麻烦，可不是什么好事儿，就像燎毛一样，“气味难闻”。他父亲还是个小男孩儿的时候，风吹日晒变白了的头发整个冬天都像团干草。有一次，他在河边一棵桉树下待着，突然雷电击中大树，他的头发也像三齿稃一样燃烧起来。诺姆又讲了一遍父亲的故事。他讲得一字不差，就连语气也和老父亲当年给他讲的时候一模一样。那几位老人和他的家人似乎因此而得到慰藉，都站在前院儿，侧耳静听。

“你听我说。那棵大树被雷电击中之后，燃起大火，几百条火舌向四面八方喷吐。有几条像漩涡一样向他扑来，点着了他的头发。幸运的是，他被雷电的冲击波抛到河岸的沙滩上，才没有搭上性命。遗憾的是，天没有下雨，万物没能复苏。他身上一股头发烧焦的煳味儿，跑回到满目荒凉的山野，藏在石头山里，连一口水也喝不上。他躲开那些骑马的人，鼻翼大张，嗅着空气里怪怪的气味。马呼哧呼哧地喷着鼻息，狗边跑边伸长鼻子，嗅着地面。人的气味让它们心惊。

“暮色中走来一群披着生牛皮的、非常健壮的人。他从巨石间一个针鼻儿大的小孔向外偷偷地看，仿佛看见一幅活动的图画。图画里，那些皮肤像皮革一样粗糙的人穿着紧身裤和夹克，骑着马在“画框”出出进进。马儿在通往山脚的、炽热的海市蜃楼里尥蹶子，仿佛寻找什么。他看见那些人非常悠闲地坐在皮革做的马鞍子上，紧身皮裤下面是高腰皮靴，手枪装在皮套子里，手里提着皮鞭。他们翻身下马。马张开鼻翼，朝四周嗅来嗅去。那几个男人卷着烟丝。有一个人一边静静地抽烟，一边查看弹药，转动着枪筒，朝什么方向点了点头，从挂在马脖子上的水壶里喝水，啪的一声甩了一下鞭子。他们向山上走去的时候，一直这样不停地甩着鞭子。

“他吓瘫了，口干舌燥。一动不动，眼睛还贴在巨石上。”“针鼻儿”里看到的景象，犹如万花筒里不断坍塌的世界。他看见父母赤裸的身体在“镜头”里晃动，喷溅着鲜血，裤腿裤脚卷边也滴着血水。阳光照在刀锋上闪闪烁烁。母亲的声音是死神的呼喊。枪声大作：咣！咣！咣！皮鞭也发出清脆的响声。他浑身冒汗，微风吹在皮肤上有一种凉爽的感觉，还送来头发烧焦的煳味。他大为震惊，像一只蜥蜴，从沙砾层滑到泥土之中，然后抱成一个球，像一个压根儿就没有生命的东西，从一块巨石下面的缝隙滚过去，一直滚到一个野狗[1]的巢穴前面。他的思想和颤抖的身体斗争，直到一动不动，像岩石，像泥土，像远古时代，像黑暗，直到他呼吸停止，变得无影无踪。

诺姆激情满怀的叙述、对父母记忆的颂歌已经接近尾声。“这就是麻烦的‘味道’。最幸运的是，”他压低嗓门儿，对他的“听众”说，“不要让别人嗅到你麻烦的气味。”诺姆神情恍惚地说，仿佛处于一种催眠状态。他的眼睛像一道符咒，镇住了所有的人；他记忆的闸门大开，好像洪水泛滥的江河流入大海。他让人们生出一种愿望——但愿那一切发生的时候，他们就在现场。他让他们觉得，活在他的老祖宗那个时代比现在更好。诺姆可以把这些故事变成美术品，并且镶嵌在幸存的历史遗迹，就像上苍要在城西人的记忆之中平添幽灵般的桉树。在那里，牧场主鞭打着土著人，巨石上有一个可以窥视的小孔，透过这个小孔，看得见对当地部落居民大屠杀的子弹像石子儿一样，散落在大地之上。

在一号房子，这种关于“麻烦”的故事从来不乏光彩。诺姆经常对他的“听众”——一只硕大无朋的白凤头鹦鹉讲那些悲伤的往事。他管这只鹦鹉叫“海盗”。每天早晨喝茶的时候，它就翩然而至。他宣称，黑人在他自己的土地上有着非常悠久的历史。从这漫长的历史任意选取一段，讲给别人听是他与生俱来的权利，就像劈木柴一样。“没错儿！”鸟儿咯咯咯地说，像一个巫师煽动他继续说下去。这个家伙看起来简直让人难以置信。诺姆两手叉腰，花白的头发下面，一双眼睛闪闪发光，故事讲得生动活泼。那个油光水滑的鹦鹉，像一只满脸严肃的猫头鹰，若有所思地蹲在那儿，黑眼睛盯着诺姆嘴唇的每一个动作。有时候却跳来跳去，像一个女人似的大喊：“停下，停下，诺姆！”害得人们都跑过来看个究竟，以为出了人命。

这只令人讨厌的鸟儿平常总是落在餐桌前面那张椅子的椅背上，这样就可以非常容易地吃到桌子上它想吃的东西。城西营地里的人们从来不说

[1]野狗：产于澳大利亚的一种野犬，有一身赤褐色的或黄褐色的毛皮。

这只羽毛油腻腻的鸟儿的坏话。特别是八十年代，它和朝圣的人们去了一趟阿利斯斯普林斯[1]，并且得到教皇的祝福之后，人们对它越发刮目相看，简直奉若神明。在凡特姆家，它比“神明”还神明。城西的人们都说，“海盗”与众不同。为什么呢？有一天夜里，这只鸟儿出现在所有人的梦里，而且坚持说它会通灵术。于是，老人们宣布它是个预言家。

城西的人们都来找“海盗”算命。他们把空杯子举到鹦鹉脑袋跟前，让它看留在杯底的茶叶的形状。有时候，如果鸟儿高兴了，就会说：“是，不是。”或者“也许”。还能从它不太少的“词汇量”里，找出几个词回答诸如“我会死吗？”或者“有人爱我吗？”之类的问题。大伙儿对它的优点不加评说，但都认为它是一只诚实的鸟儿，哪怕它说的话不中听。这只鸟天才独具的证据，来源于一群长住于此的凤头鹦鹉。那成千上万只鸟儿在镇子上空飞翔，齐声歌唱，虽然杂乱，但蔚为壮观。“干什么呢？你们这些杂种！”大家认为，英语真是神奇，连头脑这么简单的鸟儿居然也能像人一样学会。看见这群鹦鹉在小镇上空盘旋、魔力的火花四射的时候，人们纷纷跑出家门，仰望天空，等待鸟儿问他们问题。然后，大伙儿就回答：“没有，我们什么也没有做！”这就让人们认为，对于接下去要发生的事情，他们一点儿把握也没有。

“嘘！嘘！”那只对眼前的景象无法忍受的鸟儿对正在睡觉的狗——达拉斯不停地叫喊。达拉斯是因一首西部乡村歌曲得名的。但它不像那首歌的主人公吉米·戴尔·盖尔默那样，在夜里乘坐 DC9 去过达拉斯。这条狗对西部乡村音乐那么着迷，根本就没有心思听诺姆的故事。它躺在肮脏的地板上，黑白相间的肚子朝天，看得见跳蚤跳来跳去。诺姆一停下话头，鸟儿就叫起来，要他一遍一遍地讲同一个故事。它渴望了解他们这个家族的历史，比他自己的家人有过之而无不及。这一点给他留下深刻的印象。他在大庭广众赞扬“海盗”，夸耀说，这只已经二十五岁的鸟对于他们家

①阿利斯斯普林斯：澳大利亚一城镇，位于该国中心附近。旅游和采矿为其重要经济来源。

族的历史知道得远比他那六个孩子多。所以他对它格外信任，而他那几个儿女——他经常说——除了让他失望，一无所长。实际上，他总共有七个孩子。可是他不想认曾经最受他宠爱的三儿子威尔。另外几个儿子也都错看了人，娶了不该娶的老婆，远走高飞，把他孤零零留在这里，让他伤心、难过。当然还有三个女儿，婚姻破裂后又拖儿带女回到娘家。现在家里还有最小的儿子凯文，已经十六岁了。

“凯文本来应该是这个家庭的头脑。”乡亲们对诺姆说。自从矿山出了事故之后，大伙儿都来看望诺姆，就像“例行公事”。

“对于一个变得智力迟钝的聪明小伙儿，这算什么安慰呀？”诺姆知道怎样结束关于凯文如何聪明的谈话。

“哦，我不想谈这事儿，别烦我。”那些以为能给他一点同情的人一个个灰溜溜地走了。

“没有人再比你们家的凯文更聪明了。”提起凯文，白人经常这样说。以前，学校里的老师隔一天就来凡特姆家一趟，几乎跑断腿，就是想看看他是不是一切都好。“凡特姆先生，你必须鼓励凯文好好学习，好吗？”他们总是这样说。他说，他弄不明白学校里都教了些什么。“哦，如果我教他，要你们干什么呢？”他说，他们家已经知道凯文有多聪明了，所以才送他上学。“他总得成才呀！”老师们叹了口气，不再说话了，似乎想让他们明白，土著人需要成功，而要想成功，就得接受教育。

诺姆·凡特姆重申，他已经为凯文非常骄傲了，别人没有必要拿他当“战利品”。“你尽你的心，我尽我的力。”老师似乎也同意他的说法。于是，他想让他们确信，他们是在帮他的忙。因为没有人比诺姆更希望凯文能走出德斯珀伦斯这个鬼地方，能离开这个家。“凯文认为，他太聪明了，没有必要非得关在学校里念书。”诺姆解释道。他纳闷，这些老师怎么那么缺乏想象力，捕捉不到他的思路，只会说，他也会有许多钱，跟他们一样过好日子。

“我觉得，我已经不再属于这个地方。”凯文说。他抱怨，自己为什么要坐在这儿写关于那些书的文章。书上说的都是他们白人的事儿。厨房餐桌上扔着铅笔、纸、书。他坐在桌子旁边，向窗外眺望，看见他最好的朋友们都在尽情享受生活。他们站在阳光下，准备下海捕鱼，和也要去捕鱼的老师们闲聊。过了一会儿，他又从眼前那堆提姆·温顿的小说上抬起头来，最后瞥了一眼在浪涛间颠簸、向水平线驶去的小船。那时候，已经听不见他们的欢声笑语，看不见他们在舷外发动机旁边忙忙碌碌的身影。他成了一个寂然无声的“未参与者”，一次又一次错过令人神往的海洋之旅，只能听人家给他讲那史诗般的故事。他最不可能成为一位斗士。“只能在梦里过过瘾，凯文。”他们给他讲远征的故事，讲传说中的鲨鱼如何在夜间被他们捕获。到后来，凯文只有听的份儿。关于提姆·温顿的论文得了个“A+”，但是，你说，那有什么用呢？

学校生活结束了。他和朋友们一起，在镇子里转悠了好几个月，想找点事干。在家里，凯文成了无人可以匹敌的“智囊”。他和诺姆坐在一起谈论电视新闻，时事政治、羊毛工业的发展为何受阻，哪个国家爆发了战争，谁和谁打，一谈就是好几个小时。而家里别的成员对这些事情毫无兴趣，更不知道世界上还有那样一些国家存在。因为一播新闻，他们就从电视机旁边走开，打开冰箱找吃的东西去了。

不过，这也很正常。没有人，包括诺姆，指望凯文真的找到什么工作。“找不到，瞧瞧凯文就知道了。”哥哥们取笑道。诺姆的目光从他消瘦的儿子身上掠过。他瘦得皮包骨。“他难道不是你见过的最奇异的孩子吗？”虽然凯文一次又一次地求爸爸带他出海打鱼，诺姆就是不让他上船。因为他太笨手笨脚了。家里人都知道，如果谁摔了盆儿打了碗儿，准是凯文干的。

渐渐地，他的同学们都当了养路工，养护那一条条黄色的泥土公路。雨季过后，他们就去修补那条变得坑坑洼洼的道路，一走就是好几个星期。他们开着压路机和大卡车为镇公所干活儿，印度杂种牛和他们相伴。他们坐在停在路边的笨重的机器上，朝过往车辆招招手，等待工头到来。活儿有的是，太多了。总有干不完的活儿。洪水冲刷过的道路又被来来往往的大卡车压得“惨不忍睹”，全靠他们修补。那些卡车装载着笨重的机械设备开往矿山，再把满车矿石运送到海岸，倾倒到船里，运送到海外的炼钢厂。

“凯文？你不是开玩笑吧！”监工是个心直口快的家伙，和凯文几个年长的哥哥、叔叔一起长大。“镇公所没有让凯文来。”从城里到普瑞克尔布什，谁都知道，凯文这个总是烦躁不安的小伙子根本就不是当养路工的料。在城西，凯文那双手已经损坏了价值几千块钱的喷灯、电器、汽车。他脑子里一定有个小鬼，让他拆卸别人家的宝贝玩意儿。即使全世界的人都认为，桌子必须有四条腿，你要是让凯文一个人待着，他也非得把它弄成三条不可。“凯文！凯文！你为什么要这样呢？”没人看护的机器、仪表，任何靠燃料、电力或者电池作动力运转的机械设备，都逃不脱凯文那双手。他这样胡闹会死或者受伤。可是凯文不在意，为了赚钱，他跑到矿山。老板对他的情况一无所知，就收留了他。对从普瑞克尔布什来找工作的人，他们从来二话不说。

银叟和多尼是凡特姆家年纪最大的儿子。城里人都说，这两个小伙子除了为钱，不会帮任何人干活儿。他们从一开始就在矿山打工。这两个家伙都人高马大、虎背熊腰，喜欢拳击，梦想有朝一日当职业拳击运动员。有一次，酒馆里的人们想筹钱送他们参加州锦标赛。银叟和多尼在盐场沙滩上用绳子围个圈儿，训练当地的孩子拳击，一打就是六个回合。他们指责城东人偷了他们的土地，所以一看到他们的人过来，就叫骂：“我看到你了！”“你没有！你根本就不在那儿！”“我在！我连你的声音都听到了。”

几年前发表过种族主义言论的白人小伙子倘若被他们指认出来，也绝不放过。拳击比赛对谁都是个威胁。城东、城西和城里的小伙子们都组织起自己的拳击队，而且都有自己的“武器库”。从酒馆回家的时候，他们开着汽车，叫喊着、哄笑着穿街而过。马路上一片泥泞，但他们全然不顾，只是有人挡了他们的路，或者压根儿就没有谁挡路，只是想寻衅滋事的时候，才停下车来。哦，够了，够了！城里人不需要赚他们的钱。诺姆出海的时候，老人们对他们毫不留情。“滚！再也不要让我们看见！”他们用棍棒和别的武器对付这些喝醉酒的年轻人，经常把诺姆住的地方搞得一塌糊涂。

不过，不管怎么说，这个家还有凯文——继承了整个家族聪明才智的、最小的儿子。诺姆认为，他很难在他出生的这个世界活下去。“上帝为什么要送给我们这个孩子呢？”诺姆看着凯文一天天长大，心里不由得生出一种失落之感。“如果有个知道如何教凯文这样的孩子的好老师，他一定会变得更聪明。”发生事故之后，诺姆这样指责学校。

“他到矿井里面干什么去了？”银叟和多尼责怪诺姆。不管什么时候，回家看到凯文，他们都毫不隐讳地说，无法理解那些人为什么会让凯文到矿山干活儿。但是，问诺姆这样的问题没用。关于凯文的话题总会引起争论。“你们来找茬儿打架还是干什么？”诺姆向银叟和多尼发起挑战。“我们可不是回家找茬儿打架的！”“你们总是在找茬儿！”“要是有人找茬的话，那个人就是你！”银叟和多尼一摔门，冲出一号，钻进汽车，一路呼啸，向渔人酒店驶去。天哪，天哪！真是奇怪，冷啤酒会怎样穿肠而过。发热的头脑渐渐冷静下来。他们看了一下手腕上的金表，想弄明白这次回家是不是只待了五分钟，或者五分钟还不到。

所以，谁来也不会提起凯文身上发生了什么事情，他们只是说，他以前多么有头脑。人们都会提出这样的疑问：谁这么不长脑袋，居然让这样一个瘦得皮包骨的小伙子下矿井？其实他只干了一天。他找上工作那天就下井，出来的时候，烧得像个烤肉串儿。当一声爆炸带着燃烧的岩石从四面八方向他袭来的时候，他仿佛听到老祖宗的声音。人们都说，这个被从一片废墟中拖出来的男孩儿是个白痴。一切清楚得不能再清楚——对于这场劫难，谁祈祷也于事无补。

最后一块伤结痂之后，他脑子里的火还没有熄灭。你可以管它叫上帝的旨意；或者说是和老祖宗面对面走到一起；或者说像凯文这样的人精通织补，这里有个窟窿需要他来补，结果不问青红皂白，他就来了。也可以说，和你面对面走到一起，问：你是谁？还可以说，这是一场麻烦。城里人都说，这是一场不应该发生的悲剧。诺姆·凡特姆把儿子带回家，指责镇公所没有把安全网覆盖到他的住处。

想起麻烦事，诺姆·凡特姆就一定会想起凯文。想起凯文，就想起恐惧。想起恐惧，就想起爷爷给鸟儿讲的那些故事。凯文属于那种你用不着再费心劳神向他讲家史的人。再说点！再说点！鸟儿说的都是真心话，好像它能读懂诺姆·凡特姆的心思，已经听到“麻烦”正步步紧逼。诺姆听见凯文沿着弯弯曲曲的走廊走过来，不但心烦意乱，而且喝得醉醺醺。现在才早晨七点钟。

诺姆听见从通往厨房的弯弯曲曲的走廊传来凯文的脚步声。他手里似乎拿着什么东西碰撞在瓦楞铁皮做的墙壁上，发出咔嗒咔嗒的响声。后来，他看见凯文径直向他跑来，手里挥舞着一把寒光闪闪的刀子，像一头受伤的野兽。他身穿撕破了的T恤衫，上面用血写着好几个万十字章①。诺姆第一眼看到的就是这个T恤衫。没有什么东西比这玩意儿更让他吃惊，就连他刚刚目送而去的埃利亚斯也不曾在他的心海激起这样的狂澜。

“把那玩意儿脱掉！”诺姆叫喊着，“别等我去撕！”诺姆觉得他可以慢慢习惯凯文那个陌生世界任何新鲜玩意儿，可是这件T恤衫实在太过分了。因为如果说诺姆这辈子痛恨过什么的话，他最痛恨的就是纳粹对犹太人的屠杀。他一直这么说，凯文对这事再清楚不过了。凯文停下脚步，但手里那把刀还是直指父亲那张脸。可是看起来好像受了致命的伤。“怎么了？你见过在德国或者欧洲发生的那些事情？你怎么知道的？”

“天哪，你就穿了这么件血迹斑斑的T恤，”诺姆说，“快脱掉！我警告你！”

诺姆对家里人叫喊着。那叫喊声你从大街上就能听见，甚至城里也听得见。他喊着女儿们的名字。“嗨，格里亚，女孩子们！都到这儿来！”

诺姆从桌子旁边走过来。他一直和他的鸟儿在那儿坐着。他想让全家人都来看看凯文，看看这个年代，这一天，就在他的家里，发生了什么事情。

---

①万十字章：德国纳粹党的标志，一九三五年正式启用。

“过来看看你们的兄弟。你们以前见过有人穿这样的衣服吗？像个该死的纳粹！”

“你！你！”凯文唾沫星子乱溅，直盯盯地看着诺姆，想用自己瘦弱的身躯挡住父亲，不让他回屋里找姐姐。

“在我看来，你狗屁不是。”他痛恨被怜悯，因为只有弱者才被怜悯。他觉得自己被家人出卖了，他们的荣誉只有他有勇气保护。那天夜里真倒霉，他们和“敌人”干了一晚上。事情发生在黏土湖，起源于一瓶洒了的酒。有人拣起一块破玻璃，刺破另外一个人的手。于是“战争”爆发，他们从黏土湖一直打到灌木丛。探照灯晃来晃去，划破夜空。追赶的人像追踪猎物一样追踪他们。他像一只逃脱罗网的小动物，直到凌晨三点才回到家门口。

为什么在德斯珀伦斯，一个家族的荣誉要靠别人评判？诺姆让家人回答这个问题。任何一个过路人都可以站在大马路上，仅凭外表就说这家，或者那家不错，而对墙壁后面发生的事情全然不知。他们也可以说，隔壁那家人净找麻烦，马路对过那家都是些不可救药的家伙，难怪他们只是盯着那地方不放。可是诺姆知道，每家人有每家人自己的生活，不管那四壁之内住着的是怎样一家人。为什么会是这样呢？自从他们家成了这一带的“眼中钉”之后，这个地方似乎就已经做好准备，要成为战场。

即使那天晚上，白人试图把当地“魔鬼”们的行为“理智化”，并且把责任都推到埃利亚斯身上，纳闷他是不是一条无害的太阳鱼[①]，或者城里人吃的那种水虎鱼[②]，普瑞克尔布什人还是设法对付他们的命运，密切关注族间血仇。你都知道什么？那些人家似乎从来不睡觉。凡特姆家的人还没有支棱起耳朵，大声问：“什么声音？”城西挤在一起睡觉的母亲和孩子们就已经从梦中惊醒，听出来人是谁，并且立刻又进入梦乡。只有凡特姆家的人继续侧耳静听，听见凯文叫喊着，沿着大路拼命奔跑。追赶他的人

①太阳鱼：一种太阳鱼属及相关属的淡水太阳鱼，如蓝鳃太阳鱼。

②水虎鱼：主要产于南美的一种小鱼。

是城那边自称“强硬帮”的家伙。现在，他们已经到城西的领地，从溅满泥浆的丰田牌汽车探出身子，紧追“猎物”不放，嘲笑着，叫骂着。

“往左！往左！”

“往右！往右——别让那个该死的家伙跑了，你这个白痴！”车灯的光柱在坑坑洼洼的田野跳动，时而照到凯文身上，时而陷入一片黑暗，然后又变成慢动作。

“小伙子们，我们该拿这个家伙怎么办？”他们一遍又一遍地重复这个问题。

好几次他们差点儿抓住他，可是聪明的头脑还是足以让这个瘦小的家伙逃脱他们的追踪。

后来，突然有人喊道：“拿他喂艾比利尼！”

车上的人似乎思索着什么，谁也没有吱声，后来他们忽然齐声叫喊起来：

“对！把这个小瘦猴喂艾比利尼！”

他们刚到诺姆·凡特姆家人能听到的地方，就开始相互打口哨，大喊大叫：“诺——姆！让凯文和艾比利尼做个好梦！呼噜噜！呼噜噜！老猪打呼噜！”他们为相互间愚蠢的玩笑话哄堂大笑。

凯文吓得够呛——他怕听到艾比利尼的名字。他们知道，他知道，一号院儿所有人都知道艾比利尼。艾比利尼比噩梦还可怕。它出没在河水冲刷的岸边吃鲱鱼。那条河从那儿流入大海。艾比利尼是一头巨大的野猪，浑身长满黑色的长毛，满嘴棕黄色锯齿獠牙，在卡彭塔利亚湾游来游去。

艾比利尼是个无情的杀手，经常袭击在河边捕鱼的当地人。老奶奶们为了让小男孩儿规矩点儿，经常给他们讲艾比利尼的故事。她们说，这个怪物无处不在。每逢漆黑的夜晚，就像猪一样，发出呼噜噜的响声，跟踪晚归的人们。

故事继续流传。或者说那只是不胫而走的谣言。但是，现实生活中也有人确确实实见过和它有关的证据：荒凉的、被踩平的草地上经常发现牲口的尸体，流淌的河水中浸泡着牛羊。附近的网围栏也被毁坏。你什么时候看到过铁丝网的柱子连根儿拔起，一排排横在路边？

人们说，诺姆·凡特姆是唯一亲眼看到过艾比利尼的人，尽管他自个儿从来没有承认过。可是，为什么会是他呢？城东人造谣说，诺姆专门训练这头野猪吃人。约瑟夫·迈德纳特说，诺姆·凡特姆用这头猪袭击他不喜欢的人。喜欢？诺姆从来没有喜欢过拥有这辆海拉克斯牌汽车的叔叔。现在，那几个年轻人正开着这辆车追赶凯文。他死了之后，人们在灌木丛里发现了这辆丰田车。那时候，车里的收音机还在播放西部乡村音乐。周围一片狼藉，可怜的叔叔的遗骸被撕扯得到处都是，如果你看到的话一定直反胃。约瑟夫开始散布谣言，尽管他和诺姆以及叔叔的关系都很好。“没有人能够证明，但是迟早有一天·诺姆·凡特姆，人们会看清你的真面目。你是魔鬼的化身，一个很坏的家伙。你就等着瞧吧！”这话是叔叔的老婆说的。她成了寡妇之后，心痛欲绝，一路哭喊着跑到城西，当着诺姆·凡特姆的面，说出这样一番话来。

那辆丰田车在约瑟夫·迈德纳特家的后院停留了好几个月，谁也不去碰它。好长时间，人们甚至连看都不想看它一眼。现在，这些小伙子们开着它到处乱跑，“族间血仇，族间血仇”这样一个陌生的字眼儿在海湾回荡。

周围一片混乱，这是那些寻衅滋事的家伙的叫喊声、他们模仿猪的尖叫声以及丰田车发动机的怒吼声混杂在一起的声音。这声音在诺姆家一面面瓦楞铁墙壁之间回荡、震颤，一直传到宛如耳蜗的弯弯曲曲的走廊里。

在这个“耳蜗”里，声音越来越大。听得见有人跳过水洼的响声。那水是从铁皮屋顶渗下来的。在这幢房子不断扩展的年月里，诺姆把它设计成“自动报警系统”。现在，这个“系统”就排上了用场。他曾经向妻子摆出不下一千条理由，说明这个“安全装置”的合理性。她嘲笑他这个没有任何实用价值的玩意儿充其量不过是给耗子身上爬的跳蚤挖了个陷阱。它们的卵和灰尘一起从天花板上掉下来。沿着这条有的地方有顶篷、有的地方没有顶篷的走廊，诺姆盖起一间间房子，也拆过几间房子。是盖还是拆，都是根据家里人口增加还是减少决定的。

弟弟的叫喊声越来越大，就像被感染了的耳朵越来越疼。凡特姆家的女儿们就像女巫喷吐的烟雾，在一片漆黑中从各自的房间冲出来。她们和六条或者八条狗一起跑到前院儿。那几条狗，包括诺姆那条名叫达拉斯的老白狗狂吠着，向四面八方跑去。决战的时刻到来了。其他人家都把自己的家人召集在一起，躲在房子里，支棱着耳朵听外面的动静。

“你先开枪。”

“不！你先开，狗娘养的！”

“不，我让你先开！快呀！你先开第一枪，然后我就打死你！”说话的是格里亚，诺姆三个女儿中最小的一个。她比凯文只大三岁，瘦得像块咸熏肉。她身穿棉布睡衣，头发染成黄色，满头戴着卷发筒，和她妈妈一样，很注重穿衣打扮。此刻，半夜三更，格里亚站在路当中，举起步枪瞄准。她想挡住那辆丰田车。车上坐着那几个身穿牛仔裤，上面印着鲍勃·马利[①]头像的T恤衫的家伙。他们都从城东多刺的灌木丛里的聚居地来，都用铁棍和步枪武装着。当心呀，大伙儿可都沾亲带故！有一两支步枪已经瞄准了她。

另外两个姐姐都很壮实。她们是总在怀孕的贾尼斯和总挨鞭子的帕特茜。她们俩都站在格里亚身后。大伙儿都说这两个女孩儿和银叟、多尼一样，属于那种打起架来不要命的主。她们身穿耐克派儿短运动裤，艾德·辛普森牌儿T恤衫，手里都紧紧地握着铁棍。

“来呀，癞皮狗。连癞皮狗也不如！听见我说的话了吗？你连浑身疥癣的癞皮狗也不如！只会两条腿中间夹根臭鸡巴整夜追发情的母狗。开枪呀！只会操死女人的醉鬼。你先开枪，然后我就打死你。等到天亮，我就能看到乌鸦吃你们身上的臭肉了！”

格里亚大声叫骂、要决一死战的这个人是她的前男友、色鬼诺里。这家伙其实也是她的表兄。最近，她发誓要和他永远断绝往来，彻底结束他

---

①鲍勃·马利：牙买加音乐家与歌曲作家，与其乐队“恸哭者”一起，使瑞格舞在国际上流行。

们今天香明天臭、今天好明天坏的关系。只有天知道，他们俩怎么会在迄今为止的十年里生下四个规规矩矩的好孩子。那辆从叔叔那儿继承来的丰田车承载了婶婶太多的流言，车轴都快挨到地上了。

诺里个子很高，奇丑无比，因为过度饮酒越发不堪入目，但此人非常自负。他愤怒地盯着手拿步枪瞄准他太阳穴的格里亚。“你拿谁逗着玩儿呀，格里亚。”他朝公路那边大声叫喊，还不能断定他的格里亚到底是想让他死还是想让他活。不过，这没有关系。茫茫大海，格里亚不是唯一上钩的鱼。“你为什么不抽空来看看你那几个该死的孩子？你这个没用的女流氓！”他讽刺道。他强忍着没有骂她现在只迷恋米老鼠，心思完全不在他的身上。整天说的就是米老鼠那点事儿。他也强忍着没有讽刺她现在正自学那些没用的小学不曾给予她的恰当的教育。

格里亚没有回答。分手时，他坚持要孩子。她别无选择，只好把孩子留给他，但她并没有放弃自己的权利。她回到城里这个垃圾场。诺姆收留了她，让她远离他称之为“那边那些下流胚”的基因库。“你犯的错误比大多数人都严重，格里亚。从现在起，把那些事情都丢到脑后。”

“别在这儿浪费时间，别在我爹爹的地盘儿晃你那个黑屁股！回家看孩子去吧！”

诺里已经把凯文丢到脑后。凯文趁机跌跌撞撞跑进大院，消失在黑暗中。过了一会儿，诺里觉得以格里亚现在的心情，不会“速战速决”。他现在拥有那辆丰田牌汽车，她对他的态度本来应该好一点。在他和他这几个伙伴头脑很冷静的情况下，她不应该和她那两个像相扑运动员似的姐姐站在一起跟他作对。不过，他还是挺喜欢格里亚那副样子，而且心里清楚，要让她脱下裤子干那事儿，也费不了多大劲儿。不过得再找个晚上。他自个儿来，带上一箱子格洛格酒①。先给她留个好印象。“你赢了。”他边说边往回走，还朝那几个人招了招手，直到他们都连滚带爬钻进汽车。

①格洛格酒：一种酒，尤指用水稀释的朗姆酒。

那辆丰田车来了个后轮平衡特技，溅起一股泥水，落到女人们身上。“操你妈！”格里亚尖叫着，朝汽车开了一枪，子弹擦着车身飞过。贾尼斯和帕特茜看着被泥水弄脏了的衣服，怒火中烧，决定跟他们拼个你死我活。她们发了疯似的向正在泥泞的小路上拐弯儿的汽车冲过去，几条恶狗也汪汪地叫着奔跑在车轮两边。两个五大三粗的女人挥舞铁棍向那辆油漆成深蓝色的丰田车砸去，直到汽车加大油门，朝通往城里的公路仓惶逃去。

“你为什么在这儿坐着不动？你为什么不去跟他们打拼，为保卫家园而战？”凯文已经逃回家，正指责诺姆。诺姆不想参与这种事情。他老了。他一直坐在黑暗中欣赏夜色。头顶的云朵分开，露出一轮明月。皎洁的月光下看得见自己的手。

现在是观察天象预测未来的绝佳的时刻。他知道，如果他能一直在这儿坐到天亮，观察星座划过苍穹的路线，看到游荡的灵魂在黎明前到达精神世界，就能破译那些信息的奥秘。但是他无法集中精力。不是因为从前面传来阵阵叫骂声，而是另外一些全然不同的东西，迫使他停下正在做的事情。他无法忍受丰田车与众不同的马达声。那仿佛是别人痛苦的呼喊，尖叫着让他过去看个究竟。可是他只是铁青着脸坐在那儿，什么也没有听见。

格里亚听见弟弟在屋子后面大声吵吵，和父亲纠缠不休。刚才在路边和诺里“激战”，此刻她依然热血沸腾。她掉转枪口，想杀死凯文。就她而言，打击诺里其实也是给凯文当头一棒。她在屋子后面脚步重重地走来走去，说真希望那场事故结束他的狗命。“你狗屁不是，凯文，你只是家里一只寄生虫。”她用枪戳着凯文瘦骨嶙峋的脊背。“你要是想打我，就打呀！你这个没用的杂种！”

疯狂的表情使得他的脸无法控制地扭曲起来。现在距离他浑身抽搐、脑子一片空白、完全进入一个失去自我的世界已经不远了。倘若进入这种癫狂的状态，他就连一点点意识，甚至救他自己的意识也没有了。她知道，只要再使劲戳一下，他就会瘫倒在地。她向浑身僵直的凯文扑过去，贾尼斯和帕特茜抓住他的胳膊，一直把他拖回到他的房间，把他按在床上。他挣扎着想起来的时候，她们就把他打倒在床上，直到他终于失去知觉。

“好了，他不是睡了，就是死了。”帕特茜说。三个人都点了点头，似乎因为生活秩序再度恢复而松了一口气。“幸亏我们在家。”格里亚说。贾尼斯像平常一样嘟囔了几句，没有再长篇大论说什么。大家都疲倦难当，回到各自的房间照料没有被吵醒的孩子去了。夜又恢复了宁静，只有卡彭塔利亚湾绵延几百公里的堤岸上，每隔五十厘米远的土堆上就会传来一阵青蛙呱呱呱的叫声。

第五章 莫吉·费希曼

穿过黄尘漫天的风暴，费希曼驱车回家。长长的一队破旧的汽车跟在他身后艰难地爬行。车身上覆盖着一层干旱荒原刮起来的厚厚的红色尘土。护卫队后面留下的废气和尘土犹如轮船在海面留下的尾迹。这“赭色奇观”是莫吉·费希曼那支由狂热的信徒组成的永远没个头的旅行团队“创造”的。现在，他们又一次向家乡驶去，而且要在州的边境举行一个盛大的宗法典礼。这令人敬畏、神秘的宗法典礼将由土著人中一百个德高望重的朝圣者举行。他们的护卫队沿着老祖宗精神之旅的道路，继续古老的宗教远征。那道路越过整个大陆，比时间本身还要古老。他们来来去去，沿着那条道路，在神秘的红色云团里前进。周围一片寂静，只有断断续续从远方传来的钟声。那钟声仿佛从大地升起，在丛林里回荡。

这支长长的、披着尘土的护卫队，仿佛钻出大地，穿过原始风貌犹存的北部内陆。他们就这样一路前行。一支看起来宛如来自另外一个世界的“十字军”，仿佛属于被一只圣手触摸过的使人神魂颠倒的永恒。

这支三十辆汽车组成的护卫队，由八十年代生产的二手鹰牌轿车和赫尔顿牌客货两用车组成。不同年龄段的成年人在车上吃，车上睡。他们身上都落满几天甚至几个月积攒下的尘土。他们在离地面如此近的地方呼吸，茫茫夜色会把他们错当成四处游走的亡灵。这条精神之路崎岖不平，车上人们的生活“与时俱进”，已经改变了许多次。在这个令人惊讶的现代奇迹不断发生的时代，费希曼“护卫队”的人们个个心灵手巧，用只有大自然能够提供的工具和“零件儿”修修补补，使得所有这些汽车走过几千公里高低不平、坑坑洼洼、到处都是岩石和沙砾的路，而没有一辆趴窝。

住在公路边的土著人压低嗓门儿说他们怎么碰到这些半是凡人半是神仙的人——那些人，浑身上下沾满泥巴。整个“护卫队”汽车天线上都飘扬着澳大利亚国旗，人们都远远地躲开那些泥土在车身上结了一层壳的汽车。很难说，费希曼“护卫队”正在进行的“精神之旅”和水鸟在雨季划过海湾上空，向它们亘古不变的古老家园迁徙，谁更完美纯洁。有一天，他们听见那鸟的叫声由远而近，向他们走到这条路飞来。丛林人说那苍穹下回荡鸟鸣是大地的呼吸。

莫吉·费希曼的“护卫队”碰到一个万里晴空的好天儿，和卡彭塔利亚湾南岸昨天的天气完全不同。昨天沙尘暴突然袭击了这一地区。沙尘从天而降，黑暗笼罩大地，狂风的呼啸宛如死人在夜幕下嚎哭，淹没了这些正在进行“精神之旅”的人心头的重负。他们背对狂风睡着，这样就可以在漫漫长路摆脱时间的概念——月，甚至年的束缚，完全献身于宗教的责任。对于这场沙尘暴，“护卫队”里的人们谁都不觉得意外，进家门之前，他们随时准备迎接漫天黄沙扑面而来。

“护卫队”爬上三齿稃覆盖的山脊，钻进红石头遍布的山谷，在蜿蜒曲折的山路爬行，身后留下一条红色沙尘的长蛇。前面的道路——旷野里一条弯弯曲曲的路——在老莫吉眼里，一览无余。他非常快乐，西部乡村音乐从心底迸发而出，从灵魂深处迸发而出，穿过铁灰色的胡子，唱给整个世界。听！他放开喉咙，唱他最喜欢的歌。声音洪亮，充满感染力。歌声被北风吹送到整个护卫队，人们都开怀大笑。让人神魂颠倒的神灵也在倾听向德斯珀伦斯——那个西部乡村大汉的家乡——迸发的护卫队快乐的喧闹，周围的风景在团团黄绿色和红色的“雾霭”中一闪而过，和头车司机旁边套了套子的座位的颜色倒很协调。

不是谁都知道，这位宗教领袖如何得到莫吉这样一个名字。六十年前，他诞生在这个世界的时候发生的那些小事已经很难记得了。他的孩提时代，正是许多家庭发生一些秘而不宣的大事件之时。也不是 谁都知道，倘若从前，他的名字也许会是保罗，或者《旧约全书》里的约书亚，因为谁也没有说过这些。最好还是谨慎一点，不要对莫吉这样一个“文化人”说三道四。普瑞克尔布什人从来不问人们的名字从何而来。相反，他们宁愿说些表示敬意的土话，类似这样的句子：谁也不再记得哪位老伙计为什么叫这个或者那个名字这种小事儿。

那种无聊的闲谈都是在你背后进行，如果他们愿意就压低嗓门儿嘀嘀咕咕——因为这是一个自由的国度。这就是为什么这个世界总是惊奇不断。因为不管人们生活在哪里，总会有人深深地陷入不名誉的追求之中，总会有人喋喋不休地议论像莫吉·费希曼这样虔诚地信仰宗教的圣人卑贱的出身。一个又瘸又穷的老女人和一个上了年纪的瘸老头，奇迹般地活到新时代。他们那把年纪又会生出个什么样的儿子呢？可是人们就要干这种事儿，他们相爱。造物主则会创造出更糟糕的畸形人。一万条鱼还在海湾里游，同样多的鸟还在天上飞。

流言宛如沉重的铅棒，打在这对穷老夫妇的头上。可是那些流言制造者还不能解心头之痒，于是很快又用更加恶毒的办法打搅他们。他们非常冷酷地勒令他们搬那个几乎一无所有的穷家。一天能赶他们十几次。人们没完没了地抱怨这对老夫妇和他们那个令人讨厌的儿子。人们说，那个孩子到处恶作剧，想到哪儿就到哪儿，像条没有管束的野狗。司法部门派不上用场。他们也曾经一次又一次找有关人士说理，可是没人理睬。老两口只好闭上嘴巴。结果呢？哦，他们只好像两条狗钻进刺人的灌木丛里，在这片阴凉下蹲一会儿，再到那片阴凉下蹲一会儿。或者满腹狐疑地走来走去，见了人吓得就躲。“可耻的家伙！真该死！”老两口对那些住在东倒西歪的小房屋里的人们嘟囔几句。倘若那些满腹牢骚的家伙听见，立刻对莫吉和他年老的父母叫骂起来："滚！你们这些家伙！滚！除了传播疾病你们还有什么用处？快滚开！"

那时候，人们满脑子压根儿就不知道为何物的"现代思想"，发了疯似的到处乱窜。关于那个男孩儿的血统，马兰古吉的医生们说出许多莫名其妙的话。他们说，他的血液里充满了"沸腾的百合"。有的人，特别是和马兰古吉人有点血缘关系的女人大谈"碰撞理论"。这个理论是她们在过去的二十五年里玩牌总结出来的。这些女人们说，如果像这对老夫妇，七十年集聚的血糖在你的血管里跑来跑去，会发生什么事情呢？她们甩扑克牌的时候，那种兴奋激动、烦躁不安，让你觉得那对老夫妇一定还在周围什么地方，所以必须做点儿什么。她们那种不耐烦是现代白人世界里的人们处理他们自己的事务时常见的态度，也是你看到你的同胞那些无法容忍的行为时，采取的态度。事后，他们会气愤地对那些参加这种马拉松式闲聊的人们抱怨："他们这样唠唠叨叨、怨天尤人，真让你心烦。"难怪这个国家的精神世界那样冷酷野蛮。

莫吉·费希曼从来不曾给任何人带来麻烦的父母就这样逆来顺受，一次又一次地搬家，只是时不时说上一句："在现代社会总是像游牧民族一样搬来搬去真不是个事儿。你总跟不上别人的脚步。"这话千真万确。因为"搬来搬去"总会带来许多麻烦。你没有一个可以称之为家的地方，没有地方给你送信。"游牧"、"流浪"已经不再是问题的答案。

在那个冷酷无情的年代，那对老夫妇的男孩儿只要被普瑞克尔布什人看见，就会传出一大堆闲话。他们指天发誓说，看见蚊子像一团乌云跟在他身后。这个孩子无论走到哪儿，普瑞克尔布什上空都会盘旋着那样一团非同一般的蚊虫，并且发出嗡嗡的响声。男孩儿不得不到处走，所以谁都有机会看到这奇观。

莫吉·费希曼在童年的痛苦中渐渐长大，再也没有看到蚊子追随在他身后。他骄傲地宣称，父母生他养他，就是要让他为别人谋利益。

这些故事像淤泥，给那些戴太阳镜的家伙平添了“有开采价值的土层”。这些家伙像蝙蝠，夜幕降临才出笼。他们总是把车窗摇上去，以防蚊子飞进去叮他们，传染上可怕的大脑炎。土著人和以前也不一样了，他们也懂科学了，喜欢用那些复杂的新名词儿说蚊子小小的身体带着的病菌。如果蚊子是坏东西，莫吉“护卫队”里的信徒们就会像电视广告那样，使劲朝两眼中间打去。

他们都参与的这场仪式的精神梦幻之旅，沿着最偏远地区的道路向前，越过山川河流，穿过这块大陆几乎所有荒漠。“护卫队”由刷成各种颜色、画着各种图案的汽车组成，远离白人城镇那一双双痴呆的眼睛。费希曼说：“那些家伙，你就是拿根棍子挑着什么玩意儿送到他们面前，他们也不知道。”

这个由破烂汽车组成的移动的“海市蜃楼”里的人们觉得他们的的确确是跟着梦幻前进。“精神之旅”似乎已经变得不由自主。“护卫队”在一片静默之中沿着他们伟大的祖先曾经走过的道路向前“爬行”。他们崇拜老祖宗，他们的故事已经传唱许久许久。横跨大陆，到东北部的海湾完成他们的仪式是一项严格的法律。那本记录了另外一次走过几千公里的“精神之旅”的书一点一点地制定了这些法规。

“开始吧！”每天，费希曼的声音都会在晨曦中回荡。人们从沙土中爬起——他们像蜥蜴一样面朝下躺着睡觉，梦到精神复兴的核心环绕大地旋转，也许像银河里旋转的星云，也许像雾霭在太阳升起之前，漫过大陆流淌的江河。“护卫队”每年一次的精神之旅是由汽油驱动的车辆走过几千公里的漫漫长途完成的。旅行者知道他们的生活只有一个目标，那就是通过这个仪式，确保“法律”长盛不衰，而这个仪式是为冈瓦纳大陆①护卫者编纂的几千个故事的核心。

①冈瓦纳大陆：南半球一块假定性的大陆，根据地壳构造学说，这块大陆分离成印度、澳大利亚、南极洲、非洲和南美洲。

这场可怕的仪式跨越了不为人知的尘土飞扬的古老的道路，像细面条一样，纵横交错，穿过许多已经空无一人的村落。偏远乡村的人们在他们还没有到来的时候，就已经屏声敛息，悄悄地离开他们的家园。“护卫队”的高度机密和神圣庄严像一道看不见的光辐射到方圆几百英里之外。只有白痴才会问个所以然，只有傻瓜才会站在路上呆呆地看着迎面而来的护卫队，除非他们也想担起这神圣的使命。因为，一看到沿着老祖宗走过的路，像大蛇一样蜿蜒而来的“护卫队”，你就觉得常人做梦也想不到的重担落到了你的肩上。于是，护卫队前面任何一个村落里的人，只要从双声道收音机里听到关于“护卫队”的消息，或者看到警告他们“护卫队”就要到来的莫尔斯电码①就立刻躲到丛林里。谁都不能再在家里待着！

人们好像正在走钢丝的演员从天而降，为了保护自己和家人不被狂热之徒骚扰，用步枪武装起来。妇女和儿童不准看到从大路上走过的“护卫队”，都被赶到沙丘或者钻进茂密的灌木丛里，而且把身后留下的足迹遮盖得严严实实。他们像袋鼠一样，一动不动蹲在那儿，什么也不做，最多压低嗓门儿说几句话，直到终于有人传过话来，说已经平安无事，可以回家。不是所有人或者所有大小伙子都愿意被拖到这支虔诚的朝圣者的队伍里。因为他们要背井离乡长途跋涉好几个月，甚至好几年。

随着时间的流逝，上百名病人在被炽热的阳光烘烤的大路边等费希曼来把他们带走。他们说，原以为会平平安安过一辈子，可是突然之间发生了一些可怕的事情，生活再也不会像先前的样子了。费希曼让他们上车，他们跟他一起长途追寻老祖宗的安息之地，直到自己的末日。费希曼非常尊敬这些病人。他们也尊重他。有的人很安详地死在路上，他把他们很体面地埋葬在一块神圣的安息之地。为什么要这样做？费希曼解释说，他之所以帮助他的同胞，是因为没有一个白人政府能为土著人谋利益。病人们

---

①莫尔斯电码：用于传送信息的两种代码的一种，字母中的字或数字由各种不同排列的点、横或短标、长标表示。

都求他带他们走。

风吹着红色的尘土和一团团枯死的三齿稃在路上滚动，病人在路边等待费希曼的到来。费希曼看到他们之后，久久地站在那儿，眺望病人们的村落，似乎希望藏在丛林里的人们回到他们的家园。虔诚的旅行者们站在汽车周围，看风儿吹过一幢幢空空荡荡的房子，观察普通人的生活。年轻人随着流行歌曲的节拍轻轻敲打车顶，一加好油就想出发。每逢这样的场合，费希曼就觉得一种莫可名状的、陌生甚至让人害怕的感觉袭上心头——自己的人性、仁慈还剩多少？他凝望辽远的天空，自言自语。

莫吉和高温、和沉默一起漂流，仿佛看到什么奇异的景象，并且开始自言自语。人们听见他说："天空变成手的海洋。""太多了！移动得那么快，那么密，就像一窝扭动的虫子，手在转动，痉挛的手，像火箭一样袭击这个地方。"人们看着他阳光下闪闪发光的眼睛，顺着他的目光望去，但是什么也没有看见。有几位年长的聪明人凑到费希曼身边，寻思或许这样就能像他一样看到什么奇观。他们说："沿着他的视线，说不定我们也能看到那景象。"这几位年长的聪明人都是些意志坚定的人。"护卫队"也弥漫着一种紧张情绪。不过好奇心强的人都想知道他到底看到了什么。于是，费希曼向大家解释。他说，你的目光很难跟上那些到处移动的手。那是阳光折射出来的一种非常特别的幻影。他说，他看到那一双双手触摸村落里每一样东西。"手太多了，"他咳嗽了一声，压低嗓门说，"像老鼠一样，四处乱窜，想重新塑造万物，想让世界变样。白颜色的手。"

"一定要变成他们喜欢的样子。你怎么认为？"莫吉总爱反问一句，让别人发表点意见。

白颜色的手让年老的智者惊讶。把那些手想象成黑人的黑手也许太过分了，因为大多数人认为，神灵是白色的。

费希曼仿佛被那手的幻影完全控制了。他觉得，他们都亲眼目睹了这个具有重大意义的历史事件，都被投入战场第一线。战火纷飞、震耳欲聋，他只有扯开嗓门儿大声说话，别人才听得见。"瞧瞧这个，瞧瞧那个！"

好像他自己都听不清在说什么。费希曼？他往后退了几步，张开双臂，放低了声音，仿佛要保护大伙儿不受炮火袭击。他说，他一向不喜欢他看到的景象，因为太可怕了。有时候，他看到成千上万只手在干事儿——杀土著人。他相信那都是白人的手。有的人已经死了，有的还活着。他知道，因为他能认出手。有的手属于还活着的、高踞于传统法律之上的白人。

“你们都知道些什么？”费希曼在解释他看到的情景之前问道。

“不知道！”

“他们缺乏意识的思想被锁闭在地狱的边境。那里还有许多未曾解决的问题。这些问题肯定会阻止他们的灵魂到阴间，于是，他们的手和思想就被留在身后。他们被关在自己的不公平铸成的囚笼里。”

这些幻影使费希曼下定决心制定新的规则。规则的第一条就是，“护卫队”不能进村。他在路上的时候，当然从来不进。如果“护卫队”确实有事要办，就派几个人去。

看过那幻景之后，莫吉经常抱怨胸痛。在那人烟稀少的空旷之地，这是唯一影响他的健康的症候。追随者们七手八脚把他扶回到汽车里。看到别的车辆从附近的村落回来，几位资历比较深的长者命令“护卫队”继续前进，大家都松了一口气。然后，看到路边等待的病人，费希曼就说：“跟我走吧，离开这贫穷的牢笼。”

路上，费希曼不管碰到谁都让人家搭车，哪怕车里已经没有座位。“下车步走吧，”他让年轻人下车，腾出座位让那些人坐。然后发号施令：“走吧，跟上我们！”费希曼的幻景没有因为他和他的人马之间的距离而消失。随后的日子里，虔诚的旅行者一边开车，一边听病人们吓人的叫喊声。他们哀求，不要把他们送到白人的医院。在那儿，医生会非常粗暴地对待他们，好像他们都是陌生人。“我们不送你去那儿！不会的！”可是这些病人很难相信他们。

“护卫队”经常远离他们沿途经过的村落。因为去那里造访总让你感到一种无形的压力。尤其那些老年人。“护卫队”走后好多天之内，老人们还会在梦里看到许多只无形的手伸到他们的地盘儿。避开那些人，他们觉得赢得了一场战斗。因为这是莫吉对他们说的。他的声音在条条大路回荡。他宣称，他战胜了那些冷酷的、野心勃勃的政客和官僚。他们从很远的城镇和都市飞来，摧毁了土著人的生活。

学术界的人们——那些肯动脑子谈论诸如宗教崇拜运动的人——说，今天土著人社会像费希曼这样热衷于宗教仪式并且影响深远的人屈指可数。也许确实如此。他的影响很大，他的名望比他本人更光彩夺目。

诺姆·凡特姆是莫吉·费希曼很亲近的朋友，而且也是当代土著人社会的“大人物”。他明确说，他永远不想参加他朋友的“护卫队”。他说，莫吉让他不安。在普瑞克尔布什营地，谁都知道，诺姆·凡特姆在波涛汹涌的大海是神灵的追随者。而费希曼作为“水手”则是个失败者。他在船上待两分钟，就得趴在船边儿吐个昏天黑地。不过，诺姆不能否认，费希曼是无人能及的潜水能手。和费希曼一起远征的人们每天都能看到他创造的奇迹。他常常从汽车里钻出来，皱着鼻子嗅一嗅，便可以从干燥的空气中准确无误地嗅出从潮湿的土地，或者从一百公里以外的草木，或者从平展展的三齿稃平原隐蔽的水洼里飘来的水汽。费希曼的追随者在普瑞克尔布什吹嘘他非同一般的天才时还说：“他从来不用前面分叉的魔杖。”实际上，可能仅仅是因为他对这一带的山山水水了如指掌罢了。

“费希曼是现在还活在世上最了不起的人！”

“这么说，他只用鼻子？”

“像匹诺曹[①]那样的大鼻子？”

“不，和匹诺曹的不一样。”

“哦！他是怎么用鼻子的？”

“他只是像动物那样嗅来嗅去。”

关于费希曼，人们都有这样或者那样的故事可讲。但是在那条宗教

①匹诺曹：童话故事《木偶奇遇记》中的主人公。

崇拜的路上，并不是所有的故事都充满魅力。他们长途跋涉，深入到小城镇乡下人居住的地方和牧牛人出没的辽阔牧场。在那里，他付出很大的代价——他和他的人马被认为冒犯了白人的尊严。纯种的白母山羊跑到干涸的河床，人们互相打电话询问："你看到我看见的东西了吗？"和死亡有关的事儿很容易让人们激动。那些身处偏远之地的白人和任何对这块大陆知之甚少的陌生人都认为，莫吉和他的"护卫队"带来了第三世界致命的病毒。哦，当看起来那么陌生的一队黑人像眼中钉一样出现在地平线的时候，生活在牧牛人王国辽阔的牧场，就变得毫无快乐可言。天知道为什么会有"原住民"蹲在河岸？这些发了疯似的人们宣布，像平常一样，他们手握钢枪是为了保护目光犹豫的同胞。这正是莫吉·费希曼为什么深知不能坐下来教给白人如何和黑人和解，只能让"护卫队"继续前进的原因。他从来不把自己当作别人的活靶子，也不习惯让别人拿自己当靶子使。

分布在那一条条偏远道路附近小镇里的人们，不愿意看到费希曼的人马穿街而过。他们都蓬头垢面，衣冠不整。这些蓬头垢面、衣冠不整的人像野火一样烧过荒原。关于他们到来的消息通过电报传遍整个丛林：又在大路上看到了那一大群黑人。他们的故事"经久不衰"，不像报纸上登的新闻，昨天的消息就成了"旧闻"。"会发生什么事情呢？"人们脑海里经常盘旋这样一个事关重大的问题——当城里人议论要杀死这些黑人的时候，这件事情自然就成了非常重要的话题。

所以，不会有人拿出一盒盒"红玫瑰"牌澳大利亚巧克力与他们分享，恰恰相反，这些坐满黑人的破烂汽车不管驶进哪座小城，只有屈指可数的几个白人站在马路旁边，呆呆地看着他们。大多数居民都匆匆忙忙跑回家，锁好大门，悄悄地说："我们要做的事情只能是保护自己的家园不被玷污。"他们有很体面的生存之地，而现在，土著人肮脏的脚正践踏着这块土地。更糟糕的是……是什么？"引导车"里坐满了政客。"看见那些家伙要来的时候，你们为什么不把路炸断？"当阳光受到威胁的时候，小镇子里的人们就用这样简单的逻辑判断事物。

是的，莫吉一路的艰难自不待言。他也盼望早点回到德斯珀伦斯自己的家园。

当微风从南方徐徐吹来，一直吹过普端克尔布什，吹到海岸，和雨季季节变化聚合在一起的时候，会有嗅觉超常的人说，他们已经嗅到麻烦正沿着那条路步步紧逼。“怎么会这样呢？”毫无道理。也许事实证明是真的，也许那些人天生就是骗子，胡说八道。我们的座右铭应该是：“不要相信任何人！”

普瑞克尔布什人却是在等待“红墙”的到来。微风吹起的时候，南面的地平线从左到右，“竖起”一道红色沙尘筑成的高墙，离德斯珀伦斯二十英里就能看见。于是，他们确信，费希曼回家了。“红风”吹过家乡，从莫吉护卫队扬起的沙粒刮到人们眼里。

天天如此。每天时钟刚刚敲过十一点，风就如约而至，一直刮到下午六点。风停了，饱受红沙之苦的人们才如释重负。但是，还是没有人承认莫吉正在回家的路上。直到有一天，一个眼圈红红的傻瓜——信仰任何宗教的信徒或者任何一个民族都不乏其人——一个城东人，开始制造麻烦。在一个阳光明媚、人们昏昏欲睡的下午，也许是星期日！那个傻瓜拖着一根棍子到处乱走，一会儿在地上画十字，一会儿画些毫无意义的东西。后来，你一直注视着的这个家伙就在你一转身的当儿，在泥土上写下莫吉·费希曼的名字，然后扬长而去。

跑过去擦掉那个名字已经太晚了。“这是怎么回事儿？”有个能看懂英文的老人走过去，停下脚步，吃了一惊。他凝视着那几个字，无法相信自己的眼睛。莫吉·费希曼的名字居然被写在泥土之上。老人叫喊起来：“把莫吉·费希曼的名字写在地上的傻瓜出来！真该照他脑袋扇一巴掌！”他用脚擦掉那几个字，才又往前走。可是太晚了，字毕竟已经写过了。

自从莫吉第一次带领“护卫队”一路向南开始他的精神之旅，普瑞克尔布什人送他上路时，多次以为是和他诀别。那些骨瘦如柴的老人和他挥手告别时，打心眼儿里希望他不再回来。他们认为，他总和城里人过不去，找麻烦。可是，他像一只被扔掉的猫，总会找回家，让那些扔他的人下不了台。

他们说，只怪自己运气不好。难熬的日子过去了，等待巫师把他自己召回到德斯珀伦斯。从人们思想深处看，就好像有人对他们的脑子施了什么法术，念了什么符咒。普瑞克尔布什人来去匆匆，相互猜忌，诽谤中伤，总是用敌视的目光看周围的人，想弄清楚他们在想什么。愚蠢的人试图为自己找个借口，说："哦，耶稣基督，我从来没有想变坏。"可是太晚了，你这个白痴。一切正在变化之中，总有一天，莫吉·费希曼会再次出现在他们当中。

"你太容易忘记你那些麻烦了。"诺姆·凡特姆总是尽量淡化莫吉来访造成的轰动效应。他经常出去钓鱼，坐在平静的大海旁边，远离那些关于"莫吉干这了，莫吉干那了"的流言。比较老成的人们经常劝莫吉在德斯珀伦斯期间"入乡随俗"，不要做那些稀奇古怪的事情。

"你别再像白人那样在城里乱跑了。"诺姆对莫吉说。

"老兄，在我看来，你这样说就是指责城里的黑人都是呆瓜。我要劝说城里人。我要完全控制他们。"

莫吉是个巫师，或者说是那种有魔法的人。他一肚子法术。许多普瑞克尔布什人到城里提醒他："别对白人说三道四。"他不以为意。"什么也别对白人说，尤其那些警察！"他全当耳旁风，依然招摇过市，说他就像核子。你们知道什么叫核子吗？不知道。普瑞克尔布什人都说应该杀了莫吉。

"哦！"他口出狂言，开始解释，嘴角叼着的香烟上下抖动。"谁都得经我之手。因为他们像胶卷儿的底片，谁都看不清上面的图像。"他说，只有他对这些"底片"施了法术，他们才能像宝丽来一次成像照片一样显现出来。城里人听莫吉这样夸夸其谈的时候，都相信什么事情正在发生。因为他们觉得脸颊被火烤一样热。

莫吉宣称，他拥有一种力量，可以引起巨大的核聚变。这种核聚变从来没有人看到过，只有天知道接下去会发生什么事情。他用这样一些高深莫测的术语高谈阔论的时候，会让人觉得，如果不是生在普瑞克尔布什，莫吉或许会成为了不起的总统或者总理。警察也瞪大一双淡蓝色的眼睛，站在那儿听他“忽悠”。即使他身穿警服，头戴警帽，也是浪费政府花在他身上、让他执行警务的钱财。没有一个管事儿的人。警察来普瑞克尔布什看老莫吉干什么的时候，莫吉就给他讲关于核子的故事。他有胆量跟警察大谈特谈这些似乎犯忌的事情，尽管心里十分清楚，全国各级政府——州政府、地方政府、自称主管土著人事务的政府，还有来自堪培拉的什么头头脑脑——都支持这些“执法者”。他也知道，根据某项所谓法律，这个白人可以宣称自己有各种不同的身份。眼下这位“执法者”被莫吉攻击的时候，他的朋友们都站在他的身后。他们不停地发出嘘嘘声，给警察支招。与此同时，老莫吉的话又一个劲儿地往他们耳朵里灌，就像那是激进分子释放的毒气：二氧化碳、一氧化碳、四氯化碳。

城里那些穷人也没有多少知识，着实被莫吉吓了一跳。有人喊道：“莫吉·费希曼，我们也懂什么叫原子尘！”不过围观的普瑞克尔布什人都知道，说这话的人压根儿就不知道他说的是什么意思。他们从来就不知道莫吉·费希曼在哪儿，只知道他时而从他们的生活中消失得无影无踪，时而又出现在他们眼前。他们想，如果他说自己是“核子”，一定生活在核废料倾倒场。但是，除了发生在莫吉生活中的那些事，有一件事情大家都知道，那就是人们有足够的理由害怕呼吸核污染过的空气，莫吉不应该让他有放射性的身体回到普瑞克尔布什。

对于莫吉，这是致命的打击。城里人奔走相告，都说莫吉·费希曼在做炸弹。很快，大家心里都嘀咕起来。听见爆炸声，普瑞克尔布什的老人们就举起小望远镜对准那座小城。“瞧瞧谁在执法，谁在发号施令。”他们对那些感兴趣的观众重复城里人的流言。他们说：“让他离开这儿，让他滚！他是个该死的制造麻烦的家伙！”谁都不愿意相信自己的耳朵。他们说，没这么严重吧！从德斯珀伦斯到南方之间的电话线嗡嗡嗡地响着，一响就是好几个小时。孩子们经常吊在电话线上玩，现在都说电话线烫手。连那些发了疯似的乌鸦也都吓得在半空中飞来飞去，烧坏的爪子直冒烟。

谁也不知道这个世界到底发生了什么事情，以至于昼伏夜出的猫头鹰两三点钟的时候不再发出刺耳的叫声。有时候，这个小镇真的很难控制。

人们前所未有地团结，举起亮光闪闪的步枪，对准费希曼大肚皮上的肚脐眼儿。这玩意儿看起来倒是个好靶子。他用严厉的目光盯着他们，告诉他们忘掉这一切。在普瑞克尔布什，许多代人都不曾看到过他脸上那种表情。他说，如果有人敢挡他的路，他就会像小公牛膨胀了的尸体被人踩了一样，立马爆炸，肠子肚子都溅到你们脸上。

他说，他只需打个喷嚏就万事大吉。“是的，打个喷嚏就行！”他就这样口出狂言。人们在被太阳晒得烫脚的柏油路上站的时间太长了，都产生了幻觉，似乎都要死于费希曼爆炸了的肠子、肚子散发出来的令人窒息的臭气。只有“护卫队”的人知道，他咳嗽也好，打喷嚏也罢，其实根本没有那样的威力。一种类似汽车出了毛病的汽化器的声音一天到晚在他嗓子眼儿里咯咯咯地响。那些手持步枪的人向城里退去，已经退到步枪射程之外。“当心沙尘暴！”他警告他们，“那玩意儿让谁都打喷嚏。”他们还没有走太远，他就使劲拍了一下手。扣在扳机上的手指猛地抽动了一下，枪声骤起，在天空回荡。

一切平静下来之后，他们又注意听他讲话。费希曼说，他刚才发出的响声是瞬间死亡的声音。“他们都会听到这声音的。”他解释道，声音里充满了让人觉得很真诚的悲凉之感。那些人听了不由得眼珠子乱转。也许他们已经知道，死亡听起来就像拍巴掌的脆响。“你迟早也会死的。”警察摇着一根手指警告莫吉。“你会知道的。”莫吉嘲笑道，唾沫星子飞溅，呛了一下，不再说话，只有使劲儿吸烟的时候，嘴角叼着的香烟闪烁出一点红光。

麻烦在于，莫吉·费希曼和别人属于不同的层次。他们有自己的生活方式。费希曼本来应该知道，人都要互相尊重，为了邻里之间的安宁，大家都要友好相处。可是对于莫吉，要做到这一点并非易事。他下定决心，要么闭门不出，要么回到他原先那种非同寻常的生活状态。总而言之，他跳不出自己那个圈子。妥协的艺术——和生活和平共处——对于他太难了。他的根牢牢地扎在过去。像一道符咒再回家的时候，仍然落入旧日的巢穴。他至于想把别人也都带到此前的生活更难。迄今为止，带领普瑞克尔布什人旧事重温，也只有两分钟的记录。站在城里柏油马路上聊一聊二十年前的生活。那时候，矿业公司刚刚在传统上属于他祖父的土地上建立。还不是现在兴起的跨国大公司，按照他的说法，只不过是一个老采矿者用铁锹挖沙砾层罢了。

接下去要发生的事情是，就像从前人们上街游行一样，他摆出一副示威者的架势，穿街而过。出来买东西的人看了都问："这是怎么回事呀？"谁也不知道发生了什么事情，或者什么事儿会惹得他做出如此举动。因为看他那副架势，二十年前发生的事情恍若昨日。那时候，桥下的水那么多，谁都可以自由使用。可是现在，当年的孩子都已经长成大人。当年的大人更是儿孙绕膝。莫吉对这一切却视而不见。他继续"游行"，从左边走到右边，再从右边走到左边。搅动了负鼠窝，带回那么多痛苦的回忆——如果人们还能回想起往事的话。

城西那些骨瘦如柴的老人躲在荆棘丛中，举起望远镜，啧啧连声，说："乖乖，真希望他赶快滚蛋！""诱人的梦魇。"等等。

哦！谁都不认为这是开玩笑。因为他的谈话引起广泛的议论，整个国家都在议论！啊，想想看，人们打开收音机，甚至电视机，就能听到他——听到他在收音机里大谈矿山的事儿，在电视机屏幕上还能看到他那张大脸！哦，这种议论一点儿好处也没有，只是给他带来很大的麻烦。那天，许多警察坐着飞机来到德斯珀伦斯。他们抓走莫吉·费希曼，把他非常粗暴地带到城边，推出去，根本就不把他当人看。

如果所有这一切还不够讨人厌的话，还有人们从来没有见识过的更糟糕的议论让你大开眼界。这些议论出自"示巴女王"[①]那两片肥大的嘴唇。她，

①示巴女王：基督教《圣经》中朝觐所罗门王以测其智慧的女王。

安吉尔·戴，还没有嫁给诺姆·凡特姆的时候，一双眼睛就总也离不开这个地方。许多人说，她笑的时候，他们仿佛看见了鬼。当然，谁都不敢当着她的面儿说这话。城里难得有陌生男人来。逢着这样的时候，安吉尔·戴就满脸微笑，那微笑能把蒙娜丽莎比得像个酸柠檬。她和朋友们嘻嘻哈哈，几个老女人就朝她们这几个轻佻的年轻女子大声叫喊："你们家没有厨房吗？怎么像野猫一样跑到后街小巷撒野来了？打扮得那副贱样儿！"安吉尔和她的朋友们哈哈哈地笑着回击道："啊，老太太们，你们应该知道后街小巷有什么好玩的呀！"老女人们当然知道她们说的是什么意思，迈着轻快的步子，向她们在普瑞克尔布什的家走去，一边相互悄声说着什么，一边听那几个年轻女人奚落她们。

"他就像一块蛋白石。"安吉尔撇着抹了口红的嘴唇对那几个想入非非的朋友们说莫吉·费希曼。

"不！不像。他真像夜空里闪烁的蓝宝石。"

"他像全世界最大的钻石，怎么会像蓝宝石呢？"

"他像美丽的黄宝石，因为他的皮肤看起来像黄宝石一样温润、悦目。"

"妹妹，他可不像什么黄宝石。他是所有宝石、蛋白石、蓝宝石、钻石、黄宝石混合到一起的宝中之宝！"

也许是一种巧合，那年莫吉回到德斯珀伦斯的时候，正赶上雨季，湿润的空气里信息素[①]飞飞扬扬。人们张开手掌，让你看一种小而无害的昆虫。他们说，正是这种昆虫难解的奥秘，使得年轻女人比平常更爱卖弄风骚。尽管莫吉·费希曼的魅力在整个大陆都尽人皆知，但他和这些昆虫很可能有一种不道德的关系。和那些能够简单地说出（谁能问个没完没了？）生活中和另外一个人亲密关系的人相比，他总能略胜一筹。正是这些口口相传的溢美之词，使得他像宝石一样折射出令人炫目的光彩，让女人们一个

①信息素：亦称外激素，一种由动物，尤其是昆虫分泌的化学物质，会影响同族其他成员的行为或成长。

个看得眼花缭乱。再加上对那令人销魂、无法报答的时刻的渴望，女人们越发春情大发。莫吉认为，他在让女人爱他这个问题上，并不比别的男人更下功夫。但是，由于一些非同寻常的原因，他也无法否认，他是迷雾中的灯塔，比德斯珀伦斯任何其他旅居者都闪烁着更明亮的光彩。在宗教和政治狂热者、福音传道者、盲目信仰者、萨满教的教士、平庸的人和自称宗教领袖的人们混迹的普瑞克尔布什消磨时光。

安吉尔的调情并没有妨碍爱发脾气的诺姆·凡特姆和老莫吉成为最好的朋友。所有那些困惑的妈妈都对孩子们说，这两个叔叔是为生活在大地之上的人们升起在夜空的最明亮的星。故事，故事，都是故事，事实变得模糊不清。只有夜里，猫头鹰把什么事情都看在眼里：各式各样的人只要一有机会，就相互拜访。可是谁愿意为一个女人想告诉孩子们的什么事情而争论不休呢？如果孩子不相信母亲富于想象力的故事，这个世界就是一个让人悲伤的地方，小孩子们就会迷失方向。

老莫吉脚蹬一双落满尘土的高腰皮靴，虽然身材高大，但瘦得皮包骨。和他相比，诺姆·凡特姆无论身体还是智慧都是个更伟岸的大丈夫。他们的友谊源于老莫吉驱赶另外那些和他对立的宗教狂热分子。那些家伙经常怀着不可告人的目的来凡特姆家，驱除安吉尔那幢房子下面的魔鬼或者蛇神。

凡特姆家经常做各种“法事”，和另外那个世界的事务沟通。有时候，他们在这里施巫术驱邪，更多的时候是满脸严肃的祈祷者和令人尊重的长者在他家举行宗教活动。有一年，一位名叫丹尼的天主教神父，开车来到海湾，车后座放着一千个小十字架。他把这些十字架放在凡特姆家里和房前屋后，长达一个月之久。这期间，神父最大的发现是，再也没有比凡特姆一家更笨手笨脚的人了。他们一动，就会把这些十字架碰倒。神父通过观察还发现，凡特姆家没有一个人走直线。“让他把那些玩意儿拿走。”诺姆对安吉尔说。安吉尔当初坚持要把这些十字架摆在她的家里，现在，只好让神父拿走。等到驱邪不灵的时候就责备诺姆。

后来，又有个印度教宗教领袖经常来她家走动。在普瑞克尔布什，人们都百思不得其解，安吉尔怎么能找到这样一些人物大驾光临？人们看到，那位满头金发的大师身穿白色长袍，像天使一样在凡特姆家走来走去，每天都扔一块面包给鬼吃，一直持续了好几个月。他还敲鼓，念经，有时候一天能折腾十八个小时。诺姆家的人不喜欢这位大师，经常是不等鬼来吃面包，孩子们就先吃了个精光。夜里，按照大师的指示，安吉尔让孩子们都到外面，用棍子敲打地面，而且无论发生什么事情都不能停下。什么作用都不起。唯一的结果是，潜藏的鬼神十分慷慨地满足了每一个信仰印度教的人来这里瞎转悠的愿望。这些人越来越不受欢迎，直到诺姆不得不驱逐他们。所有这些狂热的信徒就像莫吉·费希曼一样，对神鬼着了魔。莫吉·费希曼则一直梦想活着回到德斯珀伦斯，拜倒在她的石榴裙下，但又祈求能够自由。

莫吉·费希曼和诺姆家下面那个鬼神世界保持着密切的联系，他穷困潦倒需要得到诺姆的周济，他那颗多情的心需要得到安吉尔的慰藉——尽管安吉尔只能给钟情于她的男人带来麻烦。直到有一天，人们觉得莫吉的心碎了。啊，没错儿！一颗撕成碎片的心。她说，她对诺姆那片心像一阵呼啸的风掠过平原。目光所及，一切的一切都在风中飞翔，啪！啦！然后她就没了踪影。一个中年妇女和一个……跑了！

莫吉对诺姆说，他无法想象那情景。真是令人作呕！一个方方面面都那么优雅、能把垃圾变成“黄金”的女人，居然堕落到这种地步。她会喜欢上那种下等酒馆，也许是“兽吧”，天知道什么地方，和一个他简直无法想象的、比没用还没用的东西跑了！那个家伙甚至不是白人，只是个骗子。不是来替她驱除魔鬼的自封的“新时代”印度教大师。真让人悲伤。这位所谓的赢家，是个普通黑人，龇牙咧嘴的傻瓜，甚至厚颜无耻地管他自己叫汤姆大叔。除此而外，莫吉还说，他和诺姆·凡特姆一样，有一种劫后余生的感觉。而诺姆·凡特姆从来没有忘记她。她离家出走后，他对孩子们说，她和一个蜘蛛精跑了。

"为什么？"

"捕捉那个蜘蛛。"

"你没去追她？"

"当然追了。"

"她上哪儿了？"

"一幢到处都是蜘蛛的房子。"

在普瑞克尔布什，谎言甚嚣尘上。两个当地最有影响力的男人被一个女人抛弃了，生活变得一团糟。而他们被抛弃的原因很荒唐：世界各地的宗教像一阵风吹到这个地方——阿帕契人信奉的宗教、印度教、佛教、犹太教……聪明人说：不管哪一种，五分钟就足够了。老女人们因为男人不知廉耻而伤心落泪。他们一天到晚就想喝格洛格酒。那是白人的尿，他们一桶一桶地喝，毒化了普瑞克尔布什人的生活。大家都不提安吉尔。仅仅因为现代人对蒙娜丽莎的梦抓心挠肝，才弄得老莫吉像孩子一样对着几百公里远的长路伤心地哭泣。

为数不多的新信徒像戈壁滩采来的花朵，加入到汽车护卫队的行列。起初，他们有一种上当受骗的感觉。他们很难接受这样一个事实：老莫吉·费希曼的世界和看起来的样子有很大不同。老莫吉对新来的人大声说，他和鱼没有任何关系。"没有，先生。"这就是他给大家上的第一课。这些新来的追随者如果认为他们的精神领袖在找不到鱼的地方，也能理所当然地把鱼送到饥肠辘辘的人面前，很快就发现，自己这样想大错特错了。而在老莫吉眼里，这样的错误是不能允许的。做了错事就像给老板提供了一把上紧发条的钥匙。

"《圣经》故事在别人荒芜的心田。"他像演独角戏一样，开始演说，长长的灰胡子上下跳动着，像施催眠术一样，迷住了在场的每一个人。老莫吉费了好大劲儿才讲清楚，宣讲福音的人花了好长好长时间灌输天主教的教义，这是黑人土地上灾难的根源。他说，他认为，天主教的教义像格洛格酒一样，毒化了土著人的社会。实际上，这正是土著人喝格洛格酒的原因。所以，格洛格酒和别的宗教一定要禁止，在梦幻之旅的道路上绝不能存在。“绝对，绝对不能。”他解释说，“《圣经》里五饼二鱼的故事是犹太人，或者别的什么人的事儿。”他脸上是那种常见的乐呵呵的表情，似乎无法相信自己对于弄清事物本质的直觉。他还解释说，路上时不时会发生这样那样的事情，所以新来的人必须从一开始就要心中有数，靠自己的力量，走完这条路。老莫吉·费希曼说，别问他要鱼，他对钓鱼毫无兴趣。事实上，他讨厌鱼。他更喜欢吃丛林里小动物的肉。新来的人就每天供应他林中美味，直到终于变成他忠心耿耿的信徒。

这天早晨，大伙儿都在谈钓鱼的事儿。“他们为什么总想钓鱼？”费希曼有点厌恶地问道。他喃喃着，大胡子里吐出一串谁也不知道什么意思的话来。到太阳高高升起，天变得很热的时候，他仍然对坐在一号车里的人们恶狠狠地说，他痛恨那些认为他理所当然应该给他们抓鱼吃的人。

他整整一天喋喋不休，仿佛内心独白一样，说他永远无法忘记最后一次吃海龟肉的情景。“停车！”这天，他至少下了十二次停车的命令，让整个护卫队停下。他跳下车走到后面的车跟前，对车里的人说：“我应该让你们滚出护卫队，以后我自个儿走！”

那时候正值酷暑期，狂热的信徒们汗流浃背，从头到脚沾满尘土，像挤在罐头盒里油腻腻的沙丁鱼。黄尘从车窗里刮进来，在车里旋卷着，就像梦里山间的小旋风。沙尘飞扬，挤在车里的人们浑身是汗，咳嗽声此起彼伏，在偏远地区的搓板儿路上颠簸着，颠簸着。

每一辆汽车都用尽全力跋涉，肮脏的油溅在太热的发动机上，排气管散落在几千公里之外的公路上。汽车都是用生锈的铁丝、皮带或者别的什么玩意儿绑在一起的“现代化”的零部件，只要能在路上行驶就可以。司机在长途跋涉中学会了开车、修车的本领，在护卫队里显得格外重要。车上的零件儿都不是从“高级汽化器专卖店”、“最佳刹车服务部”、“离合器维修中心”买的。他们没有看到过自己开的车都有哪些零件、配件，也不知道为生计而销售汽车和汽车配件的销售商都卖些什么玩意儿。但是，在这尘土飞扬的、遥远的道路上，莫吉的“丛林机械师”们总能找到足够的“废弃物”修好一辆车，甚至重新装配发动机、变速箱、装潢车内设施，焊接车身的裂缝。

中午，护卫队沿着狭窄的山路前进。这条路就像莫吉在钓鱼的梦魇中看到的羊肠小道那样弯弯曲曲。每逢走上这段路，老莫吉就显得非常紧张，仿佛从灵魂深处给鬼神唱起歌来。“再见，乔！我不得不走！我不得不到海湾找鳕鱼太太！”他很严肃地对威尔·凡特姆——一个二十五六岁的年轻人，和老莫吉坐在同一辆车里，是他的司机——说，汉克·威廉斯[①]的歌他没有一首不会唱，堪称专家。“护卫队”的老人们都假装他说的没错儿，不和他争短论长，只是为了安宁。不过，大家知道，他自个儿也知道，他连一首歌的歌词也记不住，都是由着自己的性子，现编现唱。是呀，为什么不呢？“猎手之子，嗨！威尔？”他开始唱摇滚乐曲，唱一个仿佛他知道的什么地方。“尽情快乐，在那遥远的海湾。”

莫吉摇头晃脑，舒舒服服坐在那儿，戴着罗伊·奥尔比森[②]喜欢戴的太阳镜，嘴里哼着歌儿，说他的“单糖”又起作用了。他掏出他那只虹膜是蓝色的玻璃眼睛玩起把戏。这是护卫队里唯一一只蓝眼睛。威尔看见那只玻璃眼睛在空中翻滚着，从一只手落到另外一只手里。这是一种催眠术。司机被那只眼睛吸引着，连眼前的道路也顾不得看。莫吉通常都把这只眼睛装在裤子口袋里，喜欢在弯弯曲曲的道路上拿出来玩。正因为这个原因，谁都不愿意给他开车。如果他们抱怨，莫吉只有一个回答：“你要是不想开，就滚！让别人过来。从现在起，他可以开这辆破车。”蓝眼睛上下翻飞，凝视着后排座。后排座上，四双吓坏了的眼睛凝望着那只来回滚动的眼睛，

①汉克·威廉斯（1923—1953）：美国歌手与流行歌曲作者，对于乡村和西方音乐有很大的影响力。他的成名曲包括《你欺骗的心》和《嗨，美人》。

②罗伊·奥尔比森（1936—1988）：英国歌手兼词曲作者，以其圆润的男高音而闻名。他的许多叙事曲为后来的音乐家所用而流行。

目光时而向左时而向右。而那只眼睛仿佛瞥见了他们的思想：准备跳出一号车，不管它在行驶中还是已经停下。因为要是真“让别人过来”开，那就意味着他已经等不得要下地狱了。

遗憾的是，有一样东西阻止他们从非常莽撞地快速行驶的汽车上跳下去。这个“东西”就是弯弯曲曲的公路下面一条条令人眩目的深沟大壑。这些千百年来洪水冲刷而成的沟壑像重重叠叠的鱼鳃，悬垂在陡峭的石灰岩山崖下面。看到山崖下坟场般的谷底到处都是生了锈的汽车残骸，谁能不心惊胆战？开始向上攀援的时候，莫吉和以前一样，让整个护卫队停下，对围在他身边的人们说，只要按照他说的办，就能安然无恙。

“如果神灵看到这条路上某个人的车，如果你的车向下、向后滑行，那么不管情况怎么样，你这辆车是上不去了，剩下的就只有一条路可走。让老祖宗把那辆车拿走，由他处理。他要是想开，就让他开去吧。这儿毕竟是他的土地。你不需要这辆车了。快乐点儿，因为总有一天，当上天召唤你去干什么事情的时候，你就会需要车。你这辆旧车可能就在那儿等你开呢！所以，不要贪婪，随它去吧。永远记住，在这条坑坑洼洼的盘山路上，不会有保护你的天使，帮你把车推到山上。所以，不要用贪婪和自私毒化你自己和任何别人，你最好抛弃这辆已经没用的车，让它一直滚到峡谷里。”

莫吉觉得满意之后，结束了他的演讲，深深地叹了一口气，从后排座跳下来，回到自己那辆车上，命令护卫队继续向前。“从前，神灵不像现在这样贪婪。他只对华丽的马车和动物感兴趣。”他对威尔说。威尔目不转睛地盯着眼前的路。和费希曼上路以来，这些故事他已经听了不下一万次。费希曼继续说：“骨头，死马、死牛、死骡子的白骨，被剥蚀得干干净净。你能看到谷底到处都是被神灵吞噬了的森森白骨。可是现在，他只吃汽车。”

护卫队终于来到一个岔路口，再宿营一个晚上就回家了。这一站是难以描绘的、乱石遍地、车辙纵横的道路与茂密的松林相连的一洼碧水。汽车爬上一片平展展的土地，眼前豁然开朗，“湖光水色”尽收眼底，大伙儿几乎不敢相信自己的眼睛。透过白千层树浓密的枝叶，他们看到如镜的水面。费希曼把他那只“眼睛”装到口袋里。坐在前面的那几辆车里的人们纳闷，别人怎么能知道这样一个到处都是“鱼洞”的隐秘之地呢?

所有的车都爬上山，并且开始向山下驶去的时候，坐在车里的人透过覆盖着一层厚厚的尘土的风挡玻璃，向那一泓碧水望去，看见那个钓鱼的人。就在湖水中间，一个白人稳坐船头。他那么轻松自在、漫不经心，就像他花了许多钱买下了这个地盘儿。“我们该怎么办?”湖水很浅，散发着一股盐味儿。大家都知道，如果雨季不能及时到来，它就会完全干涸。他们也立刻看出这个白人先他们一步来到湖面之上的重要意义。他们很快就得离开此地，尽管大家因为在干旱的草原、沟壑跋涉了好长时间，一个个累得精疲力竭，很想看到涟涟碧水，更想吃鱼。威尔·凡特姆没有说话，但是他心里想，在人数上他们远远超过这个白人。一百比一。莫吉仿佛看透他的心思，说道：“你知道，威尔，在这个世界，真实的情况常常一文不值。”他们在树林里悄悄地议论了一会儿之后，有人朝湖边白千层树林瞥了一眼，大声说：“你们知道吗?我想，他死了。”

说一个陌生人死了，可不是件小事。即使是一句好玩的玩笑话，也会引起一阵混乱。人们拥挤着，都想看个明白，先前压低嗓门儿说话的声音越来越大。他们不想注视那个钓鱼人，但又忍不住瞥几眼。

“没死，钓鱼呢。”

“不是，你再好好看看。”

“他死了。”

“你听我说……”

这下子人们都仔细察看起来。他们凝视着钓鱼人，看他有没有动静，可是那人一动不动，就像一幅景物写生的图画。那一刹，谁也不知道该笑还是该叫。大伙儿都松了一口气。如此说来，这里毕竟只有他们自己，没有白人，即使有，也是个死人。不过，即使的确如此，他们也都想到另外一个事实：护卫队不得不继续向前。

如果有个死了的白人坐在船上，谁也不会长时间在附近待着。情况不妙。如果有人来，把他们和船上的死人联系到一起，再凭空编造一个故事，后果不堪设想。看起来，这个人是上次下大雨的时候把船停泊在这儿的。后来洪水退到大海，他便陷在淤泥里。现在，早已干涸的海湾和一片片陆地把他与大海分割开来。白花花的盐碱在船身上结了一层壳。眼前的情景让人害怕。那人坐在那儿，晒成褐色的皮肤贴在一具骷髅之上。这真是世界上最可怕的事情。大家都不知道怎么办才好。谁都认为碰碰这具尸体，或者被人看到是他们把他带回到城里不是好主意。所以他们对费希曼说，把他留在这儿算了。

“迟早会有人发现他的。”

“反正他已经死了。”

“让水把他冲走吧，可怜的家伙。”

费希曼点了点头，说：“那么，好了，走吧！”

“出发！”大家立刻把费希曼的命令传下去。

就在那天晚上，空气中弥漫着雨水的气息，北边的天空乌云翻滚，要下雨了。几个小时之内，第一股洪峰就会冲进大海。人们都回到车里，丛林里回荡着汽车发动机的轰鸣。十五分钟后，威尔·凡特姆环顾四周，心里想，没有人会知道这儿曾经来过十几辆汽车。

路上有人说，那个人看起来有点像老埃利亚斯。他说，打小时候起，记忆之中埃利亚斯出海的时候，坐在船上就是这副模样。费希曼说，也许是。不过很难说一定就是他。他们离那条船还很远。那个人可能就是埃利亚斯的想法很快传遍整个护卫队，仿佛护卫队就是一只有同一个头脑的动物。大家达成共识：“没错儿！我想起来了，那就是他的船！”整整一个下午，一个晚上，人们都在议论这件事情，确信陷入泥淖之中的就是埃利亚斯和他的船。直到半夜三更，护卫队像一只巨大的蜥蜴爬回到德斯珀伦斯刺人的灌木丛，才暂时放下这个话题。“是呀，这事太蹊跷了。”费希曼打了个哈欠，把这天一直憋在肚子里没说的话说了出来。长时间不在家，现在终于回来，他已经累得一点精神也打不起来了。海风吹开他“尘封”的鼻孔，德斯珀伦斯无处不在的烂鱼的腥臭扑面而来。这股臭味儿盖过也在空中飘荡的、星期五晚上家家户户炖鱼的香味。

莫吉在汽车旁边铺了一块毯子，然后躺下睡觉。不远处有一只猫头鹰发出凄厉的叫声。城东约瑟夫·迈德纳特的营地，有几个人胡乱拨拉着吉他。一辆汽车的收音机正在播放《你为什么渴望我的心跳》，不时传来阵阵人声、笑声。哦，毫无疑问，此刻一定有人在吃喝玩乐。从更远的地方，传来海浪拍打沙滩的声音。从前他熟悉的种种声响被魔术师的魔杖招来，星星点点的记忆组成闪光的飘带，直到千百种景象宛如天上的星星，从他心头划过。深深埋藏在心底的和家乡有关的种种情感此刻都浮出"水面"，像一团团蒸汽，旋卷着，相互纠结着，从一口大锅升腾而起。好长时间，莫吉躺在地上，辗转反侧，难以成眠。他想，如果不赶快停止胡思乱想，不赶快进入梦乡，得以解脱，他简直会发疯。那梦境会带他步履蹒跚，走过德斯珀伦斯，回到今天发生的种种事情之中。

想起埃利亚斯安详地坐在船里，他现在认识到，那是神灵世界给他传递的信息。莫吉站在梦乡边缘，遥望泻湖①里的埃利亚斯。他觉得，神灵在说，埃利亚斯的处境很好。那个令人难忘的早晨之后，谁也不知道埃利亚斯身上发生了什么事情。那一天，他被迫离开德斯珀伦斯，拉着船走向大海。莫吉想，现在他们该知道，埃利亚斯很好。他已经跨过大海，回到蓝天之下的神灵世界，远离了德斯珀伦斯那些不公正地对待他的邪恶的人们。

睡乡中，莫吉梦到护卫队开上砂石路，向家乡驶去的情景。他坐在副驾驶的座位上，凝望前面空旷的道路，埃利亚斯又浮现在眼前。他在心里琢磨着，计算着，走过一辆辆吱嘎直响的汽车，突然意识到，威尔·凡特姆在泻湖就离开他们，护卫队里别的汽车里也没有他的踪影。他的思想又无声无息地溜回到那条两面都是树林的小路，站在树丛后面，向四周张望，直到发现威尔一个人坐在湖边，直瞪瞪地看着埃利亚斯。莫吉踩着地上的

①泻湖：一片浅水湖，尤指在海中由被河口的沙洲或珊瑚礁围成的环礁湖。

落叶，蹑手蹑脚走过去，仔细端详威尔那张脸。说来也怪，威尔居然没有察觉有人来到身边，而且正看着他的一双眼睛，想挖出他的灵魂。莫吉向后退了几步，对自己说："知足吧。交易就是交易，莫吉·费希曼。你已经按照你的承诺，把威尔平平安安送回家。"猫头鹰的叫声把莫吉唤回到茫茫夜色之中，他躺在那儿，似醒非醒，想起威尔·凡特姆。对于一个这样年轻的小伙子来说，他承担了太多的责任。

好几个小时过去了，莫吉·费希曼时睡时醒。睡梦中，他一次又一次地到泻湖，藏在树丛后面，和威尔祖先的鬼魂一起，观看埃利亚斯的尸体。莫吉觉得，那些沉默无语的鬼魂正在倾听威尔·凡特姆家乡的声音，倾听那些笨重的机器挖掘土地时发出的沉闷、单调、叮叮咣咣的响声。这些想法让莫吉十分生气，一下子醒了过来，无奈地叹了口气，翻了个身继续睡觉，喃喃着问苍茫夜色："我还有什么做的不够吗？"莫吉知道，他努力了，比别人，甚至比威尔·凡特姆的父亲做了更多的努力。两年前，他曾经对诺姆·凡特姆说："我要带威尔参加梦幻之旅，让他相信我们振兴家园的力量和方式。"诺姆连眼皮也没抬，继续掏鱼肚子里的内脏。"什么也没有改变，诺姆，你赢了。"莫吉不情愿地说，眼巴巴地看着诺姆·凡特姆半夜三更手里拿着一条不停扭动的鱼，开肠剥肚。威尔扛着一座"山"走过荒漠。最后，护卫队每一个人都扛了威尔·凡特姆那座"山"的复制品。

回想起来，从某种意义上讲，把威尔留在泻湖，莫吉觉得心里轻松了许多。护卫队也觉得仿佛化作一缕清风，从沮丧、消沉中解脱出来，和尘土一起飘浮，尽管他们还得像一头笨重的野兽，喘着粗气，爬上陡峭的砂石路，继续前进。虽然他十分看重这个年轻人，甚至拿他当自己的儿子看待，但是威尔不再和他们一起上路，他竟有一种如释重负之感，这实在太让人惊讶了。

"唉，既然睡不着，就别睡了。"莫吉自言自语，因为一夜无眠烦得要命。他在"床铺"上坐着，用他那根爱不释手的长棍子把周围的枯枝败叶拨拉到篝火里。平常他用这根棍子打攀援在头顶树枝上的蛇。他把壶放到篝火上烧水。再有几个小时，太阳就会升起，照耀他的人马。

他漫不经心地向茫茫夜色望去，搜寻诺姆·凡特姆那幢房子，在心里琢磨那个固执的老家伙。他看见普瑞克尔布什闪烁着一点微弱的灯光，在夜幕下轻轻摇曳。莫吉·费希曼脸上露出一丝笑容。你这个愚蠢的老家伙，自以为强硬得很，可还是忍不住要惦念儿女，对吧？那一点灯光激起莫吉的兴趣。他意识到诺姆也是一夜未眠，尽管他嘴硬，不愿意承认。莫吉捋了捋灰胡子，因为觉得自己捕捉到别人内心深处最隐秘的感情而得意扬扬。他知道诺姆绝不会承认他是在等威尔。

威尔从来都没有指望父亲会热情欢迎他回家。谁也不会想象诺姆·凡特姆一听说儿子要回家的消息，就肩扛一头肥壮的小牛犊跑出家门。天使般的孩子没有必要兴高采烈地跑过来告诉这位父亲，浪迹天涯的游子回来了，要是你愿意，走过三齿稃丛生的田野，爬过那座小山，就看见他疲惫的身影。“是的，时间会证明一切！”莫吉不无讥诮地说，“除非公鸡下蛋。”威尔会在他认为合适的时间到达德斯珀伦斯，让那灯就亮着吧！灯光下，一位年长的老人有足够的时间辨认他七个孩子中的六个。这家人有一个口号：“男人讨厌照顾孩子……那几个坏家伙，我现在谁也不管了！”“真的这样吗？”莫吉喃喃着说，想起听到他们父子不和之后，曾经这样问过诺姆。他是怎么回答的呢？

他只是愤怒地看了他一眼，继续刮手里那条大鱼的鱼鳞。他疯了吗？没错儿，是疯了！鱼鳞飞溅，落了满屋子。你说什么来着？“你年轻的时候就是个傻瓜，现在老了，成了个老傻瓜！”老莫吉想起他这样恶狠狠地骂诺姆·凡特姆。骂他这样不假思索就把威尔赶出家门。难道威尔不是一个血气方刚的好小伙儿吗？诺姆一脸冷漠，就像看到鱼线末端一条不怎么好的鱼，吐了口唾沫。“一条河豚①，喂狗去吧！”普瑞克尔布什同一片灌木丛长大的父与子会有什么不同呢？时间将证明一切。

---

①河豚：河豚科的任几种有刺且通常有毒的海鱼，吞入水或空气后可以使身体涨大。

听听吧，城里流言四起。他没听到吗？听到了。威尔·凡特姆逃跑了。跑得挺巧妙。步行走的。到哪儿了？到城东去了。关于儿子不翼而飞的事，诺姆说什么了？什么也没说。他只是挥舞一把斧子，整整一个星期怒不可遏。他不停地挥舞那把斧子。城东的人都吓得大门紧闭。一千枚钉子砸到棺材里——只有父母把儿女逐出家门时才在为自己准备的棺材上钉钉子。诺姆·凡特姆和儿子之间这场矛盾非常棘手，影响也很大。哦，战争就是战争。当你卷入一场已经延续了四个世纪的战争，即使现代，儿子也无法推翻老子的看法。赛克伦——那场古老战争演变为现代城东、城西两大敌对阵营的核心人物，确实早已离开人世，但是这也于事无补。“敌人永远不会死亡！”当诺姆看到约瑟夫·迈德纳特的亲戚抬着赛克伦的棺材向墓地走去时，斩钉截铁地说。死亡，可喜的摆脱。城西的人们还记得他们经历过的繁荣的时期和不景气的时候。赛克伦死后，他们齐声欢呼：“嘿，嘿，万岁！”然而，他是怎样一个人呀！

记忆，割不断的血缘关系。提到他们之中的敌人时，诺姆总是这样说。后来，令人沮丧的流言、难以置信的流言在普瑞克尔布什、在城西，不胫而走。“威尔！哦，天哪！不是威尔，活脱脱是他父亲的坯子，装着他自己的思想离开我们的地盘儿，到老赛克伦家住去了。”小伙子在父亲眼皮子底下就被一个坏人的孙女偷走了。偷到城那边了。这个给你，那个给我。”从坟墓里悄然升起的、令人讨厌的东西纠缠着还活着的人们。

赛克伦年事已高，但人很聪明。他相信巫术，是当代把想象变成现实的第一人。他本来应该是一位呼风唤雨巫师，可是他尽说谎话。他的以“从前有一个……”开头的、不同凡响的故事之一是关于一口猪的故事。后来，这个故事变成现实生活中的一场噩梦。

在他精心编造的“从前有一个……”的故事中，有一头小肥猪。这头猪的寿命非常长，对在河岸漫游的普瑞克尔布什人态度十分恶劣。赛克伦玩弄巫术于股掌之间，把生命力注入这个二十世纪的故事。他管他杜撰的这头小肥猪叫阿贝利尼。阿贝利尼经过一番幻化，成了真正的梦魇，坏事一件接一件地干。城东原先拥有那辆蓝色丰田车的大叔就深受其害。城西普瑞克尔布什人说，这是天报应，阿贝利尼只袭击赛克伦家族的成员。大叔被杀死之后，赛克伦去过警察局，寻求法律和白人的帮助。他身穿宽松的睡衣，跑到警察局抱怨："为什么所有死亡案件都和我的族人有关？"新来的警察听了他的话思索着。"为什么只有我的家族要面对这种悲伤？"警察不耐烦了，跳起来，拔出手枪。询问调查之后，叫来一帮打手。那些人来到德斯珀伦斯之后，都说："该采取行动了，老兄！"这是发生在城东人们都爱戴的大叔被杀之后的事情。赛克伦每隔五分钟就跑到警察局一次。他的家人也紧随其后，直到他们都围在那儿寸步不离，跳着脚，敲着墙，抱怨、威胁的声浪一浪高过一浪。他们把鱼内脏扔得到处都是，伸出手指，直指城西，直指诺姆·凡特姆家。

诺姆·凡特姆被当作犯罪嫌疑人逮捕时，说他没有什么好交代的。他昂首阔步跟着警察走了。如果人们都能看到他那副满不在乎、不知道"害怕"为何物的样子那该多好！那以后好几个月，老人们都提醒城西的人，一个人能这样气宇轩昂真是难得一见。审判那天，他像一块岩石，直挺挺地坐在法庭，一言不发。城西的人们心里充满赞美之情。普瑞克尔布什两大派别诸多家庭的成员们分坐在由浅绿色的镇公所会议室临时改成的法庭两边。两边的人都眼球骨碌骨碌地瞅着对方。人们开始悄悄地议论。过了一会儿大街上传来一阵阵叫骂声。"谢天谢地，今天不是安息日！因为上帝用不着待在城里。"法警宣布地区法官大驾光临，可是谁也没有听见。法官只好咆哮着，让大家安静。他很快就会发现，听到这些家庭中的某一家对你说三道四时，你的耳朵怎样变红。

诺姆·凡特姆家族这方面的证人说，世界上不可能有这么巧的事，被杀死的都是他们那方面的人，城西人却安然无恙。城西年纪最大的证人站起来解释说，那头猪有它自己的地盘儿。"它只是按照自己的天性办事，就像亚当和夏娃，请原谅，我拿白人比例子。所以，它总是攻击它认为进入它地盘的任何人。"法官对老人说，他的话听起来有点道理，他可以考虑。

城东年纪最大的老人约瑟夫·迈德纳特——事实上，他是赛克伦的儿子——说："我们之所以认为诺姆·凡特姆是和阿贝利尼事件有关的最主要的犯罪嫌疑人，是可以理解的。"法官让他说下去。尽管大家都知道，他喝多了格洛格酒，现在说的全是酒话。"谁不知道，诺姆·凡特姆和那一大群长蹄子的玩意儿关系非常密切。他对这一带的动物、植物了如指掌，还总跟它们说话。"法官对迈德纳特解释了一个非常重要的道理："你不能没有过硬的证据，光凭道听途说，就指控一个人是杀人犯。更不能因为他和树木说话，就定人家死罪。"

和诺姆有血缘关系的亲戚像头脑清醒的证人那样，低着头作证。他们从来也不会因为可以很镇定地说英语，就吓住法官或者澳大利亚司法界的任何人。也不会吓倒白人，他们从来都不喜欢敢于向他们挑衅的黑人。事实证明，他们的证词很可信。喝醉了的人不可能是好证人。他们在铺了漂亮的、亮光闪闪的亚麻油毡的地板上串来串去，在法庭上胡言乱语，记不清他说的人死了还是活着。本来应该在法庭里"正襟危坐"，却又跑到酒馆喝起酒来。

后来，法庭里的气氛大变。赛克伦那些喝得醉醺醺的族人都跑到法庭，相互指责起来。城东的证人宣称，诺姆·凡特姆把他们赶出家园，逼得他们没有办法才在城东安顿下来。他们还指责安吉尔·戴。是她搞得他们家破人亡。接下去发生的事情完全出乎人们的预料。

法官简直烦透了。他的手指一直敲打着他坐的那张椅子。这张椅子他已经研究了好几天，揣测那布满节瘤和环状木纹的松木会有多久的树龄。他这样做，只是为了不看到窗外的泥滩，不看到炽热的阳光下盘旋着向垃圾场飞去的乌鸦和老鹰。他在心里想，自己为什么没有成为鸟类学者，而是当了审理这种杀人案的法官，坐等什么证人证词。突然，犹如一声霹雳，他对法警们大喊一声："退庭！"

"太棒了！"坐在西边旁听席上的人们齐声欢呼。法官从那把转椅上跳起来，就像裤子里钻了许多蚂蚁。他把文件和法官用的那套玩意儿装到公文包里，大步流星走出法庭。法庭外面，法官要来在外面等着的警车的钥匙，把从法庭到疯人院之间人行道上撒酒疯的醉鬼都装到车上，然后，沿小路驶出小城。打那以后，人们没有再看见那位法官和那辆警车。老人们手持望远镜，坐在草地上，知道那个气坏了的老白人做什么去了。没有秘密可以逃过他们到处窥探的眼睛。“啊，没错儿！我们知道这个好斗的家伙上哪儿去了。”他们用只有谈到高级法官时才用的很严肃的口吻，解释说，他一定是到“冲浪者天堂”去了。哦，可怜的家伙。在那些冲浪的人群中，他完全换了一副面孔，隐姓埋名，像一个流浪者一样，乘坐冲浪迷整修一新的汽车四处转悠，放松一下自己。他们说，你现在已经认不出他了。他住在废弃的仓库里，鸽子在他头上拉屎。普瑞克尔布什人谁也没有和警察讲过这个故事，否则，他在德斯珀伦斯一定会遭到恶毒的攻击。

美好的回忆。黎明的曙色从东方地平线升起。老莫吉心里想，他应该有个绰号——“回忆”。想起那滑稽可笑的审判、垃圾食品、勾心斗角以及其他人们在探明真相过程中的苦思冥想，他觉得神清气爽。关于猪的故事的真相。看一个人全神贯注地用一把剥皮的刀子剥鱼皮的时候，你能发现什么真谛呢？沉默的代价是什么呢？

“那些狗杂种，得到了应得的惩罚！”莫吉带领护卫队上路前一天，诺姆对他说。诺姆打了一声口哨，剥另外一条鱼的皮，他全神贯注地干手里的活儿，扭歪了一张脸。“我们不能坐等这些杂种再使坏。”老莫吉耳朵听着刀子沉闷的切割声，目光不由得落到一张报纸上。这张报溅满了蓝色的鱼内脏和血淋淋的鱼肉，上面登的文章正是丛林里“猪杀手”的故事。莫吉注意到诺姆正在看他读那张脏兮兮的报。诺姆揪扯着、切割着那条鱼，打破沉默。“他们不应该在已经不再属于他们的土地上走来走去。他们应该在准州地区别的什么地方生活。不管我说的是对是错，你做了错事，就得遭报应。”

莫吉不想卷入谁拥有哪块土地的“老生常谈”，说他不想知道这些人应该在哪儿，或者那儿是不是有杀人的猪。诺姆把手里的鱼扔进一个绿色铁桶里。鱼掉进去的时候发出很大的响声。他用一块脏兮兮的毛巾擦了擦手，说他还要去捕鱼。准备出发的时候，他对莫吉说，他只相信别人都相信的事情。“如果他们说那儿有头猪，我就也说那儿有猪。如果他们说那头猪是杀手，而且还要杀人，我也说同样的话。我比别人强不了多少。”莫吉心想，难怪你总是疑神疑鬼。他目送着诺姆·凡特姆踏着草丛淹没的小路，向他那条船走去。“你会带来麻烦的。”

第六章 懂事的鱼

威尔·凡特姆坐在泻湖旁边想起许多事来。此刻，在莫吉的阴影下生活了那么长时间之后，他终于可以恢复自我。从矿山传来的声音提醒他，现在既然已经回家，就会有许多事情等他去做。围绕父亲的黑色的阴影笼罩他的心。他希望改善和父亲的关系，可是如果改善不了，也没有办法。事业第一，他想，目光又落到可怜的埃利亚斯身上。他皱着眉头，眺望湖心那条小船，像父亲一样眉间现出几条深沟。

很难说你在哪儿能找到鱼……

约瑟夫·迈德纳特说，这个故事一定要讲。因为我们周围总有各式各样的人——政府官员，大人物，有钱人，让人讨厌的家伙，可以把你心里的想法写到报纸上的人。他们还能把你写在报纸上的这些想法放到他们想放的任何地方。那是白人的技术。那玩意儿叫什么来着？电脑！对，这个老黑人绞尽脑汁想的就是这玩意儿。“那家伙跑到我脑袋里转一圈儿。”啊，没错儿！“把收集到的所有信息都锁在里面，只让他们自己看。”现在他就这样说话，因为他喜欢那个年轻的“叛逆者”威尔·凡特姆。州政府和联邦政府指控他破坏采矿业发展之后，他就从海湾消失了。在市政府的支持下，媒体到卡彭塔利亚湾发了疯似的到处找威尔。但是，这些地方政府，不可能为了寻找一个黑人，在德斯珀伦斯这样的地方花大笔钱。如果你想知道怎么回事儿，就听听关于一位老人的故事。

每天——一天也不会错过——城里的白人都会跑到德斯珀伦斯向白人邻居提许多问题。也许比几百万个还多。威尔·凡特姆是个尽人皆知的人物——一个影响最恶劣的“麻烦制造者”，但是谁也没有他的照片。没有什么可提供的情况。因为这儿的白人与世隔绝，他们知道什么呢？什么也不知道。你能看得到这些从城里来的白人胆子太小，不敢到处乱走，更不敢到普瑞克尔布什，向在他们合法居住的地方无所事事的土著人提问题。哦，他们朝城这边瞧瞧，再朝城那边看看。“没什么可去的地方。”对于普瑞克尔布什，他们一定会得出这样的结论。只能等待，等待。就这样，这些记者们在城里转来转去，不知道该怎么办。后来，他们坐在卖炸鱼加炸土豆片的铺子里，向外面张望。哦，那位是谁？他们看见一个老黑人——约瑟夫·迈德纳特，满头白发，满脸白胡子，一个人坐在那儿：坐在城里。

他回过头，看那几个城里来的“报人”。他们还带来一个从南方来的黑人。那家伙一看就很精明，受过教育，给他们当向导。他穿着雪白的衬衫，系条领带，外边套一件很漂亮的西装。他走到老人面前，叫了他一声“大叔”。他说：“老人家，你认为威尔·凡特姆是个什么样的人？”老迈德纳特回过头看了半晌，说：“你是谁呀？”他想了一定足有两分钟，没有说话。过了一会儿才眯细一双眼睛，说：“哦，你说，你说……我永远不会……不会相信。你说我是你大叔，那么，你听我说，小伙子。

“不，威尔·凡特姆在的时候，这种事情是不会发生的。不，决不！看见过鹤在海市蜃楼跳舞吗？我们的威尔踏着老祖宗的舞步，在丛林里起舞。

“威尔·凡特姆并不总是运气不好，像有些人那样，怨天尤人，把‘做最坏的准备’挂在嘴边儿。嗯！嗯！像那些在全然无知的情况下，追溯既往、召唤邪恶神灵的人，拉开一场通俗闹剧的大幕，把宁静变成杀机毕露的舞台，放出所有那些杂色皮肤、浑身刚毛的丛林猪，让它们尽情表演。你听见它们撕扯着你的脑子，和你的噩梦联系到一起。你听见它们像念咒一样，说：'给我一个三。用它们的小蹄子敲，慢，快，向上，向下，太慢了。'然后，哦！它们在夜的尘埃中幻化成吃人的野猪。你永远都不会相信，它们是从你的头脑中出来的：一个，两个，三个！更像是数着数让善良的羊睡觉。在周围几英里长的蜿蜒曲折的小路上，你和那些给你带来恶运的人一起在丛林里走，吓得毛发倒竖。这些人永远都不会给你安全之感。永远不会！

“或者，就说说光天化日之下会发生些什么事情吧。如果你在一座到处都是失去理智的人的小城里走路——和这样一些人一起走，真比要猴还难。嘘！不要对别人说这话是我说的。如果你一声不响和这样一些人走，你总要特别当心，想着自己是个黑人……你的眼睛总会瞟着附近的树，甚至篱笆，随时准备跑过去，爬上去。

“有些人，也就那么一两个，放狗咬你。你这个可怜的老头怎么办？你只能和他们这些人一起走，而且你压根儿就不认识他们。

“哦，你生怕那些人的狗咬你，路上一直在想，那些坏家伙不一定埋伏在那里，随时会跳出来扑到你身上。还有些生了病的狗觉得自己在这个世界活不了几天，就专门挑你来咬，因为你是从城里来的，因为它就想咬你个半死不活。

“然后……还有什么好说的？你也许会出去钓鱼，孤独和寂寞陪伴着你，嘴里哼着一首凄凉的歌，目光所及，一支小舰队从早到晚在你周围不远的地方转悠，似乎只等你一不小心掉到海里，然后看着你的尸体在大海里漂浮、肿胀。可是威尔·凡特姆不一样！哦，是的！他不一样！他一路走来，快活地打着口哨，吹出自己编的关于大海的歌儿。鱼呀虾呀都掉转头，快快乐乐地走它们自己的路。他不喜欢找麻烦。它们永远离开他钓鱼的水面。那么，后来又发生了什么事情呢？威尔·凡特姆离开你，扬长而去。他从来不会在一个地方老老实实待哪怕那么一会儿。他把你一个人扔在大海里，在船上坐着。你一定是运气不好，就像啪的一声捻了一下手指，只是告诉你，你不走运……然后呢？哦，哦，你从来都没有听到过这么大的响声。

“你知道怎么回事吗？运气更糟了。你的船着火了，好像马上要爆炸。你吓得要命，觉得自己要葬身大海，想踏着滚滚波涛赶快回家。

“明白了吗？这种事情从来都没有发生在诺姆·凡特姆身上。他都传给威尔了。没错儿！威尔和大自然——所有自然界的东西——都和睦相处，只是不善于和人打交道。这个小伙子嫉恶如仇，凡是人为的、和人类有关系的错误，他斗起来很有点诀窍。他的父亲也一样。不过，如果你认为他和他父亲闹翻不是件好事儿，你可是错了。和到今天为止他这辈子做的那些事情相比，这可是天赐神恩。哦，天哪，这是怎样的历史！这个小伙子用烈火书写回忆录，使得闪电也黯然失色。

“所以……如果你想知道威尔·凡特姆是怎样一个人，听我说，他就是这样一个人。”

威尔·凡特姆坐在莫吉的汽车里，穿过那一片桉树林，驶下砂石小路的时候，第一眼瞥见泻湖上那个渔人，就知道一定是埃利亚斯。尽管那已经干枯的躯壳和他从小就熟悉的那个人几乎没有相似之处。这个人曾经帮助他“驯化”孩提时代的灵魂。威尔·凡特姆是一位真正的渔人，他仿佛有一种特异功能，从很远的地方就能认出另外一个渔人。他甚至能穿过层层巨浪，仅凭那人坐在船上的姿势，弯腰曲背拉鱼线的样子，就能判断出那是谁。

他觉得内疚，没有及时告诉莫吉那就是可怜的埃利亚斯，可是由于一些说不清楚的原因，他知道，护卫队在泻湖的时候，还是保持沉默为好。他觉得，他应该尊重埃利亚斯的死亡和他的“隐私”。这一定是埃利亚斯所希望的。他还记得埃利亚斯是一个喜欢独处的人，总是躲避和别人接触的机会。他个子很高，满头蓬乱的白发，住在散发着鱼腥味儿的茅屋里，总是拿着钓鱼的工具出出进进。他常常看着自己那双渴望海水、打满老茧的大手出神，非常熟练地挽鱼线，用桉树枝做鱼竿，补渔网，过着渔人的生活。埃利亚斯，眼帘低垂，羞涩的目光避开大海，说他没有时间参加任何社交活动，也不愿意和陌生人打交道。

所有这些童年的记忆掠过威尔·凡特姆的心头。他接受了埃利亚斯精神的馈赠。埃利亚斯一直等待着，要把他生命中的记忆传递给他。

他和别人不打交道，但是带威尔去捕鱼，看着他在大海里长大。埃利亚斯最不愿意看到的事情是，陌生人动他的遗骸，近距离地凝视他，试图解读他的灵魂，而他们脑子里装的什么鬼才知道。可是现在，他意识到，根本没有必要为埃利亚斯死亡的隐私担心。尽管埃利亚斯已经死了几个星期，甚至几个月，但他还有足够的生命力，保护自己的隐私。发现一具尸体在护卫队里引起一阵骚动，可是几分钟之后，大伙儿又都钻进破旧的汽车，好像仓惶出逃一样，发动机喧闹着，一路颠簸，向公路驶去。

护卫队渐渐远去，最后一点声响也被寂静吞没，一股轻柔的北风吹过桉树林。这股风是从大海吹来的，掠过闹哄哄地行驶在海湾公路上的护卫队，爱抚着威尔，好像大海看到游子归来，非常高兴。

威尔坐在泻湖旁边，时间仿佛呢喃细语，稍纵即逝。一百万年前，这里本来是一片原始森林，后来地震，森林被大海淹没，树木变成化石。滔滔不绝的洪水冲击森林的“残骸”，渐渐形成泻湖。时间积淀思想，反之亦然。威尔·凡特姆虽然已经离家好几年，但并不急于回去，因为他一直在完成他的神圣之旅。他一直在想，应不应该把那条船从泻湖拉出来，直到他觉得一股寒气顺着脊柱往下流。他朝四周飞快地瞥了一眼，死一般的寂静，什么东西都一动不动，只有老祖宗的脚步声在他的脑海里咚咚咚地回响。泻湖里的埃利亚斯又让他心生恐惧。

他开始奇怪为什么埃利亚斯会坐在这儿？特别是，他从来不离开海边，怎么会跑到离海岸这么远的内陆？对于埃利亚斯，威尔记得最清楚的是，这个住在海岸的老人总是凝望着从他记忆中消失的大海。威尔花了太多的时间追寻梦幻时代的幻觉，现在又被抛回到真实的世界。在这个世界，人又变成小丑，那是另外一连串幻觉。他怎么会走这么长的“旱路”，把船拖到这儿呢？在他精疲力竭之前，他能在陆地上走多远呢？毫无疑问，他至少需要一两个人帮助他把船拖向上游。

威尔开始画埃利亚斯怎样把船从大海弄到大陆的河道。他对这条河了如指掌。这条河和威尔·凡特姆有许多共同的秘密。威尔画出埃利亚斯有可能陷进去的许多豁口、裂缝。他不时屏住呼吸，凝视着、沉思着、想象那条船怎样才能穿过狭窄的堤道，不被古老的树木——也许曾经是无花果树，现在已经变成岩石——锯齿般的化石阻挡。有的地方，水只是涓涓细流，也许只有在浮萍上爬行的绿蚂蚁才能通过。埃利亚斯一定得扛着那条船走过这一段路。虽然船不重，但路很远，也是沉重的负担。他得一步步在河岸跋涉，还得爬上海湾陡峭的石壁，沿着沙袋鼠走过的小路艰难地攀援。他不得不经常停下脚步，犹豫着，希望在沿海湾这条长长的羊肠小道上选择了最好走的路。

埃利亚斯光脚扛着那条船，穿过茂密的、荆棘丛生的灌木林，脚踩刺人的牛蒡、三齿稃，走过坑坑洼洼的小路，鲜血染红茅草。浓荫密布，宛如魔鬼的运动场，他不得不前后左右扭动着身子，躲避悬垂在头顶的树枝树叶。想别的地方也没用，只有走好脚下的路。想到那充满凶险的路，威尔·凡特姆为埃利亚斯担心。他仿佛沿着那条未知的河道艰难跋涉，随时都会滑下陡峭的堤岸，倘若是陌生人，一定会摔断脖子。

当地人虽然没有足够的证据，但是依然坚信，埃利亚斯在世界许多大海航行过，所以有丰富的航海知识。确实如此，偷走他记忆的神灵把大海留给了他。在那充满神秘的时刻——非常熟练地卷起一团绳索，打一个很特别的结，把鱼钩拴到鱼线上，非常精明地观察天象，都让想扬帆远航、获得大海慷慨馈赠的人产生无限的遐想。但是，威尔出于本能知道埃利亚斯不是一个能在河里得心应手的人。事实上，他不记得埃利亚斯曾经到河里捕过淡水鱼。可是，威尔对这一带非常熟悉。他从小就长了一头三齿稃一样黄的头发，走遍了周围条条小路。大叔们都说，他是一头小公山羊。

他的父亲——大块头诺姆·凡特姆跟大伙儿一起哈哈大笑，声音里不无骄傲地抱怨道：“这个小山羊脑子里就是没有学校的功课。”在那快乐的日子里，他一天到晚跟在父亲屁股后面，走遍了周围的山山水水，已经知道，一条小铁皮船无法经由沙袋鼠才能穿行的小路，通过两边都是陡峭山崖的溪谷。

如果有人想花时间想象别人的生活，直到心满意足，或者像威尔·凡特姆那样，无法把一件事情丢开，他们就得琢磨埃利亚斯为什么会在船头坐了那么长时间，鱼线甩在四周都已经结了一层盐碱的死水之中，等鱼上钩。对于威尔·凡特姆来说，最直接了当的答案是，埃利亚斯拖着小船走过那条乱石丛生的羊肠小道和泥土一片片剥蚀的堤岸，走上高高的平地。他独自一人，扛着小船，跨过三齿稃覆盖的田野，直到河水变宽，把小船拖进水湾。他一定至少从红树林环绕的河口下了十几次水，才最后来到泻湖。谁会帮助埃利亚斯在离大海几英里远的内陆钓鱼呢？方圆几英里的人都知道，所有的鱼都已经到大海里去了。

威尔一直在想埃利亚斯被迫离开德斯珀伦斯时的情景。他还记得老人们说的城里那个可怕的夜晚。白人指责埃利亚斯烧毁女王的照片。他们经常讲城里的白人对女王照片被烧毁多么气愤。他们甚至跑来问普瑞克尔布什人：“什么样的下流胚、游手好闲的家伙才会烧女王的照片？”老人们想，那些白人一定希望听到普瑞克尔布什人承认是他们烧的。但他们是这样回答城里人的：“很遗憾，女王不会因为烧了她的照片，就死了。”埃利亚斯就是因为这样一些“反叛”的罪名被指控的。他们说他把四加仑煤油浇到崭新的郡议会办公楼，好好一座楼房夷为平地。谁也没碰过女王。城里的白人认为埃利亚斯对王权不恭，说过许多煽动人们不满情绪和背叛王室的话，所以他是有罪的。因为城里所有人都亲眼目睹他是从大海那边走来的新澳大利亚人，所以他再从大海“回家”的时候，没有一个人甚至想到应该和他说一声再见。更没有人会帮埃利亚斯回内陆。他们像地主，大声呵斥，让他永远离开这块土地再也不要回来。

威尔站起身来。如果有人看到他站在这儿的话,他们一定以为那是诺姆。许多年前,他曾经在泻湖捕鱼。雨季来临之时,几百万条鱼逆流而上。那时候,他才二十四岁。威尔光膀子,没有穿衬衫,身上“积攒”着几个星期荒漠落下的尘土。牛仔裤不再是蓝色,干旱草原几个月的长途跋涉已经把它“浸染”成泥土的颜色。所以,泻湖泥泞的沼泽也不会再把它弄得更脏。威尔·凡特姆走过齐膝盖深的泥水,搅动了那层盐碱的结晶——凡是阳光照过的地方,泥泞之上便好像下了雪,白花花的一片,煞是迷人。

威尔知道,埃利亚斯一个人不可能完成“泻湖之旅”。他听见闷雷正在北方的风暴中酝酿,但是眼下天空还是一片晴朗,下午的太阳照耀着泥淖,盐和水闪着点点银光。威尔走出泻湖,脑海里浮现出两个并列的图像。一个图像中,他看见白人——也许是从城里来的,他不知道——对埃利亚斯的死大加嘲讽。但是,除了莫吉的护卫队,知道这个泻湖的人屈指可数。“大叔们!”他想起那些“大叔”,但是他们没有从城里走出来!哦,那张令人窒息的大网!他把这些想法扔到一边,心里清楚,一定要先弄明白,谁知道这个泻湖——他们的头衔、姓氏,还有那些不知道姓名的人,在眼前闪现着,表明他们的存在。

他看见闪电不时划破北方的满天乌云,天越来越暗,半个小时之内,一切都将被黑暗笼罩。那时候,暴风雨就来临了。威尔走过那一摊泥水,最深的地方已经齐腰深,没过多久,就走到船边。他悄悄地对埃利亚斯道了一声“哈罗”。“你在这儿做什么呢?”他开始察看那具仿佛在盐水里浸渍过的遗骸散发出的大海的气息。稍微碰一下,就会打开“潘多拉的盒子”。威尔靠在船身上,发现从放在船底的两个砂糖袋子里散发出一股臭鱼烂虾浓重的腐臭味儿。相比之下,大海清爽的气味像大海本身一样辽远。

威尔立刻认出那两个袋子。记得小时候,他经常站在不起眼的地方,看埃利亚斯收拾东西,希望自己有朝一日也能像他那样,往旧砂糖袋子或者面袋子里装东西——钓鱼用的工具、食物、日常用品,然后,什么时候想走,就划船向大海驶去。回来的时候,袋子里装满还不停扭动的鱼。威尔估计,这一次，也许埃利亚斯在袋子里装了一两条肺鱼[①]。这种古老的鱼一直藏在日渐干涸的泻湖里，等待雨季到来。埃利亚斯，一个技艺高超的渔人，把它们从潜藏的“水底密室”里抓出来。他相信，只有像“大叔”那样的“老猎手”才能抓到这样的鱼。一般人很难找到留在泥水中的肺鱼，更不要说把它们抓到手了。威尔估计，如果埃利亚斯是从主河道顺流而下一直漂流到海岸，袋子里别的鱼就可能是钓来的——几条个头适中的淡水鱼。有乌黑的石鲈、金枪鱼、太阳鱼。因为那条河是条条山泉汇聚而成的。等到旱季接近尾声的时候，就很少再有涓涓细流流入这片泥塘。

他努力摆脱追随臭鱼味儿蜂拥而至的苍蝇。它们似乎是从方圆几英里的丛林每一个角落飞来的。成百上千只苍蝇爬在埃利亚斯的尸体上。个头大一点的毛蚊仿佛被那恶臭灌醉了一样，围着小船不停地飞，开始攻击他暴露在水面之上躯体的每一部分。就在那短暂的一瞬，他看见已经腐烂的、覆盖着一层黏液的鱼从沤烂了的袋子里滑落出来。他不由得打了一个寒战，转过身，一双棕黄色的眼睛朝湖岸和泻湖周围的丛林环视一圈，然后又回过头看从袋子里一条接一条掉出来的鱼。那些鱼还很完整，不难看出被捕捞的时间不超过十天。都是海鱼！在这离大海不算太近的内陆，没有人看见过这样的鱼。威尔又回转身向斯比尔伍德望去，似乎期待神灵给他一个答案，告诉他他们知道的那些事情。

海水哗啦哗啦拍打着海岸。五亿年前，威尔·凡特姆现在站的地方是海洋生物的生息之地。那时候，海平面像周围的山一样高，太平洋的深海平原甚至还没有“进化”到能养一条鱼的地步。可是现在，埃利亚斯显然是从泥水洞穴里抓到这些咸水鱼的。埃利亚斯漂亮的鲑鱼，十天前还是粉红色，现在从袋子里掉出来，虽然已经腐烂，但昔日的风采依稀可见。

威尔还记得大海那条深沟。埃利亚斯在那儿钓鱼，鱼线上拴着钓饵，一直沉入二百米深的海底。另外那个袋子也几乎空空如也，里面掉出来的

①肺鱼：一种澳大利亚食用鱼。

鱼也是这一带不常见到的海鱼：皇后石首鱼，笛鲷[1]，红皇帝鱼，红树鱼，真鲷都是出没在暗礁的鱼，还有一条巨大的鲹[2]，一条被潮水冲上来的鱼。到底怎么回事儿呢？威尔“顺藤摸瓜”，拽起鱼线。正如他想象的那样，埃利亚斯一直想钓深海里的鱼。

一只白胸脯海鹰从天空盘旋而下，连一点儿声音也没有。它飞得那么快，在威尔身后发出一阵呜啭，从泥水中叼起一条散发着臭味的鲹。看到它落在泻湖北面一根死树枝上，威尔吃了一惊。先前，他倒是看见它在空中盘旋，可是并没有引起他特别的关注。这只翱翔的大鸟是另外一幅难得一见的景象。此刻，它一动不动蹲在树枝上，撕扯着那只鲹，注视着威尔、小船和埃利亚斯的尸体，看起来就像一个阴森可怖的鬼。海鹰很少飞到离大海这么远的地方。威尔相信，它一定一直跟着埃利亚斯。

凡特姆家族对这只海鹰有足够的了解，尽管他们从来没有给它取过名字。威尔记得，许多年前——大约十岁那年——他和父亲还有埃利亚斯一起，在一个满天乌云的日子出海。那一天狂风骤起，波峰浪谷间，他们看见这只海鹰。那时候，它还是只小鸟，也许被另外一只海鹰袭击，受了伤。他们看见它从天上掉下来落到海里。埃利亚斯把它救起来。整整一年，它一直在埃利亚斯的船上跳来跳去，从不离开半步。这只贪心的鸟儿一看到周围有人走动，就叫个不停，让人家喂它吃东西。后来，人们觉得这样下去，它大概永远学不会自己养活自己，埃利亚斯便把它带回到大海。在威尔幼小的心灵里，它一定有去无回，所以逢人便说，埃利亚斯死了。有一天，埃利亚斯回来，对威尔说，海鹰在天上飞翔，但是从来没有离开大海。它靠从一年四季不停过往的驳船、轮船和捕鱼的小船上获取食物为生。

埃利亚斯出海打鱼的时候，海鹰总会回到他身边。他钓鱼的时候，海

①笛鲷：笛鲷科中广泛分布的众多海洋鱼类中的任意一种，其中有许多被作为珍贵的食用鱼，主要产于太平洋和大西洋温暖的沿岸水域。

②鲹：鲹鱼属的一种澳大利亚食用鱼。

鹰就落在他的背上，等他喂，满满地塞了一肚子好鱼，直到埃利亚斯掉转船头回大陆。这次，它显然跟着埃利亚斯来到泥泞的泻湖，和他一起钓礁石间游动的鱼。它饿着肚子，在蓝天下盘旋了好几天，等待埃利亚斯打开袋子，让它吃个够。好像它自个儿无法抓到鱼，非得有人喂不可，好像它又受了伤。

它等埃利亚斯喂它，肚子越来越饿，方向感越来越差。是的，是的，威尔对埃利亚斯悄声说，等海鹰听到雷声从大海向内陆滚滚而来，一切就都好了。威尔看见海鹰直盯盯地看了他好一会儿。他心里想，现在它既然已经塞饱肚子，一旦听到惊雷滚滚，就会向大海飞去。可是，那只大鸟扔掉嘴里叼着的鱼，蹲在一根倒伏的原木上，可怜巴巴地看着埃利亚斯。威尔也把注意力集中到埃利亚斯身上。他深深地吸了一口气，面对埃利亚斯仿佛凝望着他那张脸的眼眶，觉得他那么真实，要不是已经不复存在的眼睛，威尔敢发誓他压根儿就没死，只是和他开玩笑装死罢了。

乌云正在逼近，风吹过树梢，异乎寻常的黑暗和暴风雨一起降临。和埃利亚斯单独待在一起，他不想看死人的脸。这张脸或许会告诉他一些他不想知道的、另外一个世界的事情。就在这时，威尔看见埃利亚斯浅黄色的衬衣前胸到处都是血迹。

小船底部也血迹斑斑。看起来，埃利亚斯死前流了很多血。威尔仿佛又看见白人在船那边一闪而过。他们似乎对着埃利亚斯的尸体哈哈大笑，好像那是一个玩笑。他伸出胳膊，搂住埃利亚斯，抱起这具已经没有多少重量的人的躯壳。威尔·凡特姆不由自主地说出一番连他自己都惊讶的话来：“不管在你身上发生过什么事情，我都要为你报仇，埃利亚斯！我真诚地为你难过，老人家。”有生以来，他第一次对某个人做出这样的承诺，第一次怀着一种信念说出这样一番话。

他知道，那些年老的“大叔”总是说，雨季到来之前，泻湖周围会出现许多凶兆。自由出入泻湖之前，他们指着神灵出没的地方，把本来很正常的东西变成噩梦。

乌云在头顶翻滚，狂风撕扯着树枝树叶，在森林里喧嚣。他发了疯似的、不由自主地做他不得不做的事情——首先把船拖出泻湖。有人用蓝色塑料绳把埃利亚斯绑在座位上，他们还用更多的塑料绳绑住这条船——绳子在船身上紧紧地绕了两圈儿，前面一道，后面一道。解开别人打的结，也解开了威尔心中的谜团。他先前以为埃利亚斯怀揣梦想，自己扛着小船冒险走过崎岖的山路，现在看来根本不是这么回事儿。

云团的"先锋"已经到达泻湖，沙尘暴也"近在咫尺"。威尔抓起丢在船底的绳子，拉着船向湖边走去。狂风比雨先行一步，扬起红色的尘土和小相思树刺鼻的气味，警告威尔赶快离开泻湖。该找一个遮风挡雨的地方了！他知道，如果暴风雨来临，山洪暴发，早晨就很难再找到这条小船了。如果他不曾花那么多时间想那些鱼的奥妙、想这条船怎么会跑到泻湖，他也许早就看出把这件本来极不寻常的事情遮掩得寻常而又寻常的人的险恶用心。威尔只顾想自己的心思，没有听见发动机由远而近的嗡嗡声，直到一架直升飞机飞到他头顶之上。

直升飞机以很快的速度向桉树林下降，海鹰吓了一跳，猛然飞起，撞到直升飞机螺旋桨的叶片上，血像早来的雨滴在空中喷洒。威尔潜到浑黄的湖水里。直升飞机保护罩上洒满海鹰的鲜血。飞行员控制操纵杆，拉起飞机向泻湖那面飞去之前，飞机呼啸着向威尔俯冲过来。然后，它又全速返回，慢慢地在埃利亚斯那条小船上方盘旋。不停旋转的螺旋桨把浑黄的泥水搅得好像开锅的水，泛起一个个漩涡。威尔又潜到水里。再探出头时，泥水顺着他的眼睛流下，他看见那架该死的飞机已经飞到桉树林上方，拉开足够的距离，正准备掉转机头再次飞来。威尔拼命招手，希望他们能看见他。飞机越来越近，威尔透过血染的玻璃舱盖看见飞行员和另外一个人。就在他这样张望的时候，坐在副驾驶位置上的那个人朝机舱这边俯下身来，端起步枪，瞄准了他。他简直难以置信，一时没有反应过来，也没有想出个救自己的办法。直升飞机越来越近，旋卷的风激起朵朵水花，抽打着他的脸。这当儿发生了那么多事情，他一下子确定不了这两个追踪他的人的身份。估计他们是白人，因为只有他们才能开直升飞机。可是他们看起来那么黑，真让他百思不得其解。救他自己的宝贵时刻稍纵即逝。他突然想到，他们是矿山的人，身穿深蓝色制服。哦，真是傻瓜！矿山上的人看起来当然皮肤发黑。威尔·凡特姆对矿业公司设下的圈套毫无准备，更不知道他们正等他回来。

他又钻进泥水下面那个昏暗的世界，心里明白如果他能躲过直升飞机射下来的子弹，必须尽快离开这一泓“碧水”。飞机就在他头顶盘旋。他脑子飞快地转着，计算距离——他从泥水下面到水面的距离，他们从直升飞机到水面的距离。他屏住呼吸，心里想，如果他们追踪的就是他的话，他一定让他们吃了一惊。如果能从水里顺利出来，他必须拔腿就跑。可是往哪儿跑，心里还没底。他只寄希望于，直升飞机找不到足够大的“停机坪”降落。他相信，一定是这个原因，要不然他们为什么不降落。

威尔吃不准那个人是不是朝水里射击，连忙离开埃利亚斯那条船，希望不让他们看到。他沿着泥泞的湖底爬行，波浪起伏的湖面漩涡迭起，无形中给他打了掩护。该朝哪个方向走呢？海鹰曾经栖息过的那根原木突然从他脑海里闪过。他屏住呼吸，向原木游过去，希望那是他逃离泻湖唯一的屏障、唯一的机会。他很快就推断出，他从水下确定的原木的方位没有误差。希望他们认为他还在那条船旁边。

他时间计算得很准确，正好可以屏住一口气，从水下游到那根原木旁边。他从原木后面露出头，眼下还算安全。他回转头朝埃利亚斯望去，看见小船在湍急的涡流中向一侧倾斜着沉没。他们朝船开枪，以为威尔藏在船底。现在，直升飞机又一次飞到他头顶之上，然后，向泻湖那边飞去。

他知道，现在是从水里爬出来的时候了。如果他们现在没有发现他，很快就会看见。他朝桉树林拼命跑去，身后传来直升飞机震耳欲聋的响声。听不见步枪射击的声音，可是子弹从左到右打在他身边的沙土地上。他奔跑着，子弹打在前面，打在后面，又从左面打到右面。威尔想，追踪他的一定是个精神病患者，这个家伙的步枪上安装着非常精密的瞄准器。要么就是这个家伙并不真想打死他，只是想把他吓跑。他奔突、跳跃，像一头非常灵敏、弹性十足的野兽，很难抓住。直升飞机加速，飞到他前面，好让射手朝他正面射击。可是太晚了。他以连自己也不知道拥有的力量和速度飞快地奔跑着，很快就到达溪谷的乱石丛中，那是掩护他的极好的屏障。可是他和飞机上那两个家伙有所不知的是，这一阵子周旋，他们花费了好多时间，暴风雨已经来临。风雨交加，向峡谷铺天盖地地袭来。直升飞机向西边矿山的方向仓惶逃去。

威尔知道，今天晚上他们不可能再来找他的麻烦，可是如果雨不停，用不了多久，就会断绝周围所有的道路，几天之内他都无法走出峡谷。他在岩石上坐下，变成重重雨幕下提前降临的黑暗中又一个黑影。只有闪电划过长空时才能看清周围的山山水水。那一刹，他和泻湖被刺目的白光照亮。他在心里开始审视把他和小镇分隔开的那块开阔地。如果矿山派出更多的直升飞机找他，哪儿是最好的藏身之地呢？也许他只是碰巧才遭遇这架直升飞机的。为了安全可靠起见，他设想，矿业公司和他一样，对他们为了采矿的事在海湾进行的那场斗争记忆犹新。明天早晨，如果直升飞机再来的话，他一定要尽可能躲过他们的眼睛，然后再设法平平安安回到德斯珀伦斯。

大雨滂沱，他还没有喘过气就想到必须马上回到泻湖把埃利亚斯弄回来，绝不给矿山来的那些“精神病”留下损坏他尸体的机会。莫吉对他说过，那些侵害了土地的人灵魂已经腐烂。“神灵已经走了。他们朝大地吐口唾沫，就好像那是一块臭肉。他们倾听真理的声音，他们什么都知道，他们指望你，威尔。你要继续做你必须去做的事情。”威尔觉得莫吉·费希曼就站在他身后，嘴角挂着一丝微笑，在两次闪电划过天空的间隙，指着乌云翻滚、神灵出没的天空，平静地谈论那些开矿的人。他说，那些家伙一定会把埃利亚斯当作跳板，对大地狠下毒手。威尔永远都不会忘记他的心灵听到的这些话。可是，如果大雨不停，山洪暴发，等到明天早晨，泻湖就会是一片汪洋。倘若现在不把埃利亚斯弄回来，天知道他会被冲到哪里？

威尔向泻湖走去。他心里非常焦急，想在湖水暴涨之前把埃利亚斯救出来。他自己神灵的影子——一位老祖宗——一瘸一拐地跟在身边。他终于在黑暗中找到那条船，发现船并没有被完全破坏，还可以扶正拖出水面。把埃利亚斯弄出泻湖之后，威尔花了好几个小时把铁皮船拉上岸，藏到小山坡上的一片灌木丛里。这个高坡距离河沟大约一公里远。他用三齿稃和枯树枝小心翼翼地把船遮盖起来，直到看不出一点儿人为的痕迹、完全是浑然天成，才满意。然后，他背起埃利亚斯向更高的山坡走去。背着他走一点儿也不困难。“我们要带你到一个平安的地方，到大山里。”威尔不停地唠叨，有问有答，仿佛埃利亚斯还活着。“你怎么能死呢？埃利亚斯。”“哦，我没法儿告诉你，因为，我也不知道……不知道到底发生了什么事情。”听到自己的声音、觉得背着一个曾经影响了他一生的活生生的人，而不是已经干了的“木乃伊”对于威尔是一种安慰。四周一片漆黑，他用一双光脚摸索着湿滑的岩石，以山羊的灵敏和快捷，向高山爬去。

他们终于平安上山。大雨滂沱，威尔在一道岩脊下面安顿下来。他嗅出这儿是袋鼠避雨之地。他向山下远眺，看见那里车灯闪烁。原来是两辆汽车在风雨中急匆匆地向泻湖的方向行驶。看得见车灯的光柱在黑暗中不时交织在一起。司机发现，很难以正常的速度在这条路上行驶。

“埃利亚斯，我不知道下面发生了什么事情，不过看起来公路上有人急着赶路。”威尔背靠石头墙，坐在他旁边说。“是呀，他们要是不当心点儿，准得死。”埃利亚斯回答道。两辆汽车还在泥泞中折腾，时而向前，时而后退，歪歪扭扭，直打滑。

威尔向山下爬去，连一块石头也没有碰掉。他想看看下面到底发生了什么事情。那两辆车停在一个岔路口，开车的人在商量能不能把车开下那条陡峭的泥土路。因为下雨，路非常滑。

车灯照亮了雨幕中的小路。公路上的水流成河。威尔看见六个穿深蓝色制服的人，包括他的两个在矿山工作的哥哥多尼和银叟。他们没有听到他的思想真是奇迹。也许因为他的思想被阻隔、隐藏在公路那边的岩石后面。四周一片漆黑，公路泥水横流，他看见多尼和银叟两个人黑魆魆的、魁梧的身影向泻湖走去。手电筒的亮光在前面跳荡，另外两个人跟在身后。

“我们到底要找什么呀？”他的一个哥哥说。四个人都在说话。有一个人说，已经告诉过他了，泻湖里有一具尸体。

“我们要找一条铁皮小船。”

“这是什么味儿？”多尼问银叟。银叟说，他不知道。“闻起来像什么动物的味儿，也许是袋鼠皮的味儿。”

“鱼！你这个傻瓜，闻起来像鱼。”

“什么鱼？是动物皮毛湿了以后的气味儿。”

威尔偷偷地跟在后面，在公路那边的树丛中穿行。如果是过去，他会猛然跳出来冲到他们面前，和他们打架，直打到还有一个人能站起来。多尼和银叟一直跟另外那两个人说烂鱼的臭味儿。

“你能闻到吗？”

“是呀，我想是烂鱼味儿。”

威尔仿佛听见自己的思想从心底跳出，发出那么大的响声。他觉得，他们宛如闪光的气球在浓重的湿气中飘动。多尼和银叟，或者那两个人，都有点提心吊胆，时不时用手电筒照一下树丛，似乎想弄清楚鱼的臭味儿是从哪里来的。“这儿不可能有鱼。没水，哪里会有鱼呢？”他们说，哈哈哈地笑了起来。笑他们自己怎么没完没了地谈论这个无聊的话题，笑这挥之不去的臭味那么怪诞。直到因为几个人兴致都很高，达成共识：这股扑鼻而来的臭味是消化不良的结果——食物中毒。他们自己肠胃里正消化的鱼渗透出来的气味。

威尔向他们靠近了一点，就在他们身后，在树丛里穿行。他在黑暗中摸索前进，脚无声无息地踩在小袋鼠和袋鼠留下的印迹里，仿佛不属于生活中的任何事物。他离他们那么近，好像就站在哥哥的身影里，听得到他们心跳的声音，渗透到他们沉重的呼吸之中。他们摇晃着手电照射注满洪水的泻湖。大雨滂沱，狂风呼啸，在波浪层层的湖面竖起一道水幕，只有黄色的亮光才能把它剪断。他看见他们没有找到那条船时脸上现出的惊讶。啊，我的上帝！他几乎听见两个哥哥在祈祷。他们和另外两个工友争论，是不是船已经沉到湖底，是不是应该去一个人看个究竟。

“好奇心能把猫害死。”威尔知道多尼和银叟的座右铭。四个人没有一个自告奋勇去一探究竟。洪水从泻湖周围的高山坡上流下，水位升高，黑乎乎的泥水早已没过他们的靴子。他们听到洪水挟带着枯枝败叶、蟒蛇、被惊醒的鳄鱼，从几英里开外的山丘向泻湖滚滚而来，发出雷鸣般的响声。好像世界上所有的风雨都从这个狭窄的通道旋卷而来，树木弯下腰，直指这个小小的湖泊。威尔知道，多尼和银叟一定看到桉树变成了神灵，呼啸着将一支支与他们擦肩而过的长矛投到水里。

那两个懂技术的老板在主路上一边聊天一边照看汽车。四个人都说，“谁知道我们有没有去查看他们想找的那条破船？”威尔松了一口气。他知道两个哥哥专门会编故事逃避责任。那两个家伙看起来也不是什么负责之人。于是四个人不再争论，很快达成共识，一起掉转头向那条路走去。

穿过密集的雨丝雨线，趟过湍急的流水，向山上走去的时候，也许因为听到什么动物的响动，他们不时用手电筒朝丛林晃晃。好多次亮光照到威尔身上，但他浑身是泥，谁也看不出他是人还是树。他们告诉车里等候的那两个“监工”，泻湖洪水泛滥，船已经沉没了。他们沉着镇定，说得像真的一样。“那么，好吧。”两个技师说，一副盛气凌人的样子。

那两个技师还在探讨因为洪水泛滥失去证据的可能性。他们不动声色，被雨水打湿的脸上一点儿表情也没有，很平静地谈论天气预报、降雨图形、急流[1]、洪水的流速。另外那四个人一插嘴，就被他们挡回去，原因是，他们说的都是“当地人的知识”。两位技师谈的都是具体“证物”，不是那

①急流：一种高速的、弯曲的风流，通常以超过每小时四百公里的速度从西刮来，高度达十五至二十五公里。

具尸体，也不是他们早先时候试图射杀的那个人。他们的谈话对于银叟和多尼这样的人，变得太琐碎、太单调，令人厌倦。矿山在他们心目中，不过是多赚点钱，吃口好饭。他们不想无饭可吃，一天也不想，为谁的事情也不想。两位技师在雨里站着，银叟和多尼坐在崭新的、四轮驱动的运兵舰[1]里，深蓝色制服上溅满了泥巴，大谈炖肉、砂锅菜、美味的咖喱酱鱼。他们想吃高级厨师做出来的美味佳肴，而不是煎锅里油腻腻的、能着了火的东西。那破玩意儿谁都不会跟你争抢。他们面带微笑等待着——谁也没有吃过这么好的饭菜。

他们想说，能给他们哪怕一半的机会去做一件好事也不错——在这个夜色茫茫的世界，你把那个死人孤零零留在这里。不是死人养活你。银叟和多尼懒洋洋地走回到公司的汽车里。他们很舒服，就像在自个儿的车里一样。他们想得很美，因为在矿山能赚好多钱。他们威胁要永远离开矿山，其实那不是真心话。没有可等待的东西，只能密切关注合适的时机，看那两个技师朝车灯照耀的公路指指画画，心里愤愤地想：这帮没用的东西！

四个工人轻轻地敲打着汽车的仪表盘、换挡的把手、方向盘，等待着，心里想厨房的炉灶上面会给他们留什么好吃的东西，想怎么样才能把车倒回到雨水浸透了的土路上。他们点燃香烟，一边在缭绕的烟雾中等待，一边听汽车里收音机的广播，谁也不说话，只是偶然对当地广播电台足球评论员的解说咒骂几句。听着他们喜欢的球队一次又一次地犯同样的错误，他们气愤地说，连女孩儿也知道该怎么踢球。又是没用的解说和评论。难道他们不知道有人要听这该死的破玩意儿，甚至时不时靠它得到点正确的信息？

穿深蓝色雨衣、戴黄色头盔的技师还在汽车前面徘徊，犹豫不决。他们似乎在品尝鼻尖、面颊和手上掉下来的雨水。威尔站在汽车后面，听见他们讲自己作为有经验的老手，许多个雨季在热带地区的经历，讲述他们

①运兵舰：运送步兵的水陆两用装甲车。

对这些地区发洪水的记忆。

烂鱼味儿还在空气中缭绕，仿佛从泥土和雨水中升起，混合在一起扑鼻而来，但是他们并没有注意到。“泻湖的情况怎么样？”他们谈论洪水暴涨之后河水的流速，估计应该是每小时二百公里。想到这儿，他们突然意识到，如果在旱季，沿河道发现那具尸体的话，他一定是洪水暴发的牺牲品，是葬身在河水中的又一个可怜人。除此而外，还有什么呢？如果纯属侥幸，他的尸体被冲到大海，被人发现，人们首先就会想到，他从来就没有离开过大海。他和矿山或者泻湖根本就不沾边儿，除了……除了什么？他们说，首先，把这具尸体丢在这儿很愚蠢。“我们必须设法把他从那些充满宗教色彩的怪物之中驱除出去。”可是威尔·凡特姆已经走了。暴风雨来了。“哦，真是一团糟。可是我们得找到那个家伙。不会花太多时间。”

双声道收音机里还在转播足球比赛的实况。“射门失误。”他们的声音听起来总是信心十足：“当然会再度成功射门。”他们不管说什么都是信心十足。他们总有办法，能让一个坏球继续滚动。两位技师回到车里。威尔看见汽车驶向主路，车灯射到他的身上。但是他站在丛林里，很难看清。威尔·凡特姆犹如一堆泥。

以大海为家，以陆地为家……

夜晚的风歌唱着，吹弯了桉树的腰。威尔·凡特姆在那树林里睡下，周围是远离公路的群山。那一株株枝繁叶茂的、暗绿色的树木宛如一队神灵，走过黑暗中柔软的土地，保护水乡人家的土地。

“我一定不让你被雨淋着。”他曾经对已故的埃利亚斯承诺。他把埃利亚斯轻得像根羽毛的遗体扛在结实的肩膀上，爬上一座又一座高山，直到终于来到一个很大的岩洞。岩洞里，洞壁上留下老祖宗画的关于人类历史的壁画。先人们一边轻声诵读上天授予他们这块土地的“特许状”，一边用赭石描绘、再描绘这些图画。威尔知道这些壁画的位置，深情地抚摸着洞壁几个地方，拥抱自己民族的永恒。待在禽鸟、走兽以及很早以前部落成员待过的岩洞，他既感到卑微，又觉得荣耀。早些时候，他逮住一只放松警惕的小袋鼠。它在自己很隐蔽的洞穴里待着，黑暗中一双眼睛闪着银光，看见威尔，吓了一大跳，眨眼之间，一条性命便被两只大手夺去。再后来便被煮熟，填饱了他的肚子。整整一个夜晚，他都让那个老人暖暖和和。有时候从睡梦中醒来，便捅旺那堆用从山洞里捡来的枯枝败叶升起的篝火。

第二天一早，雨就停了。可是海岸线辽远的北方，乌云还在大海之上翻滚。威尔知道，用不了多久大雨还会光临。被雨水浸泡过的丛林和大地蒸腾起轻纱般的雾霭，他觉得心清气爽。此情此景减轻了他跟费希曼在一个又一个干旱草原和荒漠长途跋涉之后对家乡的渴念。现在，有了照顾埃利亚斯的理由，他就有时间先适应家乡附近的生活。他想，有必要花几天时间，在丛林里调整自己的心态，呼吸呼吸因为小雨不断，清新湿润的空气，重新找到还活在尘世间的感觉。发现埃利亚斯，提醒他现实生活意味着什么——至少让他体会到重回卡彭塔利亚湾的感觉。

他坐在山洞外面消磨时间，一边纳闷埃利亚斯为来世而“消磨时间”会是怎样一幅情景，一边再一次欣赏家乡蓝、绿、红相间的美景，眺望从北边尽头到南边地平线那条公路。他非常惊讶地看见公路上有一辆汽车，现在还是远方一个小黑点。一夜豪雨，这条路已经变成一条浑黄的河，宛如一条长长的、弯弯曲曲、鳞波闪闪的大蛇。威尔最想不到的就是，此时此刻，这样一条路上居然会有一辆汽车！

那个黑点划开浑黄的水，变得越来越大。威尔侧耳静听。尽管自从听到这种八缸发动机汽车在水中行驶的特别的声音已经过去好几年了，威尔还是立刻分辨出，这辆溅满泥浆的汽车属于那个到处旅行的神父。他回转身，对埃利亚斯说：“迟早我们这儿会有个体面人给罗马教皇写信，说说他的事儿。”

这位波希米亚神父的思想和六十年代嬉皮士的思想没有两样。他像地狱里飞出的蝙蝠，开着车行驶在这条洪水遍地的公路。每年他都要重复几次这种困难重重的旅行，只是为了挑战，为了在雨季碰碰运气，确认上帝与他同在。反过来，这辆黑色“勇敢牌”大马力发动机在古朴的山野发出震耳欲聋的响声。威尔在心里描绘这个身材魁梧的嬉皮士神父的模样——一个红皮肤的怪人，白发飘飘，舒舒服服坐在红色人造革座位上，享受着圣父的荣耀，听录音机里播放的费城礼拜堂唱诗班的歌声，偶然瞥一眼周围的景色，全然不管已经松动了的排气管碰在泥地上发出的咔嗒咔嗒的响声。这位神父天生就是个赌徒，他想挑战的并不仅仅是雨季。“神父一定听说这些谣传了，埃利亚斯。”威尔停顿了一下，搜寻想对埃利亚斯说的话。埃利亚斯靠洞壁坐着。“你说呢，埃利亚斯？我们对丹尼神父到底了解还是不了解？”威尔是通过这位神父造访诺姆了解他的。他总是拿出对神的无限虔诚和莫吉·费希曼以及他的追随者竞争，试图赢得诺姆对他所信奉的宗教的热情。

威尔极目远眺，看见那辆车渐渐驶近，透过流淌的“水蛇”、不断聚集的乌云、充满神性的红土地，闪闪发光，宛如天堂派来的圣车，从淡蓝色的苍穹驶来，开始埃利亚斯的回家之旅。威尔想，命运虽然高深莫测，但是总和希望相连。“你知道，埃利亚斯，等一会儿，我费不了多大劲儿就能从城里开辆车把你接走。”威尔很惊讶自己怎么会说出这样的空话。看着眼前这条被洪水淹没的公路，明明知道大雨过后，几个星期之内不可能通车。

把埃利亚斯留在这儿，不会有什么问题。当然过后借一辆车再回来取他的尸体会更容易一点。他可以在哪个寂静的夜晚，趁那些不为人知的人们做不为人知的事情时，偷偷摸摸地把他带走。事情似乎那么容易，威尔几乎觉得他可以伸出手，为他自己要这样一个夜晚。

威尔看见神父的车像犁铧犁开黏土湖水光闪闪的路，红色的泥水在车身两边飞溅。他知道，必须决定怎样做才是上策。他心里想，要么现在就拿定主意，把埃利亚斯平平安安留在这儿，继续自己的生活；要么就永远不再想这件事情。因为他也有不由自主的时候，他也有不想勉为其难的时候。

“我不想说出来，但是我有自己的计划，埃利亚斯。你知道，我已经离家两年了。这个计划拖延的时间太长了。我想，我没有多少时间可浪费了。”话虽这样说，但还是十分谨慎地徘徊着。他朝四周嗅了嗅，心里拒绝踏上还乡之路的诱惑，实际上却准备等丹尼神父的车开得足够近的时候，招招手搭他的车。

可是，这一天，本能不让威尔离开这座山。他慢慢地退回到岩洞里，仿佛地球吸引力和他作对。这当儿，他一直看丹尼神父开着汽车在溪谷里绕来绕去，艰难地爬上山间的公路。也许是因为从辽远的东天传来熟悉的嗡嗡声。看起来，有人也一直盯着这条红色大蛇般的公路。嗡嗡声越来越大，不一会儿，从矿山来的那架直升飞机就降落在岩洞下面的公路上。这儿正是丹尼的汽车驶向泻湖的岔路口。威尔一直等着在这儿搭他的车。

“你要上哪儿去？”穿制服的人严厉地问。

那个给人印象深刻的大块头丹尼神父坐在座位上一动不动。不过不曾仰起脑袋和他说话的人是不可能想象出他的个子居然那么高。他纹丝未动，从车窗探出脑袋，用纯正的爱尔兰口音说起话来。他的声音里有一种众所周知的权威性，即使嗓门很大也不会失之分毫。现在他就用盖过录音机里正播放的礼拜堂唱诗班的歌声，乐呵呵地大声说：“上帝的目的地是德斯珀伦斯，我的好人儿。”

那两个人很谨慎地相互看了一眼，用略带嘲讽的口吻告诉他，应该和他们一起回矿山，因为洪水淹没了公路。“把车扔了。”丹尼神父想象着，一帮乌合之众已经抢劫了很多汽车。他从车窗外面的后视镜里认真地审视自己，只是想弄清楚他那张脸看起来是不是很傻，居然会把汽车平白无故扔到边远偏僻地区的一条小路上。他在对付那些言语之间暗含威胁的人的时候，是把好手，对他们的用心，更是了如指掌。他还是坐在车里，浓密的眉毛下，一双眼睛打量着那两个消瘦的“保安”——骗子！这不是行政命令的事儿，小事一桩，所以矿山来的那两个家伙也只能泛泛地谈天气——风起云涌，越来越糟。录音机还在播放音乐，声音一点儿也没有放小。那优美的圣歌在滨藜丛中回荡，把宗教的精神氛围传送到整个世界。

神父很优雅地微笑着，对他们的关心表示理解，但是他的口气很坚决，心里想，不能给他们留下半点对教会权威的怀疑。他告诉他们，他将继续前进。他像讲道一样说，真实情况是，他这辈子在洪水淹没的盐场走过不下一千次，总能平安到达目的地。完全是因为他有上帝保佑。上帝为他的仆人铺平了水中之路。他问，要不要给他们讲讲《圣经》里关于大海的故事？上帝用强劲的东风把大海赶回去，让摩西率领以色列人平安逃出埃及。成千上万想追赶摩西的埃及人都被海水淹死。你们知道这事儿吗？哦，让我们祈祷吧。

神父开始祈祷，那两个人打断他，首先表示歉意，他们什么教也不信。他们还是坚持让他和他们一起走，因为现在既不能前进又不能后退——路都断了。丹尼神父继续说，过去，他毕竟千百次地完成了同样的“水中之旅”，让那些不相信以色列人在上帝的庇护下走出大海的家伙们大开眼界。可是接下去，他突然语调大变，不再是与讲道相伴的、出于善良愿望的热情而真诚的谈话。他愤怒地叫喊，指责那两个人想让他把车丢在前不着村后不着店的路边、只等蟊贼或者别的什么坏蛋来打劫。“我不会干这种事儿，什么时候也不会干！明白吗？”他唾沫星子乱飞，让那架直升飞机赶快从公路滚开。

“你们没有权利把这样的垃圾停在路中间！”这个爱尔兰人——丹尼神父——叫喊着，愤怒的声音在黄花盛开的三齿稃覆盖的山石间回荡，其猛烈、激昂和他那杨柳依依的故乡真有天渊之别。与此同时，丹尼神父把在码头酒馆学来的“老家”那些关于战争和反叛的传奇中颇具“民间风味”的骂人话运用到攻击这座现代大金属矿——就好像他们认为他们拥有这个地方！

“神父！神父！”一个身穿制服的家伙用很圆滑的、不无慰藉的声音打断丹尼神父的叫喊。他做出一副通情达理的样子，摊开双手，仿佛托着什么无形的重物，想让丹尼神父平静下来。神父停下来之后，他继续说：“你不知道，这条路很快就过不去了。一旦这种事情发生，几个月之内，谁也无法再来到这里。神父，对不起，但我们是奉警察局之命来的。我们不能让你一个人陷入绝境。周围的道路都已经被洪水淹没。”

“别跟我说什么过去过不去。我像一头该死的驴，这些年来来回回无数次走过这条路。别让这玩意儿挡我的路，”神父大声说，“要不然我就下车，一口气把它推下公路。赤手空拳，你信不信？”

那两个人拒绝他的要求，坚持要把神父带上飞机，否则绝不起飞。神父的叫喊声在山谷回荡，祈求圣灵保佑他的教会平平安安，哪怕只是一辆不足挂齿的汽车。丹尼神父发动了汽车，发动机怒吼着发出震耳欲聋的响声。威尔面带微笑，看着这场僵局，真希望多尼和银叟在场，看看他们的“老教练”敢在光天化日之下，据理力争，而不是只能夜里鬼鬼祟祟在丛林里绕弯子。直升飞机驾驶员一直站在公路那边抽烟，此情此景让他觉得简直难以置信。他气得脸色苍白，转身跳进直升飞机。另外那个人和神父扭打在一起，抢车钥匙。但是没能从钥匙孔里拔出来。矿山来的那个家伙腰带上别着一把刀。他从刀鞘里拔出刀挥舞着，跑到那辆勇敢牌汽车前面，蹲下来，嗖嗖几下，扎破所有轮胎。眨眼之间，轮胎都瘪了，汽车塌陷在轮圈之上，动弹不得。那两个人和拳击家一样的神父搏斗。他气得满脸通红，宣称，按照上帝的旨意，他要像普通人一样打架了！

神父对那两个人——其中一个拿着刀子——严厉地说，他压根儿就不准备扔下他的车不管，更不会坐什么直升飞机。“在你们亵渎上帝神车的轮胎之前，我只想开车走自己的路，等到充满希望的那天到来时，只要上帝愿意，我就会乘着闪电飞到天国。”

对当地的风土人情知道一点儿，肯定会对你有所帮助。在这个地区，大家都知道，别找丹尼神父打架是明智之举。丹尼神父是海湾一宝。当地人都知道，他年轻时在南方主教教区、在悉尼那样让人望而生畏的地方，曾经是重量级拳击手。如果说仅此一项还不够的话，人们还知道，他是那样一种爱尔兰人。他对大伙儿说过，他是吃海鱼、喝海风长大的。在爱尔兰的码头上，他是极好的拳击运动员。那时候，对于普通老百姓而言，他就是胜利的象征，年轻人卧室墙壁上都贴着他的招贴画。他是国家获得奥林匹克运动会金牌的希望。可是，就在那场决战前夜，上帝把他叫到面前，说："喂，丹尼，我需要你这样的壮汉到别的地方去工作。"

啊！丹尼神父离开爱尔兰，就像扔掉一个热山芋。在他远走高飞的时候，爱尔兰在他身后呼喊："火！火！"他匆忙而去，几乎没有时间和母亲道别，更不要说和祖国说一声再见，便以年轻人的热情和充沛的精力跳上第一班轮船，半路途中开始了环球之旅。他足足航行了六百天，与无数的陆地、国家擦肩而过，与雨雪风霜相伴。他不耐烦地问上帝，到底哪儿是他的目的地？直到这位爱尔兰朝圣者终于找到上帝召唤他要去的地方——夕阳照耀的、杂草丛生的盐田，卡彭塔利亚湾主教教区。如果你见过丹尼神父在过去的三十多年里如何通过拳击、唱歌、谩骂传授基督教的教义，你就明白什么叫"寓教于乐"，你就知道应该如何培养人们崇高的献身精神。丹尼神父在海湾沙滩上，在黏土湖开阔的盐碱地，在铲掉三齿稃的红土地上搭起一个个拳击台，通过许多次拳击比赛，造就出一大批天主教徒。

"小伙子，你们最好在我发脾气之前，赶快离开这儿。"神父生气地说，一边跟着录音机播放的赞美歌打口哨，一边把那两个人往直升飞机旁边赶。神父血液里还奔腾着码头人的豪放，看见马路上走着的任何一个老百姓都觉得是出来和他格斗的。他一把举起那两个人，扔到直升飞机里，砰的一声关住机舱门。直升飞机的螺旋桨开始旋转，卷起枯草、松枝、塑料袋和尘土，落在站在门旁哈哈大笑的神父身上。螺旋桨越转越快，发出巨大的响声，猛然升上蓝天。茫茫大地只留下三个唱诗班齐声高唱《感恩赞美诗》的天籁之音，伴随那个"塑料泡泡"划过天空。神父得意扬扬，搓着一双手，好像刚刚做完弥撒。他尽管满嘴脏话，此刻说出来的却如扔在这偏远之地鲜有人知的道路上的爱尔兰的珠宝。

头顶，雨水从向南翻滚的乌云间泼洒下来，威尔肩上扛着埃利亚斯，踩着湿滑的岩石步履轻捷、稳稳当当向山下走去。丹尼神父被雨水淋得精湿，正挪动着笨重的身体，尽可能快地修补那四个被刺破的轮胎。他从眼角看到雨中似乎有什么东西移动，但是他只顾修补轮胎，并没有特别注意。他不停地干活儿，想自己的心事，计算头顶雨意越来越浓的乌云向前移动的时间，在离海岸几英里的地方，袭击黏土湖，想象着上涨的水淹没已经宛如“黄色泥河”的公路，把整个平原地区变成一片汪洋的情景。这个时候，谁还能来这儿呢？

“应该知道，我得为你付出代价！”已经湿透、现在又浑身是泥的神父对威尔冷冷地说。他躺在汽车底盘下面，继续骂这辆汽车成了一堆没用的废铁。威尔看不清楚，但是听得清楚，他正吃力地用千斤顶顶着汽车，以免这堆“废铁”滑下来，压在他身上。

“如果你想问什么问题，别打搅我，也不要用那些‘为什么发生了这事儿，为什么发生了那事儿’的没用的借口给我找麻烦。今天我听到的谎言已经满满一箩筐。喂，在那儿好好待着好吗？哦，我不是跟你说话，我是跟这辆该死的汽车在该死的千斤顶滑脱之前说话。你这次又是什么问题呢？上帝！在你们这些人因为矿山的事儿争论、胡闹之前，这儿本来是一个平静安谧的地方。还有一件事情，既然你来这儿了，我就想，你或许想告诉我，为什么你肩膀上扛着个死人？你打算把这事告诉警察吗？哦，别打搅我。我不想知道，找麻烦的年轻人！我敢打赌，在你那个笨脑瓜儿里，就是去警察局你也不在乎。哦，我不会埋葬他——如果你是为这事儿找我的话——除非你通过恰当的渠道。所以，不要为这事儿纠缠我。”

丹尼神父像一头受伤的大象吭哧吭哧从汽车下面爬出来。威尔什么也没说。他从来不和神父多说话，也从来没有正眼“看”过他的宗教。他径直把埃利亚斯的尸体和他的袋子放到汽车后座上。神父没有注意，正全神贯注把轮胎从汽车轱辘上扒下来。他告诉威尔搭把手，帮帮忙，赶快把轮胎修补好上路。要不然，就得游泳游回德斯珀伦斯。

“让那架直升飞机见鬼去吧！”神父嘲讽着说，心情好了一点。二十分钟后，他把工具扔回到汽车后备箱里。车可以走了。

汽车驶上公路，就像用铅笔在洪水淹没的平原划了一条直线。神父的脚一直踩在油门上。他似乎以一种超人的力量十分灵敏地控制着方向盘。威尔注视着前方。汽车东摇西晃，可是如果他能成功地沿着这条路行驶，就不会有什么问题。与此同时，他们俩都明白，漫过平原的洪水很快就会完全淹没前面的路。

“也许，”风雨交加、马达轰鸣，神父把身子探过去对着威尔的耳朵嘶嘶撕地说，“也许，我们两个人的力量结合到一起，同志，我的朋友，两个人的‘团体精神’会使我们闯过这道难关。你说呢，威尔·凡特姆先生？你觉得上帝会保佑我们平安回家吗？”威尔选择了沉默。让这位圣徒自个儿叨叨去吧。大地到处都是神灵，也许会帮助这个爱尔兰人，让平原倾斜，洪水流尽，“勇敢牌”平安回家。他想起这辆黑色汽车后座上横躺着的死人，凝望着雨水打在浑黄的泥水里溅起朵朵水花，觉得冷风扑面吹来，洪水泛起层层涟漪。踏上回家的路，这就足以让他满足了。

丹尼神父说，他感觉良好。威尔听见，浑身沾满泥巴的神父因为激动，喘得上气不接下气。在极其艰难的情况下，让汽车重新上路实在是极大的成功。丹尼神父继续演他的“独角戏”，满怀激情、滔滔不绝地大谈质量低劣的“勇敢牌”的工艺和在丛林道路上艰难跋涉的孤独的旅行者的修车本领。威尔寻找穿过平原的、被洪水淹没的道路。他感觉到天地间那种寂静。神父似乎浑然不觉。对于他，辽阔的土地打开闭锁的心。他说：“在这里，在这茫茫荒野，一个人能有机会想出些好主意好办法。”他讲了许多丛林“机械师”巨大的、让人听了瞠目结舌的潜能。他们能度过任何危机。还讲了如果他没有这种工具或者那种工具，照样可以修车，可以在丛林里旅行。

“问题是，一个人能对付得了许多困难吗？比方说，一个普通人，不是受过科学训练的宇航员，只是丛林里一个有点实际经验的普通人，假如把他扔在月球上，他有能力再回到地球上吗？”因为丛林人的潜能被低估了，所以人们没有做这种研究。

听到这儿，威尔对神父的谈话有了几分兴趣，不由得把他的话和城里那些老人们的故事联系到一起。隔一段时间，城里就有人宣称他们被 UFO 带走了。后来呢，要么就是 UFO 又把他们送回家，要么就是他们运用丛林里肉搏战的经验，从银河系一路厮杀回到地球，回到卡彭塔利亚湾。威尔什么话也没说，眼巴巴地看着“勇敢牌”“游”过洪水。他对丹尼神父的理论抱怀疑态度，不允许自己变成一个像父母以及别人那样傻乎乎的、人云亦云的听众。

人声，即使是他自己的声音，也帮助丹尼神父把注意力集中到路上。“注意前面有坑。”神父连忙打轮，躲过那个坑洼，继续大谈“车匪路霸”的事儿——载重汽车满载开矿用的设备向矿山驶去，以为他们有权利霸占这条路。“法律规定保护公民使用公路的权利。”他说，车打了个滑。威尔瞥了丹尼神父一眼，他似乎根本没注意这事儿。“当人们没有民主意识的时候，这种事情就发生了。权利摧毁民主，教育被用来摧毁别人的权利。这一次，他们走得太远了，威尔。太远了，这座矿山。他们用技术控制人民。很不明智。他们不能够因为有权利压榨这块土地，就能压榨这块土地上的人民。”

就这样，威尔·凡特姆凝望着车窗外面一闪而过的树影，回想着关于它的往事的时候，丹尼神父滔滔不绝地讲述了那么多大道理。而这些道理与滔滔洪水一起，都付诸东流了。

天下着雨，尽管还是下午，但周围一片昏暗，仿佛已经是夜晚。丹尼神父在城边的小桥放下威尔和埃利亚斯的尸体，对着城里点点灯光狂笑。分手时，他对威尔说，他要做的第一件事情就是径直到警察局，找埃·斯粹因吉警官，控告矿山上的人袭击他。威尔谢过神父，身穿泥水弄脏的衣服，在稠密的、橄榄绿色灌木丛的掩护下，向暮色走去。

他绕过城东人的宿营地，经过小镇，又经过城西其他宿营地，躲过所有人的眼睛，背着埃利亚斯，来到诺姆家。然后，神不知鬼不觉，穿过房子后面刺人的树木投下的阴影。房子里寂然无声。威尔知道，他父亲能听见一公里之外的动静，能分辨出是谁的脚步声。他很高兴现在，傍晚时分，家里没有人。他向老诺姆加工鱼的“作坊”走去。“作坊”离这幢房子有一段距离，尽管是整个“城堡”的延伸。这两个建筑物由一道长长的、弯弯曲曲的走廊连接到一起。走廊是用瓦楞铁皮做的，因为没有顶篷，看起来好像永远没有完工。他把埃利亚斯的尸体和那几个麻袋放到“作坊”肮脏的地板上。“我只能把你放到老头这儿了。”威尔对埃利亚斯轻声说。他知道，父亲会亲自照料埃利亚斯的。这正是他为什么要把他带回家的原因。

在金黄色的、昏暗的光线下，威尔凝视着这个他熟悉、喜欢的房间。很快，连他自己也没有意识到，“作坊”里永远都飘荡的、淡淡的化学药品味儿，让他忘记他离开这里已经好几年，忘记他遇到的那些麻烦事儿。就像风雨交加的日子里飘落下来的秋叶，这个房间的主人也挽留不住他们。仿佛时间倒流，威尔又回到童年时代，寻找父亲最近又弄出什么神奇的新玩意儿。这个琥珀色的“作坊”，是他们家每一个孩子都迷恋的世界。这里珍藏着父亲创造的许多宝贝。他们经常在这里看诺姆创造出银色、金色、红色、绿色、蓝色的鱼的珍宝。

“我们过去经常在这儿度过许多美好的时光，对吗？老人家。”

威尔一边悄悄地对埃利亚斯说话，一边凝望挂满鱼的墙壁。诺姆·凡特姆的防腐技术非常高超。他用这种技术对当地各种鱼的标本做了防腐技术处理。这个房间的墙壁上挂着澳洲肺鱼、珊瑚鲑鱼、太阳鱼和三文鱼。威尔看见屋顶密集的椽檩上吊着几百个屠夫用的钩子。每个钩子上都挂着三四条用钓鱼线拴着的银光闪闪的鱼。“作坊”里吊的这些鱼条条栩栩如生。家里人花几个小时看诺姆十分耐心地取掉鱼内脏，就像他们想象中的外科医生那样剔掉鱼骨头，然后，哦！啊！诺姆提起一张十分完整的鱼皮让大家看。架子上放着一排排玻璃瓶，瓶子里面泡着诺姆·凡特姆根据秘方采集的各种药草。这些药草都是他夜里从丛林草原采来的。他很节省地用自己泡制的“药水”鞣鱼皮。这些鱼都是各式各样的人送来的——乡下的渔民、有钱的商人、小政客、搞科学研究的人。这些人来到诺姆家生了锈的门前，扔下几条包在报纸里的鱼，说：“伙计，看看能不能派点用场。”

诺姆在门口打开报纸包，仔细观察，几分钟后告诉人家，能派点什么用场。连天空中飞翔的守护天使对诺姆是否做出赋予这条死鱼新的“生命”也充满敬畏之情。诺姆等待对方回答，似乎这事儿和他没有多大关系。这当儿，陌生人关于钱的触角马上支棱起来，兴奋地扬扬眉毛，开始讨价还价：“十块钱应该差不多了吧。”世界级的讨价还价水平，堪与莱昂纳多·达·芬奇一决高低。“我们怎么能知道你能干好这活儿呢？”诺姆其实完全可能分文不取。他的思想早已飞到九霄云外，和这条死鱼的对称轴融合在一起。只有高超的技艺才能让他手里那玩意儿化腐朽为神奇。孩子们跟着那些人跑到他们的汽车跟前，听见那些渔民一边说诺姆太黑了，一边砰的一声随手关上车门，看到凡特姆家的孩子站在旁边，生气地说：“嗨！你们的皮也不想要了吗？”

威尔把手伸进一个打开的袋子，里面装着父亲用来塞鱼肚子的马鬃。他喜欢手摸马鬃那种感觉。刹那之间，他们之间的不和被多少年养成的习惯冲刷得荡然无存。往事如在眼前：他把马鬃洗得干干净净，然后晾干。闪闪发光的马鬃让爸爸看得满心欢喜。他站在那儿四处张望，看见一个搪瓷盆里澳洲肺鱼皮浸泡在用来鞣制鱼皮的溶液里。他走过去，摸着一个个装防腐剂、清漆和油漆封底层溶液的瓶子。他还记得诺姆交给他一个很重要的任务——把鱼皮套到马鬃做的模具上一针一针地慢慢缝好。他的小手指非常灵活，飞针走线，针脚又小又密，肉眼根本看不出接缝。威尔现在再看自己那双早已长成的大手，心里觉得有点好笑，父亲那双大手怎么去干小精灵才能干的活计？缝好之后，诺姆要花好长时间，甚至几天，用一支很小的毛笔，一笔一画地画出那条鱼，干得非常辛苦。

每逢这时，整个“作坊”非常安静。诺姆画鱼，孩子们站在后面，从他肩膀望过去，看他蘸着自己用赭石和花草配制的颜料，细细地描绘，渐渐恢复了鱼原来的色彩。他说，他是用生命的“秘方”创造奇迹的。他把珍珠贝研成粉末加到颜料里。所以，他画的鱼都是半透明的，闪烁着虹霓般的光彩，宛如在阳光照耀的海水里游动。上帝创造了上帝的朋友。他对孩子们说，天使帮助他。威尔看见一条珊瑚鲑鱼吊在鱼线上慢慢晃动，海蓝色的斑点闪闪发光，心里想，孩子们是喜欢恶作剧的精灵，长一双巧手的大人则是天使。

威尔现在还经常想起小时候对父亲的看法。有时候，睡觉的时候，他觉得父亲到海底睡去了，那是一个彩色的世界，平常人谁都不知道它的存在。睡梦中看到父亲在海里生活，是父亲为什么把鱼画得栩栩如生、仿佛是他第二天性的唯一的解释。

长时间的积累，诺姆的架子上摆放着几百个瓶子，但是没有一个瓶子上有标签。孩子们经常满脸惊讶地看到诺姆径直走到架子跟前，连看都不看就取下他想要的那个瓶子。不知道为什么，他能把那么多瓶子记得一清二楚。孩子们说，简直像变魔术。城东的人、警察和城里来的那些家伙对这种现象都很感兴趣。

家里人已经记不清“作坊”被搜查、他收藏的毒药暂时被警察没收之后，诺姆有多少次重新放好他那些瓶子，准确无误地把他的收藏品归位。警察到来的时候，凡特姆家的孩子们吓得像狗，紧贴墙壁站着，恨不得钻到地缝儿里。看见父亲被警察带走，他们吓得一动不动，听得见心跳的咚咚声。每次看到警察把诺姆带走，威尔都觉得这可能是和父亲的永别。这时候，他便努力把父亲的面容记在心里，生怕忘记他的模样。诺姆脸上那种不为苦乐所动的、淡泊宁静的表情深深地埋藏在他的记忆里。他不敢想，如果这是和父亲相见的最后一面，那将是多么可怕的后果。

威尔伸出手指，轻轻抚摸木头工作台。就在这张台子前面，诺姆一边和儿子一起制作鱼标本，一边给威尔灌输不能好高骛远，不能想入非非的思想。“一种想法就有可能给你带来许多麻烦，孩子。比方说，你也许永远都用不着知道自己是死是活。此外，有人给你什么东西喝的时候，千万要当心。他们也许会给你一杯茶，或者一杯水。不要喝。因为那也许是最厉害的毒药。”

有一次，他父亲发现一具乡下人的尸体。他说，他是在山顶发现的。他用一根棍子捅一堆烂泥，闻到一股死人腐烂的臭味。“这是我的地盘儿，你在这儿干什么呢？”诺姆问道，想让那个人的鬼魂出来清除他的“错误行为”造成的恶果。没有人回答，诺姆在那一摊烂泥周围转了一圈儿，想找到点线索。成千上万只苍蝇像一团乌云飞来飞去，跟在他身后寸步不离。他说，他深信，那些苍蝇想把他赶走。也许它们在藏匿什么东西。他不停地挥舞着一条胳膊和另外那只手里拿的棍子驱赶那群黑色的魔鬼。这根棍子是诺姆从山顶的垃圾堆拣来的。推土机把公路旁边一口自流井周围的竹林推倒之后，一直推到山顶。尽管恶臭几乎把他熏死，他还是强忍着要呕吐的感觉，硬着头皮往前走，直到被一堆肮脏的家庭主妇厨房里用的破布和一个上面印着“可可脂”的硬纸板箱子绊了一下。他把那些玩意儿踢到一边，向警察局报告，他发现了一具尸体。那具尸体实际上在来回移动。诺姆说，在那个紧要关头，直到他恢复理智，他认为那具尸体一直在半空中飘动。眼前的景象既令他作呕，又让他觉得那是鬼的化身，是来抓他的。因为他星期天从来不到教堂。后来，他才意识到，是那一团团不停蠕动的蛆虫，让他产生这样的错觉。“快去叫警察！”诺姆对孩子们大声叫喊着。他说，那次他们和他在一起。

可是警察居然说：“啊，这不是我们的活儿。”他们通过楚斯福尔传过话来说，让他们处理这样一具严重腐烂的尸体，不合常情。“那是别人的活儿。”那些戴着面罩的人瓮声瓮气地说。他们像铲动物尸体一样，把那具腐败发臭的尸体铲到装尸袋里，拉好拉链，又套了好几层袋子，立刻空运到一个城市医院里。“警察，”诺姆吐了一口唾沫——一说到警察，他就要吐唾沫——“花了那么长时间追踪他，只是为了找到这具尸体。既然找到了，总得问问这，问问那吧。哼，纳税人花了钱，他们就应该做好他们分儿内的事情，抓住真正的凶手。”现在倒好，弄得好像他有了罪似的。不过也有人说，诺姆·凡特姆做什么也没用。所以，随他们去吧。

真是怪事，这件事情之后，谁都开始认为，诺姆属于“杀人越货”那种类型的罪犯。再加上，警察总在他家周围转悠，越发让人们深信不疑。就连他的妻子安吉尔·戴也嫉妒诺姆引起的关注。警察来他们家的时候，她就朝他们扔东西。她一定要知道到底发生了什么事情。警察在他们家周围巡逻，不停地走来走去，朝屋子里面瞅几眼，在房子外面搜寻，拿走几件小玩意儿，然后开着警车扬长而去。“你妈总是疑神疑鬼。”等这些家伙走了之后，诺姆在工作台旁边漫不经心地对威尔说。这到底是为什么呢？天知道！随后几天，人们都根据这个事实推理。忘记证据，忘记警察调查，忘记事实。每个家庭都有精通辩论术的“专家”，没有必要屈从于事实。凡特姆家想保持安宁，但是徒劳无益。

后来，化验显示，那个人是被谋杀的。这个结果不是从医院传出来的，但大家都这样说：那个人是被毒性最强的毒药杀死的，1040。1040？1040！谁都知道 1040。关于 1040，人们传得沸沸扬扬，大家都说他用的那种毒药是当地人制作的——土著人的方式。威尔记得，来他们家的人络绎不绝，和诺姆一起站在院子里，把手拢在嘴边，压低嗓门儿说话，好像这样一来孩子们就听不见了。他们说，和这个 1040 一起待过的人现在还逍遥法外，而且仍然不怀好意。那时候，人们走马灯似的来他们家，对诺姆说他们不得不说的话。直到现在，他还能感觉到他们在院子里制造的恐惧。

关于生活中所有奥秘的理论，都在他们这个院子里得到验证。后来，跟着费希曼远征的路上，威尔努力回想老人们讲述的那些故事，并且重新构建这些理论。人们压低嗓门儿说：“那个 1040 因为知道自己犯了法，很可能已经逃到什么地方去了。如果没逃，就还在这一带活动，想用毒药把人们搞得身体虚弱。我在梦里看见他是个死亡之神，看起来好像许多蝙蝠聚集在一起，形成一个巨大的蝙蝠，夜半时分，如同一道闪电，呈‘之’字形划过星光闪烁的天空，然后，摇身一变，站到你面前，目光低垂，活脱脱一个狡诈的家伙。

“即使杀手 1040 暂且收手不干，你也不能掉以轻心。他也许会说，不和你争斗了，要和你做朋友了。可你永远不会知道他心里到底怎么想。表面上看也许不错。可那不是真的。等你放松警惕，他就会往你喝的东西里放点什么，让你越来越虚弱，越来越虚弱，直到死掉。所以永远要当心！”后来，人们便不再来凡特姆家议论这事儿。

这就是为什么诺姆·凡特姆总是告诉孩子们不要喝任何人给你的东西，哪怕只是一杯水的原因。因为那玩意儿很可能就是杀手 1040 给你的。诺姆认为长寿的秘诀只有一个，那就是永远不要依靠别人。他常常突如其来对孩子们说出这样一番话来：“你能信得过谁呢？谁也靠不住！”威尔回想起孩提时代，父亲给他们每一个孩子留下的深刻印象。父亲是那样一个具有真知灼见的人，他们相信，他会看穿生活最深层的任何事物。在这个邪恶的世界，有诺姆·凡特姆这样一个父亲指导，他们一定会是幸存者中的佼佼者。他的人格、他头顶的光环，经常出现在孩子们的视线之内，萦绕盘桓，甚至走进梦乡，捕捉那些噩梦。

孩子们的梦和他们的现实生活都变得模糊不清。他们站在海边，眺望着父亲渐渐消失在水平线那面。有时候，他会突然掉转船头，并不特别靠近他们，只是打着手势，传递一些几乎难以辨别的信息。还有这样的情形，就在他们心不在焉的时候，突然看见父亲站在他讨厌的那些人身后，飞快地比比画画，用手语讲述贬低那些人的故事，孩子们看了都很尴尬。“永远不要相信这条愚蠢的狗。告诉这个裤子一股尿臊味儿的家伙：他像一条断了腰的蛇一样没用。让他滚蛋！”手语的轻松、幽默只有在他用这种语言做他想做的事情时才会削减。

黑天使守护着他们的地盘儿。威尔记得，老人们告诉他，天空晴朗的时候，他们看见许多这样的天使手持标枪在他们家周围走来走去，寻找那条像被胶水粘住、不肯离开这个地方的蛇。威尔说，那是老鹰。是福是祸，或者无论诺姆·凡特姆自己心里怎么想，他脸上的表情都很不自然，那张铁青的脸几乎像他有一次抓到的一条鱼的头。老人们说，他是因为那条蛇着急。威尔不相信那条蛇在他们家下面。他有一次看到了那条蛇，但那是天边充满生命活力的紫气。它的身体从地平线的这边到地平线那边，覆盖了罗盘上的每一个刻度，囊括了整个大地。父亲总是找不对方向，因为从他的鼻孔出去、进来的空气就是那条蛇。威尔挥挥手，那无处不在的紫气便远去，但是只要愿意，他就能把它再召回。

威尔有时候在父亲的“作坊”里看到那些死去的人。这些人大多数都是当地人，刚发现他们已经命归黄泉，不知道会发生什么事情，吓得要命。他们有的亲自来，有的派人来为他们哀悼。就像没有时间和活人打交道一样，诺姆也没有时间和死人打交道。他对大家说：“你们来我这儿哭天抹泪有什么用？我是上帝吗？我不是上帝，所以，到教堂去吧，你们这些白痴。”也许因为诺姆没有意识到自个儿说的太多了。他说，他就是这样认为的。他宣称，他从来不知道生死之间有什么不同，也不知道跑到他这儿哭哭啼啼，或者讲他们自己经历的那些人是死是活。

就这样，有一次，他把所有鬼怪、幽灵、幻影以及城那边的人都从他那刺人的灌木林赶走，退回到遍地泥泞已经干了的公路，穿过小镇的主街，好像那也是幻觉，一座根本不存在的集镇。天知道看见他在空无一人的大街上一边瞎跑，一边大声叫喊“滚蛋！滚蛋！”的时候，人们作何感想。当好心眼儿的人像老阿姨因为他吓着了孩子，像叭儿狗一样激动得又跳又叫，让他赶快停下时，他会不会像一个惊叹号戛然而止呢？不，他不会停下。他手里挥舞着那根绿棍子，像中年人那样继续奔跑，一直跑到离城那边只两步之遥的地方。威尔记得，有一次，他在追那些鬼魂的时候，突然停下脚步，问道：“你听见那个别针掉下来的声音了吗？”难怪全城的人都认为诺姆·凡特姆是个疯子，总是朝他叫喊着，让他解释解释自己的行为。“你别在我的面前装模作样，诺姆·凡特姆。”有一位老阿姨尖叫着，她的声音像鞭子在空中脆响。

唯一的好处是，城里人不知道该如何“确诊”黑人这些毛病，只能宣称，他们已经学会和“无害”的“精神病患者”共处了。这就是北方。尽管小镇很古老，镇子里的人从来不知道诺姆追赶的是什么魔鬼。世界上的事情就是这样。即使生活在战争中心地区的人，也不知道它的存在。即使在非常激烈的战场，以高水平的智慧进行了至少四百年的战争，也是这样。但是，这是在城里。

威尔来来回回地走着，不时瞥一眼坐在那儿的埃利亚斯，想着城里，想着终于回家的感觉。他开始觉得自己从来没有离开过诺姆·凡特姆，从来都是他的好儿子，尽管违背了家族的传统、背叛了他们的战争。他破了他们这个家族的规矩。这是有史以来第一次，至少在普瑞克尔布什西边所有人的眼里史无前例。他是不是与众不同？他也许确实过分张扬了责任，忽略了信念。他为什么不能像家族别人那样，背负着祖先面貌严厉的武士们的鬼魂，为土地而斗争？他们都是好人。老人们因为重担在肩已经累弯了腰。他曾经多次问自己，现在在父亲的“作坊”里又问埃利亚斯：“为什么他们能担得起这份责任，我就不能？”威尔深深地叹了一口气，离开“作坊”前，最后一次轻轻地拍了拍工作台。他知道，自己在“超越障碍训练场”，已告失败。以前他就多次在这条路上滑倒，审视自己的良心却没有任何结果，知道不会有令人满意的答案。因为别人承担了进行“他们的战争、他的战争”的责任而悔恨，毫无意义。正如他属于那“遗产”一样，那“遗产”也属于他。他的亲戚们得意扬扬地夸耀在德斯珀伦斯中部地区打斗留下的伤疤时，他只是冷冷地看上一眼。威尔身上没有疤，只是左腿上有一块深棕色的胎记。如果新生儿身上出现这个家族熟悉的胎记，老人们就赶快记录下来。他们声称，这样一来，流传四百年的大事件就可以在描绘陆战、海战的故事中得以再现，在关于空战的故事中也不会被人忘记。“不要问怎么会这样，”老年人们说，“仅仅因为人们普遍认为，白人发明了飞机，而黑人没有飞机。我们的运气不错，因为你从来不知道他们是否在合适的地方着陆，除了也许在一个很大的矿井。可是你进去看，也就是那么回事儿。不要相信发动机，相信你的直觉。你当然会看到土著人也能满天飞，而且迄今为止还没有‘失事’的报道。”

他们说，威尔的胎记就是很久以前，他还没有出生的时候，在海湾上空和海鹰神灵作战时留下的疤痕。

离开那幢房子之后，威尔觉得风雨中有一种巨大的悲伤震颤。那是诺姆发现埃利亚斯之后痛苦与悲愤的呼喊。那天夜里，雨在盐场和大海下了好几个小时。重重暗影之下，诺姆听见船桨划水的声音。那是威尔驶向大海。

第七章　凡特姆的家事

最后的愿望……

鱼屋从来都不能让死者保持沉默。这一点，诺姆·凡特姆好多年前就知道了。他的“作坊”里总会发生些非同一般的事情。他在这里和那些无所不知的神灵竞争，让大海里的鱼获得新生，而且看起来永远都不会死灭。他把它们分门别类十几条挂在一起，形成一个小小的鱼群。搁浅的鱼儿在海风中晃动，像他一样，无法游回到遥远的水平线。然而，死亡不属于这个小屋。

有时候，他会为自己有朝一日也要离开人世而悲伤，并且提前想好自己的墓志铭——谁将照看所有这一切？哦！真悲哀。他的命运是孤独者的命运。孤独的孪生兄弟是：安谧宁静、不装腔作势、忍辱负重。这样一个人倘若做出些不同凡响的事，难道会让人惊诧不已吗？几个小时艰苦的劳动之后，杰作终于出现在他手里。他却宣称，那不是他的创造。他为什么要编造这样的故事呢？老人们说：“听着，他以为他是在骗谁呢，他是骗他自己！”谁都知道诺姆·凡特姆花好长时间创造他的鱼。德斯珀伦斯虽然是个寒伧之地，生活在这里的人们却也相信事实。只有真实才能创造完美。

确实如此。人们不是傻瓜。

尽管没有人相信诺姆·凡特姆散布的关于他不是那些鱼的制作者的故事，他自己对此却深信不疑。这是鱼屋让人着迷的秘密。诺姆暗地里仍然认为，是别人帮助他完成了如此精美的创作。那是一种远远超乎于他自己的力量，是一位超自然的艺术大师创造了这奇迹。是上帝兴之所至，把这个房间改造成他的工作室、试验场。是这个腐败世界对生命的一种展示。在这里，空气像海滩一样，散发着一股鱼腥味儿。

在这个让人迷惑不解的故事里，诺姆只承认他是“作坊”的创造者。此话不假。诺姆也是慢慢才意识到他赤手空拳盖起来的这个房子发生了什么变化。在令人迷惑不解的发展过程中，谁也不曾注意，这个房间就变了，变成另外一个模样儿。一切都无法解释，什么也没有弄乱，一个目标更加崇高、力量更强大的神灵，一个对人类以为完美的事物嗤之以鼻、喜欢给人类的作品“润润色”的“至善论者”，入主这个房间。就这样，诺姆·凡特姆怀揣几近华美的思想，包裹住他的才能真正的源泉——嫉妒和竞争这两股并不迷人的孪生的力量，并且经常支撑他处理好家里的事情。在他创作鱼的过程中，朴素、古老的真谛所起的作用不可否认地变得越来越小。

思想的种子可以让你变得充满进取心、事业心。有一次，他已经工作到午夜，本来很累了，但还是弯着腰，一笔一画地给一条鲹鱼王早已褪色的、细小的鳞甲涂抹银色。一次只能画一片，直到早晨才能完工。鱼是给一个普通“太太”做的。她根本就不配得到这样漂亮的一条鱼。那条鱼的鱼鳞一闪一闪，就像心扑扑跳动。

沉湎于那些可以称之为混乱发源地的种种想法，猜想为什么鱼鳞闪闪犹如心脏跳动，他突然觉得这个房间就像扒手，抢走了人们的记忆。诺姆谴责这个房间变成别人心底秘密的“储藏室”。他那天夜里第一次看到的情景和他这辈子看到的任何其他东西同样真实。那情景开了他的眼，从那以后，这个屋子里别的东西他都能看得。随着这个屋子“日渐成熟”，诺姆看到它因为支撑着一个又一个令人惊奇的发现，而“累弯了腰”。他觉得，所有真实的东西正在这里积累。就连那些来赞美他的杰作的邪恶的人也会言不由衷地说出几句真话。有时候，这间屋子死一般寂静，好像正阅读它的秘密。他继续干手里的活儿，听到墙壁里有翻书的沙沙声，便停了下来。

随着时间的流逝，诺姆在完成一件作品前，总是目不斜视，只有听见屋子里有什么动静的时候，才眨一下眼睛，然后继续干活，绝对不为一些无谓的事情分散注意力，浪费时间。他尤其不想看到人们围在屋子周围看他画鱼。等到他“画龙点睛”，给他的澳洲鲹王、西班牙鲭鱼、长须鲶鱼、短尾鳕鱼，或者别的什么鱼，以同样的专注画上最后一笔之后，诺姆·凡特姆才穿过那个拥挤的空间，走出他的作坊。

诺姆怀疑，谁也不知道那无法预料的沉重从何而来。人们说，他们在这个房间里感觉到的沉重的呼吸宛如擦着皮肤游过的鱼。诺姆把这个屋子的秘密隐藏得严严实实，不让任何人知道。在德斯珀伦斯，凡是来过鱼屋并且体验过它的沉重的人，都觉得那是一个伤心之地，因此，除了他们家的人，都恨不得马上离开。所有的人——通常都是从世界各地来的古怪的渔人——都设法找同样的借口，让诺姆继续干他的活儿。他们会说：“哦，我被谁谁谁传染上感冒了。”他听人说过不下一千次。他们说，他们宁愿不打搅这位大艺术家的工作。至于那些老人更是从来都不进去。他们说，他们不喜欢进那种古怪的房子里。

诺姆看见那些没有疑虑的人们不太情愿又不无冲动地说出多少年来一直守口如瓶不肯说出的家庭秘密。真是些可怜的人。特别是那些甚至不知道他们一直保守着的是过去多少代人流传下来的秘密的人。哦，他们向鱼屋敞开了心扉。有一次，诺姆对那些老人说，他做了一个关于鱼屋的梦。他对他们说，每一幢房子都有一个神灵，而这幢房子神灵的头脑就在鱼屋里。听过诺姆这套理论的人都说，太不着边际了，但是诺姆认为，一旦神灵同化了原来这个房间，他自己也变得和这个房间完全一样。事实上，他完全是原来这个房间的复制品。他这种说法就连那些老人们也觉得太离奇了，都指责他编故事吓唬他们。但是诺姆还是按照自己的思路往下想。他说，谁也不能阻止他。

就在他“大彻大悟”的这一段时间——老人们可不想和他这种思想上的“纠缠不休”有任何瓜葛——诺姆对他的艺术似乎“心不在焉”起来。他觉得自己丢失了什么东西。丢失了对艺术的感觉。他花许多时间听房顶上鱼鹰鸣叫。他说他太心烦意乱了，无法和他的鱼一起共谋如何对抗死亡。他失去了信心。环顾小屋，他觉得四堵墙用快乐的目光不停地看着他。来自大海的鱼无疑早已死去。工作永远没有个头。腐烂的气味越来越浓重。岁月流逝，满眼都是死亡，总是嘲弄他的屋子现在简直公开侮辱他。一大群一大群的鱼被飓风从海里吹向四面八方。诺姆逃离了那个房间，把自己的良知沉入仿佛患了精神病的太平洋万世不变的浪涛中。

然而，总归有“休战”的时候，不管诺姆为了赋予他那些鱼新的生命做了什么，都是令人惊异的。他的鱼看起来就像价值连城的珍宝。一条比另外一条更让人拍案叫绝。他成了全国闻名的艺术大师。这就是为什么世界各地的人都来德斯珀伦斯请他“加工处理”他们的鱼。然而，不管他的技艺多么炉火纯青，他都知道，冥冥之中一直关注他的那双神灵的眼睛起了很大的作用，使得那一条条鱼更赏心悦目。从屋顶一个个钉子眼儿里洒下炫目的彩色的阳光照射在鱼鳞之上，让它们永远闪烁着绿色、灰色、蓝色和粉红色。

许多年过去了，午夜之后，风从东南吹来，一周一次。和别人不一样，诺姆喜欢这个了不起的老“作曲家”。那欢乐的乐曲沿着走廊的铁皮墙壁流淌到鱼屋。那音乐午夜开始，第二天中午逐渐停止。一年这个时候呼啸而过的风使得在外边冰冷的土地上宿营的老人们带着毯子越搬越远。他们说，屋子里闹鬼。他们不喜欢那颗古老的星星在离他们宿营很近的地方闪烁，因为那闪闪的星光仿佛在炫耀来世的繁华。诺姆唱起“荣耀颂”，古老的“作曲家”率领他的蟋蟀合唱队伴着墙壁咔嗒咔嗒的响声也在齐声歌唱：“光荣！光荣！”这些蟋蟀是由鱼屋脱胎而来的，生活在黑暗的、散发着一股麝香味和鱼腥味的环境之中。这些小昆虫从灌木丛枯枝败叶组成的曲径迷宫成群结队地爬来，在墙壁黑暗隐蔽的缝隙、在装满化学药品的瓶瓶罐罐后面安营扎寨。有的还爬到被盛满正鞣制的鱼皮的塑料大盆压得咯吱咯吱直响的长凳下面找个安身之地。吊在椽子上的几十条鱼发出幽幽的光，从蟋蟀暗藏的巢穴、从塞满马鬃的肚子里唱出神秘怪异的歌。那歌从它们嘴里飘出，发出刺耳的响声。

“臭氧层，臭氧层，天天叨叨该死的臭氧层。”安吉尔·戴太太像这个家里的蜂后，叫喊着，悲叹着，从一个房间跑到另外一个房间，让诺姆把收音机的音量调小。诺姆·凡特姆不想听人们抱怨。在为他的理论寻找答案时，他养成了从收音机里听新闻的习惯。他不停地拧调音量的旋钮，只要有臭氧层出现黑洞的新闻，就把音量调得很大，整幢房子都震得嗡嗡响。因为他有一事不明：鱼屋里的“大合唱”是不是因为臭氧层黑洞对蟋蟀产生新的压力造成的？他对妻子说，这种事情以前从来没有发生过，可是现在屡屡发生。他提出这样一个问题：蟋蟀通常是人类的灾星。是不是只有它们才学会了用唧唧之声穿透声音的壁垒。他问过她不下一千次。“你怎么想？”对于安吉尔·戴太太，蟋蟀的叫声就像盘子摔碎时发出的声音一样刺耳。“你怎么想？”这样的问题左耳朵进去，右耳朵出来，对于她来说毫无意义。她说，她根本就不在乎什么蟋蟀的叫声，可是这声音实在刺耳，简直让她发疯。他尽可以大谈特谈从城里人那儿听来的什么愚蠢的“科学”道理，反正跟她没关系。“他们不会知道这个地方，会吗？如果知道，我们就不会在这儿过这种日子了，难道不是吗？”诺姆原谅妻子对现代高雅的艺术一窍不通。比方说，他爱听的音乐，她充耳不闻。她说，蟋蟀是“突变异种”，喜欢闻他用来鞣制鱼皮的化学药品那股气味。“你这个样子，是不是发疯了？”她进一步证明自己的观点，“它们没住在这幢房子里任何一个地方，难道不是吗？”这话没错儿。

诺姆不让他那只善于“口技”的老凤头鹦鹉待在“作坊”，生怕它学会蟋蟀的叫声。这只鸟被认为是天才，无论什么声音，一学就会。“记住我的话，别让那只鸟总跟着你，要不然，我向你保证，诺姆·凡特姆，它那堆小骨头会被德斯珀伦斯那些秃毛老狗啃个精光。”正如老人们那时候所说，安吉尔·戴太太一有机会就威胁诺姆，比她隐晦曲折威胁要离开他的次数多得多——后来成了事实——尽管不是因为蟋蟀的事情。安吉尔开始或者结束她的威胁时，总爱说：“记住我的话！”哦，你最好信他的话。迟早，她都“说话算话”。

早年，安吉尔·戴太太统治凡特姆家的时候，在前院儿，有至高无上的权力。她经常坐在婴儿车上——自从生了最后一个孩子之后，她就把这个婴儿车变成她的椅子。她就在这儿和老人们抱怨蟋蟀总是发出刺耳的叫声。她还说，她迟早要为这事儿和诺姆离婚。老人们说，那噪声对于她的神经结构一定有极大的破坏。如果看见丈夫从身边走过——这种情况并不多见——她就开始抱怨，说总是让她委曲求全，保持这份婚姻。“如果你还有点儿良心，最好别让那些玩意儿发出响声！”威胁！纯粹是威胁！诺姆总觉得她是暗示他，他应该对所有闯入她生活的鬼怪发出的响声负责。“也许就是因为你疏忽造成的。她说。老人们把目光移开，向别处望去。“你这种无知和疏忽会毁了我们的婚姻。”“你听到什么响动了，”他对她说。他总是把他们碰到的倒霉事儿都推到他的头上。一桩桩一件件，从很久以前那个新年——他们第一次相遇——开始算起，“那是哪年的元旦呢？”

诺姆·凡特姆不记得是哪年元旦了。但她每次提到这事儿，他都觉得好像挨了个耳光，但他从来不指出她记错了日期。他让这件事提醒自己，她对他并不忠诚。他指责她嫁给他之前就得了某种疾病。“一定是被我之前的哪个男人传染上的。”他还对坐在周围假装没有听他们争论的老人们说，孩子们出生的时候，她就把病传染给了他们。“什么病？”她反驳道，尽管没有否认和诺姆之前的经历。他说，那种病让人们对声音特别敏感，结果得了病的人成了疯子，变得就像警察。他说，如果他的孩子们也想变成疯子的话，他一点儿也不奇怪。

诺姆·凡特姆逢人就说，他们家的人得了一种怪病，对声音特别敏感。但他也宣称，尽管如此，“如果有人求他们帮忙办点儿小事，他们便什么也听不到了。”就在诺姆到处散布他们家的人听力出现问题的时候，他的好朋友埃利亚斯表示根本不信他的话。也有为数不多的几个人和埃利亚斯的看法相同。埃利亚斯说，全家人都失聪不合逻辑。他对诺姆说，他不知道他胡言乱语些什么。因为任何一个人，如果一只耳朵半聋，另外一只耳朵全聋，就比有正常听力的人听到的东西少得多。

诺姆觉得埃利亚斯这样说简直是对他的侮辱，非常生气，反击道：如果一个人连自个儿是谁都不知道，那么毫无疑问，他们就没有资格对其他事情做出正确的判断。诺姆尽管对一般声音听不清楚，但他对自己超常的听力却信心十足。他当场决定为自己潦潦草草写下的许多份遗嘱和声明再增加一个“附件”。他当着埃利亚斯的面儿，把一英寸厚的一叠死后请埃利亚斯代为执行的“遗嘱”摔到厨房桌子上。他用一支墨水儿快没了的圆珠笔，使劲写下又一份“文件”。“他死后，”诺姆宣布，“由警察、屠夫或者任何一位护士挖出他的耳鼓膜。任何人（执行这一请求的人），除了和下面这个日期有关系的某位先生（也就是说埃利亚斯·史密斯），”他指示道，“可以把它们放进一个密封的塑料袋里。”接下去，他又进一步表明自己的意图：把这个塑料袋放到可装六个瓶子大的冰盒里（足够大了），里面塞满干净的冰，暂存在旅馆或者肉铺的冷库里，直到邮政飞机到来。然后，送到科学研究单位。”他最后在那页纸下面潦潦草草签上自己的名字。

不过，实现愿望的是安吉尔，戴。风暴魔鬼做出最后的决定——一场西南风过后，诺姆不得不在远离他们家那幢房子的地方重建“鱼屋”。这一次，他把它建在那条用生了锈的瓦楞铁皮搭建的，像蛇一样长长的、弯弯曲曲的走廊尽那头。没有什么特色，连窗户也没安。

诺姆在“鱼屋”发现埃利亚斯的尸体时，挽歌又一次响起。事实上，那是无数只蟋蟀扯开嗓子大声鸣叫。诺姆听见这叫声之后，穿过那幢房子，沿着长长的走廊向“鱼屋”跑去，满脑子都是奇思怪想。死亡的场面走马灯似的出现在他的眼前。音乐那么怪诞。汹涌而来的声浪把为死者演奏的音乐和跳动的血脉混合在一起，在他心头翻滚。

诺姆不肯打破他的现实生活的格局。他设法将他绘制“超现实主义”艺术品的事业继续下去，等待渔民们前来搜集他们的“战利品”。那天，他正准备用已经鞣制好的鱼皮做标本，手头有许多工作要做。冲天而起的“挽歌”像发动机轰鸣，他摸索着开门的时候，觉得手在颤抖。平常，他进得门来，歌声便停下，可是今天没有。他觉得一股寒气顺着脊梁骨升起，在他脑袋里盘旋。在充满危险的大海度过的那些恶梦般的日子出现在他的眼前。风暴过后留下的鱼船残骸，在他脑海里闪现，他站在“鱼屋”，环顾四周，对家人满腹狐疑，寻思会看到一小堆白色的羽毛——那是已经死去的凤头鹦鹉。想到这些，他心里就充满憎恶。后来，他惊讶地看到被他赶出家门的儿子，爬到他心里。这个儿子，他早就不再牵挂。他没精打采地站在那儿，心里清楚，把那些自己不想要的东西推到一边儿，毫无意义。屋子里，似乎有一股浓重的背叛的气息萦绕盘桓，但是固执的父亲让他继续待在那儿。

该看看鱼皮鞣制得怎么样了。他向盛鱼皮的大盆走去，一双眼睛随着头顶闪闪的粼光，“左顾右盼”。蟋蟀的叫声把他带到黑蓝色乌云的涡流之中，与往事的记忆交织在一起，思想越发混乱起来。

他的两条腿好像离开身体其他部分，在身子前面独自行走。他伸出两条长胳膊，扶住长凳，免得重重地摔倒在地上。这时候，他觉得手碰到什么软软的东西。定睛细看，原来是一个皱皱巴巴的袋子。这个袋子他没有见过。最近没有，以前也从来没有。他看见一条腐烂了的鲑鱼，觉得一阵恶心，连忙把手拿开。他默默地看着那袋子烂鱼，立刻想到又是有人和他玩什么鬼把戏。类似的事情以前就发生过。那些傻瓜常常拿来些已经腐烂变质的鱼，希望他创造什么奇迹。他就看着那些人的眼睛，说，世界上还没有人能把他们的愿望变成现实。他们以前碰到过这样的人吗？还有人比他更有能耐吗？哪个人能化腐朽为神奇，变粪土为珠宝呢？他把那些鱼扔到门前臭烘烘的垃圾桶里。

梦时隐时现，或者闪现时突然停下。就像蟋蟀鸣叫时震颤的翅膀同时碰到了它们的触须。死一般的寂静几乎和交响乐队一样，“震”耳欲聋。

诺姆环顾四周，确信发生了什么可怕的事情。而且就在那一刹，感觉到屋子里有人正在看他。就在这时，他看见埃利亚斯，一眼认出了他！一种深邃的、可怕的东西像一张死亡之网，把他们俩包裹在一起，然后又突然裂开。他的心仿佛被撕碎了一样，疼得大叫一声。他的朋友靠墙坐着，诺姆就像迷失在茫茫旷野的野兽，从心窝里发出的呼喊，直到所有的痛苦从嘴里奔涌而出。

悲剧并没有到此结束。应该说，埃利亚斯"回家"这一天，凡特姆家的麻烦才刚刚开始。"瞧！这是重罪！瞧，这是在埃利亚斯身上犯下的大罪！"诺姆不停地朝三个女儿叫喊。三个女儿像逃跑的贼，相互推搡着，从走廊那边跑过来，以为父亲犯了心脏病。最小的弟弟凯文还被绑在床上，心里想，一定是"那边的人"杀父亲来了。他语无伦次地叫喊着，像疯子一样挣扎着，想从床上爬起来。他满嘴唾沫星子，大骂三个姐姐，但是没有人理睬他。最后，凯文折腾得精疲力竭，呜呜咽咽，喘着粗气，好像她们会来解救他，可是谁也没来给他松绑。

贾尼斯、帕特茜和格里亚站在"鱼屋"，满腹狐疑凝视着父亲让人百思不得其解的"怪诞之举"——他没有得心脏病。然后，她们看见他正指着一个靠墙坐在地板上的男人。在这个让人神情迷乱的时刻，一个皮肤被太阳晒得像旧羊皮纸一样的死人出现在眼前。这个人长发上沾满泥巴、树枝和柴草，谁也没有认出他就是埃利亚斯。格里亚说，这个人看起来就像外国博物馆拍电视纪录片时，刚刚打开棺木的埃及木乃伊。谁也看不出他是男人还是女人。她们一脸茫然，面面相觑，全然不顾诺姆还在大喊大叫，一口一个"重罪犯"。后来，她们看见那条腐烂的鱼。她们心里同时发出一声呼喊："证据！"格里亚说："警察！警察一会儿就会来我们家！"

她们知道，全城人都已经怀疑父亲是个杀人犯，便赶快商量如何除掉这条鱼，如何除掉那具尸体，如何把"鱼屋"里的蛛丝马迹都清除干净。三个女儿谁也没有走到父亲身边。他没精打采地趴在工作台上。在父亲面前，她们都为自己那些想法焦灼不安。

她们向后退了几步，站在那儿。诺姆在屋子里发了疯似的挥舞着一支已经不用了的船桨，把鞣鱼皮的药水儿溅得满世界都是。蟋蟀全都哑巴了。三姐妹松了一口气。帕特茜说："他想闹就让他闹去吧。他想毁什么东西就毁去吧，反正是他的，又不是我们的。"

三姐妹立刻动起手来，虽然贾尼斯不停地抱怨，她不想错过奥普拉脱口秀节目。她们在屋子里跑来跑去，尽量躲开诺姆。他尽管已经筋疲力竭，但还时不时朝她们挥舞一下船桨。三个女人跑到走廊，穿过那幢房子，从凯文身边经过时，让凯文闭上嘴巴，从前门出去。几分钟之后，诺姆的注意力被一股呛人的、烧橡胶味儿吸引过去。

他从窗口望出去，心好像跳到嗓子眼儿里，想弄清楚烟是从哪儿冒出来的。他看见一团明亮的火焰和一股黑烟从一个蓝色大桶里冒出来，在凯文收集的那些破轮胎上跳跃。这些轮胎在烟火的烧烤之下，扭曲变形，像绞弦琴一样哔剥作响。他跑出"鱼屋"，咒骂着那条长得令人难以置信的弯弯曲曲的走廊，直到终于从这幢房子跑出去。他全然不管凯文。这个家伙越发让他感觉到，在儿女眼里自己是个邪恶的人。现在，家里这帮蠢货又给他当头一棒——他们在毁灭"证据"。

"这是该死的证据。你们以为你们是在做什么呢？"他叫喊着，"你们这些傻瓜！"三个女儿对他视而不见，把越来越多的塑料和橡胶扔到火堆里。他冲过去，想把那些瓶子抢出来，可是女儿们左躲右闪，不让他得手。

"拿出来！快拿出来！"他叫喊着，可她们就像没有他这个人似的，睬也不睬。"真是一帮没有脑子的白痴！"他愤怒地撞击着两个拳头，简直无法相信这几个姑娘会这样傻。格里亚满不在乎地看了他一眼。她刚看见这个"猴子"没有拿小手鼓，便敲打自个儿两个拳头。他一字一顿，大声叫喊着说，他无法相信，自己怎么养了这样几个杂种。她们还是不理睬他，不停地朝大路那边张望，生怕有人来。"渔民们都上哪儿去了？他们为什么不来？"他抬起头看那团团黑烟，想弄清风是不是朝小镇的方向吹？毫无疑问，正如他估计的那样，风是朝那边吹的。东南风卷起团团黑烟，像一条巨大的黑虫子向德斯珀伦斯蜿蜒而去。

天经地义！一个人能多么不走运呀！诺姆知道，全镇子的人都会站在大街上，朝他这个方向张望。谁都会奇怪，那地方出什么事了？诺姆·凡特姆为什么要烧轮胎？为什么半夜三更干这事儿？他们一定会猜测他想烧掉什么？在德斯珀伦斯这样的小镇，谁都知道毁灭证据。凡是有点理智的人都不会像矿业公司那样，半夜三更烧轮胎。

黑烟滚滚，在房顶蔓延开来，黑灰落在城里一幢幢房子洁白的墙壁上。电话铃声不断，伴之以激动的叫喊。大家都愤怒地指责诺姆·凡特姆居然对他们做这种事情。确实谁都激动得要命。诺姆·凡特姆知道，那些傲气十足、尚未婚配的双下巴女人正发泄对他的不满，而那些爱管闲事的老妇人已经捷足先登，正给警察打电话，报告住在城西东倒西歪的小房子里的土著人又在捣乱。又在烧胶皮。“你能不能快去看看，宝贝儿？看看他们到底在干什么？”

贾尼斯、帕特茜和格里亚好像被那燃烧的火焰施了催眠术，全然不管诺姆的阻拦，把那堆火点得越来越旺，火苗越蹿越高。诺姆突然注意到穿大花裙子的女儿不见了——哪儿也看不见帕特茜的踪影。他的心猛地跳了两下，朝格里亚和贾尼斯叫喊着，让她们快去找她。他以为她被大火吞没了，急得胸口阵阵发紧，觉得心脏不行了。就在这时，帕特茜回来了。他看见她拖着埃利亚斯的尸体，想扔到火堆里。诺姆想阻止她，把她从火堆旁边往后拉，差点儿撞到贾尼斯身上。她万分焦急，让他离开那具尸体。

“我们得找警察来。”诺姆叫喊着，揪扯着三个女儿的衣服，想把她们从火堆旁边拉开。

“你快走开。”贾尼斯说，从他的手里挣脱。

“警察一定会干预这件事情，你们拦不住的。他们知道。”

他们离那堆令人讨厌的火越来越近。两个五大三粗的女人倾尽全力，左推右挡，诺姆根本就拦不住她们。帕特茜说，她们要烧掉所有证据，烧完了，事情就完了。他甚至感觉到，她们以为这样一来就真的万事大吉。

“烧毁证据？你不能烧掉这些证据。你们是些什么东西呀？白痴？你们不能就这样烧掉埃利亚斯！”诺姆想告诉她，埃利亚斯对她们像叔父一样，怎么就能这样把他当作“证据”来毁灭？“你以为你们是在说谁呢？”

“躲开，爸爸。不要挡道。”帕特茜不停地说，想从父亲身边闯过去。诺姆紧紧地抱着她的脑袋。

格里亚听见凯文床边的瓦楞铁墙壁发出很大的响声。她冲进他的房间，看见凯文拼命摇着头，每甩一下，脑袋就撞在铁皮上发出很大的响声。他那双神情迷乱的眼睛凝视着眼前一片空白。她知道，迷失在噩梦的王国时，他根本看不见她。谁也不知道凯文那个世界。她为弟弟难过。她看见凯文满脸白沫子和呕吐物，又流回到嘴和鼻孔里。凯文被那些秽物呛得脸色青紫，格里亚心里明白，必须马上给他松绑，扶起来让他坐直。家里人把凯文捆绑在床上，差点儿要了他的命，已经不是第一次了。每一次都是因为运气好，恰巧在他要一命归阴时有人撞见，才没有使他死于非命。现在，大家都匆匆忙忙跑来救凯文，埃利亚斯的尸体被扔在院子里。

“我对你们说过，不能把弟弟绑在床上。我对你们说过，我从来不喜欢你们这样做！”诺姆训斥帕特茜。帕特茜正手忙脚乱地解那条从胸口到肚子、从大腿到脚脖子、紧紧绑在凯文身上的绳子。凯文想和他们说话，可是他觉得自己仿佛在非常遥远的过去，要爬过一座座百万年形成的高山，学习许多种语言，才能和人交流。他想告诉他们，他看见威尔了。他也翻过那座座高山回到他们身边。威尔从海底埋葬了一千名水手的坟场来看望过他。凯文从懂事起就相信威尔已经死了。因为家里人谁都不提他的名字。他想象自己正寻找一支在平静的大海里停泊的舰队，寻找那些早已被人们遗忘了的水手的面庞，想找到威尔。

凯文仍然和他们无法谈话。他不能告诉他们，因为那也许只是一场梦。或者他们以为他看到了什么，因为他确实见过鬼，见过蛇神和祖先们的鬼魂，还见过别的死人的灵魂。这些人说，他的父亲杀死了他们。他们都来为他预测未来，但是谁都不相信他的话。威尔回家对他说：“喂，兄弟，她们为什么要把你绑在床上？”以前从来没有发生的事情发生了。哥哥用手摸了摸他的脑袋，一切都那么真实。

帕特茜俯下身来，脑袋几乎挨着他的脑袋。他想把这些事情都告诉她。不过，他更愿意对格里亚说。因为他无论说什么，她都爱听，并且理解他那些别人听不懂的隐语，哪怕他们都知道他是在说蠢话。可是他的头不停地摇来摇去，想停也停不下来。他越是想控制自己，心里越难受，胃里一阵阵翻腾，呕吐物直往嗓子眼儿涌。他努力克制着，不让自己吐出来。即使在这样的情况下，凯文的态度也很坚决。因为威尔说，他应该坚持。因为，他说他要回来，带他走。大伙儿都俯身凝视着他，他的目光从那一双双眼睛前面滑过，心里想，生活会真正好起来。他想和威尔在一起，他一直想和威尔在一起。

“你们难道看不出你们这些傻瓜都做了些什么吗？我再也不想让你们这几个‘妇道人家’待在这儿了。听见没有？除了惹麻烦，什么用也没有。看在老天爷的份儿上，你们这些没用的傻瓜难道看不出他要死了吗？”诺姆几乎是对着帕特茜的耳朵眼儿大声叫喊，可她没有理踩。

“帕特茜，别这样了。”格里亚说。她很害怕，凯文身上那股味儿让她直恶心。她心里想，如果不马上离开这个房间，她可能会倒在凯文身上。

“你们没用，没用，都没用！”诺姆叫喊着，泪水顺着面颊流下。他解开凯文身上的绳索，慢慢扶他坐起来，紧紧地抱着他，抚摸着他，让他不再抽搐，直到哽塞的声音渐渐停止。

凯文平静下来，睡着之后，诺姆对女儿们说：“你们知道，这是我这辈子最糟糕的一天！看见我可怜的朋友，可怜的家伙埃利亚斯，这样一副模样。”格里亚泡了一壶茶，四个人围坐在厨房餐桌旁边，听诺姆绝望地讲，这是他一生中最痛苦的一天。龙卷风，妻子出走，还有许多其他事情，虽然也曾让他苦不堪言，但是今天的事情更让他肝肠寸断。

“在大海里遇到风暴也比这强。拖着一条断腿在鳄鱼出没的沼泽地里一困就是好几天。还有疟疾。别跟我说这地方没有疟疾。你们的母亲除了相信自己，别的什么也不相信。就连她离家出走的时候——对好前程的庆祝——我也祝她好运。我觉得自己好像中了奖。和这一切相比，我好像特别富有。”

三个女儿对他的话还是充耳不闻。她们都在想如何和他说那具尸体的事儿。必须除掉这具尸体——现在还在院里扔着——因为那玩意儿迟早会给他们家带来麻烦。

格里亚心不在焉地在桌子上敲着小勺，发出咔嗒咔嗒的响声。诺姆让她停下。那声音简直让他发疯。可是格里亚还在敲。诺姆实在忍耐不住，从她手里一把夺过来，说他已经做出决定，“这件事必须向警察报告”。

“你不能向警察报告。”格里亚生气地说。这不是今天的结束，也不是最后的决定，只是诺姆·凡特姆的女儿们对付她们父亲的开始。

“我们和警察说什么？说‘有人把他扔在这儿的’？”贾尼斯说，“‘那么是谁扔到这儿的呢？’他们会说，是你自个儿干的。他们一定会这样说。”

“我们可以对他们说，不知道是谁放到这儿的。因为这是事实。从头到尾，都是事实。”诺姆回答道。

格里亚又往杯子里倒了点茶，但是没有注意到茶水溅到了桌子上。就她而言，虽然从来没有当父亲的面说过什么不敬之词，但心里认为，他给她们带来耻辱。他被人们背地里指责是杀人犯，或者和德斯珀伦斯一件又一件离奇的死亡有关。总而言之，无论什么时候，只要有人死了，大家就觉得他脱不了干系。她已经怀疑，他和埃利亚斯的死有关。她不停地问自己，对父亲究竟了解多少？有多少次，她和家里其他成员——几个大哥除外，在德斯珀伦斯，他们以好斗著称，而且很少有人是他们的对手——因为他的缘故，被人们当成嘲弄的对象。

当她和贾尼斯、帕特茜被小镇那边那些傻瓜侮辱时，都发生了些什么？哦，简而言之，没一个人出面干涉。那些人高马大、奇丑无比的泼妇光天化日之下，在大马路上抓起破玻璃瓶子或者别的随便什么，向凡特姆家姐妹们扑过去的时候，连警察也不管。他们全都远远地站着，欣赏黑人妇女如何打架。那些过路人呢？只是站在那儿看。好像看马戏表演。没错儿，是专门供白人看的马戏表演。他们像狗一样，转来转去，看黑女人打架。她已经记不得有多少次，她像狗一样，被那些泼妇一直追到城外。她们拿她当活靶子，朝她背上扔啤酒罐儿和啤酒瓶。可是几天之后，她们令人作呕的脸上又挂着微笑，向她问好，似乎什么事情也不曾发生。这就是那些泼妇的所作所为。她有身上的伤疤为证。

“这事儿不会让你干，格里亚。”诺姆厉声说，好像看透她的心思，而且为她没有勇气说出自己的想法而恼火。

“警察不会相信你的真话。”帕特茜说。她还清清楚楚地记得，警察不管有没有搜查证，只要愿意，就把母亲这幢房子翻个底儿朝天，直到他们心满意足为止。他们干得不彻底也没有关系。那些警察扬长而去之后，镇子里的白人就来肆意破坏一番。这种事儿发生之后，她们就竭尽全力赶快重建家园，更不要说重新收拾母亲最喜欢的那座拿一座金山也不愿意换的“补缀”而成的房子。

“警察不会相信我们的真话。”诺姆用嘲讽的口吻重复了一遍这句话。他说，必须让他们相信我们说的都是真实情况。如果我们什么也不说，他们迟早会找到我们头上。“你就走着瞧吧。”

“家里有人吗？”门外传来一个男人的声音，打断厨房里的谈话。

“家里有人吗？家里有人吗？家里没人！”“海盗”——那只浑身油腻腻的、曾经被带到蛮荒之地让教皇祝福的凤头鹦鹉从它栖息的雪松上叫道。这只聪明的鸟儿正在啄雪松果，然后扔到被它搞得一团糟的地上。警察站在那儿，凝视着那堆闷燃的火。

“瞧，我说什么来着？我知道会发生这事儿。”诺姆说，几近耳语，而且似乎因为自己的先见之明得到验证而得意。

“你什么也不要对他们说，爸爸，要不然你会给我们惹上麻烦。你知道是谁把埃利亚斯弄到这儿的吗？你知道吗？一定是威尔。就是他。”格里亚解释道。

诺姆直盯盯地看着她那张脸。“你见过那个杂种，对吗？你没有把这事儿告诉我！如果是这个杂种干的，太好了，我这就去告诉院子里站着的那位朋友，你就瞧好吧！”

“不，你不能这样做，爸爸！你听我说，爸爸！”格里亚坚持自己的看法，“你怎么想我的哥哥、你的儿子都无所谓，可是你这样做会影响我们大家。”

“那个杂种什么时候回来的？”诺姆对格里亚怒目而视，逼她说出实话。正是这个倔强的女儿总是站在她那位“不怎么样”的哥哥一边。

格里亚耸了耸肩膀。诺姆看看另外两个女儿，发现她们也一脸茫然，正凝视着格里亚，准备听她的解释。可是，还没等他再说什么，那位警察就已经走进厨房。在德斯珀伦斯待的这几年，他虽然已经发福，但还在寻找一位适合乡村警察的女人为妻。有趣的是，他的心弦还系在格里亚身上。

“随便坐吧。”诺姆说，一双眼睛生气地瞪着警察。

“对不起，老人家，不过我确实在外面喊来着。”楚斯福尔说，朝格里亚甜甜一笑。

格里亚头也没抬，两个姐姐却连忙表示欢迎。这两个五大三粗的女人在厨房里跑来跑去，沏茶，热食物，擦桌子，洗餐具，收拾一块干净的地方让警察坐。格里亚想，只要不和外人说起家里发生的事情，她们俩做什么事情也愿意。诺姆和格里亚还坐在椅子里，对楚斯福尔不理不睬，只有帕特茜和贾尼斯哼哼哈哈地应付他。过了一会儿，屋子里便陷入寂静。

“你们在院子里点了一大堆火。”楚斯福尔终于说。

“你说点就点了吧。”诺姆回答道。

“我接到好几个电话，人们抱怨烟灰都刮到他们院子里了。我想，我最好还是来看个究竟。”

“我们点火是为了烧垃圾。如果风刮错了方向，我们也没有办法。有德斯珀伦斯之前几千年，风就是这样刮的。”

“啊，亲爱的，我只是例行公事罢了，你知道有些人的嘴多么坏！”

楚斯福尔从来不想得罪格里亚。

“那你喝完这杯茶就赶快回去，把我刚才说的话告诉他们，好吗？”

贾尼斯走到厨房门口，背对大伙儿站着，点燃这天要抽的许多支香烟中的第一支。她看见黑烟还向城区飘，但是感觉到情况已经发生了变化。

“不急，宝贝儿。”帕特茜对着楚斯福尔那张仿佛受了伤害的脸柔声说。她自个儿喜欢卖弄风骚，心里想，格里亚应该“体贴体贴”她的“幸运之星”。她站在他身后，这样一来，每次弯腰给楚斯福尔续水的时候，乳房就蹭一下他的肩膀。每蹭一下，她就用淫荡的目光看格里亚一眼。格里亚不无嘲讽地、恼怒地看着她。她很想朝帕特茜摆弄摆弄自己的奶头，但还是打消了这个念头。因为这样一来，会给那个警察一种错觉，以为会有什么便宜好占。她一直认为，这两个傻瓜相互有意，只是没有机会罢了。

“好了，帕特茜会关照你的。”她对楚斯福尔说，声音有点发紧。楚斯福尔看着她的一举一动，她强忍着没有说出来：你难道没有注意到吗？你这个重量级的狗屎堆！

楚斯福尔朝她笑了笑，那模样让格里亚想起胡萝卜上的皱褶。他心里清楚，最好不要在家里人面前和格里亚争论。她又来那一套了——把他推给帕特茜，就好像他想女人想疯了。他知道如何让格里亚为她这样冷淡自己付出代价。好呀！他心里想，如果她想找不痛快，她可算是找着了。

诺姆凝视着楚斯福尔。因为那些死尸而长时间笼罩这个房间的紧张气氛越发凝重：怎样才能找到那个该谴责的人？怎样给受害者划分类别？如何恢复那些被性虐待者伤害了的尸体？那些沉湎于声色口腹之乐的坏蛋以虐待为乐，就好像圣诞节打开礼物一样高兴。三个女儿都知道“肢体语言”的含义，诺姆坐在桌子旁边，就像他那些已经填充好的鲻鱼。她们相互扬了扬眉毛——怒火正在他心中燃烧。楚斯福尔嘴里嚼着口香糖。

格里亚看了看墙上挂着的钟，知道几分钟之内，父亲心中的怒火就会爆发。她们以前都见过这阵势。首先，他会把一只铁拳重重地砸在桌子上，然后伸出拳头朝楚斯福尔打过去，大骂她们，特别是格里亚。骂她恬不知耻，和警察睡觉，还会抖落出别的丑事。她立刻回应，一边大笑，一边用嘶哑的声音说："你说我是荡妇不就得了吗？你不就是想说我是荡妇、母狗吗？满世界都这么叫。"她已经预料到下一步会发生什么事情。他会把关于埃利亚斯的秘密都说出去。他的尸体现在还扔在院子里。诺姆会继续"穷追猛打"，向楚斯福尔发起挑战。这一次，对于这位警察是多么好的敲诈勒索的机会呀！也许他将不得不让这个家伙走进家门，让他丑陋的大鸡巴操他的女儿？可是这也没用。格里亚知道警察的活计，更知道楚斯福尔是个尽职尽责的家伙。他会打破沙锅问到底，直到诺姆被逼得发疯，把威尔推出来，甚至把大伙儿都扯进去。

贾尼斯还站在门口，凝望着那堆闷燃的火。透过翻滚的黑烟，她又看见埃利亚斯的尸体，想象着镇子里的白人一定会再次倾巢出动，干预他们家的事情。这时候，她觉得一股雨的气息扑面而来。她举目四顾，想弄清楚雨水是从哪儿来的，看见风暴从一堵红色尘土筑起的大墙后面逼近。

"要下雨了。"她说，把烟蒂扔到院子里，转身回到厨房，凝视的目光落在格里亚身上，不动声色地、干巴巴地说："最好赶快关上门窗吧。"

贾尼斯暗示格里亚做点儿什么。格里亚朝楚斯福尔低下头，直盯盯地看他那双蛇眼。她伸出手指，在他面前敲了几下，告诉他可以去她的房间。自从他溜进这幢房子，她就知道，不达到目的，他绝对不会离开。厨房里的人也都知道，他一定会整天、甚至整夜待在这儿，直到最终钻进格里亚的小屋。许多个月以来，楚斯福尔一直来诺姆·凡特姆家骚扰。如果格里亚不理睬他，他就赖着不走，直到格里亚不得不屈从于他的意志。如果她们家那几个大小伙子在城里，情况就不同了。他们一露面，这家伙就不敢招惹她们了。

可是因为银叟和多尼都在矿上干活儿，楚斯福尔就自由了，想来就来，想走就走，好像"照顾"这个家就是他的职责。楚斯福尔向他们卖弄风情、夸口说，他已经变成她们家的男人时，格里亚就朝贾尼斯和帕特茜冷笑。他一方面为自己的淫欲所左右，一方面为自己能和这样一个"能人"保持密切的关系而沾沾自喜。他从来没有忘记，诺姆是他要侦察的杀人嫌疑犯，作为一个职业警察，他的责任就是要“巡视现场”。哦，没错儿！

像楚斯福尔这样的人认为，玩一玩，乐一乐是正当的，但他也知道自己的职责。如果能破德斯珀伦斯这些凶杀案，他死也愿意。等待中的美好时光为楚斯福尔的如意算盘又增加了一个“红包”。装在口袋里的手铐压在腹股沟上，唤起他对即将到来的美好时光的渴望。他几乎能闻到格里亚身上那股香水味儿，闻到她的身体和他的身体交合在一起的味道。他知道幸运之神近在咫尺。他需要做的只是操妹妹，和两个姐姐打情骂俏，变成一个顶尖儿的渔人。如果那个混迹城里的无赖——威尔·凡特姆想家了，像一条断了脊梁的狗跑回到家里，那就更好了。

格里亚看了一眼贾尼斯。“别担心窗子的事儿，”贾尼斯说，“我和帕特茜会关的。”

第八章　诺姆的职责

秘密……

成千上万株柠檬色三齿稃被暴风雨连根拔起，像一个个干了的球，刮到镇子里，滚进大海。白蚁冢点缀着这块古老的土地，风暴卷起一群群被雨水搞得头晕目眩的白蚁，随风飞舞。死鸟被风吹得满地乱滚。走兽吓得到处乱跑，一不小心撞在牧场围栏的铁丝网上，刺得皮开肉绽。狂风中，垃圾堆里卷起的塑料瓶像鬼魂一样，扶摇直上，在红色天空的对流层翻滚着，飞向远方。苍茫的大海之上，扬沙和被风撕扯下来的塑料片纠集在一起，和盐分很重的湿气一起落下来，沉入万仞之下的波涛，变成海底“鳕鱼公路”难看的装饰。

诺姆·凡特姆又一次遇到极其恶劣的天气。他在黑暗中划桨，用尽全力在波峰浪谷间穿行，满脑子都是聪明的思想。他似乎陷入一种疯狂，碰到什么危险都不在乎。人们这样以为，其实都错了。凡特姆是世界上最精明的人，需要保护自己的时候，他比任何人都强。平常，他就是在暴风雨的掩护下出海。

他对坐在茅草很高的宿营地里那些装模作样的人们说，寻找他的秘密

“渔场”的人总也无法如愿。他们听了一点儿也不惊讶。幸运！幸运的事儿！太幸运了！他们知道德斯珀伦斯那些老白人的名字。那些老人可怜巴巴地坐在那儿，想把诺姆和天上神灵的秘密对话翻译出来，结果徒劳无益，白白浪费了许多年的时间。他们永远不会知道。白人相信，如果他们学会如何翻译星星的语言，他们的儿子出海打鱼也能平安无事。他们会像诺姆一样不可征服。他们的船永远不会无鱼而返，就像在丰收的日子里，把鱼从大街这头拿到大街那头那么容易。城里那些白人只需再稍微走点运，就能再次从撒网打鱼中得到快乐。老人们尊敬德斯珀伦斯的“监护人”，为他们难过。海底的坟场到处都是他们儿子的尸骨。

谁都知道，卡彭塔利亚湾有很大的鳕鱼。但是谁也没有见过那些和诺姆·凡特姆一起在大海里漫游的鳕鱼。诺姆对老人们说，他能把自己伪装得像一条大鱼，消失在波峰浪谷之间，作弄德斯珀伦斯当地那些海盗。老人们说，他一定是用灭蝇用的喷雾剂喷那些强盗，转移了他们对他走的那条水路的注意力。干这事儿要很狡诈呢！他们说。

楚斯福尔跟在格里亚身后走了之后，诺姆还坐在厨房桌子旁边想生活中的种种可能性——如果你能随心所欲的话。他喃喃着，好像什么难闻的气味飘过。“你说什么来着？”他命令自己那张仿佛失语的嘴巴说话。他要让卡在喉咙里的话从嘴巴里说出来，在厨房里回荡，然后一直滚动到格里亚的卧室。他等待那番话脱口而出——他想杀了楚斯福尔，把他大卸八块，装在袋子里，赶快扔到大海里喂鲨鱼。他等待着，看女儿们在院子里跑来跑去，收拾东西，免得被大风刮跑。她们关窗子，关门，准备迎接从天而降的沙尘。他真想杀了那个警察，但是这几个字还没说出口，就又阻止他付诸实施。

帕特茜和贾尼斯在房子四周跑来跑去的时候，朝厨房看了一两次。她们俩都知道，如果她们不住在家里，逢着这样的夜晚，父亲就会一直坐在这儿，听天由命，任凭狂风穿堂入室，呼啸而过。如果她们不打扫房子，他永远不会动一下扫帚。他允许女儿们和警察睡觉，他允许那么多事情发生。诺姆想，她们可以做她们想要做的任何事情。倘若她们都离开这个家，那真是求之不得。事实是，楚斯福尔和格里亚一起离开厨房的时候，诺姆坐在那儿动弹不得。他似乎被自己血液里的“胶”粘在椅子上，一动不动，心灵和凶杀者搏斗，十诫[①]的律法将他的身体囚禁在那里。

楚斯福尔离开那个房间时，嘴里念念有词，似乎在说“现实”之类的什么事儿。他知道这位父亲是个什么样的人物，知道他足智多谋。他眼瞅着诺姆坐在厨房桌子旁边，一副漠不关心、超然物外的样子，心里明白，他深谙“老鼠和猫的把戏”，完全可以“智取”他这个警察。

此时此刻，诺姆思维的走向却全然不同。他的思想在大脑不同的“仓库”间游走。第一个念头是“听任”与“顺从”。他可以让这个白人得到他想得到的东西。难道楚斯福尔一直以来不就是这个样子吗？因为贪吃而肥胖，见了什么都狼吞虎咽；第二，他希望有人告诉他，杀死这个白人是正确的。费希曼在哪里？他知道莫吉已经回到城里，但是还没有来看他。事实上，自从听到他的护卫队穿城而过，诺姆思想深处就一直在等待莫吉。莫吉知道这件事情的核心之所在。他会告诉他，如果他觉得这件事情对，就应该去做，直截了当地去做，或者迂回曲折地去做。哦，他为什么没有来？诺姆在心里问自己。他用手指轻轻敲了敲杯子，转念又想，他应该知道这儿出了问题，因为他去城里的时候，并没有像平常那样去找莫吉。莫吉应该意识到这事不大对劲儿。看起来，一个人能半死不活地躺在床上，等待有人来看你。他忘了，莫吉再也不会来他这个地方了。

诺姆想，埃利亚斯的尸体肯定和威尔有关。在这个问题上，三个女儿的看法没错。诺姆心里清楚，警察像老鹰一样盯着他们家不是没有原因。他又想起厨房里那一幕，仿佛看见威尔大发雷霆，冲出这幢房子，钻进汽车，飞也似的驶向他来时的那条路。过了一会儿，突然一个急刹车，汽车吱吱

①十诫：上帝在西奈山上给摩西的十条戒律，是摩西律法的基础。

响着在一团黄尘中停下，威尔大声叫喊：“当心警察，爸爸！”然后，一踩油门，猛地向前冲去。这就是威尔！这也是他最后一次和他见面的情景。

威尔就这样扬长而去，留下一家人凝望着他留在身后的那条尘土的长龙。也许因为一直没有机会结束他们的争论，没有做出什么决定，也没有和解，诺姆想帮助警察抓住他的儿子。诺姆知道自己是个天真幼稚的人。他太热爱大海了，不会因为威尔的请求就离开那万顷碧波。他认为，老天爷不会对不公平的世事听之任之，因为它历来如此，也因为白人从来不关心像诺姆·凡特姆这样的人。诺姆还记得威尔像连珠炮似的对他说：“你错了，爸爸！你应该好好地分析一下形势，爸爸。”诺姆还记得这些话——很有点受辱的感觉——记得他们这一带现在流行的新词儿。诺姆经常想起威尔说过的这些话，甚至和别人争论时，经常用儿子挂在嘴边的那几个新词儿。这就是威尔留给他的记忆，就像他那辆扔在城外的、头朝南的蓝色小货车。那辆车现在还停在那儿，宛如镶嵌在路边的装饰品。这也算凡特姆家史中的一篇“大事记”。只是父亲拒绝把它拖回家。

费希曼在城里，可是具体在哪儿呢？那些话像流过的水，冲跑了对威尔的记忆。哦，威尔从来就不是个孝顺的儿子。诺姆朝渐渐逼近的暴风雨冷笑着。如果格里亚不赶快把那个警察杀了，他就自己动手。他在心里描绘出这样一幅图画：他和楚斯福尔一起出海。“你今天夜里想去捕鱼吗？伙计。”这种情况下，发生事故并不是什么稀罕事儿。他以前就经常带楚斯福尔出海，尽管去的地方离陆地不远。从来就不会很远。因为他要判断他是否适于航海。要弄清楚，在大海之上，他能派什么用场。在浅水线以内航行——谈不上航海——还远不能嘲笑他不会撒网打鱼，但有足够的时间给格里亚创造一个机会。他可以带楚斯福尔在海上航行十二个小时，去找埃利亚斯的尸体。他们在水里搜索的时候，看到那具尸体躺在浅水处的海脊之上。这时候，楚斯福尔会在摇摇晃晃的船上站起来，想看得更清楚一点儿，嘴里念叨着：“哪儿？在哪儿？把船弄稳当点。”这将是他落水前最后说的话。他身子向船身外面探得太远，诺姆俯下身来伸手要把他拉回来。这时候，正在鳕鱼的“巢穴”之上漂浮的船，在楚斯福尔那边失去平衡。事发突然，警察掉进大海。他身着警服、沉重的身体迅速向海底下沉。他惊讶得大张嘴巴，眼睁睁地看着自己溺水的情景。那一刻，楚斯福尔一定会想，什么人在放他死亡的幻灯片。许多个小时之后，诺姆心里充满懊悔和对格里亚的歉意。他终于面对宽厚的大海生出悲悯之情。他无法潜入海底，把楚斯福尔捞上来。

他又打开厨房门，让风暴夹带的新鲜空气穿堂而过。这样一来，他就能看到呼啸而过的风。他在等待那个满头蓬乱的灰发、瘦骨嶙峋的大高个子戈蒂。戈蒂继承了曾经属于“疯子”尼克莱·芬的钢盔。退潮之后，人们发现芬肚皮朝天躺在沙滩上，被海湾里的鱼咬得千疮百孔。德斯珀伦斯的女士们说，尼克莱死的时候，很英勇，像个士兵。那几个参加一年一度的“野餐会”的目击者看到过他最后一次“遭遇战”。可是后来又说，尽管他们当时谈论过能做点儿什么，甚至决定过去看看，但还是沿着海滩不停地朝前走，还不时从沙土里踢出一个贝壳，让人看了觉得他们压根儿就没有看他那些鸟。紧接着，他们说：“你知道，他跟他那些鸟儿的关系非常特别。”目击者说，那些老鹰像从天而降的火箭，不停地向芬俯冲下来。有的人还记得，芬那时候正在工作。他们说：“战争看起来就是这个样子。”参加“野餐会”的老女人们只能想象战争中会发生什么事情，正如纳闷许久以前，她们响应政府的号召织的那些袜子和毯子被送到地球哪个角落哪个不幸的战场。

按照官方的说法，出事儿的时候他在做工作。女人们说，她们不愿意卷入别人的工作，即使应当卷入也不。因为打搅人家的工作不合适。她们担心，即使真的掺和进去，也无济于事，根本阻挡不了老鹰的袭击。再说，老鹰如果向她们扑来怎么办？她们淡淡地说，救芬是警察的事儿。要求她们干的事儿应该由一位贤妻良母来做——如果芬有足够的理智娶一个好女人为妻的话。哦，不管怎么说，他已经死了，对谁也没有用处了。

芬死了、埃利亚斯走了之后，戈蒂继承了他们那份“看家护院”的工作。戈蒂颇有点不同凡响。你会看见他脖子上总挂着个指南针，手里拿着一把锤子，似乎随时准备钉那张大网。如果你没看见他带这两样东西，你就觉得很不正常，一定是出了什么问题。戈蒂什么都记得住。活儿干得不错。三个人里，他是最好的。成了镇子里正式的巡夜者之后，他就开始训练自己快步走。先跑，渐渐放慢速度，变成小跑，从小跑再过渡到快步走。必须这样。无论刮风下雨，他每三个小时就得绕镇子巡视一圈儿。他比芬更好一点。芬有被监视的背景。

暴风雨即将到来，楚斯福尔和格里亚正在“幽会”。诺姆等待戈蒂出现——大步流星走过地平线。这天夜里早些时候，他看见过他从门前走过。天低云暗，遮住皎洁的月光，但是那条白狗听见有人咔嚓咔嚓地踩着枯草走过的时候，还是在睡梦中呜咽了几声。乌云拉开一个缝隙，月亮像火炬一样投下一束亮光，诺姆越发神情专注地搜寻起来。他在寻找正在巡逻的戈蒂那双眼睛。

有一次，他看见戈蒂又朝城里的方向走去。他沿着一条小路，走过海滩附近咸味很浓的沼泽地，惊起正在窝里熟睡的鸟儿。鸟儿呱呱呱地叫了几声，又回到窝里。他赶快把出海用的东西收拾到一起，就像万籁俱寂中夜归的鸟儿在黑暗中跳着脚经过那幢房子一样，蹑手蹑脚走过家人的卧室。楚斯福尔打着呼噜，睡得很安稳。诺姆继续向“鱼屋”走去之前，在格里亚的屋子外面停了停。他带着钓鱼用的工具回来时，又停下脚步看了看熟睡中的凯文。

他走到院子里，抱起埃利亚斯和出海用的东西、钓鱼用的工具一起背到肩上，向停泊在浅水湾的铝皮小船走去。细碎的浪花和缓缓而来的潮水亲吻着海岸线。一只猫头鹰对着夜色发出凄凉的叫声。这是夜幕下唯一的响动。在陆地待了这么久，心里充满对远航的渴望，诺姆觉得有点头晕，但是他很快就把小船装满，做好了出发的准备。“我们一起走，像以前一样。”诺姆一边对埃利亚斯说，一边把船往水里推。他一遍又一遍地对自己说，他这样做是对的。他还不太老，还可以到大海远航。

以前，他带埃利亚斯到过大海深处鳕鱼出没之地。他惊讶地发现，埃利亚斯早就知道这个地方。鳕鱼从海底升起，向小船围拢过来，越来越近，越来越近。诺姆以前虽然多次长途追寻这个鳕鱼出没的“圣地”，但从来没有看到过这样的景象。他断定，这些鱼和埃利亚斯之间可以交流。等到埃利亚斯从水面抬起头的时候，脸上现出非常温柔的表情。那是一张孩子似的脸，对着诺姆微笑。埃利亚斯回转身，在水面之下拍了几下手。

几百条大鳕鱼互相碰撞着蜂拥而至，直到不堪拥挤才四散而去，沉入海底，制造出无数条尾迹和雪白的泡沫。诺姆经常想起那天发生的事情。他坐在厨房餐桌旁边，想摧毁周围这个世界的时候，往事一下子浮现在眼前，记忆赶跑了那些魔鬼，直到诺姆看清了埃利亚斯到底需要什么——埃利亚斯回来是让诺姆送他回家。

诺姆知道，如果航线正确，他就能顺利到达那个神灵的世界。从天空来到大海的大鳕鱼将在那里举行“圣会”。鳕鱼在游入海底之前，在他们的节日结束、再回到星空之前，将等待诺姆。他还在为女儿们烧鱼而生气。那些鲑鱼属于埃利亚斯的灵魂，它们理所当然应该陪伴这个死人踏上回归神灵世界的旅程。送埃利亚斯走却没有给他准备好他在另外那个世界需要的东西。他知道，埃利亚斯不带着鱼走是不合适的。他恶狠狠地咒骂自己。一直等待他的风停息了，周围是让人难以置信的寂静。诺姆想，这或许是个信号。风拒绝带他们走。就这样，夜半时分，他站在海水里，不知所措，汗水顺着面颊往下流。

诺姆光着脚向海滩走去，他要回家取那些鱼。他觉得自己好像一个疯子，因为对鱼这样迷恋，而寻找根本不存在的东西。他意识到，现在再回家不是时候，但脚步没停，绕过几堆漂木，弯腰曲背，几乎是匍匐向前，免得让戈蒂发现。他觉得戈蒂随时都有可能出现，他甚至在心里想象那个个子瘦长的家伙正跑过来查看。

回到家里之后，他明白要按照原来的路线出发，只剩下几分钟的时间了。他知道，如果出发得太晚，大海就会发出错误的信号，潮水改变方向，他无法再校正航线。那之后，不管怎么做，都于事无补。

白狗看到他回来很是高兴，兴冲冲地跟在他身后。他以为惊醒了凯文，但后来发现，他在做梦，在梦里和威尔说话。诺姆知道，用不了多久，凯文就会醒来，到处乱走。楚斯福尔还在熟睡中——想掐死他太容易了。他走进“鱼屋”，从房梁上吊着的那些鱼里取下六条银鱼，四条鲑鱼，装到袋子里，带给埃利亚斯。

诺姆把装鱼的袋子扔到船里，把船拖到深水区，就像埃利亚斯永远离开德斯珀伦斯那天那样。在那个潮湿、闷热的夜晚干了一天活儿之后，冰凉的海水让他感到惬意。东边的海面上挂着几颗星星，他定好方位，爬到船里，向茫茫大海划去。乌云再次遮住点点星光，海天间漆黑一片。

雨淅淅沥沥下了起来，平静的海面上水草密布，宛如碧绿的草地。诺姆向一波波涌来的潮水划去。不知怎地，他又想起费希曼，想起他没有来看他。黑暗中，他感觉到埃利亚斯的存在。就像从前他们一起出海打鱼时那样，坐在船头，凝视着他。那都是孩子们长大之前的事情，是他们那幢房子的女主人给她自己找麻烦之前的事情，是费希曼随心所欲、自由出入他们家以前的事情。

“你还记得吗？埃利亚斯。”他轻声说，就像那个死人一直在听他心之所想。以前虽然也风风雨雨、起起落落，但这种事儿从来没有发生过。“费希曼以前总来，不是吗？埃利亚斯。”没人回答。诺姆继续对着蒙蒙细雨讲他的故事，“尽管极不负责，她还是跟他走了。”他想起他们俩——莫吉和安吉尔——像一对十八九岁的情侣，偎依在那辆引人注目的汽车宽敞的后排座，“远征队”的成员给他们当司机。

“她和费希曼跑了的那天，对于我就意味着一种生活的终结，埃利亚斯。”诺姆说，手里的桨推到了前面，“一九八八年一月二十八号。”桨又划到后面。“你知道我为什么记得这么清楚吗？”海水哗啦啦地响着，“下午四点整。”又是一阵哗哗的水声。这是一天中他最觉得没有信心的时刻。“那天，非常非常热。”热风一直吹了好几天。他在日历的那一天上画了个绿圈儿。

十四年后，这个上面有一幅雪山流水的挂历还挂在墙上，时刻提醒家里人不要忘记这一天。

“不对，你错了。”黑暗中传来埃利亚斯冷冰冰的声音。以前两个人背对背坐着，等待鱼儿咬钩的时候就经常这样有一搭没一搭地说话。一九八八年一月二十七日。埃利亚斯从来没有觉得这一天和别的日子有什么不同。上午十点。热得要命。安吉尔在路上走着，宽大的裙子面料很好。不过他不知道那是什么料子，只是看见炎热中裙子贴在她的身上。热风吹得你血液沸腾。垃圾倾倒场上一堆堆垃圾在燃烧。上午人们坐在家里也热得要晕过去。大气层里的氧气似乎已经消耗殆尽。

大家都盼望下一场大雨。人们热得连气也喘不过来，连话也不想说。但是安吉尔和他说话。她用平常和埃利亚斯这样的男人——无法让她春心荡漾的男人——说话时那种平平淡淡的声调说，诺姆已经到海边察看渔船去了。埃利亚斯争辩说，他也将永远记着那个日子，因为他在自己的日历上也做了记号。那天的日历上有这样一幅图片：栖木上落着两只粉红凤头鹦鹉，相互叽叽喳喳地叫着。他一直保存着这幅图片，因为它让他想起那一天。诺姆记得看见她穿着那条裙子，身材显得格外苗条。她沿着小路，走过晨雾笼罩的荒地，径直向垃圾场走去。他不相信埃利亚斯的话。他情绪激动地说，那年一月，潮水上涨的时间是下午四点。那正是安吉尔那天离开的时间，所以，是埃利亚斯错了。他们在海上争论了好几天。那就是和埃利亚斯一起出去钓鱼的情景。他划着船继续向前。

一个缺少蓝的、色彩怪异的动物——人、入侵者——冒险进入大海这片遥远的水域。

诺姆·凡特姆踏上漫漫征途，进入一个白天属于闪闪发光的大海、深邃辽阔的天空，夜晚属于出没于天地之间的神灵的世界。他们说，这个遥远的地方属于无法控制的鱼神、女人和海洋生物。这是爱恶作剧的风和其他苍天之下遨游的骄傲的灵魂的王国。“谁在那儿？”和风问道。后面来的风回答说：“一个吃尽千辛万苦的人和一个看起来对这个世界毫无兴趣、好像它压根儿不存在的人。”

跟在诺姆和他那条小船后面的是狂放无羁的风神。他连续几天吹着徐徐的风，在波涛之上奏起小夜曲。或者在海浪间嬉戏着，一溜烟从 用力划船的人身边跑走，到世界那边寻找一个异想天开的主意。在那些闷热的日子里，空气潮湿、黏滑，诺姆难受得几乎要发疯。船上每一样东西都湿漉漉的。他划着船，不时回过头看一眼埃利亚斯，发现这个死人脸上长出一层灰颜色的霉。他的目光无法逃离埃利亚斯那张脸，看见新的一片片霉在朋友的尸体上蔓延开来。

夜晚，他把小船停泊在一湾死水内，蜷缩在狭窄的船舱里。闷热中，尽管他的身体僵硬、行动迟缓，思想却像掠过船头的夜飞的海鸟一样敏捷。浮出水面的鱼轻微的响动也会吓他一跳。“怎么啦？怎么回事？”他半睡半醒，大声说，仿佛要弃船而逃。黑暗中，船那头传来埃利亚斯平静的声音：“别紧张，睡吧。什么事也没有。”遗憾的是，一旦从梦中惊醒，他就再也无法入睡。他生气地嘟囔着说，埃利亚斯当然没事儿，当然用不着紧张。他用不着再活过来。于是夜半时分，诺姆又拿起船桨，按照记忆中的“海图”，跟着天上的星星向远方划去。

要不是一只海鸥惊叫着从他头顶飞过，然后在海面上跳飞着，发了疯似的叫声在他脑海里回荡，他会全神贯注于那单调的划桨的动作，一直划到天亮。

在这场争论中，埃利亚斯那个“版本”在过去几年虽然变来变去，但都以他亲眼看见安吉尔·戴在那个夏天，向垃圾倾倒场走去为基础的。埃利亚斯说，他不瞎。他知道自己看到的是什么。雨季过后，生活在城边的普瑞克尔布什人不管到哪儿，都得像野猪一样，沿着城里那几条路，稀里哗啦地走过齐脚脖子深的泥水。

整个世界不再是旱季单一的灰色。洪水漫过的大地蛙声此起彼伏，打破死一般的寂静。那寂静几乎像埃利亚斯神奇的脚步在他身后恢复最高分贝之前那样，无声无息。

接下去，埃利亚斯“浓墨泼洒”，描绘她如何像天使一样在晨雾与茅草中飘动。像神灵一样，沿着小路，跳过一个个小水洼，渐渐远去。埃利亚斯并不是嘲笑诺姆。他很坦率地说这番话，全然没有意识到，对于他的朋友，失去妻子是心中的痛。埃利亚斯对安吉尔的描绘让诺姆十分惊讶。因为妻子和天使从来不沾边儿。

埃利亚斯描绘的、他看到的那副情景不是什么秘密，也不是只有他一个人看到的情景。因为在普瑞克尔布什，无论谁、无论什么时候，只要看到安吉尔像丛林里鸣叫着的小鸟，沿着城外寂静的小路走过来的时候，都感到困惑不解。她是那种让人见了就搔着脑袋问“这是个什么女人呀？”的人。对许多人来说，她还是那种让人难以忘怀的、仿佛在你的心灵印上一个口红印子的女人。埃利亚斯说，她太好了，好得让人难以把握。他站在小路边傻乎乎地看着，他说。

“你好！埃利亚斯。诺姆已经到海边收拾船去了。”她像猫似的对呆呆地看着她的埃利亚斯嗲声嗲气地说，然后翻了翻那双水汪汪的大眼睛，宛如女王，飘然而去。

诺姆听见海鸥的鸣叫，停下正划着的桨，又想起这些日子一直想着的心事，想起他哪怕为这样一条小船出海所做的种种准备。为了确保生存下去，所做的种种努力。埃利亚斯从来不在乎狂风暴雨。而诺姆一年四季总是穿着他那件可以顶在头上遮风挡雨的外套。他总是从小船这头跑到那头，检查所有的设备，生怕头发丝那样细的裂缝一夜之间变成带来灭顶之灾的大窟窿。“你用不着总是这样焦躁不安，焦躁不安。我猜想这是因为你生活在婚姻的废墟中。”这是埃利亚斯对他的好朋友诺姆说的肺腑之言。现在，诺姆觉得埃利亚斯的话是对他的责难。“你怎么能这样看待我呢？”埃利亚斯直盯盯地看着他那双眼睛，直到诺姆替他说出他想说的话：“为什么我活着的时候你不问我呢？”诺姆喃喃着说，他想问来着，可是怕引起争论，所以就没问。“不过，没关系。”一个人没法争论下去，他的思想又回到一生中的黄金时代。小船儿轻轻荡漾，感觉疲倦的时候就回家。

因为长时间航行，诺姆两条腿非常僵硬。他很笨重地挪动着身体，查看挂在船身上的四条鱼线。他换了饵——一块小鲨鱼肉。那条鱼是他头天夜里钓的。“瞧！”把鱼线再扔下去的时候，他对埃利亚斯说。顺着沉入蓝绿色大海的鱼线望去，诺姆看见他的伙伴紧紧跟着他。那是一条灰色鲸。巨大的灰色身影在深深的海水下面游动。诺姆完全被那束悬浮在海水中的光不停拉长的运动迷住了。那条鱼在潮水的涡流中游动，慢得让人着急。他不再在乎在水面上停留，他的影像时而浮出水面，时而沉入海底，完全失去时间的概念。

这只灰颜色的海中巨兽背负着诺姆下意识产生的思想，像风中的柳枝，在水里游动。他仿佛看见安吉尔沿着被海水淹没的小路向他走来。她在炫目的阳光照耀下，从离小船不远的水里走出来，然后沿着通往垃圾场的小路，扬长而去。诺姆紧抓这幻觉不放，自从许久以前埃利亚斯看到她以来，第一次穿过现实的壁垒，凝视着她。他直盯盯地看着她那张脸，清晰得让他惊讶。他还十分惊讶地发现，她内心深处有一种亲密而又隐秘的东西。他以前从来没有见过这张脸从孩提时代起，便超越了对于他们共同生活的嘲弄。他觉得仿佛从来没有看见过她。她以很标准的、表现在脸上的宁静与秀丽款款而行。这种宁静与秀丽她总是严密地包藏起来，只有现在，只剩下她一个人的时候才显露出来。他很羞愧，想起他和埃利亚斯收拾小船那天，自己居然藏在高高的茅草后面，沿着那条小路，偷偷摸摸地跟在她身后，和蚱蜢一起窥视到底发生了什么事情。

这本来是很普通的一天，消磨时光而已。可是突然之间，蓝色尼龙绳在水面上绷紧，诺姆·凡特姆从白日梦中惊醒。一条力气很大的鱼向他发起挑战。这条鱼咬钩之后，好像变成一块石头，一下子沉入海底，拉直了那条绳子。遥远的海岸线，他一直眺望着的那个奇怪的东西还在水面上缓缓移动，像一个球，迎着从大陆吹来的微风，在波浪间跳动。诺姆警惕地注视着海面，但是现在，西沉的红日让他心不在焉。这似乎是长长的一天，他正和从打天亮之后第一次钓到的鱼搏斗。

经过远航身体变得虚弱的老人和鱼之间的搏斗看起来已经持续了好几个小时。这是一条巨大的西班牙鲭鱼，嘴上挂着诺姆·凡特姆的一条鱼线，狭长的、银光闪闪的身体在海浪间穿行。它不时跃出水面，在空中回转身，瞪着诺姆，目光中充满对捕鱼人的仇恨。鱼线被它绷得像琴弦，来回摆动着，发出尖而颤的声音，从通常在船的阴影下游动的上千条小鱼中划过。然后，像一个诡计多端的人，把剩下的几条鱼线缠结成一团。

这一次的成功算不上大。深深植根于航海人身上的“精神欢快”，对于他却不是刻骨铭心。相反，他感到一种耻辱，他觉得自己是大海上的掠夺者，是一个陌生之地的陌生人。坐在小船上，他觉得自己不堪一击。他有点难为情地举起刀，给那条鱼开膛破肚。这时候，他看见一条巨大的黄貂鱼。这条鱼和他那条船一样大，像一阵风，掠过大海。

太阳悬垂于地平线之上，明亮的光把海水变成流动的黄金。那条向诺姆飞快游来的黄貂鱼闪烁着耀眼的光芒，好像故意使了手段，分散他的注意力，而它却用“掠夺者”的眼睛审视着他。诺姆好几次不得不转过脸，把目光投向阳光闪烁的水面，或者更谨慎地投向他脚周围闪着银光的鱼血。然而，他还是时不时抬起一双眼睛，从茫茫大海之上他这个小小的“庇护所”瞥一眼那条巨大的鱼，感受它那种神秘的催眠的力量。心烦意乱中，诺姆突然看了埃利亚斯一眼，似乎想起他毕竟不是一个人待在大海之上。他看见那个死人正朝他微笑。“如果你负责我们这次远航，埃利亚斯，你就告诉我，我们现在怎么办？”诺姆说，想放弃他对于这次航行的“领导权”，或者不再相信自己控制过这次航行。他吃了些生鱼片，像一头野兽等待另外一头野兽来偷他的食物。他听见指关节咔咔响的声音，环顾四周却什么也没有看见。但是这一眼已经足够了。他发现自己记错了的地方，这次航行的路线又在他脑海中展现出来，心里明白他又一次走上“正路”。

“好了，好了，好了！如果是这样的话……”这一次，诺姆对埃利亚斯轻声说，但没有把话说完，好像埃利亚斯也在看他正看着的那张地图。

他永远不能对自己在狂风暴雨面前的无能产生怀疑。他向滚滚波涛望去，这一次看到风暴就在大海神灵的怀抱之中。其实，风暴一直在那儿，从他们的水上之路到渔人的海底坟场。

他现在明白，他一直眺望的那个踏浪而来的怪物是那个伤心的女人，是来找他们的邪恶的死亡之神。“你能听见她吗？埃利亚斯。”那天夜里，他相信自己能听见她驾着狂风掠过海面时的叫喊声。她的叫喊是用他听不懂的语言发出的诅咒。他知道，关于她，老人们都谈论些什么。夜里，如果在高高的茅草丛里侧耳静听，他们就能听到从大海、甚至从沿海岸的陆地传来的她的哀号。老人们说，如果你听见她在海上哭喊，那就是警告你赶快离开大海，老老实实在家里待着。没有一个渔人见过她，因为她总是隐身。但是诺姆知道他在寻找什么。在他的想象之中，那是一个白发飘飘的老巫婆，皮肤黏滑，裹在身上的海草就是她的衣服。

像诺姆·凡特姆这样的人，满脑子都是关于这块古老土地的故事。他们用这些故事换别的故事，生活因此而丰富多彩。他们将这种交换称之为“正派得体”——知道了那么多好的信息，变得更加聪明能干，行为举止合乎礼节，可以堂堂正正地做人，睡梦中能和神灵比肩而立。在当地一代一代流传下来的故事中，大海里那个女人是一个死了的天使。她不知道从哪里来，但总是没完没了地寻找，把找到的人带回海底她那个黑暗、空旷的世界。诺姆知道那个世界是个什么样子，因为他在梦中见过。

所有海洋的海底，都是一个长满活着的黑珊瑚林的世界。那是黑暗最终的去处，光亮永远无法穿透。由于被某种形式的魔法所迷惑而落入那个女人之手的人们，都将永远生活在这里。他们悬挂在横穿这个星球来来回回涌动的洋流之中，被冲刷着，推搡着。老人们总是说，在那个地狱里，人们从来没有看见过的鱼实际上就是那些女人的亡灵。她们住在被她们抓来的那些男人的胸腔里，在肋骨间游来游去。她们永远都在摆弄着他们的脑子，让他们心里充满被救走的渴望。

又一阵微风吹来一个绿色垃圾袋，落在小船里，诺姆估计这个袋子一定是从德斯珀伦斯垃圾场吹来的。在海面上旋转着，飞过几百英里远。他觉得这一定是第二个凶兆，是德斯珀伦斯的什么人或者城那边普瑞克尔布什的什么人对他的诅咒。他在黑暗中踢了那个破烂塑料袋一脚，好像那是一个活物，一个低低地掠过海面的女神。可是塑料袋又扑面飞来，他一下子意识到，这是上苍的暗示，告诉他，狂风正从东北方向向海湾吹来，带来了更多的雨水。

诺姆仔细看着那个绿色塑料袋绕着小船旋转，一圈儿，两圈儿，每次似乎都想落到船上，都想扑到他身上。黑暗中，他伸出两条胳膊一边朝那个塑料玩意儿扑打着，一边说："别过来！别过来！"哦，是的！这是个什么玩意儿呀！他认定那是妻子变成的女巫。这个巫婆曾经为他生儿育女，可是后来，当着他的面儿，就在他眼皮子底下，扬长而去，将他们的婚姻变成一片废墟。他听见她在他和埃利亚斯之间走来走去，裙子发出窸窸窣窣的声音。她悄悄地对埃利亚斯说："诺姆在海上迷路了。"然后，风改变方向，她随风向海岸飞去。随着她的离去，诺姆觉得一道暗影掠过心头。风云突变，他压低嗓门儿，让埃利亚斯做好准备。"不会出什么大事。打起精神，老兄。"大海还很平静，但是诺姆等待着。风还没有变成风暴，船在平静的海面漂着。诺姆坐在船上，浑身黏湿、燥热，又回到他的婚姻濒临死亡的最后的日子里。

到目前为止，诺姆从早到晚划着船，已经在大海航行了两个星期。他吃生鱼，喝雨水——他用塑料做成一个漏斗状的东西，把搜集到的雨水储存在几个软饮料瓶子里。他知道离鳕鱼的繁衍生息之地已经不远，不再为即将到来的暴风雨焦急不安。他在平静的、湿度很大的海上航行，意识到所有那些对于错误之事的妄想，都是他失败婚姻的隐喻。

一个晴朗的早晨，诺姆知道他已经到达目的地。他看见不到二十米远，有一条鳕鱼在游动，巨大的鳍露出水面。他等待着，眼巴巴地看着它从船边游过。埃利亚斯对他说过，鳕鱼是恐龙的"后裔"。诺姆不知道是真是假。

他还有别的故事。从前，这个地区有许多动物群，埃利亚斯说。他还解释，那是几百万年前的事情。那时候，雨不停地下，黏土湖覆盖着雨林。埃利亚斯还说，你在周围走的时候，以为是行走在岩石之上，其实那都是许久许久以前树桩的化石。那时候，这一带的雨林非常茂密，他说。哦，真是很难想象！无论在哪儿，诺姆看到一个世界，就会想到另外那个世界。

埃利亚斯说，一点儿都不难想象。因为他曾经在什么地方看到过那样的树木，至于是在什么地方看到的，已经忘了。诺姆知道，古生物学家在这里发现过鳕鱼和别的动物的老祖宗的化石，然后装在袋子里用直升飞机运走。他们先用细铁丝把那些和老祖宗一起躺了几百万年的骨头串到一起，再用环氧树脂粘合剂粘到一起，覆之以皮毛，这样一来，澳大利亚人就能在博物馆里看到这些古生物从前的样子。

费希曼对那些古生物学家的工作也很了解。他对诺姆说，埃利亚斯这样说太正常了。因为鳕鱼曾经有腿，可以在陆地行走。可是几百万年前，一场大旱过后，它们又回到水里生活。“现在我们也遇到了大旱。”他说，抽着鼻子嗅了嗅。诺姆和费希曼有一次看到一条正在死去的鳕鱼。费希曼拍着它干巴巴的皮肤，管它叫“昆士兰鳕鱼”。诺姆对费希曼懂得那么多科学知识很感兴趣。费希曼微笑着说，也许它足有一吨重。他还开玩笑说：“科学的玩意儿其实很简单。你一天就能学会。”诺姆知道，费希曼那些知识都是他不经意间学来的——外语，烹饪，音乐……都是从收音机里听来的。所以他宣称：“收音机就是我的老师。”

那条大鱼一动不动躺在海滩上。诺姆看到一辆四轮驱动的丰田车留下车轮的印迹。这条大鱼是那些人用绞盘从海里拖到海滩上的。他们在鱼旁边坐下，也许是为了陪伴它，等它死。

哦，它只是那样神情呆滞地看着你，只是艰难地呼吸着，等待着。它满身棕色和灰色的斑纹，随着时间的流逝，正慢慢变干。这条巨大的鱼仿佛穿着厚厚的盔甲，大脑袋两边目光严厉的小眼睛还瞪着他们。“我觉得它看穿了我。”费希曼说。矿山上捕鱼的白人用斧子砍那条鳕鱼。“它一时半会儿死不了。”他们听见这头海中巨兽每遭一次劈砍，就痛苦地喘息一下，直到深埋在肥厚的鱼肉下面的心脏停止跳动。诺姆还知道从梦幻时代流传下来的别的关于鳕鱼的故事，并且把这些故事延续下去。他也知道许多和倒运有关的其他故事。

老人们经常说，永远不要和杀死过鳕鱼的渔人一起出海。谁都会对你这样说。最好让鳕鱼活着，要不然它的灵魂会出现在杀死它的渔人的梦里。等他出海的时候，它就能知道他心里在想什么。可是诺姆比任何渔人都更了解大海，所以他能偷走他们的好运气。而这也正是这样一条巨大的鱼的灵魂重回大海唯一的办法。

鳕鱼洞在一个深渊里。那是一道古老的暗礁，一座海底宫殿，一个圆圈状的鱼城，里面有许多地下洞穴，正是大鱼喜欢居住的地方。正如古生物学家指出的那样，在远古时代，它们从陆地回到这里；或者像梦幻时代的律法里说的那样，它们从翱翔的天空回到这里。那是几百万年之前，它会是个什么样子呢？那时候天空是蓝色的吗？

很早以前，埃利亚斯带诺姆来过海底这个遍布孔雀色大理石的地方。这地方从深海到海面，闪烁着孔雀开屏美丽的色彩。鳕鱼在这里繁衍生息了许多许多年。它们尽管成群结队地游来游去，但在各自的洞里过着孤独的生活。

一条鳕鱼游到小船边，仿佛充满爱意。诺姆立刻认出这条鱼是他的朋友之一。它总是趁着夜色游到海滩边，呼唤他跟它们去捕鱼。“啊，真该死。”诺姆说，也许因为已经到达目的地，心里充满敬畏之情。他首先开始对曾经是他的鳕鱼的朋友——埃利亚斯打起口哨：《美好的往日》。埃利亚斯误入歧途，像个傻瓜卷入城里的政治。他太忙了，没有时间出海，也没有时间捕鱼。仅仅为了城里那些破事儿，他就把什么都抛弃了，把他知道的那么多东西都扔到脑后。结果，只能是诺姆代替他，跟在那些鳕鱼朋友身后，沿着它们开辟的小路，来到这道暗礁。它们让诺姆待在这儿，把居住在暗礁里的鱼赶出来，在诺姆那条小船周围围成一个圈儿。诺姆想用鱼叉叉多少就又多少，直到他心满意足，它们才让那些鱼四散而去。

有时候，月光皎洁的夜晚，巨大的鳕鱼成群结队地游来，和潮水一起引领诺姆从黄水翻滚的河口逆流而上，让他看难得一见的奇观——满河的明虾，多得难以计数。洪水把许多枯树枝冲到岸边，鳕鱼游到前面，排成半圆的队形，让明虾落入这些枯树枝的“陷阱”。这些大鱼几十条一群，心满意足地跟随在诺姆左右，然后神不知鬼不觉，游向大海。诺姆看着它们飞快游走的“背影”，心里明白，是它们沿着“海路”回家的时候了。而那路不属于他。

想到此行并非茫无目的，诺姆感到一阵欣慰。他跟着那条给他引路的大鱼，沿着陡峭的海底峡谷上面的水上通道前进。走最后一段路的时候，他几乎整整一夜都在划船。他知道，已经快到鳕鱼居住的大深渊了。它们从那儿飞向天空，开始精神之旅。现在，他知道，一切都将变成现实。

他注意到海水流动的“图形”与以往不同，摸了摸水，发现水温也比平常高。他觉得他看见那些巨大的鱼向水底的深坑游去时闪闪发光。在他的想象之中，那些鱼一定看到死人的灵魂宛如星星，在夜空闪烁。他的目光越过埃利亚斯，看见绿色的海水涌动起来，似乎水面下有什么巨大的东西在游动，掀起朵朵浪花不停地冲击暗礁。几百米开外，太阳洒下万缕金光，在水面上跳荡，照亮了海鸟的翅膀。透过耀眼的光芒，他看见潜入沙丁鱼群中的鸟儿，一激灵，又展翅高飞，回到天空。

更多的鳕鱼出现了，跟在诺姆的小船旁边。它们的鳍划过水面，道道尾迹留下一个个小小的漩涡。许多在热风中飞翔的海鸟终于看到一个可以歇歇脚的地方，纷纷落到诺姆的船上。鸟儿太多，在船上挤作一团。诺姆不得不在它们要落下来的时候起劲地轰。他心里特别高兴，一边轰鸟，一边划船，紧跟游在前面的鳕鱼，高兴地告诉埃利亚斯，他已经找到要找的地方了。

“我们到了，老朋友。我们终于到了。我把你送回家了。”

诺姆慢慢停下船，心满意足地四下里张望。鳕鱼争先恐后地向船边游来，大海骤然间变得生机勃勃。他想到这些大鱼游过来加入到别的鱼群里的时候，是那样引人注目。直到几百条鱼挤在一起，将它们淹没。很奇怪，此时此刻他居然想起普瑞克尔布什人为某位亲人举行葬礼时的情景。尽管天气越来越闷热，但他热情不减，快乐在心头涌动。他赶走在他和埃利亚斯之间飞来飞去的白色海鸥，像站在陆地上那样大声呼喊："这里是天堂！"鸟儿从水面飞起，像天使在一股上升的热空气中翱翔。在那里，夜色和银河相会。该怎么说呢？他心里想，觉得自己也有可能飞上蓝天。是否能重回德斯珀伦斯都无所谓，因为他觉得在这里他也充满活力。他已经把埃利亚斯的灵魂带回到最后的安息之地。在这个过程中，他还发现，事在人为，只要你去做，没有办不到的事情。虽然自己已经是个老人，但只要还能观察天象，还能辨别海风，就可以一次又一次地出海。

鱼把小铁皮船围得严严实实，诺姆担心它们会不会撞到船上。有一阵子，成群结队的鱼兜着圈子，相互碰撞，似乎随时都会倾覆小船。诺姆背诵"苦路祈祷"[①]中的祈祷词，心里想着地狱而不是天堂。鱼在船尾挤作一团，诺姆坐在船头观看着。他很悲伤地看着埃利亚斯，知道很快就要和这位老朋友永远分别了。后来，鱼儿游走，在小船四周留下一湾碧水。诺姆等了几分钟，不知道下一步该做什么，或者会发生什么事情。鱼一动不动。他知道，虽然难舍难分，但不得不送埃利亚斯上路了。

"到时候了，老兄。"诺姆说。他在埃利亚斯面前跪下，掌握好身体的平衡，解开绑在他身上的绳子。这次航行中，诺姆的动作变得十分敏捷。他在小船里走来走去，就像浮力很强的软木，随着波浪在水里自由自在地飘荡。"是回家的时候了。"他想起那几条鲑鱼，回转身从座位后面拿出一个储藏东西的塑料盒子，打开盖儿，从里面装着的袋子里取出鱼，放到埃利亚斯交叉着的胳膊里。他抱起他的朋友，知道不得不把他放到水里，

①苦路祈祷：指在十四个十字架和塑像前进行祈祷和冥想，这些十字架和塑像设置于教堂中或道旁用来纪念基督受难事件。

可是又不想放，因为他知道一旦放下去，茫茫大海就只剩下他一个人了。他被孤独和痛苦折磨着，抱着那具尸体坐在船头一动不动。其实，这种感情也不完全是因为埃利亚斯。他感觉到埃利亚斯的灵魂想从他的怀抱中挣脱。诺姆很不情愿地、小心翼翼地抱起埃利亚斯，俯下身来，把他放到出奇地平静、清澈、碧绿的海水里。埃利亚斯轻轻地落入大海巨大的怀抱，越沉越深，越沉越深。不同深度的海水，都张开双臂等待着他，直到终于看不见他的身影。诺姆跪倒在船底积存的水里，为埃利亚斯祈祷，感谢上苍让他把他的灵魂平平安安带回到最后的安息之地。

再抬起头来的时候，他看见茫茫大海只剩下他孤零零一个人。所有的鳕鱼都走了，天也快黑了。

诺姆把埃利亚斯安葬在大海那天，天黑得特别早……

这一天过得多么快呀！埋葬埃利亚斯居然用了一天的时间，真让人难以置信。诺姆·凡特姆躺在船里，回想着这一天发生的事情。他想睡觉，突然想到，也许这一天并没有那么快就过去。一定是因为在大海反射的强光之下航行了好几个星期，自己的眼睛看不清楚东西，才觉得眼前一片昏暗。

“你会瞎，想过吗？”仰起头凝望天上的云彩时，他警告自己。可是因为累，没有太在意，只是想起或许那条黄貂鱼因为入侵它的领地想把他弄瞎。它已经把他当成追捕的对象。整整一天，它一直故意在他的视线内游来游去。是的，故意让他凝望海面炫目的光，它自个儿却耐心地等待太阳在天空中落到足够低的地方，用反光弄瞎他的眼睛。“喂，船边那个人！”这是谁？在哪儿？你，你这个发了疯似的叫喊的傻瓜。哦，一定是可怜的埃利亚斯在呼喊。让他别成了那条黄貂鱼的牺牲品。他知道，如果那条黄貂鱼再来，一定要更当心点儿。因为不会有人再喊“船边那个人！”没有人再听得见，甚至他自己。他会从船上跳下去，追赶它的微笑。

人们说，海上的魔鬼可以像病毒一样游到渔人的脑海里，等时机成熟之后，就把你的思想变成他的思想。想到大海能把人逼疯——尽管还有别的东西可以改变世界的面貌——一个老人的视力靠不住也就完全有可能了。要是在陆地，他一眼就能看到一块钱的硬币。诺姆看着手指间的白胡子，生气地想，自己真的老了。也许这次连德斯珀伦斯也回不去了。他觉得精疲力竭，好像有一块铅进入他的血液中，在身上流动。他在船舱安顿下来，想好好睡上一觉。和最可信赖的朋友做最后的告别让他十分伤感。他对自己说，明天再收拾小船，扬帆远航。

可是他错了。他本来应该立刻掉转船头回家。几百万条小鱼聚集在他的船下向南游去。银色的月光下，远远近近，它们游过的地方泛起层层涟漪。诺姆没有注意到这情景，也没有注意到在他船边拥挤的鱼群。这些鱼好像来告诉他，让他赶快离开。他更没有发现远处西北方向，水神掀起冲天巨浪，已经和天空中的“军阀”开战。他本来应该立刻离开，但他只想睡觉。

即使看到乌云奔涌的天空，或者感觉到正在逃走的鱼群，他也拒绝承认上苍发出的警告。他整个人都好像漂流而去，随着熟悉的、催人入睡的波浪起伏，渐渐进入梦乡。一幅幅不连贯的杂乱无章的画图、指示方向的星星在他那疲惫不堪的脑海里跳动。从四面八方滚滚而来的洋流，越过太阳的轨迹。他在星星的丛林中摘取星光，从鱼叉的缝隙里观察水流。阳光聚集在一起，供他选择，一点一点地描绘想象中回到德斯珀伦斯的航海图。那是他必须去做的事情，到了早晨，或者晚一点，到夜里睡觉之后，他就上路了。

他时睡时醒，被迫进入一种无眠的状态，想弄清现在的时间、地点和洋流。睡眠终于离他而去，因为他的思想又活跃起来。他的脑袋里就像通了电，举目四顾，云水翻腾，人在波峰浪谷间颠簸。他仿佛在茫茫大海艰难地跋涉，寻找一个可以逃生的出口。排天巨浪向四面八方横流，好像那是他知识的浪涛飞溅，直到形成一张水的蛛网——一个和他所知的洋流纠结在一起的四边形，一条条通往家乡的道路。睡眠终于又通过对一只蚂蚁在它的泥土世界没完没了的、蜿蜒曲折的爬行的回忆降临到诺姆的头上。可是每一次响雷都把他从睡梦中惊醒。那时候，他就觉得埃利亚斯竭尽全力，从大海深处浮到海面。诺姆觉得他的心剧烈地跳动着。他仿佛看见埃利亚斯拼命挣扎着要活过来时那张绝望的脸。而他也似乎极力把脑袋探到水面之上，代替埃利亚斯喘着粗气。后来，他又看见埃利亚斯两只手抓住船帮的沿儿，想把他拖到海里。诺姆一下子清醒过来，正好逃脱一场噩梦。

他向月光照耀的大海望去，除了大鱼什么也没有看到。一条三保公鱼，一条大石斑鱼，一条甲鱼在海浪间“飞行”，然后肚子朝天砰然跌落在浪涛间。不过这声音和海鸥刺耳的叫声相比实在算不了什么。他再睁大眼睛的时候，看到几十只海鸥又把小船挤得满满的。只要他有一点儿响动，海鸥就拍打起雪白的翅膀。然后又老老实实蹲在那儿，像天使一样凝视着他。

诺姆觉得胸口一阵疼痛，不由得弯下腰。他想自己要死了，要不然为什么会这样呢？莫非死神已经在天使的护卫下来临？他像一个行将就木的虔诚的祈祷者，在睡梦中呼喊：“光荣属于天父！正如创世之初那样，现在和将来永远都如此。”几分钟之后，他才清醒过来，看见那些鸟儿像闯进食品储藏室的叫花子一样，肆无忌惮地打斗，争抢挂在船两边的西班牙鲭鱼，一个个狼吞虎咽，拼命往肚子里塞。

过了一会儿，他又进入梦乡，梦见星星沉入水里，星光照亮水底世界，鳕鱼的宫殿流光溢彩。他向海底望去，透过层层翻滚的波涛，直到看见深入到中生代形成的悬崖峭壁之间的无底深渊。那深深的洞穴也许是梦幻时代火山爆发留下的踪迹，也许是陷入海底的一座城市。

海底世界每一层都覆盖着颜色深浅不同的珊瑚组成的大花园，有的深红，有的淡粉。闪闪发光的碧绿的海菜随着洋流，在橄榄色海草的“田野”里漂动。诺姆·凡特姆看着眼前的奇观，心里想，生活在水里的鱼日子远比他这个来自德斯珀伦斯的干巴巴的老头强。他看见自己走过轻轻颤动的花园，寻找埃利亚斯。可是他看到的只是蓝绿色的缓缓游动的龙虾和小龙虾。一看到诺姆迈着渔人的步伐，小心翼翼地走过来，大声叫喊着：“埃利亚斯，埃利亚斯！”它们便像一尊尊小雕像，一动不动，“凝冻在水里”。是啊，这些事情和它们没有关系。它们只是在他那条小船的尾流掩护之下，惊慌逃窜回自己洞穴的甲壳纲动物。

那些奔逃四散的小动物和他的梦一起消失。诺姆向水面望去，看见大约有五十多条巨大的鳕鱼像一团团黑压压的乌云从远处游来。每一群鱼向上游动的时候，海水都会哗啦啦地翻腾起来。巨大的鱼高高地浮出水面，海水像瀑布一样，在它们身后飞泻而下。那些鱼在落回到海里之前，跃到最高点的时候，并没有停下。诺姆擦掉溅在脸上发咸的水花，观察它们在海空飞翔，在银河的世界里漫游。它们在天空下变成一个个斑点，越来越远，直到变成一团云，融入星星和神灵的天国。

后来，它们唯一留在身后的"骚动"是一个个漩涡，小船越发颠簸起来。诺姆时睡时醒，朦朦胧胧看见鱼儿变成星星，在天空中飞翔。最后，这夜晚的"大篷车"队在它的旅途越走越远，越走越远。他立刻明白，埃利亚斯和它们在一起。谢天谢地，他是以另外一种形式而不是那个弯腰曲背的死人，回到天堂的。他本来会带着德斯珀伦斯那个完全没有希望的人一块儿完成这次旅行。埃利亚斯是回他自己的国家，或者他想称之为家园的地方。诺姆对埃利亚斯的形象有着丰富的联想，并且因此而喜不自禁。他知道，自己这辈子不会再对他有所期待了。他不会再以人的形象出现在眼前，他像一颗星星在夜空闪烁。人像一颗星星。鱼星。诺姆寻找那些使得埃利亚斯与众不同、并且一直清晰可见的种种标志时，往事历历在目。什么也没有发生。那本关于他们友谊的书已经合上。什么也没有留下，只有留在阳光下的贝壳和海水浸泡过的磨破了的棉布衣衫。倘若有人看见一定纳闷，那会不会是个人呢?

清晨，诺姆醒来，听到海鸥的惊叫声。他用上衣蒙住脑袋，不让阳光照到脸上，懒洋洋地躺在那儿，不知道是因为一直做梦而觉得疲惫不堪，还是因为睡得太少，没精打采。猛然醒来，鳕鱼大批离去的情景又浮现在他脑海之中，栩栩如生。直到那一群群海鸥盘旋着，发出震耳欲聋的喧闹声。那声音在天空回响，仿佛远山在呼喊。

他撩开蒙在脑袋上面的上衣，向外张望，惊讶地发现从昨天起，更大的一群海鸟聚集在水面和天空。而且目光所及，越来越多的鸟盘旋而来。周围的水面白花花一片，全是鸟，随着波浪起伏。他站起身来，拍了拍巴掌，鸟儿从船头飞起，可是一转眼的工夫，又都落了下来。他一下子明白是怎么回事儿了。

现在是候鸟回到海湾海岸线的季节。有的鸟飞到别的地方。在这一群群来回迁徙的鸟儿上方，他看见雨季早晨无比壮观的云朵赫然耸立在海空。任何当地人都知道这种管状的云意味着什么。云彩从西到东，低垂在海面上，诺姆觉得那云向水平线下落时几乎会碰到头上。他突然意识到，鸟儿沿着一条特别的路线飞翔。这条路线是那些大鱼向夏日的海空飞去时，在凉意习习的大气层中留下的一缕缕水蒸气形成的。这一条云带很快就会蒸发，但是早晨会一次又一次再出现在天空，直到巨大的云团聚集在一起，空气中充满水汽。等到大雨终于停歇，海水渐渐平静下来，大鱼再次回来，就像大自然循环的万物。

诺姆·凡特姆来到鳕鱼的生息之地的第二个上午，黎明时分就醒来，一边眺望锁在大雾中的海景，一边喃喃着祈祷词：没有末日的世界，阿门……

鸟儿已经飞上高天，哪儿也没有它们的踪迹。他甩出鱼线，准备钓鱼。天气很好，阳光明媚，诺姆决定先钓鱼，补充被海鸟吃掉的鱼，然后再踏上回家的漫漫征途。唷！啐！瞧呀！时间这么宝贵，这个固执的老头却认定他只能钓这儿的鱼，而不愿意吃别的地方的鱼。他已经拿定主意。事实上，一旦垂下鱼钩，开始钓鱼，没有什么力量能阻止他。他要坐等鱼儿上钩，然后再开始回家的旅程。那时候，时间像凝固了一般。诺姆·凡特姆对时间的把握宛如一只精心设计的钟，一旦钓够了——十条鱼线每一条钓上一条大红鳍笛鲷——“闹钟”就响了。十条大鱼足可以吃好几天，往大海里扔几条之后，微风徐徐吹来，几个小时后，就该启程回家了。

可是这天真怪！大雾不散，鱼不咬钩，诺姆很耐心地坐在船头，随着波浪在海面轻轻跳荡。他一整天都在等待，等待能有一条鱼线动一动。船桨没精打采地躺在船里，诺姆完全没有了时间的概念，不想划船离开。

第三天，还没有鱼儿咬钩的迹象，诺姆弯腰曲背一动不动，面无表情地等待着，眺望大雾弥漫的海面。大海仿佛白膜下面充满神性的地狱，还没有决定他要创造的这一天是个什么样子。诺姆清楚地感觉到小船下面大海的律动。波浪依然在从地球那边吹来的东南风中不停地跳荡。他还记着自己准确的位置。要不然，万籁俱寂之中，他看起来就像已经死去。没有鱼去拉那条一动不动的鱼线。没有一朵浪花跳起来迎接吹拂而过的风。透过灰色的、昏暗的海水，什么也看不见。

他只想着眼下的“使命”，闭着嘴唇嘶嘶地说：“来呀，该死的沙丁鱼！”他仍然固执地相信，鱼迟早会来。是的，它们一定会来，因为这是一个非常理想的去处。他不停地观察有没有食肉的大鱼把鱼群赶过来。在这样一个地方，鱼儿像关在牲畜栏里的牛羊，无路可走。可是此刻，它们在哪里呢？

在他那宛如雄鹰一样犀利的目光注视之下，没有一条鱼，大鱼或者小鱼，出现在海面。在很深很深的水底，洋流正在涌动，可是诺姆——海湾的钓鱼之王——一点儿也没有发现正在发生什么变化。如果不觉得多么郁闷的话，他至少在想，这一天是不是自己一生中经历的最漫长、最孤独的一天。

他用那把锋利的、剖鱼用的刀子，紧贴头皮，割掉一缕缕头发。他凝望着海水，没有注意到快速移动的洋流，只是眼瞅着落到水面、慢慢飘走的一缕缕头发和胡须。大海占据了他的全部思想，提醒他，生命总是被死亡纠缠。当海洋女神的阴影笼罩他的时候，诺姆·凡特姆全无防备。别人对此也一无所知。

大雾很快消散，就像一位魔术师出人意料，猛地击碎大幕，把轻飘飘的云撕成碎片扔进大海。“海洋女神”不期而至，让诺姆·凡特姆大吃一惊。风宛如一双强有力的大手在他背上重重地推了一把。他不由得向后退了几步。她先是揪扯着他，想让他站起来。船因此而摇晃起来。她看不见摸不着，但是带着一股静电触摸他，他无论怎样动作，都会向她那让人觉得刺疼的身体倒下去。女人的哀号在他耳边响起，她拥抱他，好言相劝，要他按照她的愿望行事。这一切无法否认。呼啸而过的风传递她的需要。这一点很容易破解，即使愚蠢如老傻瓜尼克莱·芬的人也听得懂，当然他得活着。诺姆站在那儿，看着大海，像一尊雕像。她向他招手，让他跳下去。“美丽的海鸟已经为你打开一条通道，”她嘶嘶嘶地说，“跳下来！”她每重复一次这句话，都好像一位热心观众在回声室[①]里看魔术师精彩表演、鼓励胆怯的自愿者“跳下来！跳下来！跳下来！”时发出的阵阵回响。

“可是埃利亚斯已经走了。”诺姆不停地对海洋女神说，好像纠正她的错误是他的责任。他站在摇摇晃晃的小船上，和她争论时不时稳住身体。他一方面承认她的存在，另一方面理智唤起他淡淡的、回家的愿望。在孤寂中一个人自言自语了这么长时间之后，他很高兴能听到一个女人的声音。他当然愿意和她一起去看埃利亚斯，而且心里清楚，一旦找到埃利亚斯，他就会离开她，抛弃她。他想到自己如何逃脱海洋女神的控制，和埃利亚斯一起回家，重新活一遍。他甚至看到自己那副非常惬意的样子。但是他仍然克制放弃她身体的念头。那种压抑自己欲念的抗争，让他疲惫不堪。“不要找借口了！”他听见她还在嘶嘶嘶地说。“你看，武士们来了！左看看，右看看！这是他们的战场！快！救你自己！跳吧！”她掀起滚滚波涛。

只有天知道他是怎样设法在颠簸的小船上稳住身子。他像弹簧一样随着船的颠簸晃动，保持平衡。他用尽平生力气，脚踩在船底，好像生了根一样。她又很粗鲁地推了他一把。就在他看起来要倒下去的时候，她没有把他抱在怀里，而是改变策略对着他的耳朵悄悄地说过去家族之间发生的那些古老的“战争”。她说得很快，就像放机关枪，几分钟之内就把那地方几个世纪的历史说了个清清楚楚。准确的时间、地点，谁家的边界在哪里，为什么别人说那是他们的地盘儿，然后又一次一次地解释他们为什么没完没了地争斗，每一次争斗错在哪里。

---

①回声室：四面用回声壁封闭的房间，用于广播和录音时制造出回声或近似回声的声音效果。

她知道得太多了。她能说出参与人的名字，大家经受的苦难，谁倒在战场上，还能说出怀疑和误解如何像癌症一样扩散。她对几千年来战争的来龙去脉了如指掌。几分钟之后，她管他叫“军阀”，开始讲他打过的那些仗，展示他生活的画卷，告诉他如何逃脱持续不断的家族之间的斗争。她耳语着，时快时慢：“来吧，远离那种不快乐的死亡，和我在一起。”

她提供的这些消息没有光彩。她是在撒谎吗？诺姆想从她啰里啰嗦、杂乱无章的叙述中弄明白点什么。从已经被人们遗忘的历史的“纵横拼字谜”中理出个头绪。那个“字谜”越来越大，衍生出新的分支，她便“捷足先登”，塞进几个她自己的字。可是诺姆更熟悉这种游戏，他能用正确的字把她挤出去。他现在明白，大雾消散之后，风从两个方向吹来——东南和西北——呼啸着碰撞在一起。她大叫着喊出他认识的所有那些死人的名字，试图以此分散他的注意力。她描绘现在他们在阴间继续进行的战斗。他只好屈从于她。她的知识比他更丰富。她指责他的无知。她让他从心灵上变成个残废。他被打败，但从自己身上看到一些新的、真实的东西。他只是一个懒洋洋的老水手，不是经验丰富的老舵手。事实上遇到可能要丧失生命的危险关头，他靠船长领航带他回家。

德斯珀伦斯的老渔人经常说，最让人遗憾的是，有的渔人对鱼过分贪婪。这种家伙就像大海上赌输了的赌徒，不知道该如何结束一天的工作。你听说过那些人着了迷似的，不愿意离开鱼洞，不知道什么时候才是个够。那些捕鱼的赌徒从来不知道什么时候收手。哦，这种事情就是这样。

有这样的故事流传：那些命中注定的倒霉鬼在大鱼成群的海里迷失方向——就像正在奔逃的鲑鱼被钓饵迷惑。那是一种最可怕的热情。他们不分昼夜，跟在水里宛如团团乌云的鱼群后面，捕到鱼之后就扔到船舱里。船舱里的鱼越堆越高。等到超载的船沉入水底，就连水鸟也已经吃得“膘肥体壮”。他们和船一起沉下去，全身心地渴望鱼内脏腐烂的气味。也有些“捕鱼赌徒”幸免于难。你会同情他们。你看见他们在德斯珀伦斯闲逛，脸上一副可笑的、怅然若失的表情，就像塞满肚子的鳐鱼。他们看起来就像被跳蚤咬了的狗，偷偷摸摸地从一个角落跑到另外一个角落，藏到篱笆后面，或者别人的院子里。见人就躲，因为他们认为有人想阻止他们下海。看到有人咬牙切齿地叫喊着，手里挥舞着长长的棍子在郡公所前面的大路上跑来跑去，想把他们那些发了疯的亲戚从船边赶走一点儿也不奇怪。看到家人鞭打那些“赌鱼”的家伙，一直打到半死，你也别心软。你也别费心劳神给政府打电话，说南方的城市里社会福利多么好，配套设施多么完备。谁也无法清除掉“海上女神”灌输到渔人脑壳里的“磁力”。

在“海上女神”的领地，诺姆看到远处浪涛滚滚，黑压压一片，宛如被缠绕的神灵。他听到半空中传来哀伤的、单调的、宛如内心独白似的声音。就好像有人慌慌张张地朝他跑来，然后像一缕青烟，旋转着直上云霄。诺姆站在“舞台”中央，准备着，等待着。因为他是勇敢的人，像一个武士，准备迎战她那支由痛失亲人的女人组成的大军。

他还记得老人们从德斯珀伦斯海岸高高的茅草丛中眺望那一朵朵云彩，然后回转身，总是问同一个问题：“喂，小伙子，你知道她们都是谁？”是的，诺姆知道那些寡妇。她们属于终其一生的预兆——把他的命运和她们的命运联系到一起。那些绝望的死者的灵魂在夏季季风吹来的暴风雨中飘摇。诺姆望着天上漫卷的云，看见她们一袭素衣，镶嵌着银色的水花，看起来宛如撕破的花边，装饰着点点珍珠。

每一个寡妇都在云雾间赫然耸立，大声嚎哭，泪飞如雨，和刮得更猛的西北风一起向远方飘去。那纠缠不去的鬼蠹立在海天之间，越来越高，越来越高，直到再也不能保持她们的尊严，直到终于颓然倒下，在诺姆头顶响起一串串炸雷，亮起一道道刺目的闪电。诺姆拍着巴掌喝起彩来。她们做出的每一个姿势，他都报之以真诚的欢呼，咸咸的泪水从他被风吹打的眼睛流出。在天空的舞台上，每一个没有瑕疵的表演都为别人开拓了展示的空间。而这些“别人”，个个威猛、高大，都以同样强大的力量甩着鞭子，搅起更加激动人心的风。

随着渐渐减弱的东南风带刚刚吹来的风，让诺姆变得步履轻捷。要不是身处大海，他一定会跑起来。整整半年，一过午夜，东南风就呼啸着从房屋的缝隙穿墙而过，仿佛要把人性从熟睡着的人们心里偷走。现在，这种快要消失的力量被超过，被战胜，只有用德斯珀伦斯人家的武器反击：那么多失望的梦，和男高音对没有报答的爱情的歌唱。哦，天哪！诺姆提醒自己，在估计风暴力量的时候，最好提高警惕，除非他想被人们作为一个溺死在自己白日梦里的"理论家"缅怀。这也正是方向相反的信风与之交战时起到的作用——把盖子吹掉，把航海者关于鳕鱼出没路线的"意境地图"吹跑。

风暴愈来愈猛。洋流在两股信风的撞击之下，掀起小山般的巨浪。诺姆紧紧抱着小船的铁座子，在波峰浪谷间颠簸。他一会儿祈祷，一会儿咒骂，身体紧贴船底，任凭喧嚣的浪花冲刷、抽打。有一刹，小船突然被巨浪抛出水面，他刚刚来得及吸一口气，小船便又侧着身子冲下又一道水墙，跌进水的深渊。

虽然如此，他可以像趴在树叶上的一只蚂蚁躲过这场劫难。几个小时过去了，他仿佛被巨浪撕得粉碎，砸成一团血肉模糊的肉泥。他对埃利亚斯呼喊："老兄，带我一起走！我不愿意一个人孤零零地去死！"但是连他自己也听不到这声音。在他耳朵里回响的是伴随着巨浪的阵阵惊雷。他一次次被抛上去，再落下来，但是他双臂还紧紧抱着那条小船。他想，也许他人已经死了，但是精神还没死，正在命运的曲径迷宫中穿行，对正发生在他身上的每一件事情都心知肚明。

他想说点什么，可是擦伤的嘴唇肿得老高，连耳语般的声音也发不出来。因为灌了太多的海水，喉咙干得冒烟儿。他使足劲儿，但好像有一个球卡在嗓子眼儿里，还是什么也说不出来。"带上我，"他终于说出这样三个字，低得连自己也听不清楚。他想让埃利亚斯赶快来，又怕他从身边溜走。不管他心里怎么想，他还是吃力地听着，相信埃利亚斯正敲他那条小船的船底。是的，是的！埃利亚斯来了，可是他一点儿忙也帮不上。诺姆知道，埃利亚斯就在身边，想爬到船上帮助他。

终于正在交战的“鬼兵团”停止开火，巨浪渐渐平息，暴风雨开始收敛。天空中，毒蛇打开它们藏身的盒子。得胜的西北风继续肆虐，呈水平的方向横扫茫茫大海。诺姆筋疲力竭，半是清醒，半是昏迷，躺在船舱的咸水中。他的身体轻轻抽动，皮肤溃烂发炎，耳朵被他闯入的这个世界的种种响声震得什么也听不见。他挣扎着，从刺得浑身疼痛的海水中爬起来，舒了一口气。他觉得小船下面有什么东西推着他，飞快地向前，向前。

他躺在船上，因为浑身是伤动弹不得，也无法抬起脸迎接那从天而降的雨水。诺姆只是看到，雨停之后，一团团乌云低低地压在水面上。有时候，他看见一大群一大群水鸟从同一个方向飞来。他知道，即使在暴风雨中，鸟儿也不会迷失方向。它们会按不同路线向大陆飞去。有时候，仔细观察，就能看到，那些鸟儿实际上是乘着风儿飞翔。它们只是张开翅膀，被风吹着前进。

自从起风，已经过去好长时间。诺姆一次又一次闭上眼睛想睡觉，可是他总是挣扎着，不让自己进入梦乡。想起应该祈祷，他便开始背诵悔罪的祈祷词：“啊，上帝！对不起，请原谅我们的非法侵害。”背到这儿，他停了下来。他已经很久没有去教堂了。过了一会儿，他又试着背诵。再次停下来之前，又在心里琢磨那个让他困惑不解的词——“非法侵害”。对他而言，“非法侵害”是个“文气”十足的词儿，一辈子也没怎么用过。这个词儿保护黑人的法律，也保护白人的利益。它给斗士注入生命力，又将人们隔离开来。这个词本身没有什么大不了，但它能引起足够的嫉妒、争斗、损伤、杀戮。人们为之付出的代价难以估量。“非法侵害”在漫长的岁月里引起了无数次战争。“非法侵害”正是准确地描绘出他现在处境的字眼儿。他突然想到，首先，自己和埃利亚斯一起来这里就是犯了一个错误。倘若按女儿们的意思，处理了他的尸体，也就万事大吉了。可是，他大声叫喊：“把船推开，埃利亚斯！不要管我！”

但是他无法保持清醒，他最后看到的是自己在大海的“曲径迷宫”旋转旋转……他立刻意识到，他正在进入一个精神家园。所有男人以及他们的妻子儿女，还有儿女的儿女都禁止入内。在梦里，他仿佛从一条叫“非法侵害”的大船上看到了自己。他看那条船的时候，看见自己和狂风卷起的洋流一起呈直线向前滑动。他经过一个又一个人们曾经在大海生活的地方。这些地方都遭到破坏，但是每一个目的地又把他推向新的目的地。结果他被推得越来越远，越来越远，终于进入曾经存在过的更为新奇的地方。这些神圣的地方都不会给人带来希望，却有能力抢夺诺姆自己很难把握的信仰，直到他觉得精疲力竭，既不知道自己身处何方，又不知道怎样才能顺着原路返航，回家。

他知道，如果要找到回家的路，就得想起许多用来显示景色特征的陆标。然而对于他，这是无法完成的任务。一个不熟悉的声音告诉他，那都是远古时期留下的遗迹，宛如大海里的一块块化石。有人或许在那里居住，不愿意被人打搅，所以最好不要去冒险。他知道，他现在看到的情景再也不会看到。这当儿，他无法把头转过去，看别的东西。他听见有人用一种既刺耳又陌生的语言说出这些地方的名字。穿过大海的迷宫曲径，他注意到两边有什么东西在流动。那东西看起来不像黏土，凑过去细看时，他才看出原来是古老的蛛网。最长的蛛丝从蛛网上揪扯下来，和别的东西缠结在一起，宛如一只巨大的触手，要捕捉从它刚编织了一半的大网中穿过的小船。他想象着自己被永远埋葬在这个古老的秘密之地。直到有一天，在信风交战的地方，他的灵魂化作冲天巨浪。在永恒的未来，他像军中斗士，依靠捕食曾经像他一样孤单的水手、拯救一点点人性而过活。而这种战争从来不会因为活生生的人变成死灭了的神灵而解决问题。

诺姆突然醒来，被自己居然沉湎于梦境、连气也喘不过来，吓了一跳。雨停了，他那条铁皮小船继续飞快地漂流，仿佛被大海无形的大手推动着，和洋流一起滚滚向前。诺姆知道，他正向东北方向漂流，可是他只能听之任之。他只知道，德斯珀伦斯在西南，离他已经越来越远。夜里，有时候，风突然停下，这个世界好像变成一个不错的容身之地。随后的两天，小船一直在洋流的推动下向东北漂流。只要有点力气划桨，诺姆就想划上两下。

可是他发现，根本就无法抗拒大海的意志。他每一次想要划桨的时候，船桨立刻就被海水冲到船边。诺姆清楚，他根本就没有办法改变方向，向德斯珀伦斯航行。

整整一天，他都用拖网捕鱼，捕了足够的鲹之后，便可以按顿吃。太阳照到头顶之后，他就把外套顶在头顶上遮挡阳光，尽管乌云还低低地压在海面之上。有时候，他嘴里哼着小曲和西部地区的歌，就好像从自己家里拿了什么得心应手的宝物。沉湎于这些音乐中的时候，他仿佛看到每一个孩子都是伴随着某一个曲子、某一首歌儿长大。要不然，他怎么也想不起这几个孩子长什么模样。他总是非常认真地观察又飞回到海面上的鸟儿，注意它们的方向，从哪儿飞来，往哪儿飞去。第三天，他被一种早已忘掉的声音惊醒。第一缕灰蒙蒙的晨光下，几条绿色的蛇在水天之间穿行。就在那些蛇越来越近的时候，他欣喜地看到，许多鸟儿向他飞来。“哦，陆地！是陆地！我的桨呢？”他立刻就认出那些鸟只是普通的海鸥。但是此刻在他眼里，那是大海的天使。看到这些“天使”，他非常高兴，心里明白陆地已经不远。他立刻拿起桨划船。船儿在浪涛间穿行，从翘起的船头望去，他看见大海之上翻滚着朵朵云霞，非常壮观。银色的阳光照耀着周围的海水。他穿过一座波峰，又穿过一道浪谷，然后再爬上一座波峰，直到小船驶向浅浅的水湾，在海滩上搁浅。

他像一个惊叹号，屹立在散发着一股腐臭味儿的海滩上。诺姆·凡特姆不知道自己身处何方，他看到几百万条死鱼和脚边正在腐烂的海洋生物堆在一起，而他也置身其间，这真是不可思议！不多，也不少，徒劳无用，被人忘却。但他无法接受这个事实。成千上万饿极了的海鸟聚集在一起，宛如一朵朵白云，在薄雾蒙蒙的海滩上下翻飞。诺姆和它们一起叫喊：“我不是，不是……”死鱼。死鱼。这两个字卡在喉咙里说不出来。

被雨水浸泡过的丛林静悄悄地伫立在诺姆身后，像一张大嘴在沙滩边张开。那仿佛是命中注定要有一场劫难的不祥的预兆，看得他浑身发冷。他不敢走进去，至少现在还不敢。谁知道会不会有女鬼在丛林里慢慢地走？

但是此情此景、此时此刻，不接受丛林的邀请似乎有点愚蠢。他仿佛看见她们在丛林里不无嘲弄地走来走去，嘴里念念有词，但他什么也听不见。他眺望大海和时而聚集、时而分散的云彩。

他想，自己这辈子还没有过像现在这样茫然不知所措的时候。在鸟儿震耳欲聋的喧嚣和远处偶尔传来的滚滚惊雷声中，他严厉指责海神和天神不该让他活下来。被倾倒到令人憎恶的坟场——对生命毫无意义的屠杀——那该是命运怎样的纠结！他非常高傲、非常生气地说起自己平安上岸的事情，称之为“纯粹是笑话”，好像他可以找到逃脱现在，重塑过去，安排未来的办法。

“大海！你现在听到我的话了吗？你太残酷了，像女人，你这个大海！你难道还不想和我断绝关系吗？”

惊涛拍岸，大海阴沉着脸回答，把海中之物的残骸抛到沙滩上。他跳着脚躲开迎面飞来的浪花，但他完全有权利指责大海。尽管这一趟远航折磨得他非常虚弱，身心俱疲，但他依然有权利说点什么。所以，如果他丧失理智，仰面朝天，说点什么，还有什么问题吗？“我知道我在说什么，”他大声叫喊着，行为古怪，在正腐烂的鱼堆里跳来跳去，好像闻不到那股刺鼻的臭味。他的眼球在眼眶里很不自然地突出着，没有弹性的皮肤紧紧贴在骨头缝上皱皱巴巴。那天晚上，他划船离开德斯珀伦斯时穿的脏兮兮的背心和短裤已经撕成破布条。现在再蒸发一点身上的水汽也没有什么坏处。让海上所有那些古老的幽灵知道，一个像诺姆·凡特姆这样的人，即使被狂风暴雨折磨得只剩下一具骷髅，也还有更重要的事情，而不至于被粗野地丢在一个或许压根儿就不存在的地方。他以前就听说过这样的地方。人被抓到地狱，在海图上未标明的、一片片空空荡荡的水域苦度日月。

大海喧嚣，波涛起伏。波浪不管他说些什么，继续向海滩砸去。风呼啸着，从头顶吹过。已近傍晚，鸟儿在它们栖身的隐蔽之地和礁石的缝隙中高一声低一声地鸣叫着。诺姆像一个寻找逃跑路线的逃亡者一样，在海滩上搜寻着，嘴里念念有词，仿佛对自己说，坚信他和大海的关系非常深。

他和别人不一样。那些人是强盗、歹徒、暴虐专横的人！就这样，这位大海的好朋友，压低嗓门儿，为自己的不幸哀伤——像囚徒一样被关在沙滩上，被压迫成一个不堪一击的人。

在这种心境下，他看到在茫茫大海的映衬之下，点点亮光，宛如标志杆上的霓虹灯闪闪烁烁。那是路标！和德斯珀伦斯南边高速公路上的路标没有两样：“慢行”，“减速”，“注意过往牲畜”，“注意洪水”。他读那些路标上的字，想把它们解读成神灵传递的信息。小飞虫飞来飞去，叮已经腐败的臭鱼，他觉得它们就是“信使”，或者化了装的神灵。仿佛有一位守护天使趴在他的肩膀上，顺着他的目光朝前看。那是他胡须飘飘的形象，也可能就是他自己的影子。他想起坑坑洼洼的黏土湖，觉得眼前海滩上的沙粒，也许就是来自德斯珀伦斯。但是这粒沙子和那粒沙子都同样没有意义。他用那些沙粒排列成一个个图案，那是他通常理解世界的一种方法。他的眼睛在那些标志间来来回回地看，因为他想把它们连成一条生命线，一张可以让他弄明白现在身处何方的地图。

傍晚，风停了下来，丛林一片寂静。但是他仍然觉得沙滩上到处都是那些发了疯的女人。她们一边在沙滩上慢慢地来回走动，一边看他的寻觅有什么进展。万籁俱寂中，他需要被人们听见。于是，被寂静完全“淹没”的他，仿佛被什么神奇的力量驱使着，开始说话。他没完没了地讲呀讲呀，讲关于他自己的那些最为怪诞的故事。夜里十点半，风再度刮起。那时候距离他开口说话已经六个小时，但是风惊讶地发现，他还在那儿絮叨，于是趁机报复。海滩上骤然刮起一场沙尘暴，风儿像卷起垃圾一样，刮走他说的那些话。沙粒打在他的脸上，就像蚂蚁叮咬，十分难受。他不由得闭上眼睛。但是，他并没有因此而闭上嘴巴。他继续对上帝说自己的看法。上帝已经不再摆布人们的命运，只是在倾听一个叫作德斯珀伦斯的、古怪小镇发生的事情。笼罩大海的浓雾向海岸汹涌而来，仿佛在他的伤口上撒了层盐。大海掀起高高的波浪，向海岸扑来，就像紧紧绷着的下嘴唇，戏弄着他，要咬他一口。丛林颤抖着，充满期望。用语言向大海倾诉心怀是一种古怪的游戏，不过聪明人都这样做。人总是为了救助自己，去评判大自然的功过。

那位勤劳的、判断力很强的守护天使极力鼓动诺姆到丛林里去。他以园丁鸟[①]不露声色的模仿能力颂扬蚂蚁的勤勉，还夸奖在散发着腐臭味儿的泥沙中辛勤耕耘的聪明的甲虫和从一个窟窿钻到另外一个窟窿里的螃蟹。“去吧，”他说，劝他赶快回到丛林。不过毫无用处。他不会听从一个影子的劝告。因为他深信，他已经为自己的未来勾画出一张蓝图。他终于瘫倒在沙滩上，瞪大眼球突出的眼睛，凝视着夜幕下滚动的海浪，不敢掉转身。哪怕短短的一分钟也不敢，生怕藏在黑暗中的浪涛跳起来把他卷走。

惊涛拍岸，波浪起伏，大海无休无止的、单调的喧嚣是不是让他进入催眠状态？滚滚波涛下，一幅可怕的景象出现在眼前——几米开外，浑黄的海水中漂浮着死鱼，旋卷着沾了一层黏乎乎的东西的贝壳和泥沙。就在那里，他看见许多张死人脸，看见那脸上一束束目光正穿过回头浪凝视着他。就在那里，在海浪的喧嚣声和想进入梦乡的鸟儿叽叽喳喳的叫声中，他听到阵阵风声引诱他走进他一直等待的罗网。

再远一点，他看见海上女神藏在比较深的海水里，正在来回飘动的海草里等他。情况就是这样：出海捕鱼的人们都知道，她有时候像普通女人一样身材矮小，可是有时候，却像海一样硕大无朋。许多年前，他还是个小孩子的时候，在梦里看到过她的模样。他看见她在德斯珀伦斯海面奔跑，头发比她的身高还长，缠绕在身上，像箱水母[②]有毒的触须缠绕在身上。她那灰颜色的皮肤像鲨鱼皮一样粗糙、坚硬，尽管不像鲨鱼那样干净。她浑身披挂着蓝绿色的黏液，好像在海底到处都是黏液的洞穴里漫游时收集到的花边和缎带。

①园丁鸟：一种澳大利亚和新几内亚园丁鸟科的鸟类，其雄鸟常用草、小枝和色彩亮丽的材料建成大而精致的鸟窝以吸引雌鸟。

②箱水母：澳大利亚北部临近水域的一种水母，身后拖着的触须长达 4.5 米，有剧毒。箱水母又叫黄海蜂。

就这样，夜色消散，曙光升起，诺姆·凡特姆依然躺在海滩上，仿佛要永远扎根在这里。他的第一个决定是待在海滩上，守卫他的小船。他没有吃东西，也没有喝水，只是守护着唯一能带他离开这块土地的小船。他的心仿佛悬垂在地狱之上一根纤弱的树枝，像没有树叶一样，没有信任。

那天夜里，他睡在沙滩上，雾气从身上飘过。就在这时，他听见女鬼嘎达加拉在丛林里唱歌。他不知道自己是不是被她放荡的歌声吵醒，反正睁开眼睛就看见她在小山顶上的草丛中看着他，一双眼睛宛若两枚闪闪发光的金币。她不停地叫喊着，说她多么想让他来到自己身边。可是他坚定不移，不为所动，对她的诱惑极其反感。她和他以前见过的女人一点儿也不一样，赤裸裸地表达她对性的渴望，没有丝毫的羞涩。“我满足不了你，你这个出卖肉体的老婆子。我像洋李干儿一样，干干扁扁、皱皱巴巴，早就没用了。”他用嘲弄的口吻对丛林里的女鬼叫喊着，就像德斯珀伦斯渔人酒店里的老头。

可是她还是朝他大声叫喊，说他要完蛋了，说也许他想去她那儿，给她暖和暖和身子。“别叫了，女人！”“来吧，只一晚上，天亮你就走。”“你可真不害臊。别叫了，要不然你会惊动海上女神。”想用她的淫欲熄灭他的欲火，用他的淫欲熄灭她的欲火的“交易”进行着，直到他再也无法忍受那煎熬。她身上盖着棕黄色的枯草，等待着他。他几乎感觉到自己的手抚摸她的身体。他被肉欲、饥渴折磨着，苦不堪言。他用两手捂着耳朵，强迫自己一遍又一遍默念：“不要想她，不要想她！”他把耳朵捂得越来越紧，念得越来越快，越来越快。她反过来，越发使劲地求他。他大声叫喊着，想着她，需要她。她也叫喊着，叫喊着，直到终于兴奋到极点。然后，他们俩都像胎儿似的蜷缩在“大地之床”上，进入梦乡。她在草丛中，他在沙滩上。

第九章 巴拉，希望之子

啊，不可思议的时代！充满骗局的陆地，充满神灵的大海！陆地上可怜的女鬼嘎达加拉。海洋里的女神对她嫉妒得发疯。不过，绝对不能说出她的名字，因为即使在遥远的大海她也能听到你的声音。如果你相信她的魔力，她几乎就是飓风。她开始“招兵买马”，但行动迟缓。诺姆醒来的时候，团团乌云刚从雾海涌来，不过已经包围她的老对手嘎达加拉。这当儿，可怜的老嘎达加拉只能卷起小旋风，满怀仇恨，抓起一把把泥土，扬到大海。

普瑞克尔布什人都知道，大海里有些非常凶险的地方。那种地方太危险了，普通人根本不能去。那儿住着妖精。比方说贡都贡都妖精，他们比白人魔鬼卡达加拉以及在古老战争中死去的武士们的鬼魂还要危险。贡都贡都妖精大发雷霆的时候，可以在暴风雨中直接就杀死一个人。不会像诺姆·凡特姆经历的那样——被狂风暴雨弄个半死，然后丢到大海。贡都贡都的动作总是非常敏捷，比鱼和鸟都快得多。活着的人永远都不会亲眼目睹他们的风采。

只有视力减退但思想犀利的老人才能看见他乘着龙卷风在空中飞翔。龙卷风刮过的时候，这些老人常常给家里人讲他们的故事。也许这些故事完全是他们在皮肤下面有一种特殊感觉时，凭想象杜撰出来的。但是，不管怎么说，有一点非常离奇，那就是有人死于非命——比如在很神奇的情况下被雷电击中而死的时候，他们总能事前知道。谁也说不清那是上帝的旨意，还是茫茫大海里别的什么东西作怪，反正普瑞克尔布什人都想在某人莫名其妙地死于龙卷风之前，知道消息。他们说："哦，他们从来不走着去抓人。真的，虽然他们有腿，也有脚。可笑的是，他们不用腿也不用脚。他们不想用。也许不能用，只能满天飞。"有一次，有个孩子问："他们穿鞋吗？"老人回答道："有的人穿。有的人脚上可能套个什么玩意儿。有时候，这些妖精不得不在陆地上走好远好远的路，干见不得人的勾当。但他们还是不用脚和腿。他们一眨眼的工夫就能杀死一个人。杀了之后，又恢复了宁静。"

小船陷在泥沙里，头一天晚上海浪把它抛在这里。现在，滚滚而来的潮水在沙滩上冲出越来越深的"沟壑"。诺姆没有注意到海水已经侵吞了小船周围的泥沙。朵朵浪花伸开臂膀，狡猾地"掏"走足够的泥沙，把小船偷走。诺姆听见一个微弱的声音告诉他，别让海水把小船冲走。可是诺姆不愿意听那声音，就像不愿意听肚子咕噜咕噜响着要他吃东西的声音。相反，他祈求上帝给他几根火柴。"上帝帮我生一堆火。今夜我得弄堆火赶跑那些鬼。"那个微弱的声音告诉诺姆，如果他把小船弄到高一点的地方，他就帮他生火。可是诺姆充耳不闻。"你先把火点着，我再动那条船，"诺姆说，头也没回，朝丛林的方向努了努嘴。

突然，诺姆觉得自己更神志不清了。他发现铁皮小船似乎在动。"坚持住。"诺姆咕哝着说。可是他的动作迟缓、无力。他挣扎着想站起来，看见小船不是被奔涌而来的潮水推动，而是一个五六岁的小男孩脑袋顶着船身，拼命把船往海滩高处推。"坚持住，威尔！"诺姆说，立刻认出推船的人是他自己的儿子。但是那个孩子没有理睬他。诺姆看着那个男孩儿。他正站在齐膝盖深的水里，用尽平生力气推船。诺姆无法相信这一切是真的。因为威尔就在眼前，好像这是他们相互怨恨之前的岁月。诺姆站起身来，又恢复得像个年轻人，帮那个孩子把船拖到高一点的沙滩上。

老年人的疲惫又一次征服了诺姆，他不得不在沙滩上坐下，但思想像脱缰的野马，比那个正忙碌着的男孩的思想还活跃。不可否认，他自己就看得出，这个男孩确实是个有血有肉的活生生的人。“你是个好孩子，威尔，从来就是个好孩子。”他说。但是那个孩子没有听他说什么。他棕黄色的皮肤上粘着沙子和干了的海盐。风吹拂着棕黄色的头发，他跳到船上，开始搜寻放在塑料盒子里的东西。

“我能用这些东西吗？”他指着鱼线和钓鱼钩问诺姆。

“当然可以，威尔，”诺姆微笑着说，“你赶快找别的孩子们帮助你。”

男孩看了一会儿诺姆，说：“好吧，我去钓几条鱼。”话音儿刚落，他就向海滩跑去。诺姆看着波涛滚滚的大海，没精打采地说：“告诉你妈，我也在这儿。”

红日西斜，下午就这样过去了。天边的云霞一片血红，海水看起来仿佛在火上燃烧。诺姆心里想，威尔该回来了。等到天黑，就不大容易找到他了。从前对孩子们不按时回家的担心又涌上心头，嘴里嘟囔着，埋怨他们总是不听大人的话。“啊，我对他说过无数次，夜里，鬼总在找他这样的帅小伙儿。”他听见沙滩那边，从林里传来女鬼叫喊、歌唱的声音。她抱怨说，她家里的人只有在他们觉得合适的时候才来找她。“但你不喜欢有一个温馨的家，你不知道什么是爱情。”她说。

“他是个好孩子，一直很听话。”诺姆自言自语着，安慰自己，对那个女鬼的叫喊充耳不闻。他朝海滩张望，威尔就是从那儿消失的。他心里隐隐约约有一种期盼，盼望家里别的成员能出现在眼前。一想到孩子们在自己身边嬉戏的情景，他就非常快乐。重温那些美好记忆的时候，他越发觉得神清气爽，把心底的疑虑一扫而光，问自己究竟什么是真实的？难道那个男孩儿是假的。他选择最美好的时光开始说教。沙滩，阳光，幸福的家庭。他不再想那不可企及的未来。那里没有平坦的路，让他回到他已经离开的家。

日子会好的，等待孩子们来到沙滩之上共享快乐时光。他发现自己承诺这，承诺那，承诺从现在开始，一切都会好起来。一切！哦，重新开始，再创造机会是那样美好。浪涛滚滚，伴着风的呼啸，老嘎达加拉又开始唱歌。她唱道："没有一个傻瓜比一个失掉船、失掉妻子、房子、孩子的老傻瓜更傻！他一个人坐在那儿，孤孤单单，独来独往，要干什么呢？"她能就这样整整唱上一夜。诺姆知道，别的女人也会这样。

她就那样在他头顶喧嚣着，奚落他，挖苦他。他把头藏到小船后面躲避着，突然看见她的长发和一股旋转着的飓风从丛林里刮了出来。风夹带着浓雾般的红色沙尘、云团般的白色羽毛和从沙丘那边的沼泽地飞来的一大群水鸟、海鸥。

等她消失在大海，去寻找对手之后，他顺着海滩眺望，找那个男孩。这时候，他惊讶地发现，沙尘、羽毛、海鸥消失之后，出现在眼前的不是他的孩子们，而是一只鸣叫着向海滩飞来的凤头鹦鹉。这只鹦鹉让诺姆想起他的"海盗"。"你家里的人都哪儿去了，老家伙？"鸟儿大声叫喊着问，就像在德斯珀伦斯，每次看见诺姆走出家门时，总要眨巴着眼睛问他那样。那只鸟像一个小精灵从风中落下，一双黑色的小眼睛凝视着诺姆。它看呀，看呀，直到突然用干巴巴的声音，郑重其事地说："你干什么呢？"它身上的羽毛比诺姆记忆中"海盗"的羽毛少了许多。剩下的那点刚够它飞行，上面还沾满油污。

"喂，老伙计，你是怎么来这儿的？"诺姆说，向鸟儿伸出手，让它过来。

随着一股飞溅而起的沙浪，男孩猛然"从天而降"，落到诺姆和"海盗"中间，吓得那只鸟儿向后退了几步。

"你上哪儿去了？你都干了些什么呀？"诺姆问道，捻弄着手指，把手缩回去。

"你把它扔下不管了。"男孩说，跑了几步，跳起脚，抓住鸟儿搂到怀里。

"你一直拿你那双脏兮兮的手摆弄它。难怪它的羽毛一团糟。"诺姆说，不高兴地看着男孩被鱼油弄脏的短裤和散发着一股鱼腥味儿的身子。

“我没摆弄它。”

“你摆弄了。”

“没有。”

男孩穿过沙滩，向丛林走去。旋风刮过，那只鸟儿栖息在他头顶。海风从空中吹过，诺姆看着男孩，心里想，威尔怎么今天怪怪的，平常他可不是这样行事。大约半个小时之后，男孩才又回到海滩上，手里拿着一个蓝塑料桶，鸟儿还在头顶蹲着。男孩向诺姆走过来，把桶使劲扔到他面前，然后在沙滩上坐下，和他拉开一段距离。

“好鱼！”诺姆说，看见桶里放着四条烤熟的鱼，现在还煨在木炭的灰烬里，“你不吃点儿，威尔？”

男孩看着诺姆，摇了摇头，等他吃鱼。鸟儿还在他脑袋上蹲着。

“你妈在哪儿？”诺姆终于忍不住问道。他已经吃了一条鱼，因为吃得太急，有点恶心。

“不关你的事儿。”男孩回答。

“当然是我的事儿。你妈妈的事儿就是我的事儿。你脑袋上那只鸟的事儿也是我的事儿。还有你，也是我的事儿。”

“鸟又不是你的。”

“哦，听我说，威尔。”

“我也不是威尔。”

“哦，你如果不是威尔，我是谁呢？”

“老爷爷，我不知道你是谁，我也不叫威尔。”

“我是个老人吗？如果你不叫威尔，你叫什么呢？”

男孩指着天空说：“巴拉。”

“这都是什么时候发生的事情呀？”

“这是我的名字，老爷爷。我的妈妈和爸爸管我叫巴拉。”

“你妈妈和爸爸？他们叫什么？”

“我妈妈，”巴拉压低嗓门儿说，“哦，她叫霍普。我爸爸是威尔·凡特姆。”

诺姆不吃了，把鱼放回到桶里，使劲盯着那个男孩儿。他不知道威尔有个孩子。可是话说回来，他怎么能知道呢？谁还跟他再说三道四呢？这个威尔，他都对诺姆家做了些什么呀！“我再看到他。真想杀了这个杂种！”是的。诺姆当下就拿定主意，威尔这次做得也太过分了。过去的敌意又从心底升起，直冲脑门儿。刹那间，在那孩子身上连一点儿威尔的影子也看不到了。但是和女方那个家族成员相似的东西，却突显出来，而且非常清楚。他奇怪自己怎么没有一眼看出。“我一定是疯了。”他情不自禁地喃喃着说。他凝视着那个孩子，好像看到老迈德纳特的影子。

男孩退回到他够不着的地方，觉得仿佛有一股毒液正从这个老头的心里喷吐出来，而刚才他还为他做鱼吃。他想，也许那鱼有毒。就像河豚。他朝桶里瞥了一眼，想弄明白自己是不是搞错了。他又朝后退了几步，生怕这个老爷爷抓走他，因为他也许是嘎都古恩都人，或者从海上来的什么鬼怪。他也许就是杀死沿海滩边游动的所有鱼的那个家伙。小男孩又想起妈妈对他说过的话：“离陌生人远点，巴拉！”他知道自己必须小心翼翼，不应该给这个老家伙东西吃。她说，一定要离坏人远点，因为他们或许就是化了装的鬼怪。他曾经问过妈妈，什么是“化装”。她说，就是那些你不认识、没见过的人。可是，他觉得这个老爷爷病得厉害，所以就给他做鱼吃。他在心里琢磨怎么才能把桶从那个老爷爷身边拿过来，因为他需要这个桶。

他知道，要是把桶弄丢，妈妈一定会气得发疯。她说过，他们什么东西也丢不起。他不想让妈妈生气。他只是因为孤独，才去帮助这个老人，这个老爷爷。因为他一直坐在沙滩上。整整一天，他都在观察他。看到他一动不动，他就断定，这个老人能走路了。他心里想，如果能和这个老爷爷交个朋友也不错。哪怕他们的“友谊”只允许他看看船里那些玩意儿能派点什么用场。因为他们需要类似鱼线、鱼钩之类的东西。然后，这个老人可以再回大海。

诺姆看到小男孩直往后退，明白他吓得够呛。他和他父亲长得非常像，活脱脱一个小威尔。“威尔，该死的大傻瓜，和城那边那个傻乎乎的霍普成了亲。”一想到他们的血液和他的血液流到一起，他就像中了邪，脸扭曲着，皱作一团。而更让人不寒而栗的是，城西那女人居然生出一个和凡特姆家族的骄傲——威尔，一模一样的人。当然是变傻之前的威尔。诺姆心里想，自己的骨血怎么就会造就出这样一个杂种，到处惹是生非，直到终于染上城西人的“疾病”。他声称，正是这种“疾病”，把他弄傻了。现在，在天知道的什么地方——对不起，主，但千真万确——“我竟找到一个碰巧是我孙子的小男孩！”

“把桶给我，老爷爷。”巴拉直挺挺地站在沙滩上说。他伸出手，似乎想抓起桶，撒腿就跑。诺姆把桶递给他，还感谢他送给他鱼吃。

“明天我再给你送点儿。”巴拉说，因为用不着为桶争斗，松了一口气。

“好吧，小家伙。你要是愿意，可以从船里再拿些鱼线和鱼钩。”

“明天吧。”

诺姆看着小男孩匆匆忙忙向沙滩走去。潮湿的沙子很硬。他翻过一座沙丘，消失在黑压压的露兜树[①]丛和点缀在海岸上的一株株红树后面。

诺姆丢开那种骄傲之情。他心里想，有什么用呢？他知道，和城那边的人“混血”正是造成种种麻烦的原因。就像自从各个家族混杂在一起，厄运不断一样。他知道始作俑者是谁。安吉尔。不，不是海鸥或者任何别的做诸如海上救人的善事的安吉尔[②]。诺姆是指那个女人，安吉尔。好多年，诺姆一直眼见得她给家里带来麻烦。亲眼看见她如何给孩子们树立了一个懒惰的榜样。他知道孩子们怎样看待自己的母亲。他们知道。他还记得曾

①露兜树：产于东半球热带地区众多的像棕榈树的露兜树属雌雄异株树和灌木，有大型的支柱根和集生于枝顶的窄而且带刺的叶子，叶纤维可用作织席子和类似的工艺品。

②安吉尔：这里的安吉尔（angel），是天使之意，和前文的安吉尔（Angel）是同一个字。

经无数次对她说过，这样下去不行，可她充耳不闻，最后还是毁了孩子们的生活。因为她不愿意被人打搅，就不辞而别，扬长而去。他叫喊着，希望能把她叫到这儿哪怕一分钟，让她看看，她是如何毁了他们的生活。充满了坏运气、坏运气、坏运气、坏运气的生活！她要是能看到这个孩子，立刻就会看出自己的错误有多大。诺姆站起身来，想打什么人。想打她。她一定听到了他的叫喊，因为她前来应战。诺姆在沙滩上怄气，安吉尔在他心里怄气。她在他脸前扭着屁股，嘴唇间叼着一根狼尾草。她骂他，绿色的草梗在牙齿间上下跳动。她骂他是得了病的咸鱼。一扇扇门在她周围叮叮咣咣地响着。这响声让他想起，她多么爱摔门。他注意到，他甚至用魔法召来了孩子们。他们站在沙滩上，大睁着一双双害怕的眼睛，张望着。

门开开关关的响声不绝于耳，夫妇俩在这幢许多扇门组成的房子里，走马灯似的你追我赶。在一扇门前，威尔挡住他们的去路。诺姆转身离开之前，看到威尔眼里闪烁着愤怒的目光。有一刹，那目光仿佛把他凝冻了一般。那扇门在他身后发出一声巨响。另外一扇门又在喧闹声中敞开。他又看见威尔。儿子的怒火让他困惑不解。他得再看看，才能弄清楚眼前的情景是真是假。那些门好像和一个象征天气晴朗的女人和另外一个代表风雨交加的男人一起，安装在一架已经失灵的自记气象的钟里。一个进来，另外一个出去。谁也不知道天气如何变化。这个发现让诺姆大惑不解。这就像生活。他将重新开始，给自己建设新的家园。

他开始从船上搬归他所有的那些东西：塑料盒子、桨、绳子、钓鱼用具、鱼钩、一把刀子。他把这些东西整整齐齐堆放在沙滩上。后来觉得不满意，就又重新堆放了几次。接下去，他把小船立起来，正对大海，为自己建起一堵“挡风的墙”。他看着船桨，心里想，能拿它们派点什么用场呢？恰在这时，船桨在小船的重压之下，出人意料地发出几声脆响。他决定先不用这玩意儿，因为它们太宝贵了。他突然觉得胸口一阵疼痛。这疼痛让他想起，或许因为绞尽脑汁去想那些可能完全是错误的事情，他就会死掉。像吃一顿大餐一样，把生活生吞活剥。这样做错在哪里呢？“人们就是这样做的，”他一边想，一边在心里琢磨该用什么代替船桨，“比方像威尔这样的人。我想，他从来不会因为吃了太多的烂苹果而肚子疼。”

旧绳子，旧绳子……他决定找些旧绳子。暴风雨过后，海滩上到处都是大小不同、形状各异的漂木和原木。有参天大树的树干、连根拔起的棕榈树、拦腰斩断的红树。“发现”刚刚开始。还有许多雨林里的树木根部的泥土被洪水和潮水冲刷得干干净净。诺姆估计这些大树都是一泻千里的江河从很远的地方带来的。它们被活生生地抛进大海，现在又像犯人一样，被流放到这片陌生的海滩。最后，所有的树木都在妖精们刚刚恶战过的海岸线登陆。

诺姆能找到足够的粗壮的树枝，做一个架子，支撑他那条已然竖立起来的小船。他终于躺了下来，进入梦乡，梦见银河。他在梦中挑选出一颗又一颗星星，组成一个又一个图案，然后又“打乱”这些图案，等待着。这当儿，有的星星翻着筋斗，回到原先的位置，有的重新排列组合。他在这些新的图案之间游走，牢记他走过的路线，牢记进入睡梦深处的路、回家的路。

他的梦里有许多让人叹为观止的风景。他看到的大海到处都是让人压抑沮丧的战争。黑影绰绰，到底是些什么东西，他也说不清楚。没有虚线。每一个地方都有它自己的星星。诺姆知道，星光灿烂的地方是唯一正确的道路。而这情景只有在梦中才能看到。意志薄弱的人——对自己的力量失去信心的人——在看到如街灯一样照亮前进道路的星星之前，都不会独辟蹊径。

他刚刚开始沿着那条路向前走，梦就消失了。他已经走过灯光照耀的地方，走进一片黑暗。他害怕在第一个拐角看到什么可怕的东西。他在心里作假定推测。无论向前走还是向后退，他都感到焦躁不安，都对大海保持高度警惕。尽管等待他的不是漫漫长夜，对睡梦中溘然长逝的恐惧还是弄得他难以成眠。终于迷迷糊糊入睡之后，远方的暴风雨还在他脑海里萦绕盘桓，仿佛焦虑就绑在他的背上。他看到妖精大战中的武士正用闪电划破长空，在陆地上炸响一个个惊雷。无数亡灵在滚滚惊雷中化作比塔楼还高的浪涛。那“塔楼”的浪涛成了他走向大海的障碍。他宛如被抛进一座迷宫，不得不像被放逐的人，在波峰浪谷间漂流。

早晨，他被一阵剧烈的咳嗽和深入到脑海的可怕而又熟悉的声音惊醒。他侧耳静听，在风雨和拍岸惊涛的喧嚣中，听出凤头鹦鹉的叫声。这只鸟儿蹲在小船上面，正好在他头顶上方。它像天使一样，张开一双白翅膀，在风雨中拼命拍打。“看来，你一定就是我那只鸟了，”诺姆说，尽管他并不希望这样。鸟儿给人注入新的生命力，但却让你忘记梦。凤头鹦鹉唤起诺姆的注意之后，就开始大声说从德斯珀伦斯学来的话。有一会儿，诺姆觉得自己又回到家里。直到意识到泪水从眼角流下，咳嗽是浓烟所致。他几乎喊了起来，因为他看到前面沙滩上有一堆火的余烬。一根原木烧了一夜，没有燃烧的地方还冒着缕缕青烟。

他在那堆火旁边坐了好长时间，把干树枝扔进去，想让火再着起来。如果能让这堆火一直燃烧，他就能永远照顾自己了。或者至少在这生死关头能让他活下去。没有必要跑去找他那个毫无用处的儿子来救他。不管他在哪儿，至少应该看看他老子的身体如何。“你这个傻瓜，我要死了。”用不着再为他这样的人操心了。诺姆搓着一双手，心里想，他现在想抓什么都可以：鱼、螃蟹、虾，还可以到丛林里找野菜、抓些小动物煮着吃。他向四周看了看，坚信在这样一个地方，他很快就又能变得身强力壮。

诺姆断定，这堆火一定是那个男孩儿生的。他估计小家伙夜里又悄悄回来，给他生了这堆火，为他驱赶鬼怪。哦，他可真是个好孩子。他上哪儿去了？诺姆向丛林张望，可是没有他的影子，只有一株株棕榈树，上面结满他先前没有注意到的红颜色的果实。他又向海滩望去，离水位标志比较近的地方，茂密的红树林一直延伸到大海。退潮后，那里是一片泥滩，开阔而荒凉。诺姆眺望着，找那个男孩儿。只要他不是和他的妈妈一起出现在面前，他就愿意看到他。虽然这一夜睡得很好，但他还是初衷不改——

只要还有一口气，就不见威尔和他的老婆。不过他的计划是短命的。诺姆向海滩慢慢走去，找那个男孩儿。

“巴拉！”他朝丛林喊了几次。没有人回答，周围一片寂静，只有模仿鸟叫了一声“巴拉”。诺姆看见它抖了抖胸前的羽毛，心里想，跟着这只鸟也许能找到他们的营地。不过，他不会走进他们的营地。那也许是他这辈子最不愿意做的事情。他拿定主意，如果能找到他们的宿营地，他就走过去，躲到丛林里看一看他们过的什么日子。

诺姆知道，威尔如果不想见他，就可以像棕榈树，在丛林里藏得严严实实。他也知道威尔有办法在山野里“消失”得无影无踪。在平展展的黏土湖，威尔能像一块泥土，整整一下午一动不动躺在枯黄的草丛里面，找他的人从他身边走过也发现不了。诺姆知道，警察正在找他。真是家门不幸！政府也在找他。你不能躲来躲去和政府玩“捉迷藏”，那会把事情搞得一团糟。“没什么危险，”诺姆咆哮着，把威尔推出院子，“那样做显然很蠢，因为谁都无法改变政府。”诺姆经常听到有些政府官员在收音机里谈论威尔。他还记得那些人都把威尔·凡特姆说成是卡彭塔利亚湾的“克星”。诺姆对此表示赞同。收音机里传来的那些声音在他心里激起共鸣。他们大谈威尔破坏矿山的工作，给海湾、给昆士兰州，甚至给整个国家带来麻烦。“我也是这么想的，”他乐呵呵地说，“我们都想杀了这个家伙！”

总是想拯救这个世界，结果把自己弄成这个样子。诺姆回转身，眺望空旷的海滩和浓云密布的天空。你想阻止人家开矿，不让普通老百姓去干活儿，结果自己落得这样一个下场。他真希望电台那些人来采访他，他会告诉他们想知道的关于威尔的一切。他会告诉他们，不但白人想杀他，土著人，包括他的父亲，也想杀死这个家伙。来呀，警察，找到他，把他抓起来！

“我给你找了个可以住下的地方，老人家。”巴拉走过来说。

“啊！巴拉！我在这儿待着就挺好。在这儿可以看护我那条船。”

“不，老爷爷，在这儿待着太危险了。我们得离开海滩，把船藏到什么地方。”巴拉坚定地说。

男孩踢着沙土，想把火弄灭，可是诺姆伸出手想把他推开。男孩手疾眼快，一闪身，躲开诺姆，跑到火堆那面，把沙土踢到还冒着缕缕青烟的木头样子上，直到把火完全熄灭。然后绕到小船后头，把船放平。

“你要干什么？”诺姆生气地朝他喊道。

“嘘！听我说，小声点。这是个要小声说话的地方。永远要保持安静。永远要东躲西藏。”

男孩指了指茫茫大海，又指了指辽阔的海空，然后慢慢放下胳膊，伸出手，拍了拍那条船。他很严肃地看着诺姆，目光和威尔毫无二致，说话的口气也和威尔完全一样——无论说什么，最后一个字都朝上挑，以示强调。“嘘！快收拾吧，老爷爷，我要带你离开这儿！”

“把船再立起来，小家伙，快点儿！”诺姆命令道。

男孩儿没有理睬他，拿起一个塑料桶。诺姆把桶抢过去，又放回到他所剩无几的那几样东西里。

“你的父亲在哪儿？他应当来见我，我有话对他说。你去告诉他，就说我让他那个黑屁股稳稳当当坐在这儿，把他在这儿干的事情讲给我听。我在等他。我这个人从来就讨厌等人。我要是告诉人们，有个小男孩儿对他爷爷指手画脚，指使他做这做那，真不知道人家会说什么！”“你是个老人，可你不是我的爷爷。虽然爸爸很少和我们说话，而且尽说傻话，可是他对我们说，爷爷是个非常精明的人。现在嘛，有一点可以肯定，你算不上一个精明人，老爷爷，所以你怎么会是我爷爷呢？”男孩只顾搬那些塑料盒子，全然不在乎和诺姆继续争论。他和父亲一样，喜欢唠唠叨叨。似乎这是“抢夺”老头那些宝贝时的一种消遣。他下定决心把老头那些玩意儿都控制到自己手里，直到诺姆没有什么东西可以守护。

“你爸爸的事儿，你刚才是怎么说的？他说什么来着？如果他叫威尔·凡特姆，那我就是他的爸爸。你让他赶快来见我。我有话对他说。”

“你得先证明你是他的父亲呀！”

“如何证明呢？你按我说的办就是了。”诺姆说，觉得肚子有点饿。

他还没有吃东西，眼下的情况又着实恼人。一看到威尔，他就要问问他娶了个什么样的老婆，怎么会管教出这样一个儿子。“想想看，你现在和那些家伙生活在一起。他们有什么教养吗？这个孩子简直就是个小畜生。这就是你背叛家庭的下场。”他一定把这话告诉他。

寻找他们天天吃的东西……

从沼泽地白嘴鸦群居地飞来的海鸟在沙滩上空低低地盘旋，然后渐渐飞上浓云翻滚的天空，飞过退潮后的泥滩，飞向灰蒙蒙的大海。诺姆·凡特姆侧身躺在沙滩上，像一尊很可笑的雕像。他真希望自己已经死了。巴拉心里想的却是，快走，就让这个老头和他那条破船永远待在这儿吧。鸟儿呈环形飞行，然后像抛射下来的子弹，落到泥滩。这群鸟儿或多或少分散了男孩儿的注意力，他抬起头朝天空扫视着，看会不会有坏人从天而降。这个老头给他们带来了危险。先前想和他交朋友的念头正一点一点地消失，就连他拿过来的那些东西似乎也没有用处了。谁的生活都有局限性。鱼钩断了，鱼线缠结在一起。他对那些塑料盒子、百事可乐瓶子已经不再感兴趣。他已经厌烦了再拿着那些玩意儿到处跑了。

巴拉搔了搔仿佛被盐水渍过的乱蓬蓬的头发和总是痒痒的头皮，估计自己钓鱼用的工具也够用一阵子，便决定离开这里。至于这个瘦得像副骨头架子似的老头，哦，随他去吧！他也许能活下去，也许会死。很可能用不了多久就会死掉。男孩想，等下一次潮水和暴风雨一起来临的时候，他也许就一命呜呼了。今天或者明天。所以，什么都无所谓了，反正他要死了。即使海浪不把他冲到大海，那些坏人也会把他杀死。巴拉很冷。他已经感觉到天黑之后，那些坏人一定会从丛林那面偷偷摸摸走过来。如果这个老头就像一个特别容易被击中的目标，一动不动地坐在沙滩上，那些人一定会蹑手蹑脚走过来，抓他个正着。他又想起母亲，心里一阵害怕，很想拔腿就跑。她曾经警告过他，不能给那些坏人留下任何可能找到他们的踪迹。可是现在这儿出了个老头，旁边还有条船。船底被暴风雨洗刷得亮光闪闪，就像灯塔，从大海很远的地方就能看见。巴拉知道，如果他们乘直升飞机来，就更一目了然。

“你要鸭子吗？”巴拉终于问道。

“什么鸭子？”

“你如果要，我可以给你一只。”

“好呀，你拿去吧！你要是愿意，我们就煮着一块儿吃。”

“你要是答应我，让我帮你建个宿营地，我就给你。”

“你父亲呢？他能来见我吗？”

“也许吧。我去问问他，看他怎么说。”

“他有没有对你说过，我能从大海里抓来鱼，让它们在空中跳舞？我敢打赌，他也没有对你说过，我是这个世界有史以来最好的渔人，我可以和鸟儿说话，与鸟儿为伴。星星为我指路，所以我永远不会迷失方向。有时候，我出海捕鱼，走好长好长时间，以至于人们把我的名字都忘了。”

“他对我说，你让家里人为你流泪。如果你真的知道这些事情，怎么会迷路呢？”

“取鸭子去。”

巴拉大步流星地走着，翻过沙丘，消失在丛林里。路上，他想，也许像老爷爷这样的老人真的很神奇。他真的能沿着星光之路航行吗？现在，他一定已经失去让人们为他哭喊的力气了。

老爷爷让巴拉想起许多事情。有一天夜里，他出海捕鱼的时候，父亲对他说，如果你知道星星的位置，你永远都能找回家。从那时候起，夜里他总是眺望繁星满天的夜空。他已经教会自己许多关于星星的知识，长大之后，他就能在天空自由自在地漫游。至于这个头脑不清楚的老爷爷，巴拉相信，他是全凭运气才活下来的。他在暴风雨中死里逃生，像一条被巨浪冲到海滩的死鱼，像一只搁浅的儒艮[①]，在沙滩上慢慢干死。

---

①儒艮：一种食草海洋哺乳动物，生长于印度洋、红海和西南太平洋热带沿岸水域，具有蹼状前肢和明显锯齿状尾鳍。

他当然不知道该拿老爷爷怎么办，因为他觉得老爷爷是个白痴。如果他像魔法师一样，看到星星就能找到回家的路，他就能赶跑暴风雨，难道不是吗？这个老头太傻了，不可能是坏人。如果他是坏人派来的，他就不会提他的母亲，因为那些家伙都知道他母亲已经死了。他的这些疑问总是立刻就能找到答案。如果老爷爷真是他的爷爷，也没有关系。因为爸爸说过，他们不得不自个儿过日子，爷爷总是把他们家弄得哭哭啼啼。

他现在只盼爸爸回来，好告诉他这两天都发生了些什么事情。他真希望没有发现这个老头。他让他想得太多了。他真希望这个老头压根儿就没有来。到现在为止，他一切都好，照顾好自己就行了。日子本来轻轻松松，只要按照妈妈说的办就万事大吉。妈妈的嘱咐是：远离任何人。可是现在，他一个劲儿生自己的气。一边到处找还栖息着的鸟，把它们轰起来，一边长吁短叹，不但要为自己找东西吃、找水喝，找到之后还得给这个老爷爷送过来。

巴拉在一米高的萋萋白草中走着，棕榈树和木麻黄树嗖嗖嗖地响着，在他身后合拢，仿佛想把他包藏在茫茫林海之中。他的脚掌像丛林动物的爪子一样坚硬，在到处都是蒺藜的草地上轻轻松松地走着，没有惊动枝头小鸟，也没有被静静地栖息在白千层属灌木丛里的乌鸦发现。快要过圣诞节了，丛林装饰着一束束红色的槲寄生花、野生莳草和橄榄色的藤蔓。

诺姆眼巴巴瞅着男孩迈着沉重的脚步翻过小山，很想跟着他走进这座小岛的腹地。可是这个机会眨眼间过去了，他没有勇气探测一块陌生的土地。听着乌鸦呱呱呱地叫，他明白，它们正隔着很远的距离交谈。也许它们监视着这座小岛。它们的叫声只是越发衬托出他对这座海岛的无知。如何解释他对那么多属于这个地方的神灵的感觉呢？沙丘那边熙熙攘攘的景象让他觉得好像来到一座城市的郊区，心里充满了焦急和期待。可是实际上，那道风景给人的印象是笼罩在死亡气息中的荒野，不属于任何人。他分不清哪里是真情实景，哪里是为了自己的利益而主观臆想的。

他意识到只有大海宣称自己拥有这座小岛。丛林里，不管什么神灵——

危险的还是充满恶意的——都拥挤在沙丘那边。他认为他们都来源于大海。一些可怕的东西在他脑海里翻腾。夜里，灵魂发出的呼喊，充满对大海喧嚣的渴望，而毫无愧色。他觉得脚下的沙滩充满了大海邪恶的力量。这块有毒的土地耗竭他生命的力量。他对小岛腹地越来越恐惧。事情一定要有个变化。这不该是他的命运。

诺姆心里想，或许威尔和那些邪恶的神灵达成协议，让他们全家住在这个地方。除了他，谁都不会想到这样一个“避难所”。诺姆找不出一个合乎逻辑的解释，为什么海浪偏偏把他抛到这座小岛？他想，一定是上帝因为威尔的荒唐惩罚他，才这样做。在他的想象之中，一个人在一场本来应该置他于死地的狂风暴雨中，无论抛到哪儿也是一死。可是世界之大，他怎么会跑到威尔生活的这座小岛？哦，还有他的儿子巴拉。

想起巴拉，诺姆对自己眼下的处境越发觉得不可思议。该如何解释这个男孩儿的出现呢？他心里生出一个念头——巴拉或许是上帝送来的。他突然意识到为什么会发生这样的事情，不由得捻了一下手指。捻完以后，吃了一惊，因为他早就把这个习惯丢到脑后。他一下子就明白怎么回事了：上帝让他来照顾这个孩子！男孩孤零零一个人待在这儿，威尔不在，他母亲也不在。现在诺姆也明白为什么这个孩子总是独来独往，而且总是回避他把父亲带来的请求。他看见巴拉眺望大海，脸上有一种和威尔非常相似的东西，一种无法解释的东西。坚韧、刚毅，只有经验丰富的战士才会有这样的表情。

那么，他的父母亲上哪儿去了？为什么把男孩一个人留在这里？他真希望是自己搞错了，尽管心里清楚全是真的。他从骨子里感觉到了那种真实。远方的闷雷又让他焦灼不安，他预感到可怕的事情会降临到他们头上。诺姆突然看见一只很大的老鹰盘旋而下，锋利的爪子像钩子一样把他吊了起来。他目光迷离，看到大海在脚下旋转，直到他被老鹰松开，掉进一个血染的巢穴。幻觉消失了。

诺姆向大海眺望，仔细察看海面上每一个跳荡的“物件儿”，目光掠过在潮水中涉水而过的鸟儿，掠过朵朵浪花和远处任何一样移动的东西。他的目光从海滩一边扫视到另外一边。天低云暗，归巢的鸟儿刺破飞快飘过海岸线的云朵。用不了多久天就会下雨。诺姆拿不定主意该在沙滩上继续等男孩儿回来，还是在暴风雨到来之前把小船推到沙丘那边。

浓云后面传来呼唤风雨的鸟儿的尖叫声，偶尔还有像老人清嗓子的声音。那是杜鹃鸟通报它“远航”归来：死得毫无价值的人。钓鱼的人，种庄稼的人，拉家带口、互相讲故事的人。”诺姆摇了摇头。这样的故事他听过一千次。他得集中注意力，听鸟儿的尖叫，因为那叫声是气压降低的警告。大海里潮汐奔涌，飓风正在形成。诺姆估计，潮水会受到狂风暴雨的影响。它会带来山一样高的、滚滚奔腾的巨浪。

聪明的鸟儿在空中一动不动，像潮坪[①]上空的灯塔，脑袋正对即将来临的暴风雨。他现在能做的只是等待它们的判断。空中先前静止不动的鸟儿一个接一个落下来，尖叫着，向下面的鸟儿发出信号，然后一起飞走。这就意味着，一场暴风雨正向海岸线扑来。诺姆向沙丘焦急地张望着，希望男孩能出现在那里。“他为什么看不到云朵正向内陆涌动？”觅食的瘦腿海鸟纷纷离开潮坪，飞向内陆。很快，从大海更远的地方飞来的鸟儿加入到它们的队伍。

黑色的、很大的军舰鸟[②]避开别的鸟儿，从万顷波涛中飞来。它们的速度非常快，诺姆估计至少每小时一百海里。一大群白色的鸟儿像一团很低的云，向他迎面飞来，仿佛是神灵不可思议地出现在眼前。诺姆从来没有看到过海上生命之祖先漫天飞翔这样壮观、美丽的景象。它们飞得那么低，每一次“云团”飞来的时候，诺姆不得不弯下腰来，免得被它们撞上。

诺姆权衡再三，认为统治大海的神灵比女鬼和她生活在丛林里的密友更可怕。于是他把一根绳子拴到那条空船上，拉到沙丘那边。他知道哪怕

①潮坪：几近平坦的沿海区，交替被潮水淹没或露出水面，含有多种未固结沉淀物。
②军舰鸟：热带猛禽。

一阵轻轻呼啸的风，也能像抓起一个玩具一样，把船刮起来，再从半空中扔到沙滩上。

他把船安顿到棕榈树林中之后，又回到沙滩归拢捕鱼的工具和桨。他四处张望，找那个男孩儿。电闪雷鸣，划破长空，漫天翻滚的乌云越发给人一种不祥之感。诺姆继续把船往里拉，那儿的树木更加稠密，垂下来的树枝像门一样在他身后关闭。他把船拴在一棵大桉树上，然后把所有小物件儿都装到船里。他在那条已经绑得结结实实的小船后面为他和男孩儿开辟出一个遮风挡雨的地方，然后隔一会儿就跑回到沙滩上，看男孩儿来了没有，可还是没有他的影子。也许男孩儿已经拿定主意不再来找他。这事儿很难说。从大海刮来的风呼啸着扬起沙尘，打在身上生疼。诺姆知道，他得找个地方躲避起来才行。也许他父亲就在附近，已经把他带到安全的地方去了。只要平安无事就好，诺姆心里想。他挣扎着翻过沙丘，向小船走去。

暴风雨袭击海岸线的时候，巴拉还在沼泽地。他已经听见鸟儿向栖息地飞去时发出的凄凉的叫声。他一直用树枝做矛，想抓鸭子。起初，风吹起层层涟漪，后来便越刮越猛，把小树吹得完全倒伏下来。雨水从附近每一座土丘流下，从远处的小山上流下，穿过溪谷，流到沼泽地，眨眼之间，先前齐腿深的水就没过他的脖子。男孩挣扎着把头探出水面，漂浮在洪水淹没的沼泽地更深的水里。沼泽地很快就变成一条宽阔的大河，咆哮着流过丛林，沿着古老的河道，流进大海。

这当儿，汹涌的潮水淹没了潮坪，浑黄的潮水流得越来越快，越来越深，没过红树林，拍打着沙丘。等到不能再前进的时候，就掉转潮头又向大海扑去。那一股巨浪返回大海的时候，以极大的力量冲刷着海岸的砂石，像小山一样隆起。每一次掀起这样的巨浪，便有几百万吨的砂石被抛到大海。诺姆倾听大海吞噬沙丘时发出的震耳欲聋的声音，心里明白，那滔滔滚滚的海浪将冲毁沙岸，淹没丛林。

男孩很快就在洪水中失去立足之地。他被洪水裹挟着，和别的东西一起穿过丛林。他看见水里漂浮着树枝、树干、空心原木。有一条大蟒蛇蜷缩在树枝树叶“搭建”的“平台上”，不敢向前爬行。他好不容易抓到的鸭子也丢了。他伸出手想抓树枝，可是刚刚抓住一把树叶或者一根树枝，湍急的水流就又把他冲走。

像手提钻一样锋利的浪花撕扯着沙岸。丛林里的树木被狂风吹弯了腰，树枝和冷雨抽打着诺姆的脸。他挣扎着向沙丘顶爬去，能见度只有几米。除了脚下的洪水，什么也看不见。他知道，沙丘那边已经被洪水冲垮，这边也危在旦夕，随时都会坍塌，如果不赶快离开，他也性命难保，于是赶快滚下沙丘，拔腿就跑。

他尽可能快地解开绑在树干上的小船，仓惶中把那几个塑料桶拴到一起，把桶里的雨水倒掉，以便减轻小船的重量。他用尽浑身的力气拖着船走过一株株湿淋淋的桉树和白千层属灌木，想找到一块比较高的地方。

他很快就意识到，他必须做一番抗争才能走到小船前面。因为那条船在雨水浸泡过的树叶上滑行得很快。在狂风巨大力量的推动之下，他和小船“肩并肩”地“飞”过被风雨扫荡一平的丛林。折断了的树枝和拦腰斩断的大树，从他身边一闪而过。有时候大树就在他头顶咔嚓一声断裂，然后轰然倒下。这些飞翔的东西就像幽灵[①]。讲故事人讲的那些和亚古恩伊部落有关的童话里的人物。那些人真实的故乡在大海那边。

他们说，幽灵和部落里所有的人都有关系。亚古恩伊人其实就生活在普通人之中，尽管你能看到他们每天都在干自个儿的事情，听到他们相互吆喝着让对方注意他们说的话，他们却不想让别人看见。因为他们“不想被人发现”或者“被人教化”，或者在他们这些半聋的“小妖精”身上发生别的事情。老人们很激烈地争论亚古恩伊人的命运。在卡彭塔利亚湾，各部落都派代表就这个问题发表自己的高见。他们甚至在城西的营地和城东的营地之间来往穿梭，议论最近看到的关于“幽灵”的情景。城西的老

①原文为澳大利亚土著语。

人还坚持说，那些人干脆消失得无影无踪，到荒野里生活去了。至于什么时候消失的，谁也说不清楚，因为没有人盯着表看。他们为什么要远走他乡，因为他们不愿意受白人压迫，不愿意自己的历史被玷污。

讲故事的人说他们是纯粹的人，是黑天使。丛林里，诺姆看到他们从他身边跑过，非常惊讶。他们跑得非常快，比这辈子他见过的任何人都跑得快。为了救自个儿，他拼命奔跑，然而尽管这样，看到幽灵，寒气还是一股一股从他的脊梁骨升起。倒不是因为怕他们，也不是因为怕丛林女妖嘎达加拉。他现在根本顾不上想她。他满脑子想的只是这样一个事实：他现在在陆地上，已经远离了大海。幽灵也在不停地奔跑，但是用他们那种很古怪的语言向他叫喊着，分散了他的注意力。他回过头瞥了一眼，看见还有人和他朝同一个方向奔跑。都是普通人。男人、女人抱着孩子，年轻人搀扶着老年人。

他们奔跑的样子也很古怪，就像是在丛林里滑行。也许他自己也是这样滑行，因为他觉得身子很轻，那条船更没有分量。他两边都是人。船轻得像张纸，他不由得回头看了看，原来好几个年轻人正在帮他推船。一个长了一张鱼脸的老太太端坐在船上，满头水淋淋的白发在狂风中飘飞，头发上沾满了桉树叶。尽管她满脸恐惧，还是张开没有牙齿的嘴巴，朝他勉强做出一个微笑。大海掀起狂涛，怒吼着，仿佛要把世界上所有的垃圾都冲到沙丘上。诺姆一边尽量让脸躲开似皮鞭抽打的冷雨，一边朝她大声叫喊：“你在这儿干什么？”

白发老太太像女王一样，很威严地说：“什么也不干！什么也不干！”她的声音粗嘎，就像千年古树开口说话。然后，她用他听不懂的一种语言说起话来。她看起来就像和他吵架。他只能傻呵呵地看着她。老太太发现他连一个字也听不懂，只好作罢。不过她还是皱着眉头，满脸怒气。她朝他晃了一下手指，意思是说，你要是不想摔跟头的话，就留神脚下的路。她这个动作越发激起了诺姆的好奇心。因为她摇晃手指的时候，诺姆清清楚楚看见她的手指尖抽出嫩绿的按树枝。树枝上的树叶立刻就被狂风吹掉，有几片还打在他脸上。他闻到一股止血剂的气味，眼睛也被那玩意儿蜇了一下，他赶紧回转头，朝他、他们、她以及狂风暴雨滚动的方向跑去。

现在他集中注意力看前面的路，跟着别人跑过丛林。他相信他们一定知道该到哪里。他根本就不知道自己现在身处何方，只想跑到一片高地。然后，盖过远处传来的阵阵涛声，耳边响起许多人呼唤他的叫喊声：爱生气的丛林破屋里的老家伙！[①]看来他们连他是从哪儿来的都知道。他觉得自己简直又处于一场噩梦之中。他又回转头，一眼瞥见那些折磨他的人。现在船里挤满鱼脸老太太，她们都朝他大张着嘴巴。他估计至少有二十个老太太像沙丁鱼一样挤在小船里，嘶嘶嘶地叫着，催他快走。让他难以置信、无法理解的是，她们加起来也不到一公斤重，因为他毫不费力就能把她们拖走。这些女人也都浑身沾满泥巴和树上落下来的树枝、树叶，好像她们一直在泥水中睡觉，刚刚爬起来一样。

他转过脸看前面的路，想弄清楚有没有会撞上去的树或者别的什么东西。他回头张望的时候，喊了一声："怎么啦[②]？"她们脸上的表情毫无变化，也没有回答。他又喊了一声："怎么啦？"她们大张的嘴巴终于发出了声音——一种非常可怕的声音，一种刺耳的、仿佛原始人的吼叫，凝冻了他的骨髓。那根手指又摇来晃去，"许多人[③]，"许多树叶从她们的手指尖抖落下来。他想遮挡眼睛的时候，看见她们指着脚下的地，仿佛在说："当心，注意安全！"他也低头看了看，看到浑黄的水在船两边流淌。他知道，必须加快脚步，赶快离开湍急的洪水，必须朝别人奔跑的方向飞跑，尽管他觉得自己是在密集的雨丝雨线中呼吸，连气也喘不过来，但必须跑在船的前面。因为那些年轻人低头弯腰，从后面猛推，船在雨水中滑行的速度比他跑得还快。

海水已经流到丛林，举目四顾，一片汪洋。他向前张望，想弄明白他们是不是往高一点的地方跑，可是雨幕中什么也看不见。很难说清，也许

①②③原文均为澳大利亚土著语。

这是一道缓坡，慢慢地高出海平面。他们似乎没有目的地。他想，他的“保护神”——这个鬼怪部落的人们——也许要永远跑下去。也许只有这样才能逃脱奔涌的潮水。也许他们要把他带到丛林里那个嘎达加拉女人那儿。他几乎觉得，一转身就会看见她端坐在小船上，伸出一根手指，摸着他的面颊，不无讥诮地注视着他的命运。诺姆断定她那双冰冷的眼睛注视着他的命运，听见心脏怦怦怦地跳着，声音盖过大海的喧嚣。结果，差点儿碰到一棵树上。

他就这样跑着，不知道自己能坚持多久。这座小岛不会太大。或者是他低估了它的面积？实际上要大得多，而眼前这个寓言式的画面也要真实得多。如果船上坐的这些丑婆娘都是嘎达加拉的女人，那该怎么办？如果他在她们丑陋的脸上看到的只是他宛如从雨水打湿的镜子上看到的自己的面容，又该怎么办？艰难的跋涉赶跑了让他窒息的种种念头。他还看不见前面有山峦的影子，甚至没有一块裸露的岩石。什么也没有，只有平展展的荒原。他觉得嗓子眼儿里冒火，肺好像要炸了一样，已经没有力气再跑了。

诺姆用脚底摸索着，觉得脚下是一层砾石，意识到他们正朝高地跋涉。可是柔软的泥沙没有变，他的脚踩着不断升高的潮水发出哗啦啦的响声和他心脏跳动的声音也没有变。他开始意识到，这座小岛根本就没有山峦丘陵，这群人实际上也不知道该往哪儿去。他是不是正在跑向死亡？他是参加了一场死亡竞赛？恐惧让他两腿麻木。他的身体一阵阵发沉，不由得放慢了脚步。

诺姆终于看到前面正在发生什么事情。丛林人不再奔跑。他们已经来到一块高地。这块高地刚刚高出水面几米，面积不大，但足可以容纳下这些人。他看见大约有三四十个幽灵似的人挤在一起。雨水打在他们身上，就像打在丛林的树叶上。

那些人看见诺姆想把那条坐满老太太的船拉到高地上，都激动起来。有几个人一边朝后面推船的年轻人比比画画叫喊，一边跑过来帮助他们。确切地说，他们是把那些老太太从船里拖下来。诺姆看得目瞪口呆，一句话也说不出来。他发现，那些人身上穿戴的都是正在开花的一簇簇花草。雨水顺着皱皱巴巴的叶子、盛开的花朵、缠结在一起的草和小树枝流下，滴到泥泞的土地上。好几个人才能抬下一个老太太。老太太恶狠狠地抱怨着，骂他们这样拉拉扯扯有损尊严。他们连推带拉把这几个老太太弄上高地的时候，树叶从她们身上纷纷落下。

诺姆看见，高地那面，有一条大河涨满了潮水，从南边山脚奔涌而来的洪水汇入大河，越发浪涛滚滚。那难以置信的洪流，弯弯曲曲，绵延一百公里。预言家曾经把这奇观镌刻在法律文书，珍藏于思想宝库中。两股洪水聚合在一起，诺姆知道，北边不远处就是海岸线。他刚刚逃离那里，而那儿也正是河水倾注于大海的地方。

那些幽灵般的人光着脊梁，穿着色彩斑驳的短裤。这短裤和他身上那条一样。他心里想，那玩意儿一定是他们和什么地方“真正的”人换来的。为那条船，他和他们争执起来。那些家伙一个劲儿地用他们那种古怪的语言朝他嚷嚷。因为他听不懂他们的话，他们脸上现出恼怒的表情，还举起双手，比比画画。有几个家伙乱翻他船上的东西，把不想要的随手扔到地上，直到找到他们想要的东西——诺姆拴锚的绳子。这条绳子很长，正合他们的要求。就在他们互相吆五喝六的时候，有一个人把绳子拴到船尾。诺姆站在那儿，眼巴巴地看着，直到也像那些老太太一样，被他们连拉带拽地抬起来，拖到船边。他叫喊着表示抗议，但是毫无用处。

那些人一边大声叫喊，一边指着下面滔滔滚滚的河水。诺姆不知道他们是什么意思。他被弄到船里，只要想挣扎着爬出去，那些家伙就立刻七手八脚把他按下去，让他坐好。后来，他们连诺姆带小船一起推下河岸。小船穿过岸边足有一米深的泡沫，浪涛立刻把它卷进浑黄的河水之中。大约有十二个人拉着那条绳子，慢慢地、一点一点地松开。他们知道，如果绳子放得太快，小船就会侧翻，沉入河底。诺姆不知道他们想干什么，只能眼巴巴地看着他和那一张张非常严肃的面孔之间那道雨幕。他一边划船，一边在心里计算那条绳子有多长。

暴风雨中，小船向着大海顺流而下。拉绳子的人们离他越来越远。诺姆看见他们好像在水里筑起一道人墙。越来越多的人从高坡上下来，加入到已经被洪水“拖”到河里的“人墙”之中。诺姆看见离他最近的那几个人一张张很严肃的脸，担心只要有一个人被洪水冲倒，他们就都会被回头浪卷入水中。

他回转身想救自己，船却突然停了下来，原来船头卡在一棵被洪水淹没的大桉树的树杈之间。他转过脸，看见那些人正和巨浪拼命搏斗，不让“人墙”倒下。他连忙想办法把船从树杈间弄出来。就在这时，透过瓢泼大雨，他看见树枝树叶间蜷缩着那个男孩儿。“天哪！”他喊了起来，“但愿他还活着！”他在浓枝密叶间使劲往前划船，可是毫无用处，根本无法靠近那个孩子。“巴拉！巴拉！快醒醒！”他朝男孩叫喊着，可是无人应答。诺姆意识到，他必须离开小船，爬过那张树枝树叶织成的大网，才能解救出巴拉。

爬到巴拉身边的时候，他伸出手。“快过来，巴拉！”他催促着。可男孩儿只是呆呆地看着他，紧抓树枝不放。诺姆急了，想把他从树枝上拉下来。吓坏了的男孩挣扎着，说他要和妈妈待在一起。诺姆看出，巴拉觉得自己是在妈妈的怀抱里。他突然想到，男孩一定认为妈妈已经死了。这是不是意味着威尔也死了？

“是你妈妈要我把你从这儿带走，巴拉。”诺姆一边温柔地说，一边把他两条小胳膊从树杈间拿出来。“是她求我的。她说，‘爷爷，你能把巴拉带回家吗？’我说，‘当然。我和巴拉要做一次美妙的航行，平平安安回家’。我还对她说，‘我们要再等一会儿，等星星出来告诉我们正确的方位。然后就跟大鱼一起航行。跟着大鱼，穿过大海。顺风顺水，很快就能回家。路上我们还会捕很多鱼’。你猜你妈妈说什么来着？她说，‘太好了！那就麻烦你接巴拉去吧。我在这儿等你们。告诉他，我会好好照顾他’。”诺姆看着巴拉那张被雨水冲刷得十分虚弱的脸，看见他正侧耳倾听。他松了一下手，不过这已经足以让诺姆把他拉到船上。他们坐好之后，小船便开始向后移动。诺姆使劲划桨，向被洪水包围的高地驶去。他向河面望去，看见那堵人墙还在水中挣扎，设法把船拉到安全的地方。他们齐心协力拉着绳子，互相帮助着，一个接一个爬上岸来。

“坏人把妈妈抢走了。”巴拉呜咽着说。他坐在爷爷腿上，诺姆用尽全力向高地划去。

“我听见她在天上叫喊。抬起头看到时候就看见她掉进大海。”

诺姆仿佛听见威尔的声音。那声音在他脑海里回荡。他脸上现出一副严厉、蔑视的表情。“记住我的话，总有一天，人们会为矿山互相残杀。”诺姆仿佛看见一个满脸怒气的受害者。刚才有一架直升飞机在他们头顶嗡嗡地盘旋。它投下来的影子落在他们那幢房子上，仿佛为他们之间的关系画了一道不吉利的符咒。威尔一脸轻蔑。一脸什么？应该是失望，或者对一位没有见识的父亲的厌恶。“真是不可理喻，”他曾经摇着脑袋叹息，“只会满足于现状。”谁都知道安全部门的直升飞机定期在他们这个地区巡逻。这些飞机，不分白天黑夜按照它们固定的航线飞行，在普瑞克尔布什投下阴影。往事的记忆稍纵即逝。诺姆低下头看小男孩的头，一种慰藉油然而生，不由得流下眼泪。雨水、泪水洒在洪水泛滥的河里。他知道，这是埃利亚斯对他的救赎。他用他的死帮助一位愚昧无知的老人找到他的孙子，重新在他没有欢乐的心灵里点起希望之火。他划着船，向前，向前……

诺姆把船划过那层厚厚的泡沫时，“鬼魂部落”的人已经都走了。他们一个接一个消失在洪水泛滥的丛林，很可能是沿着熟悉的道路回内陆深处的营地去了。他们已经把绳子那头拴到一棵树上。诺姆让男孩坐在船上，他拉着小船在洪水没膝的丛林里吃力地向前走，寻找那个奇怪的部落在滂沱大雨中走过的路。他脑子里模模糊糊有一个计划，想在天黑前找到一座小山。如果能爬到山顶上，就等待大海停止吞噬海岸的时刻。

一定要找到一座小山，天一黑就连一个移动的黑点儿也看不到了。因为他想追赶的那些人会在夜幕笼罩的丛林里消失得无影无踪。他知道，那时候，他就永远不会再看到他们了。他对他们的记忆也将不复存在。

第十章 穿披风的巨人

人们说，就连上帝也要四处走动……

太棒了！就连每一个老老实实待在普瑞克尔布什的人也说，他们知道谁是造物主。人们总是在这儿说些骗人的话:“哦，没错儿！我们都知道他。”嗯！嗯！就像他们知道十一月已经降临到这块平原。哦！有心人，如果你想看奇迹的发生，就抬起头看看十一月的天空。在雨季黑压压的、乌云翻滚的天空，你或许就能清清楚楚地看到他——那个穿披风的巨人。他张开红色的“羽翼”，和沙尘暴一起光临，掠过古老、干旱的平原，直扑城镇。看不见摸不着的沙尘钻进城里人愚昧无知的头脑之中，你猜会发生什么事情？他把他们当中的某些人也变成疯子，正像你看到的生活在普瑞克尔布什的人们。

对，就这么回事儿。那个仿佛穿砂糖袋子的巨人从地平线这面走到地平线那面，带着让人发疯的风暴和浓雾，还有汗水！湿气像黏乎乎的糖浆从天而降。那是一道符咒，祸根。哦，傻瓜！人们去寻找。因他而发疯。城里人管这个穿砂糖袋子的神灵叫“及时雨”，或者他们的“雨季”。这些人当中有一些意外死亡的人。天气变得阴沉多雨的时候，无论白人还是黑人，死亡率直线上升。那种无处不在的潮湿非常可怕。一直持续好几个星期。人们一个个病病怏怏，每天都两眼冒火，愁容满面，仰起脑袋凝视天空，盼望赶快下雨。可是连一滴也没有落下。你应该听到过他们的抱怨。痛苦让这些人们放肆到了极点，他们好像和全能的造物主那么熟悉，用冷嘲热讽的口气叫喊："上帝，你怎么总是没个完？"

他们是不是疯了？这是秘密！他们似乎没有什么原因就疯了。心智健全？哪儿还有什么心智健全呀！就像尊严一样，那玩意儿早被践踏在雨水浸透了的土地。没有头脑、愚笨无知的家伙跑到了丛林里。他们到处乱跑，打扮得就像狂放无羁的仙女或者凶狠毒辣的鬼怪。谁也不知道他们认为自己是些什么玩意儿。他们像鸟儿一样，倚靠着大树，或者藏在三齿稃草丛中。有的再也没有回来。还有的人无缘无故就成了杀人犯。总而言之，谁都难逃这一劫。海湾沿岸地区的人——不管你是白人还是黑人，下雨前，都得忍受这种煎熬。

与此同时，一种很古怪的绿颜色的霉"入侵"了每一座潮湿的房屋、每一个人、每一样东西。大地蒸腾起潮湿的空气滋养了霉菌。霉菌扩散开来，在德斯珀伦斯的水面上创造出一个神奇的、大海一样的世界。沙尘暴来临，把房门吹开关上、关上吹开之前，这种短暂的现象被看作超乎自然的奇观。这种霉像乌云一样，笼罩了人们的理性思维。他们（城里人）相互说着些非常可笑的话。恶劣的天气让生活更加艰难，他们找到描绘许多突发事件的词汇。今年，虽然诺姆没有从大海归来，但情况和往年没有两样。

好多年以来，人们都认为，德斯珀伦斯的母鸡中了邪。它们总是故意把生下来的蛋埋到鸡粪下面。流言传到城里，就成了这一带有个女巫，她的首要任务就是对所有东西都施以法术，把家禽、家畜变成鬼怪。狗和猫从头到尾长满感染了的伤口，一天到晚蹲在那儿用爪子搔。城里那些快成年的孩子们正在变成北部地区真正的澳洲斗士。他们心里的疑虑比父母更多，吃早饭的时候，在餐桌警告年幼的弟弟妹妹要处处留神。他们吃吃地笑着说，要是看到一个鸡蛋，怎么能分清是真的还是假的？或者哪个是他们刚愎自用的父母为了试探孩子们聪明与否故意找来的“赝品”。“那些在后院里到处溜达的、丑陋的母鸡下的蛋不能吃。”他们坐在餐桌旁边，局促不安地扭动着，想象着在后院烂泥里走来走去、浑身霉菌的母鸡。“如果不赶快把这玩意儿拿走，我可要吐了。”他们压低嗓门儿谈论能孵出小鸡的鸡蛋。“看到这个黑点儿了吗？那是魔鬼的粪便。”这时候，你就是挥舞长柄大锤也休想让城里那些小孩儿张开嘴巴吃鸡蛋。

明白了吗？整整一个夏天都是这样。你能拿城里这些不吃鸡蛋的孩子们怎么办？一点儿办法也没有。直到普瑞克尔布什那三个男孩儿——偷汽油吸[①]的小蟊贼被抓进用银色、绿色、金色、红色锡箔装饰着的、微微闪光的监狱之后，这些肮脏的鸡蛋才成了人们感兴趣的话题。这三个“小蟊贼”就是特雷斯措姆·费希曼、小鲁克·费希曼和亚伦·胡·库姆。关于这三个男孩，舆论纷纷。人们都说他们“罪有应得”。“罪有应得”这四个字你可以掰开揉碎，玩味一辈子。就像鸡蛋。嗨！对于这三个家伙，你没有必要费心劳神为他们做什么。为什么没有一个人到城里那条主街，保释这三个孩子出狱呢？他们被指控残酷地杀害了守夜人戈蒂。就在诺姆·凡特姆带着埃利亚斯的尸体出海的那天。

①偷汽油吸：在澳大利亚偏远的土著人居住地，有些贫穷的土著人小孩以吸汽油为乐。久而久之“吸毒成瘾”，大脑受到严重破坏。吸汽油之后常常神志不清，精神狂乱，无法控制自己的行为。如果搞不到汽油，他们就用胶水、甲基、木精、乙醇等代替，吸食后对神经系统亦造成严重损坏。据说，吸食汽油等物质后，可以解饿，所以饱受饥饿的孩子们乐此不疲。

被那张可以使他们免遭麻烦的“大网”保护的市民，居住在真正的房子里，城里的街道也修得很好。他们需要研究怎样让后院的母鸡下清洁干净的蛋。他们总是非常认真地照看他们的母鸡。时尚就是时尚。谁也不会关注被关进监狱里那三个男孩儿。

那儿百只近亲繁殖的、散养的鸡大摇大摆地走着。正值换毛的季节，那些鸡好像被拔掉一半儿羽毛，被瓢泼大雨浇得精湿，十分难看。好几个小时过去了，那些爱生气的丛林“观察家”——无论城东的还是城西的——和城里那些小伙子一样，都认为这些近亲繁殖的鸡没脑子。城里人从来不吃这些鸡蛋。杂货店只得降价销售，一块钱买一打，一块半买两打。而且都是从南方来的，是很干净的农场生产的，装在纸盒子里，包装得相当不错。“同样的货色。”人们说，他们对吃的东西都心存疑惧。结果，每逢节日，那些城里人就吃蔬菜、炸鱼饼、松糕。小心谨慎从来都不为过，犯不着给自己惹麻烦。

在这个以现代家庭生活为特点的时代，个人利益遏制了全人类的希望和快乐。城里人谁都不愿意冒险离开他们门窗紧闭的、卢浮宫似的家。对于肤色的警惕一直延续到新千年。他们说，之所以门窗紧闭是为了防止马路上扬起的尘土被微风吹到家里。外面，在后院，他们观察、记录那些拖着爪子走来走去的家禽。它们胸脯溃烂的伤口上粘着泥巴，红红的、掉了毛的屁股一闪一闪。

日复一日，被指控杀害戈蒂的那三个男孩似乎没有人过问。他们被关在城里那座被称做楚斯福尔“天文馆”的小监狱里。那里面摆满了热带地区的奇花异草，他们似乎已经被人遗忘，要烂在那里。人们看到他们还穿着被捕时穿的衣服，可是谁都满不在乎。他们的衣服在潮湿的牢房里早已发霉。他们待在这座欺凌弱小者的家伙们盖的监狱里浑身冒汗，也没有人关注。他们在这里无限期地等待开庭审判，可是这不关任何人的事儿。

“你们会为这一切受到公正的裁决，你们会为这一切付出代价。走着瞧吧。”楚斯福尔经常对那三个男孩儿说。抓他们那天，城里人争先恐后都想看看这三个被指控是杀人犯的家伙是个什么样子。那时候，楚斯福尔倒显得可有可无，可是现在，他成了唯一和他们接触的人。随着时光的流逝，孩子们觉得，等待审判本身就是对他们的惩罚。他们看楚斯福尔里里外外地打扫监狱。他们看得出，楚斯福尔也想让他们看出，能当一名阻止犯罪的警察，他觉得无上光荣。

孩子们观察他的一举一动，知道他们每天的饭菜都是这位狱卒亲自开车到小酒店取来的。对于埃·斯翠英吉并非易事。小酒店的厨师——楚斯福尔唯一的“助手”，一边递来三个用锡纸包着的一次性餐盒，一边非常轻蔑地摇着满头紫红色的烫发。“亲爱的，你纯粹是浪费时间！”她警告他，好像盒子里的食物对于那三个孩子太好了。小酒店里吃饭的顾客看着楚斯福尔手里拿着用纳税人的钱买的饭菜从玻璃橱窗前面走过，都抱怨说，真是糟蹋纳税人的钱财，为什么不把那三个小坏蛋枪毙了？

三个孩子，特雷斯措姆十岁，他哥哥鲁克·费希曼十二岁，亚伦·胡·库姆十一岁，看起来都像鲍勃·马利。他们什么问题也没有问，不指望谁会对他们格外开恩，也没有向谁提出过这样的请求。只剩下他们三个人，并且确信没有人能听到他们说话的时候，三个人挤到墙角，抱作一团，心里充满恐惧，觉得自己可能压根儿就不是人。他们说，也许他们就是关在动物园里的蜥蜴。有时候，他们用骰子算命，想理清头绪，为什么会被关到这儿？为什么要在这儿等待“公正的裁决”？他们这样抱做一团、揣测命运的时候，也会突然分开。因为听到楚斯福尔渐渐走近的脚步声。对于他们，也许那就是“公正的裁决”。

第一场暴风雨过后，海湾地区弥漫着一股酸味儿。那是神话中诸神的末日，有人称之为雷电的典礼，预告暴雨连绵的季节即将到来。骇人听闻的戈蒂凶杀案就发生在这个夜晚。巧的是，正是这个夜晚，诺姆·凡特姆以捕鱼为借口，驶向灰蒙蒙的大海，再也没有回来。说来也怪，城里人过去都对诺姆抱着怀疑，认为他是多起无头案的罪魁祸首，可是这一次竟然没有一个人把他和戈蒂的死联系起来。诺姆被指控的别的杀人案和戈蒂这次遇害毫无共同之处。大家都说，那些被害人都是黑人。这次却不同，需要有一个非常精明的人才能按照澳大利亚法律提起民事诉讼。

于是就发生了上面说的那些事情。城里人默默地庆贺诺姆——“渔人之王”又回到大海。几年前，诺姆还没有停止下海打鱼的时候，诺姆在别人眼里就是一座灯塔。他海上冒险所表现出来的过人的力量和勇气虽然被人们轻描淡写，但凡是有头脑的人还是认为，他们在上帝自己的国度，和一位海上巫师为伴。因为住得离诺姆那个让人看起来就生气的丛林营地很近，他的好运气无疑会给别的出海打鱼的人也带来好运。那些葬身海底的人带来的压力不复存在，消极的想法烟消云散。大海不再是一个充满凶兆和近在眼前的死亡的地方。诺姆把它变成一个平安之地。现在谁都敢下海捕鱼了，甚至敢做大海里都是难得一见的鲹的美梦。还能有别的什么解释呢？对诺姆·凡特姆的怀疑就这样轻而易举地解除了？连一丝疑虑也不再存在。随后的夜里，人们梦到的大海到处都是鱼，你甚至用不着划船，踩着鱼背就可以在万顷碧波上行走。

“渔人酒店”胆子大的人都在谈论鱼。大海风平浪静，他们也聊得心平气静。他们说：“他为什么要回来呢？”这是一个充满希望的时刻，人们可以从中找到极大的安慰。他们希望自己也有充足的理由不再回来。谁都时不时想逃离眼前的“乐园”，夜半时分偷偷跑到暴风雨中，把命运交给大海。

生活就是这样继续着。湿气非常浓重的日子里，不可避免地会有这样不可思议的时候——愚蠢的想法居然在城里不胫而走。有人被杀了。有几个孩子被抓了。还有的人离开小城远走高飞了。很正常！尽管许多人经常抱怨：“简直是一座没有生命力的死城！”还经常悲叹，多么希望有朝一日离开这个鬼地方。可实际上还是摆脱不了要在这里永远待下去的命运。他们被某种观念束缚着，被对某种可能性的恐惧压抑着，谁都觉得离开现在的生活并非易事。离开家乡、朋友、父母、孙儿孙女，离开自己的葬身之地并非易事。

没有几个人敢拿离开德斯珀伦斯这样的地方作赌注，但是小城夸耀他们有一位比普通职业赌徒更有地位的赌博高手。这位“领军人物”就是镇长布鲁泽。有人说，他或许是外来的侨民，因为他知道如何运筹帷幄，决胜于千里之外。暴风雨肆虐的夜晚，他坐在现代设施齐全的起居室里那张比一般人坐的沙发大得多的长榻上，摆弄着他那个“赌注登记者”用的旧皮革钱袋子，为冬天早季赌赛马做准备。他还别出心裁，在酒馆外面设了个下赌注的箱子。凡是从酒馆路过的人都可以下赌注，赌诺姆·凡特姆会不会再回到德斯珀伦斯海岸。

当布鲁泽手里提着他那个皮口袋走进“渔人酒店”，希望赶上他所说的“夜间痛饮”。这时候，下面这几句话在德斯珀伦斯不胫而走：“赞美大海吧。他是我们完全忠实于大海的象征吗？或者不是。请选择。”很快，良好的愿望变成兴奋激动和消遣娱乐。赌博的热情超过戈蒂被杀引起的振动。酒馆里挤满来赌博的人，关于航海技能的争论简直能吵塌屋顶，以至于身为警察的楚斯福尔被叫去看能不能做点儿什么事情。那位脸像猫头鹰似的酒吧服务员因为是被关起来的三个孩子中的一个的父亲，也受到戈蒂凶杀案的牵连，尽管他从来没有爽快地承认他和那孩子有血缘关系。看到楚斯福尔，连忙帮他一起维持秩序，让拥挤在小酒馆里的人们排成一条长队。

昨天，城里的人们还在竭力反对凶杀。他们平常总是自鸣得意的脸大惊失色，发现原来这样可怕的事情可以抓住你的心，可以非常暴烈地把你扔到动荡的世界，完全失去安全感。你得和一个连孩子都会杀人的世界打交道。起初，这些备受磨难的城里人大为震惊。他们惊呼：“世界怎么会变成这个样子？”在德斯珀伦斯这样一个小镇，发生这样的事情真让人难以置信。他们一代又一代在这里过着独处而不受干扰的生活，日子过得很充实，也很平静。

生活在这方天地的父母都认为，他们这个小镇和世界别的地方相比，独一无二。生活可以在这片辽阔、质朴、宁静的田野，白花花的盐田和三齿稃丛生的草原铺展开来。孩子们在大自然的怀抱中长大，从小就知道，我们这个星球会多么孤独。这里的孩子们读书本里的童话故事，看儿童电视片里反映的幸福生活。他们这个宁静的世界，杀人者不是孩子们的玩具。

城里人听说杀害戈蒂的凶手居然是三个孩子的时候，起初都待在家里，审视自己的心灵。他们从来都没有想到几个孩子会犯下这样伤天害理的罪行。这种事只能发生在那些发了疯的人居住的邪恶的地方。他们从电视上看到过类似的新闻，常常为澳大利亚没有发生过这样令人发指的罪行而庆幸。可是他们做梦也没有想过，德斯珀伦斯居然发生了这样的事情，而且或许会像纽约、耶路撒冷、科索沃一样，也被电视台的记者报道。

不过，德斯珀伦斯和别的地方还是不同。镇公所决定，绝对不能让德斯珀伦斯哭泣的面孔出现在电视屏幕上。他们要求大家闭上嘴巴。“我们不能让任何人认为我们不是良民。”这个要求通过那张看不见摸不着的严格保密的“大网”，口口相传。小镇所有通道都关闭了，连一只苍蝇也休想飞进去下蛆。这儿确实是世界上唯一可以守口如瓶的“良民”居住的地方。谁也不会看到德斯珀伦斯人一张张困惑不解的脸像淡淡的黄褐色的亚麻布出现在国家电视台的电视屏幕上。谁也不会像德斯珀伦斯人看世界一样看德斯珀伦斯——在静电的沙沙声和彩色条纹的跳荡中开始七点钟的晚间新闻。画面时不时被电子风暴击穿，直到终于完全黑屏。人们天真地认为，这是大自然在“审查”，谁也不会公开提出这样的问题：“我们这儿怎么会发生这样的事情呢？”

唉，可怜的老戈蒂！城里人都扼腕长叹，以这样或者那样的形式聚集在一起，帮助受害者家属。祈祷，埋葬死者。等到区法院审判这个案子的时候，他们要参加陪审团。人们都非常同情可怜的老戈蒂。“他连一只蚂蚁也不往死里踩。”他们说。

事发那天——十一月十一日上午十一点，人们没有听见戈蒂吹响休战纪念日[①]军号的时候，心里就想："没什么大事儿吧！一时疏忽。倒是挺好玩儿！"起初，人们真没有多想。也许戈蒂得了夏天的热伤风，病了。没有什么好责怪的。生活像平常一样继续着。德斯珀伦斯也是个普普通通的地方，吹号的人也有权利感冒、有权利躺在床上养病。德斯珀伦斯的人们即使不看表，或者别的什么信号，也知道几点。而且他们和别的地方的人不一样，有足够的自觉性，用不着军号声提醒，也会在十一点钟的时候为战争中阵亡的士兵默哀一分钟。但是正常情况下的英雄气概替代不了让人不安的气氛。城里人不知道发生了什么事情，等着听划过长空的号声。仿佛有一股让人心悸的浪潮涌进小城。他们觉得似乎有人在戏弄他们的"安全之感"。谁都开始盼望看到戈蒂。"他什么时候才能来呢？"他们抱怨道，"现在该来了呀！"大家都知道，不论风和日丽还是阴雨连绵，戈蒂就是得了感冒，也会准时出现在人们面前。可是今天没见他的踪影。情况真的有点不妙。好端端的一天就这样被戈蒂毁了。

不过，更糟糕的事情还在后头呢！雨停之后，有几个家伙突发奇想，穿着破凉鞋到丛林里泥泞的小路闲逛。他们只顾想自己的事情，无意中发现了戈蒂。经过两个小时太阳的暴晒，那具尸体就像热面包一样冒着蒸汽。那以后，哦！天哪！天哪！德斯珀伦斯炸开了锅。旗杆下面吊着的那口钟不停地敲。戈蒂以前就是在那儿吹纪念先烈的号角。每一个公民——上流社会的、二流的、三流的，乃至那些被认为声名狼藉或微不足道的人都被召集到镇公所前面的草坪上。人们激动地说呀，说呀，议论之声不绝于耳。镇子里那些头头脑脑对集合在草坪上的人们讲话时，激情洋溢。他们说，能找到戈蒂的遗体真是奇迹。

基督徒们在镇公所召开的会议上说，戈蒂一定有个守护他的天使。如果他的尸体上不是爬满丽蝇[②]，谁也找不到他。他们说，那具湿淋淋的尸体

①休战纪念日：纪念第一、二次世界大战阵亡者，每年十一月十一日或这天前的星期日。
②丽蝇：双翅蝇类的一种蝇，产卵于动物尸体或腐肉上，或在掀开的创口和伤口中。

上一定爬着上百万只丽蝇，就像一团黑云。到过现场的人说，如果你走到离那具尸体不远的地方，就会觉得戈蒂仿佛是蒸腾而起的一个散了架的嗡嗡叫的黑色魔鬼。

“你甚至能看见他身体各个部位四处跳动，剩下的部分……哦，感谢上帝，他母亲在一家收容所。还有一件事情，镇公所应该治一治营地那些狗。看到大街上跑来跑去的野狗，谁都有权利开枪打死。那些狗实在让人恶心！”

于是，整个小镇都对流浪狗和那三个孩子发起凌厉的攻势。“弄清楚他们是从哪儿来的，然后让堪培拉该死的、懒惰的政府把这些玩意儿都弄走。都弄回到堪培拉！”

是啊，那具尸体绝对不是什么“好景致”。关于野猪吃人的故事、鬼怪阿贝利尼的故事重又浮出水面，可怕的记忆又出现在眼前。过去二三十年里发生在丛林里令人毛骨悚然的死亡——伸出一个巴掌也数不完——又被人们添油加醋夸大成新版本。“这种事儿历来就有。”有些忧心忡忡的城里人说。人们听了这话都兴奋激动，说出来的话越来越不着调。

还有的人说起公墓的事儿。他们如数家珍，说出哪个坟墓里埋的是谁。不过，有的坟墓里根本就没有尸体，只是埋点死者生前用过的东西罢了。

“你们想知道公墓的真实情况吗？”一个粗哑的声音说，“那儿倒是挤满了坟头。可惜坟头里只埋着装在麻袋里的残缺不全的尸体。”谁都知道说话的人是谁。因为这个“公鸭嗓子”坚持说，他儿子失踪之后，就被埋在那座公墓里。大伙儿都知道，他儿子是在参加一次又一次送别宴会后，开着他那辆鹰牌汽车离开德斯珀伦斯的。总有一天他会再回家乡，发现父亲已经把他埋到了公墓。

硬被楚斯福尔从普瑞克尔布什赶来参加会议的老人们对于公墓的说法颇为不满。城里人从他们身边走过时，永远是侧着身子。老人们每听见他们说一句屁话，就朝地上吐一口唾沫。正是他们亲眼看到那些死去的人们如何走向来生。城里人称之为翠德隆[①]、夸德隆[②]、奥克德隆[③]、“纯种人”的人，或者说到他们自己、亲戚朋友、邻居，和上帝塑造的完美的人的形象相去甚远。想象一下，一个奇异的幽灵永远在这一带上空飞翔，用老鹰一样目光犀利的眼睛搜寻信天翁的内脏，并且由此出发再寻找别的部分。他们知道，往圣水里扔石子永远不会创造圣迹。把牛肚子扔到它倒毙的地方，或者把六个月前满月之夜一个清醒的人从一个醉酒的人那儿偷来的一壶尿扔到大海也不会出现什么奇迹。至于别的新时代时髦的符咒，更无法阻止邪恶的魔鬼给他们家带来灾难。如果你已经死了，但还在四处寻找你那具躯壳，你的灵魂或许会选择比以前那个寒酸的家更好的家园。

这就是老人们的智慧。他们说，即使现在这个时代，只有那些相信依靠自己的力量改变世界的人才能创造奇迹。尽管他们从来不指望那些城里人会爽快地承认这一点。这是些逃脱了遍及全球的战争和饥荒的很认真的人们。所以，这些老人在关于戈蒂的会议上态度冷静，没有多说什么。什么事都有可能发生。他们压低嗓门儿说，谁知道城里人会因为戈蒂之死脑子里想出些什么怪念头。“记住！凡是知道自己传统的人，就不会说不知道自己来自何方，也不会说再也不相信上帝。”

有的人，像诺姆·凡特姆，把城里那种混乱状态叫作“枝节问题”连接而成的网。普瑞克尔布什一般老百姓和这些老年人一样，也一直持有这样的看法。戈蒂的死让城里人神经过敏。他们对看到的东西下意识地产生联想，特别是海湾具有典型意义的、彤云密布的天空，不可思议的、色彩如独角鲸的被掏空内脏的鬼怪。城里有一半人赌咒发誓，他们有特异功能，能看见鬼，就像能买得起一辆新汽车一样。

①翠德隆：有二分之一黑人血统的人。
②夸德隆：有四分之一黑人血统的人。
③奥克德隆：有八分之一黑人血统的人。

大家都谴责杀死戈蒂的那些人。可是从来没有人告诉那三个孩子他们为什么被关进监狱。他们不说话，也不提问。因为他们知道，不能听任何城里人说话。大人告诉过他们：“每次进城，都堵上耳朵不要听也许压根儿就不属于人类的白人的话。他们也许是，也许不是。”城里是另外一个世界，一个超自然的世界。孩子们把那儿想象成白人鬼怪居住的地方。那里有仙女、小妖精、小精灵、小魔鬼，或者矮妖精[1]，或者别的更邪恶妖怪。是啊，如果根本就不知道他们来自何方，你还能有别的更切合实际的想法吗？可是当城里人那样侃侃而谈的时候，充耳不闻也很难办到。好在孩子们都想活，所以就把耳朵堵得严严实实。

在林中小路发现戈蒂尸体、镇公所把居民召集起来那天，住在城外破房子、没有资格享受“市政服务部门”提供保护的那些人家，都不愿意到城里去开会。“谁爱管他们的事儿呀！”凡特姆姐妹嘟囔着说。她们达成共识，如果不得不与离城那边那些浑身散发着臭味儿的、偷人家土地的人们站在一起开会，她们绝对不会进城里去。“你们自个儿谈自个儿的事儿去吧！”贾尼斯·凡特姆的目光掠过泥泞的小路，用嘲弄的口吻朝小镇的方向大声说，似乎她的声音可以传得很远。她还伸出左胳膊，勾着食指，做了个不无挑逗之意的动作，又用右手抓着左臂，上下使劲摇动。“别傻了。”帕特茜对她说，格里亚也表示同意。

帕特茜用小勺喂凯文吃了一碗炖菜。她生弟弟的气。因为他觉得自己是个负担，紧闭着嘴巴就是不吃，越发让人讨厌。她知道他因为父亲出海没有带他而生气。不过，这也难不倒她。没用多长时间，她就硬用勺子撬开他的嘴巴，把饭菜喂到他肚子里。

格里亚刚刚洗完澡。她至少花了三十分钟把楚斯福尔留在她身上那股酒气洗掉，眼看着脏水流进下水道，心里才舒服了一点。她们之中谁都没有必要走上一公里泥泞的小路，只是为听那些乡下佬胡言乱语。凯文看见

---

①矮妖精：爱尔兰民间传说中一种小精灵，可以向抓住它的人指示隐藏的宝藏。

格里亚只围着一块浴巾走了进来，不由得张大了嘴巴。帕特茜趁机给他灌了几勺肉、土豆和胡萝卜做的炖菜。“好了，好了！”她说，总算给凯文喂完了饭，心里觉得很满意。“这该死的钟什么时候才能敲完？”她说。她真有心跑过去，把那个敲钟的人杀死。

镇公所秘书瓦伦斯虽然在市政服务方面有几十年的经验，但也没有让他做好足够的准备处理眼下德斯珀伦斯这些让人费心劳神的事务。对于戈蒂的死，他无法摆脱自己心里的负疚之感。结果，越想这桩事情，越觉得自己纠缠到了这团乱麻之中，不知道该如何向前来参加会议的人们解释发生的这一切。他们一直坐在镇公所办公室外面，满脸严肃地从远处看着他。看得他心里发毛，寻思，他们一定以为他就是杀人凶手。所以，不知道一旦停止敲钟会发生什么事情，他就不停地敲呀敲呀。

看起来仿佛整个小镇的人们都来看他那双心不在焉地凝视天空的淡蓝色的眼睛。他那短粗的身体和绳子一起来回摆动，大汗淋漓，好像他一直在敲钟。他看着那些满腹狐疑的人们，那些人也非常认真地端详着他，似乎在确定他是不是失去理智了？谁都觉得没有权利干涉别人的事情，尤其一个只和他们相处了八年的人。所以，他们就坐在那儿，看着，等待着，由他没完没了地敲钟，至少可以等到“执法者”来了以后再说。

目光掠过眼前的真情实景，瓦伦斯脑海中浮现出另外一幅图画。那是他突然之间创造出来的一道风景，尽管确实发生过这样的事情。内地的人们说：“是的，先生，听这钟声，听这天使经钟①。”他们像朝圣的香客一样，像圣徒一样，走进城里。他是特别为居住在这个小镇的同胞兄弟做这番努力的。用钟声呼唤团团阴云之上的“圣三一”②，希望他的上帝能垂爱于这些可怜的、不幸的人，给他们走向小镇的力量和勇气。

---

①天使经钟：为纪念耶稣降世为人，基督徒在早晨、中午和晚上进行虔诚的祈祷。天使经钟是用来号召人们做这种祈祷的钟声。

②“圣三一”：指圣父、圣子、圣灵三位一体。

瓦伦斯很赞赏那些具有新思想的人。他们为澳大利亚民族和解不懈努力。而他自己作为一个良心不断受到谴责的镇秘书，总想利用一切可以利用的机会让住在城外的黑人觉得，他们也是和谐社区不可缺少的一分子。虽然戈蒂不是他们的守夜人，瓦伦斯却认为，“社区服务”应该为包括黑人在内的所有人所利用。然而，他敲钟的时间越长，住在城东城西两边的普瑞克尔布什的“夙敌”，都斩钉截铁地说，一旦有机会，就把那口钟彻底砸烂。

后来，听到布鲁泽和楚斯福尔终于大驾光临，人们好像才松了一口气。他们听见布鲁泽那辆刚检修过的芒果绿勇敢牌汽车活像一个受了伤的、浑身污泥的野兽，大功率发动机一路怒吼着，从镇公所办公楼外面那条沥青马路疾驰而来，直到在镇公所前面草坪旁边的小路停下。布鲁泽从汽车里跳下来。他身穿里维斯牌牛仔裤、格衬衫，衣领敞开，看起来很热。他朝人群飞快地瞥了一眼，看谁没来。不一会儿，那口钟就哑巴了。布鲁泽手脚麻利地披上象征他一镇之长权威的披风，脚蹬鹿皮鞋，大步流星径直走到瓦伦斯面前，使劲抓住镇秘书的两个手腕，直到发出好像要捏断的响声。瓦伦斯疼痛难忍，立刻从神志恍惚中清醒过来。“但愿你再也不要这样没完没了地敲钟。”布鲁泽说。

“我的助手，”布鲁泽说，拍了拍楚斯福尔的肩膀，“他知道该怎么办。散会之后，他马上就着手处理这件事情。我们用不着等南边来警察调查处理这个案子。我们自己有警察。他了解我们，知道我们需要什么，知道我们这座小城不需要那些不务正业的家伙来懒懒散散地打发时间。这次和过去不同。丛林里发生过那么多杀人案，他们一个也没破。

“他们从南边派来的那些警察知道怎么办案吗？他们不了解我们。他们是不是看起来像是了解我们，或者他们是不是愿意费点心思问问我们脑子里想什么？我们在这儿如何生活？没有！他们只是在这儿瞎转悠，浪费纳税人的钱财，做蠢事，丢丑。然后，拍屁股走人。结果，环顾四周，我们发现，和先前一样，我们还在这儿坐着。为什么？因为我们属于这块土地。

“他们连声招呼也不打，对我们的热情招待连声谢谢也没有说，拔腿就走，坐上包机一溜烟儿跑了，连一个音讯也再没有听到。结果呢？夜里睡不着觉，我们就担心会不会被人杀死在床上？我们会担心，第二天早晨还能不能醒来看看初升的太阳，或者已经一命归阴。伙计，我说的对吗？你呆呆地在想什么呢？”布鲁泽转过脸端详瓦伦斯那张脸。“听众席”上有的人傻乎乎地笑，有的人咳嗽。

“我们已经找到证据，真的找到了证据。”布鲁斯继续说，拍了拍楚斯福尔的肩膀。楚斯福尔点了点头，瓦伦斯非常感兴趣地抬起头，城里人如释重负，都松了一口气。“可怜的老戈蒂和他不幸的灵魂，有一部分已经被营地的狗吃到肚子里了。可是现在出现了一个非常偶然的巧合，”布鲁泽继续喋喋不休地说，为了吊听众的胃口，还卖了个关子，“你们知道怎么回事儿吗？天空出现了一道彩虹。”奇迹发生了，因为就在他们发现戈蒂的那个地方上空，真的出现了一道彩虹。就连布鲁泽的脸上也现出天使般的表情。人们都回转身，伸长脖子顺着布鲁泽的手指望去。他们的目光掠过一幢幢房子的屋顶，掠过小城郊外的田野，和泥泞的小道那边深红色的滨藜[①]。在一望无际的平原天空深邃辽远，出现色彩绚丽的彩虹本来是寻常事。

“看到了吗？戈蒂上天堂了。上帝送给他彩虹，为他架起桥梁，让他蹬上天堂。因为只有上帝知道德斯珀伦斯在哪儿。你知道我们这些好人住在哪儿，难道不是吗？主！哦，看在上帝的分儿上，还有别的情况呢。听！上帝告诉我该做什么。上帝告诉我，他一定会惩罚凶手。我对上帝说，‘主啊，谢谢你！我们已经知道这事儿是谁干的了。我们已经确定谁是凶手了，保证不让他们逃脱法网’。所以，开完会，我们马上就去逮捕那几个小浑蛋。那么，好了，再见戈蒂！我们将永远怀念你。为我们的戈蒂祈祷吧！”

说到这儿，布鲁泽停止口若悬河的讲演，闭上嘴巴，一脸故作的天真，

---

①滨藜：一种含盐灌木。

看着眼前那群人。他搜寻那些不信天主教的人的眼睛。肯定有。是谁呢？是谁呢？这次谁会暴露无遗呢？然而，出乎瓦伦斯的预料，人们都嘴里念念有词，为戈蒂大声祈祷。而布鲁泽那张平常让人觉得他是异民族后代的、有一道伤疤的脸，现在看起来也与以往不同。瓦伦斯惊讶，他是如何把脸变成这副模样？他看到了别人已经看到的变化——那好像是一张圣人的脸。

“请安静。”布鲁泽终于说，一遍又一遍重复着他的请求，直到参加会议的人都闭上嘴巴，听他讲话，“你们如果想祈祷，以后再祈祷吧。眼下我们还有许多事情要做。首先，我们要组织起来，去逮捕那几个杀害戈蒂的人。他们会是谁呢？”

空气好像凝固了一样，人们个个毛发倒竖。大伙儿都知道布鲁泽说的是谁，都很容易就想起威尔·凡特姆那些罪名：纵火犯、煽动者、闹事者、半夜三更开飞车满大街乱跑。这地方出了那么多麻烦事儿，出了那么多打架斗殴、扰乱治安的案子，都是因为他到处宣传不能开发这里的矿山。他们眼前这座崭新的、漂亮的镇公所办公楼的“前身”据说就是被他放火烧毁的。总得有人放火吧，那座老房子肯定不会自燃。让大家欣喜万分的是，他们的好邻居——矿业公司前来救援。他们还慷慨解囊，捐款为镇公所建一座崭新的楼房。前提当然是在“土著人问题”上他们能“绿灯”高照，一路顺畅。他们把这方面的罪责也推到威尔头上。哦，现在看起来，种族关系、种族矛盾，又开始在他们丑陋的头脑中掀起轩然大波。

“听我说，这回你得动点真格的了！”

“我们再也不能容忍他们这样胡作非为了！”

“对！”布鲁泽立刻表示赞同，“就像我刚才说过的那样，这回和以往不同，我们要采取行动了！”

大伙儿都知道，那些砸窗户的坏蛋，那些自称“吸汽油”的家伙住在破汽车里。这帮人从一辆破汽车搬到另外一辆破汽车。最近，他们又搬进费希曼那帮人扔下的一辆汽车里。那辆车就在戈蒂经常走的那条小路旁边。那里边的东西被拆了个精光。他们还用喷漆在城里铁皮围墙上到处涂鸦：“吸汽油的人，永远不死！”你看了那些歪歪扭扭的字，不由得问：“这是谁家的孩子干的？”其实大伙儿都知道这事儿是谁干的。因为他们经常破门而入偷走他们家里的东西，却没有办法让他们罢手。他们还经常偷汽车油箱里的汽油，害得人们只好在油箱上加一把很大的挂锁。全镇子的人都格外警惕，一切能锁的东西都上锁：车门，房门，任何值钱的东西都得采取“保安措施”，防止“吸汽油”的家伙下手。可这些家伙还是无孔不入，防不胜防。

大伙儿都见过这些男孩儿就像机器人一样，在城里走来走去，浑身散发着汽油味儿，目不斜视，旁若无人。有时候还一对儿一对儿地和小女孩儿一起走着。教唆他们的当然是那些身上散发着汽油味儿的、比他们大的男孩儿。他们一个个瘦得皮包骨，就像从来没有人给他们吃饭似的。或者正像瓦伦斯经常说的那样，他们就像是喝汽油长大的。

“你怎么知道是他们干的？”瓦伦斯问道，还不停地揉着被布鲁泽捏疼了的手腕儿。

布鲁泽的座右铭是“先做，后说”。他愤怒地瞪了瓦伦斯一眼，希望他能理解他的意思，闭上那张臭嘴。布鲁泽一直想，瓦伦斯要是个喜欢喝酒的人就好了。现在，他又后悔，镇公所不该从南方招聘来这么个家伙。他来城里待上两分钟，就会指手画脚，说出一大堆没用话。这个人真能把他逼疯。如果在酒馆里，情况就不一样了。他会好好教训一顿瓦伦斯这样的人，让他知道在海湾这样的地方应该怎样办事。他真后悔没有打断这个家伙一条胳膊或者打掉他的牙。这两件事总得做一件。他提醒自己一有机会就先把他的牙打掉，现在还不行。这件事很敏感，当然要找机会。不过如果瓦伦斯走得太远，布鲁泽不知道自己还能不能忍住不出手揍他。

“我们怎么知道？你说什么呢，瓦伦斯？难道没有原因我们会诬告什么人吗？我会对你讲的，瓦伦斯。你听好了，因为我不会再讲第二遍。现在我们不是开镇务工作会议，瓦伦斯。我们不是屁股坐在板凳上，脸前摆着一堆文件，东拉西扯。

“我这儿站着一堆大活人，都各有各的事情要做。也许大热天，有的人像我们一样，想从装着空调的办公室走出来透透气。可是……嗨！等一下瓦伦斯，你是不是想告诉我，我是在这儿编瞎话骗大家？你认为大伙儿都是傻瓜或者别的什么玩意儿。你要是想指责我，就说出来，瓦伦斯。不要兜圈子了，因为我有话对你说。我没有时间在这儿浪费。你知道我现在应该做什么吗？到星期二，我有一千头牛要运到亚洲。你听我说，我没有时间坐在这儿苦思冥想，琢磨这事儿是谁干的。”

那些城里人对布鲁泽的“大手笔”十分敬畏。“天哪，一千头牛！这些牲畜现在在路上吗？布鲁泽。”

瓦伦斯既紧张又激动，打断他的话，说：“不，你怎么知道是他们干的？我只想问这个。”

“告诉他，布鲁泽！我想，他有权利知道。”会场上有人喊道。大多数人沉默着，布鲁泽讲话的锋芒继续直指瓦伦斯，用和一个傻瓜、白痴说话的口吻说道：

“有一个小黑杂种把他的红凉鞋丢在了现场。这就是线索。谁穿这只鞋正合适，或者我们看到谁只穿一只红凉鞋在街上走……好了，能得出什么结论，你自己想去吧。第二点，有一个家伙丢了帽子。他跑得那么快，顾不上捡。事实证明，这顶帽子不是别人的，是莫吉家一个男孩儿的。帽子上还写着这个孩子的名字。真遗憾，这位父亲不在城里，不能为做一个称职的父亲改变改变自己。这就是证据。除此而外，我们还发现另外一只凉鞋。好了，我们用不着去请什么堪培拉新闻局的记者，也用不着请政府从南方派警察来这儿应付差事，浪费时间。就像上次，可恶的威尔·凡特姆犯案之后，诸位还记得吗？烧了半个城，竟然没有受到法律的制裁。说什么证据不足，我现在想起来还气不打一处来！证据不足？纯粹胡说八道！”

布鲁泽拖长声调，一只拳头打在另外一只手的掌心，一吐为快之感油然而生。他瞥了楚斯福尔一眼，希望得到他的支持。

会场一阵骚动。邻居们隔着一排排塑料椅子，相互致意，纷纷表示同意布鲁泽的看法。男人和年纪大一点的小伙子们都说，今天剩下的时间，就去找“吸汽油的人”，把他们一网打尽。布鲁泽立刻制止大伙儿要主动出击、“人肉搜索”的激动情绪。“等一等，小伙子们！我们首先要控制整个事态的发展。暂且勒住你们的马，坐稳你们的屁股。警方首先要核查一下。”

“好了，好了。大家安静，”楚斯福尔插嘴说，“我们都知道，有人已经犯下滔天大罪。但我们必须依法行事，我们不能把无辜的人抓进监狱。我也不想因为你们诸位制造混乱就逮捕你们。我们，你们和我的责任不但要伸张正义，而且要把事情做对，做好。所以我们首先要安静下来。

“首先，眼下我们只能抓三个犯罪嫌疑人。也许还有同案犯，但是我们必须有证据，有像镇长刚才说的那样的证据。我们现在要抓到是，特雷斯措姆·费希曼和他的弟弟鲁克。”

人群中的叫喊声打断了楚斯福尔的讲话。他们叫喊着说，这几个孩子早就应该绞死，应该五马分尸。这两个孩子在城里名声当然不好。有的人大声告诉楚斯福尔，一定要看好这两个小杂种。有一个女人似乎为了尽她公民的责任和义务，补充道：“这次一定把这几个杂种锁好，绝对不能让他们逃走。你干活儿的时候，保管好钥匙！”

楚斯福尔在一片嘈杂声中继续他的发言。不过讲到这儿好像有点让他犯难。“我们要找的另外一个男孩是……”说到这儿，他停了一下，在说出那个孩子的名字之前，深深地吸了一口气，“亚伦·胡·库姆。”会场上一片寂静，有几个人眨巴了几下眼睛。现在谁也不再像刚才那样大声嚷嚷着叫骂孩子们的父母。

你呆呆地想什么呢？正直的城里人。在座各位都知道那几个孩子，尽管谁也没把他们当成这个小镇的公民。“吸汽油的人”来自远离海岸的穷乡僻壤，来自城边黑人居住地那些营地，没有必要为他们是不是罪犯费心劳神。除了……除了在亚伦·胡·库姆的问题上大伙儿画了个问号。那两个姓费希曼的男孩儿是安吉尔·戴太太生的。她把自己的家人留在普瑞克尔布什，让他们自己照料自己之后，跟着费希曼远走高飞，接连生下这两个男孩儿。哦，谁都知道她是个真正的婊子！现在她在哪儿呢？“听我说，她正仰面朝天躺在那儿，哼哼呢！分开两条腿干你能想象到的那些事情。她太忙了，根本没有时间像我们大伙儿一样来镇公所开会。”

“她根本就不管她那几个孩子，对吗？”白人太太们相互议论，“可不是嘛，她才不管呢！完全放任自流。”

谁也不朝酒吧服务员劳埃德·史密斯那边看。谁都知道他是亚伦·胡·库姆的父亲。尽管他从来也没有公开承认过那位母亲和他有过关系。可是，事实就是事实。从打这个孩子出生，关于他的传说就一直没有停止过。人们都迫不及待地想看热闹，看看这个孩子生下来是白还是黑。还有一点值得关注，那时候，那女人自己还是个半大的孩子。使人震惊的是，谁都没有想过，生下酒吧服务员的孩子就意味着她可以在城里生活。等到事实证明，人们的猜测没错儿的时候，她把那个孩子包得严严实实——不管是炎热的夏天还是别的什么季节——一走了之，因此谁也没有看见过小家伙到底什么模样。

然而，黑的就是黑的，谁都无法改变肤色。白人父亲从来没有承认过那个黑孩子是他的儿子，尽管没有一个人不知道，那是他的种。黑妈妈发了毒誓，她一辈子也不会再走进城里半步！有人说，由于恶毒的流言，那个可怜的女人把自己关到一间门窗紧闭、不见天日的黑屋子里。她哥哥说，她这样做自有她的道理。她的皮肤最终变成了白色，和白人女人没有两样。现在，他声称，她害怕人们再说三道四。经过这么多年的磨难，她太骄傲了，不愿意再出来面对流言蜚语。为什么会这样呢？那位聪明的哥哥解释道：“虽然世界变啊，变啊，可是对于她，这辈子连一点点变化也没有发生。事实上，德斯珀伦斯周围黑人的生活也没有发生什么变化。”

他从来就不是个夸夸其谈的人，用很朴素的语言说出别人想说没说出来的话。他用“杂种繁殖”这个词解释“混种”。他说，“杂种繁殖”就像白人的精液错射到不该射的地方，生出一条蛇。那个女人的哥哥从孩子出生，就尽自己最大的努力照顾他，既当爹又当妈。一直把他拉扯成个“捣蛋鬼亚伦”。谁都知道，他什么都干。当然主业是在城南一块高地上养了一群山羊。他现在有二百只山羊。这群羊就在那块土地上“变种间杂交”[①]整整五十年，什么颜色都有。无论什么时候，只要风改变方向，从南面吹来，那块土地蒸发出来的刺鼻的臭气就会吹到城里。人们都管这风叫“山羊风”。没有别的风可以与之相“比美”。这位舅舅辛勤工作，为了这群山羊，为了养家糊口。他养山羊，挤奶，给城里人做奶酪。镇委会给他拉了一条电线之后，买了电冰箱。城里人看到亚伦·胡·库姆的舅舅无论天气晴朗还是乌云满天，都徒步放牧那群羊，日子过得也还不错，都赞不绝口。只有一件事情让大伙儿困惑不解，那就是亚伦这个不同基因库混杂出来的孩子会是个什么样稀奇古怪的玩意儿呢？

理论形形色色，但很难找到一个答案。

普瑞克尔布什人听到这个消息之后都摇着头不相信是真的。人们串来串去互相询问：“你知道那三个小家伙为什么半夜三更杀戈蒂吗？”谁也无法回答这个问题。

楚斯福尔和布鲁泽找到这三个孩子的时候，他们正在睡觉。三个小家伙躺在一辆被他们称之为“家”的赫尔顿牌破轿车里。他们并排躺着，就像装在一个生了锈的铁盒子里的沙丁鱼。他们把那辆破车推到刺人的灌木丛里伪装起来。三个孩子睡梦中被警察卡着脖子迷迷糊糊从破车里拽出来，隐隐约约感觉到，他们要倒霉了。他们是不是刚刚逃脱一张罗网，又要落入陷阱？就在昨天，费希曼手下那些人还在德斯珀伦斯到处搜寻这三个淘气包。不过没有找到罢了。

安吉尔·戴对莫吉说，那两个孩子不和她在一起。他们和别的亲戚一起到处流浪，她也好久没有见到他们了。她说的没错儿。

这几个捣蛋鬼虽然知道老父亲正在找他们，还是东躲西藏。他们一个

①变种间杂交：在小范围内或与联系密切的种类或个体繁殖。

个瘦得皮包骨，却懂得如何“消失”在空气之中。刚才你还明明看见他们就在眼前，眨眼间就消失得无影无踪。他们似乎知道如何变作一棵草，或者一根刺人的小树枝。

费希曼的护卫队走了之后，这几个厚颜无耻的男孩儿从他们的藏身之地跑出来，又叫又跳，脸上挂着得意的笑容。“全靠你了，特雷斯措姆。”“你也很棒呀！”“你是搞破坏的人，亚伦。”“你是！”“你是！”三个孩子在他们的乐园高兴地翻跟头打把式，快乐的嬉戏声在草地上空回荡。这是年轻人充满希望的地方，是快乐永驻的地方。闹够了，觉得平安无事了，他们便坐在那辆破汽车顶上，眺望向南远去的那团黄尘。跟着莫吉·费希曼的护卫队一路颠簸好几个月，可不像出去野餐那么轻松。他曾经警告他们：“我要是看见你们偷汽油，一定打断你们的腿。”他们以前就听说过费希曼如何教训“吸汽油的人”的故事。

楚斯福尔和布鲁泽找到他们的时候，很不幸，他们因为吸了汽油、胶水、乙醇或者别的什么玩意儿，正迷迷糊糊，不知道发生了什么事情。那两个人把他们扔到那辆柠檬绿汽车后排座上，然后直奔监狱的时候，三个孩子还像做梦一样，神情恍惚。他们被拖进高墙环绕的看守所，像扔一袋袋土豆一样扔进黑暗的牢房。他们也像土豆一样重重地跌在水泥地板上，好久不能动弹。

楚斯福尔很快就发现，用粗暴的态度对待这三个孩子没有什么用处。他突然不再摔打他们。一个警察应该记得自己的职责。当鲜血从干净的墙壁流下来，流到干净的水泥地板上的时候，楚斯福尔注意到，那血迹仿佛一幅很深奥的抽象派的图画。一幅让人头晕目眩的牲口被杀的图画在他脑海中闪过。他首先想到的是，得把血迹斑斑的牢房打扫干净。作为一个训练有素、习惯于记录每一个细节的警察，楚斯福尔还记得，这三个被拘留的孩子被逮捕的时候都处于半昏迷状态。这个事实要记到他的正式报告中。现在，他发现，他们面无血色坐在那儿，好像被放到了一架绞肉机里。

就连楚斯福尔自己也知道，抓捕这三个孩子没有多少道理。“喂，布鲁泽，这么做不会有什么结果呀！”他注意到自己声音中的焦虑。“如果！”“如果！”这两个字就像高速公路上的路标，印在他的良心上。如果“死亡之神”在这里守护就好了。他知道为此而受到处罚，那才是地道的傻瓜。如果能避免，他一定想办法逃脱干系，决不能做替罪羔羊。现在他的对立面儿是布鲁泽。可是谁都知道“识时务者为俊杰”的道理。他心里清楚，他们这儿没有一个和州政府有关系的政界人士有胆量挑战颇有点影响力的德斯珀伦斯镇长布鲁泽，并且侥幸获得成功。“警察，”他不无幽默地对自己说，“你可是形单影孤呀！”

这位警察眼巴巴地看着布鲁泽把一个男孩儿一把揪到面前，叫骂时唾沫星子溅了那孩子一脸。

“你这个小坏蛋，昨天夜里到哪儿去了？”布鲁泽叫喊着，脸上那道伤疤变得像混凝土一样僵硬，汗水从毛发浓重的头顶流下，流过大脑门儿，顺着面颊一直流到嘴巴。那张嘴就像野狗一样龇开，露出泛黄的獠牙。男孩透过肿眼泡，呆呆地看着布鲁泽。楚斯福尔脑海里闪过一个念头，这孩子吓得连眼也不敢眨。男孩一言不发并没有让布鲁泽消气，相反他认为他蔑视他，越发火冒三丈。

“你不说，对吧？你不说就意味着我要发疯。如果我发疯，你知道会发生什么事情吗？”他逼视着男孩那张离他只有几英寸的脸，看到那张小脸茫然失神，面无人色，于是把另外一只手攥成拳头，照男孩的肚子猛击一拳。男孩一下飞了起来。楚斯福尔看见他撞在对面墙上，砰的一声落在地上。

“够了！布鲁泽！别太过分了！”

那个块头很大的家伙完全失去了理智。他踏着重重的脚步，巨大的身躯从看守所这边晃到那边，揪起一个软绵绵的“袋子”，暴打几拳，扔到对面的墙上，再揪起另外一个暴打几拳，扔到对面的墙上。楚斯福尔觉得如果再不采取措施，这个小院非出血案不可。

楚斯福尔想把布鲁泽拉出去，可是这个老家伙个子很大、很壮。“眼下我们还是应该齐心协力去找到这几个孩子的父母亲。谁知道呢，也许他们能提供点有用的线索。”他一边说一边张开双臂，左冲右撞，拼命挡住布鲁泽，不让他殴打那三个可怜的孩子。“住手！住手！你想因为犯杀人罪被指控吗？”楚斯福尔朝他大声叫喊。

布鲁泽几乎不敢相信自己的耳朵。他这是说谁呢？难道堂堂一镇之长布鲁泽会被指控犯杀人罪吗？叮——咣！又一个孩子被他抓起来从警察头顶扔到对面墙上。看到这儿，楚斯福尔实在忍耐不住了。那个“田园牧歌”式的乡村警察，就像马戏团的魔术师一样，“啪”捻了一下手指，一个战斗在高山峡谷的警察“脱颖而出”。这是一张出现在深夜里城市小巷的、代表法律与公正的脸。它属于一个良心还没有完全被狂饮滥喝、腐化堕落泯灭的警察。他掏出手枪，朝天空放了一枪。整个小镇一定都听到这枪声。天空朵朵乌云间响起一阵雷声。他枪口对准布鲁泽的脸，稳稳当当地站在那儿，手枪随着布鲁泽移动。“你快住手！别逼我开枪！”布鲁泽看了他一会儿，注意到他的手指紧紧地扣在扳机上，突然哈哈大笑。“该死的黑手党！”布鲁泽一边笑，一边脱口说出这样一句话来。他一定想起《教父》第一章或者第二章的情节。没什么大不了的，他心里就是这样想的。“有没有人告诉过你，你看起来很像西西里岛黑手党头目的儿子？”楚斯福尔还在瞄准着他。

“好呀，你要是想向我开枪，过来呀，朝这儿打！”布鲁泽指着他的脑门儿，“然后再朝这些杀人的渣滓开枪，结果他们的狗命，你这个白痴！”

警察放下枪，觉得自己被打败了。他生自己的气——只有没有经验的年轻警察才会像牛仔一样动不动拔出手枪。他心里想，愚蠢的做法使自己多年来苦心经营的和布鲁泽良好的关系、赢得的信任毁于一旦。现在，除了淅淅沥沥的雨声和预示暴风雨即将来临的滚滚雷声，看守所一片寂静。楚斯福尔把孩子们一个个拖进牢房，锁了起来。布鲁泽拍了拍身上的土，在办公室的洗脸盆里洗了洗手，昂首阔步走出去，坐在车里等楚斯福尔。

他们冒着大雨，在城里泥泞的道路上疾驰。车轮碾过稀泥，引擎冒着黑烟，从街头流浪儿身边呼啸而过。布鲁泽看起来不再心疼他那辆新车。平常有人用手指头摸一摸油光锃亮的车身，他都觉得是亵渎圣物。看到那些惊讶地凝视他们的路人，他朝楚斯福尔讥笑道：“招招手。招招手，探长！招招手表示敬意。尽管你来的那个地方没有人教过你。”

他们先来到安吉尔·戴在城里住的那幢房子。那是一幢灰颜色的、用菲帛罗造的小房子。事实上，很难形容它的样子。天窗破烂不堪，到处都是裂缝。墙壁歪歪扭扭似乎随时都会倒塌。房子是六十年代在一个空空落落的大院子里用水泥板搭建的。不过它也有一个长处。这个地名儿能让从它旁边走过的人——哪怕最铁石心肠的人——燃起激情之火。这幢房子向那些春情勃发的人们射出一支支丘比特的爱情之箭。恋人们从它旁边经过的时候，会被那火一样燃烧的肉欲所感染，想象出平常不敢想象的事情。发情的狗和猫每天晚上都会来这个院子里寻欢作乐，向世人昭示，真正的爱不会有障碍，也不应该被歧视。

这是一幢屹立在炎炎夏日、漫漫长夜的房子。安吉尔为追求爱情，抛弃了原来平庸的生活之后，莫吉用很便宜的价格买下这幢房子。她解释说：“只是为了在温暖、潮湿的爱抚下失去自我、再活过来之后，有一个地方；为了爱情，为了至少第三次获得生命。”她的愿望实现了。灯光熄灭之后，这幢房子便成了另外一个时代、另外一个地方爱的圣殿。那甚至是尼罗河峡谷。鬼怪跳舞之后，爱情之火熊熊燃烧。他变成马克·安东尼，她就是克莉奥佩特拉①。

实际上，这样美好的时光并不多。安吉尔·戴和她来这儿之后生下的两个儿子在这里度过无数孤独寂寞的日月。她唱着只有孤独的人才能唱出来的摇篮曲：“送给我你枕着做梦的枕头，亲爱的，让我也枕着它做你的梦。”莫吉带着护卫队远游不在家的日子里，她逢人便说，寂寞让她暂时精神紊乱。

---

①克莉奥佩特拉：古埃及女王，因其美貌及魅力而闻名。屋大维在亚克兴角（公元31年）打败了她与马克·安东尼率领的军队。

如果想象能使事实延伸的话，正如安吉尔·戴所说，“无论谁，看见这幢房子，心灵就会被玷污。”这也正是为什么她认为这幢房子本身就是个奇迹。谢天谢地，奇迹变成现实。在她那样的年纪，和一个老头生下两个儿子。仿佛是强烈的性欲创造了奇迹。可是安吉尔·戴不无悲凉地说，就她所知，这两次都像圣母玛利亚一样，是“圣灵怀胎”。安吉尔·戴脸皮很厚。她虽然和费希曼没有结婚，但还是让两个孩子姓了他的姓。

事实上，流言四起，人们都说，安吉尔躺在别人的怀抱里，度过寂寞难耐的时光。城里人焦灼不安地等待莫吉回来，压低嗓门儿说：“等着看热闹吧！”可是，每一次莫吉·费希曼回来之后，都从心底原谅了她。

马路对面的人们听见布鲁泽的汽车飞驰而来，收音机里传出多莉·帕顿的歌声：“上帝没有创造烟花女子……”屋顶上蹲着一排海鸥，珠子一样的眼睛凝望着布鲁泽和楚斯福尔。两个人从一个豁口走进大院。那儿本来安着一扇门。他们本来想把安吉尔·戴“勾引”出来，逮捕她。什么罪名？没有尽到监护人的责任。鸟飞了起来，在院子里低低地盘旋着，就像早些时候在看守所院子里盘旋那样。

安吉尔·戴不在家，只有那尊很高的土著人圣母玛利亚的雕像矗立在正厅，雕像周围摆满了塑料花，圣母玛利亚凝视着屋顶相互啄着玩儿的鸟。房子外面，海湾乡村呱呱叫的青蛙听见汽车开过来的声音，都匆匆忙忙闭上嘴巴跳到草丛中。

楚斯福尔说，走进这间屋子，就像走进一座圣殿或者雕像林立的岩洞。这可真怪。因为他知道，安吉尔·戴不是个信奉宗教的人。他自己的母亲喜欢家里摆神像。如果他们是在她在家的时候走进这幢房子，就会发现，她是到那儿堵默然无语的墙壁后面去了。那是一道御辱骂于“国门”之外的屏障。每次她想让那两个闻汽油的儿子干点活儿，两个小家伙就藏到那道“屏障”后面。现在这尊雕像主宰着这幢房子。站在这死一般寂静的房子里，他们觉得阴森可怖，好像这里死了人似的。

那种虔诚的、宗教的氛围让他们不由得惊慌失措。但他们都是办事“一丝不苟”的人，唯恐受了什么蒙骗，或者眼睛出了什么问题，便破门而入。这幢“建筑”虽然离奇有趣，但没有什么东西值得留给子孙后代。阴影笼罩的墙壁上，玫瑰园的鬼怪直盯盯地看着他们。两个男人绞尽脑汁也破解不了其中的奥秘、想要传达的信息、表现的信仰。他们俩离开的时候，那座摇摇欲坠的房子还是死一样的寂静，院子里的青蛙又呱呱呱地叫着往回跳。绿色的青蛙一个接一个跳进门，鸟儿也蹦蹦跳跳来到前门，拿定主意进去重建它们的爱巢。

“一无所获。”两个人达成共识。大体就是这么回事。于是，他们又跑到那辆锈渍斑斑的赫尔顿牌汽车旁边寻找线索。就这样，一天又快过去了。除了在日落时分回到小酒馆，还能做什么呢？平常喜欢在那儿扎堆儿的人早已酒过三巡。因为布鲁泽的原因，他们对州里政坛的情况似乎无所不知。他坐在吧台前面的转椅上，转来转去，给大家讲最近国会立法的进展，讲为什么有的立法没有成功。不过，和以往一样，对于他的高谈阔论，谁也没有特别注意。

人们都在谈论公路那边矿业公司的情况，谈论最近一次对矿石进行化学分析的结果。他们谈论已经挖开的哪个大口子正在开采，矿脉耗尽之前，地下竖井还得挖多深以及专门为这条矿脉设计的精炼法。从矿坑里抽地表面的水也是个永远解决不了的问题，还有对地下水的检测。蓄水层会不会枯竭呢？这种“分析议论”可以持续好几个小时。长达几百公里的管道、矿石在洪水泛滥的海岸线脱水，驳船把矿石运送到外国大轮船上的时候遇到的麻烦，都是他们谈话的内容。特别是把矿石运到大轮船上更是海岸线一景。

这都是工作上的事儿。他们还谈论牛群，价格暴跌，别人家的马，谁家的篱笆坏了，需要马上修理。有一次，一个家伙还讲起他在户外干活儿的情况。夜里，他看见一团奇怪的火光，像幽灵一样一直跟在他的汽车后面。还有，十月份的早晨，艳丽的彩霞突然划过万里长空。

钱和妻子是小酒馆永恒的话题。那些眼睛如珠的男人们不无忧伤地看着用填充起来的小鳄鱼装饰的墙壁。那鳄鱼栩栩如生，仿佛就在墙上爬行。墙上还挂着两张他们抓到过的最大的鳄鱼的皮。这都是诺姆的杰作，骄傲地展示在这里。别的地方，墙壁用有作者亲笔签名的、形状短粗的艺术品装饰着，或者干脆挂几张女人的裸体画像。屋顶上吊着捕蝇器，在电风扇鼓起的微风中飘动。前面镶玻璃拉门的冰箱里摆放着上等葡萄酒和装在红、绿、白和黄色易拉罐里的啤酒。

自动唱机[①]正在播放西部乡村音乐，时不时吸引着人们的目光，穿过巴拉马恩蒂酒吧窄小的窗户，向隔壁那座疯人院似的小酒馆望去。那座酒馆的墙壁污渍斑斑，刷成很难看的芥末色，里面挤满了“黑鬼”。在巴拉马恩蒂酒吧喝酒的人们一边高谈阔论，一边看普瑞克尔布什的小伙子们围在彩色台球桌四周进行最后决赛。他们还不时瞥一眼衣着华丽的黑女人。那些女人坐在塑料桌子旁边，哈哈大笑。他们打赌喝酒，直喝得赌输了的人烂醉如泥，一动不动躺在外面的地上为止。寂静让人们又做起和鱼有关的白日梦。谈话又回到捕鱼和船的话题以及把他们引领到鱼的各式各样的公路、江河、海洋。

小凯文·凡特姆在围在台球桌旁边玩耍和观战的年轻人中间晃来晃去。谁也不欢迎他。这些年纪大一点、身体壮一点的小伙子们身穿T恤衫、牛仔裤，对外表更注重，生活态度更严肃。他们对凯文说：“这是正儿八经的比赛。”凯文说他没钱，让别人行行好给他点酒喝，结果越喝越多。有几个小伙子干脆把喝剩的半罐给他，自己再去买。他就这样在人群中串来串去，东一口西一口地喝着，对着人家的耳朵大声嚷嚷，直到对方受不了他的纠缠，再给他喝上几口。几个小时之后，再也没有人想让他这样晃来晃去，有人便去找酒吧服务员劳埃德·史密斯，让他把凯文轰出去。

“喂，劳埃德，你过来！我有话对你说。”有个女人在外面喊道，可是劳埃德背对着她，没有回答。

①自动唱机：投币后自动操作的留声机，装有选听唱片的按钮。

坐在塑料桌子旁边的人们都转过脸看那个不停叫喊的女人，等待劳埃德做出什么回应。她拉着长调叫了半天“劳埃德”，然后往旁边挪了挪，朝桌子旁边坐着的人们挤了挤眼睛，撅着嘴唇，做出一个“快看”的口型，还用手背擦了擦玻璃。大伙儿的目光透过窗户上的缝隙朝酒吧劳埃德站着的地方张望，相互用胳膊肘子推搡着，眼睛闪烁着快乐的光芒。“哦，瞧！他又干那活儿了。”

他们看见劳埃德·史密斯正在擦吧台。这个吧台是用一艘海底打捞上来的古代沉船灰褐色的木板做成的。他用一块浸透洒了的啤酒的抹布小心翼翼地、颇有节奏地擦拭着，就像爱抚女人的凝脂软玉。楚斯福尔看着他那双总是那么干净、光滑、正干活儿的手，心里已经想着赶快去找格里亚寻欢作乐，便蹑手蹑脚，悄悄离开还在那儿高谈阔论的布鲁泽。

“喂，劳埃德，你那个儿子的事儿怎么办？”布鲁泽开门见山，说话从来不绕弯子。

“你知道，我早就和他没有关系了，所以这件事儿你别问我。”劳埃德也直截了当地说。

“你得来帮助我们问问他到底怎么回事儿。你也许能从那个小浑蛋嘴里问出点儿什么。”

“不！跟我没关系。”

“那样的话，我们就去找他母亲——如果能让她开口说话的话。”

劳埃德知道，她哥哥——那个养山羊的人——早就和亚伦反目成仇，放风说，下次要是碰到那个小杂种，非杀了他不可。至于她，如果你拿个手电筒，往碗橱里照的话，就会看到一个皮肤像白人的黑女人。她的话甚至比美丽的渔人女神还少。她仿佛就被锁在吧台的木板下面。他感觉得到她的肌肤对他轻轻的抚摸作出的回应。他每擦拭一下吧台，她那闪烁着银光的身体就迎合着与之互动。他看那块木板的时候，仿佛看见她的身体充满对爱抚的渴望，放荡地扭动着。让他着迷的是，除了他，谁也看不见她透过木板向他卖弄风情。他无法相信，她会那样“目中无人”，大千世界仿佛只有他们两个人。她是从他那五光十色的性爱的梦幻里游来的一条母鱼，栩栩如生，以至于他现在养成一种习惯，每天夜里都在吧台上睡觉。

“去吧，”劳埃德说，对布鲁泽的“怂恿”似乎全然不知，“找她哥哥谈谈，也许他能帮助你们。”

劳埃德对布鲁泽说完这番话，就去回答那个喝多了酒的女人从隔壁那家酒馆的叫喊。这时候，凯文·凡特姆已经不见了。

凯文冒着雨在人行道上走着，一辆汽车从他身边慢慢驶过。坐在副驾驶位置的那个男人摇下车窗，问：“你要上哪儿去？”

“凯文，你要搭车吗？”那人又问了一句。可是凯文旁若无车，继续走自己的路。他在想，爸爸上哪儿去了？什么时候才能回来？

“他不应该离开我。”凯文说，继续走自己的路，那辆汽车慢慢地跟在他旁边。

“我们不会扔下你不管。没有他，我们会有别的好玩的事儿。”那个人伴着发动机的轰鸣说。

“你们要参加聚会去吗？”凯文问，打开车门钻了进去。

“没错儿！你是去参加聚会的黑鬼。”那人生气地说。汽车怒吼着，沿着积满雨水的马路向前开了一段，然后来了一个后轮平衡特技[①]，车轮吱吱地响着，从酒馆前面飞驰而过。不过没有人被他们惊动。楚斯福尔和劳埃德手里拿着警棍，正在打芥末色酒馆里用破啤酒瓶子打架的酒鬼。

“快把这些家伙清理走！我真的受够了。”劳埃德对楚斯福尔说。这时候，汽车驶过街角。这是一个打斗不断的夜晚，整个小镇除了那十几个高谈阔论的人喝酒的豪华酒吧，别的小酒馆一律清理。汽车沿着柏油马路向城南驶去。凯文看见车上的人头上都戴着白色兜帽。紧接着，他觉得后排座有人把什么东西套在他头上。他伸手摸了摸，觉得那玩意儿质地很硬，

①后轮平衡特技：一种将车辆，如自行车或摩托车的前轮抬起以使该车辆暂时靠后轮支撑平衡的惊险动作。

散发着一股小麦或者面粉的味道，像是装家禽饲料的麻袋。他熟悉那味道，城里白人家后院的鸡舍就散发着这样一股味儿。如果你路过那些人家，从大街上就能闻得到。

凯文意识到大事不好，必须赶快逃走。可是汽车在柏油马路上飞快地行驶，跳车的结果很难想象。他在座位上扭动着身体，摸索着找到车门把手，发觉车门上锁，一把刀已经架在他脖子上，而且深深地陷在他的皮肉里。汽车里几个声音同时叫喊起来："为戈蒂报仇！"拳头雨点般地向他的前胸和后背打来。他急了，一急便开始全身痉挛。痉挛之中，进入另外一个世界。汽车突然停下，凯文被那几个家伙七手八脚拖出去扔到地上。

那几个家伙中有一个人说："太棒了！"他从汽车后备箱里找到几根板球棒。凯文恍恍惚惚，祈祷这一切不是发生在他的身上。他仿佛听见战场上的呐喊声、笑声，闻见啤酒和朗姆酒的气味。他呼吸困难，拼命挣扎，想把套在头上的袋子揪扯下去，可是那把刀又往他的皮肉里扎了几下。从身后袭击他的那个家伙嘴里一股酒气，拔出刀。可是他刚刚伸手去揪那个袋子，那把刀就又刺了过来，好像那玩意儿专门是用来砍他手的。

他一恢复知觉，就觉得有什么沉重的东西砰砰砰地打在他身上。他听到骨头在断裂，疼痛难忍，张开紧闭的嘴巴，透过套在头上的袋子，喊父亲。就在那一刹，剧痛在他眼前闪过一道白光，他仿佛又回到童年时代，受委屈时，总是回到父亲的怀抱。一个小男孩儿，和爸爸在一起就平安。他告诉爸爸跑，快跑！他觉得自己沉入水底。他浑身精湿，伤痕累累，两条胳膊向前伸展着，似乎已经从他的躯体上脱落下来。他浑身燃烧，被活活地剥掉一层皮！他被拖到汽车后面，尾气呛得他连气都喘不过来。

夜里，楚斯福尔开着汽车向凡特姆家驶去。车灯照耀下，他看见格里亚坐在公路旁边。停车后，借着车灯的亮光，他看见凯文躺在姐姐身边。

"我们得赶快把他弄走！"他连忙说。格里亚一动不动坐在路边，把弟弟的头放在自己腿上，不停地哭着，继续对凯文解释，不知道如何救活他。"我怎么才能让凯文再醒过来呀？"楚斯福尔慢慢看出都发生了些什么事情。

她刚解开他的手，取下弟弟被那几个坏蛋套到头上的袋子。

“我不知道该怎么办，可是一切都会好起来的。”她不停地摇晃着凯文，对他说。

“贾尼斯和帕特茜上哪儿去了？”楚斯福尔一边问一边抱起凯文。

“谁也不在家。”格里亚说。她护着弟弟，上气不接下气，连一句完整的话也说不出来。

他们开着车把凯文直接送到医院。医院里只有值班护士，没有别的医生。显然城南这个小诊所只有她独当一面。她在几分钟之内就开始给凯文输液，戴上吸氧的面罩，把氧气泵入他严重受伤的肺里。然后她拿起放在电脑前的电话，说：“是大夫吗？我已经把病人的病情都传给你了。”

格里亚坐在凯文身边，看他透过氧气面罩急促地呼吸，还在流血的胸脯不停地起伏。她听见护士重复着远在六百公里之外的地区中心医院医生的指令。听见她对楚斯福尔说，乘机出诊的医生已经起飞，将在德斯珀伦斯降落。

飞机在篝火照亮的跑道上着陆时，楚斯福尔和护士已经用救护车把凯文送到飞机跑道旁边。他们连忙把他放到担架上，送到飞机里，重新戴上氧气面罩，挂起吊瓶输液。护士对格里亚说，飞机里没有地方，她不能跟病人一起去，然后关好舱门，向茫茫夜空飞去。格里亚满心惆怅，但也无计可施。

真是好事不出门，坏事千里行。凯文被打的消息很快就传遍城里城外。人们说得津津有味、绘声绘色，好像都是他们亲眼所见。可是一旦官方查问下来，没有一个人承认他们到底看到了什么。楚斯福尔应该看到。他听见那辆汽车飞驰而过。那辆车穿街而过的时候就像参加汽车拉力赛的赛车，发出刺耳的呼啸。他们说，谁会半夜三更起来去看城里那些酒鬼打架斗殴呢？参与酒馆外面群殴的人足有几十个，可是他们都说，当时打得难解难分，谁还有心思看什么汽车不汽车。有的人心眼儿好，说：“我只顾打人，没有看见那辆车。我要是看见了，非得杀了那几个杂种！”

也有人说，凯文自己也有错儿，他总是自找麻烦。凯文时而清醒，时而昏睡。清醒的时候，大眼圆睁，好像看见燃烧着白色火焰的地狱。有时候，关于凯文身体状况的流言还会传到诺姆·凡特姆家。部落里有个老太太，也算个祖传的医生，专程来他们家看望凯文三个姐姐。她说，她看见他了。她说，她到过那个大医院了。她一直假装自己从城外去看望生病的亲戚。

她们都知道，这个老太太一辈子也没有离开过德斯珀伦斯，可是她说什么，她们都信。作为一个天才的“口技表演者”，她用神灵和守护天使的声音说话，说她一直坐在凯文身边，等待着。“他想喊‘火’这个字，可是喊不出来，他还在拼命奔跑，没法和那几个折磨他的人搏斗。”格里亚、贾尼斯和帕特茜就那么傻呵呵地听那个老太太唠叨。她们坐在厨房或者房子外面，等有人来告诉他们点新情况，等两个大哥回来。

银叟和多尼放下矿山的活儿，冒雨在湿滑的公路上整整开了一夜车，到医院看望凯文。坐在病床旁边看着他那副可怜相真让人心碎。两兄弟在洁白的病房里，很不舒服地坐在病床两边的椅子上。没有什么可说的，除了说回家的事儿，说点儿安慰的话，只是为了让凯文知道，两个哥哥在这儿。他们说的都是平平常常的话，他们要让凯文知道，他们是他的亲大哥，对他的感情永远不会变。隔五分钟，护士就会进病房看一下监测凯文病情的各种仪表。她们不在的时候，两个哥哥就说，一定要为他报仇雪恨，一定！

他们尽量不去看他，而是把目光移向医院浆洗得雪白的床单上。各种医疗器械仿佛变成他身体的一部分，他们连看一眼的勇气都没有。监测心电图的仪器在图纸上画出各种曲线。别的仪表上的指针抖动着，似乎想在一个固定的位置停下来。凯文的身体从头到脚用绷带包着，没有绷带的地方打着石膏，插满管子。

他们说了几句话就发现，和凯文根本没法交流，只能默默地坐在那儿，绞尽脑汁地想谁会对凯文下这样的毒手。后来，银叟和多尼相互看了一眼，点了点头，走出病房。几个小时后，他们拨通小酒馆的公用电话，找到楚斯福尔。“你那边有没有什么进展呀？”他们对楚斯福尔说，他们绝不相信他会尽心竭力地去抓那几个凶手。“你会吗？”兄弟俩对着听筒轮番指责他保护迫害凯文的坏蛋，“难道不是吗？你这个白痴！”

“总得给我点儿时间呀！”楚斯福尔说。他还告诉他们不要插手破案，因为他很快就能抓到凶手。他不想让他们听到风声逃之夭夭。“哦，好的！”多尼和银叟挂电话前说道。楚斯福尔提醒他们不要耽误矿上的工作。他还特别告诫他们回家之后如何应对那些不得不面对的事情。

“他还上着呼吸机呢。”第一天、第二天、第三天，楚斯福尔都对格里亚这样说。他经常去凡特姆家，诉说自己现在肩上的担子有多重，希望得到一点同情。对于凯文被打的案子他还没有找到什么线索。调查戈蒂之死已经把他和布鲁泽忙得焦头烂额。

“这个小镇那种汽车没有几辆！”她冷冰冰地说，这个世界让她心寒。她两条胳膊抱在胸前，坐在餐桌旁边，直盯盯地看着楚斯福尔那张脸。另外两个姐姐也双臂交叉，坐在厨房，等着听他会做出怎样一番解释。

“没有必要对我心怀敌意，”他回答道。“你们知道，我已经调查过镇子里每一个人。”

“哦，是吗？”格里亚两手抱膝，怒目而视，“我不认为你已经做得够好的了！你说呢，贾尼斯？你觉得他做得很到位了吗？喂，帕特茜！你呢？难道你不觉得拖的时间太长了吗？早就该抓起几个凶手，审问审问了吗？”她又把目光射向楚斯福尔，说出的话就像连珠炮。“你们为了戈蒂的案子，对那几个黑小孩儿下手的时候怎么那么快呢？你们有什么证据呢？那个拉皮条的家伙，罪有应得！可是我们凯文做什么了？他招谁惹谁了？”

楚斯福尔也火了。他说，他认为她们也是“伪君子”。“我见过你们是怎么照顾你们这个小弟弟的。”他不敢提格里亚说的那几个黑孩子是她的同父异母兄弟。有点儿理智的人恐怕谁也不敢。

“哦，没错儿！那又怎么了？”格里亚开始挑战。

“算了。”楚斯福尔说，心里明白，此时此刻最不该做的事情就是与格里亚为敌。他想摸摸她的胳膊，格里亚往旁边躲了躲，“我太累了，好几天都没怎么睡觉，常常连自己说的是什么都不知道。我得赶快睡觉，要不然总是想这几天发生的这些事情，真要发疯了。”

屋子里一片寂静。她们知道，他说这番话是指责格里亚这几天不和他睡觉。她们都嘴巴紧闭，等他改变话题。因为三个黑女人心里都明白，事实恰恰相反。这几天不愿意来和格里亚睡觉的正是楚斯福尔自己。几天前，格里亚就咬牙切齿地对两个姐姐说：“那个家伙，这几天总是说他太忙了。说来人帮忙之前，他必须看守监狱。说他得看住那几个孩子。哼，正好！那个该死的杂种，好像谁稀罕他似的。浑身酒气或者天知道什么臭气。我敢打赌他猥亵那几个小男孩儿，因为现在没人关心他们的死活。”

另外两个姐姐以前就听说过许多关于楚斯福尔是个两性人的传说。酒馆里，围拢在台球台旁边的小伙子们经常用嘲弄的口吻说起这事儿。他们说，楚斯福尔经常在公路上抓小男孩儿，抓走以后当然不会有好果子吃。还说，他们要是被他抓起来，关一夜，说不定会出什么事儿。贾尼斯和帕特茜在格里亚面前从来不提这事儿。因为她和他睡觉，压根儿就不想听这种事儿。毫无疑问，她对他是不是两性人最清楚。女人嘛，当然知道。

这样一幢普普通通的房子为什么会在人们脑海里引起那么丰富的联想真是怪事儿！这实在是一幢没有任何特色的房子。谈起这个家，诺姆·凡特姆经常说，他就是想在这幢房子里把儿女拉扯大，并没有别的奢望。

然而，在那遥远的地方，还有一些房子，并没有在道德范畴向人们昭示什么。那些房子像凡特姆那幢与瓦楞铁皮搭建而成的曲曲弯弯的走廊相连的房子一样，在城里人心里也投下一缕神秘的色彩，赋予他们一种意义非凡的力量。他们宣称，那些房子可以征服任何被它的“妖术”迷惑的人。正如安吉尔的房子让人觉得淫欲横流，诺姆·凡特姆这幢房子在人们心里唤起一种莫可名状的恐惧。他们就像从头上飞过的黑凤头鹦鹉一样，对它敬而远之。那些从来不曾到这里造访的人们，一看到这幢房子心就怦怦怦地跳。他们抱怨说，只要看到那座刺人的荆棘掩映的瓦楞铁皮“堡垒”，一股寒气就顺着脊梁骨升起。他们是从与小城相连的那条长长的泥土小路那边远远地看这幢房子。他们说，夜里一群群乌鸦在那幢房子上空盘旋。城里人最大的愿望就是用推土机把这幢房子和周围的灌木丛推平。

人们都密切关注这个同情黑人的家伙——楚斯福尔，相互问道：“他现在忙什么呢？”每天早晨，大伙儿都看见他像一只光天化日之下爬出洞穴的蝙蝠，开着汽车跑到城外。“又上那儿去了！”哦，他又到凡特姆家去了。戈蒂被杀，他居然还有心思为凡特姆家那个凯文着急！

“他应该离那个地方远点儿。”没错儿！他就应该离那儿远点儿。可是看起来，这个家伙连一点儿自尊也没有。他就那样全然不管人们锥子似的目光，径直向卡彭塔利亚湾人们最恨也最怕的人——威尔·凡特姆家走去。哦，威尔·凡特姆，天知道那个杀气腾腾的家伙现在跑到哪儿去了。楚斯福尔似乎根本就不在乎这个世界会怎么样，尽管他清清楚楚地知道威尔·凡特姆阻止开矿，要把整个小镇拖垮。这件事简直要把整个小镇的人逼疯了。许多政府里的大人物都说，他根本没有权利这样做。现在，整个世界都注视着声名狼藉的德斯珀伦斯，只是因为威尔·凡特姆还没有受到应有的惩罚。不过他的运气也不好。

这就是为什么德斯珀伦斯需要一个有能力的警察，一个有头脑的人，一个像楚斯福尔这样的人。他觉得自己在镇子里干了这么多年，现在总算找到一个突破口，一个出头露面的机会。现在，需要许多推理、猜测，才能弄清楚这地方到底发生了什么事情。由于推测是警察局的特权，预测威尔的去向也就成了楚斯福尔工作的一部分。他认为，威尔·凡特姆一旦听到弟弟凯文被打的消息，就一定会溜回来找机会报仇。楚斯福尔勾搭格里亚的时候，心中暗想，威尔做梦也不会想到他会出现在他父亲的房子里。楚斯福尔觉得自己满腹韬略，而且勇敢大胆。他要在凡特姆家守株待兔，活捉威尔。那阵儿，城里人各种想法十分流行，他觉得他的主意最高明。他把赌注都押在这件事情上了。

日子在城里人的担心和恐惧中一天天过去了。眼巴巴看着楚斯福尔开着车发疯似的向诺姆·凡特姆家驶去，他们都绷紧心弦，焦急不安地等待最终的结果。威尔·凡特姆会挑中他们中的哪一个倒霉蛋儿实施报复呢？他会采取什么手段为弟弟雪耻呢？烧房子，打架，恫吓，还是别的恐怖主义手段？

城里人谁都知道，迄今为止，诺姆是唯一能制服威尔的人，可是现在他也已经管不住他了。他向那些有头有脸的人们透露过，他不想和这个儿子再有任何瓜葛。他说，他真是个没用的杂种，一天到晚废话连篇，大谈什么土地权和别的权利。是的！诺姆说出了城里人想说的话："我们这儿不需要南方激进主义者为土著人争取的什么权利。"威尔·凡特姆会回来吗？现在他父亲不在德斯珀伦斯，没有什么力量阻挡得了他。楚斯福尔不值一提。大伙儿都知道，威尔在公路那边那幢丑陋而又怪异的铁皮"城堡"里藏着枪支弹药。谁也不是那玩意儿的对手。人们做种种推测的时候，不但想起他那些爆炸物品和设备，而且和现在流行的恐怖主义联系起来，兴致勃勃地谈论着，几近偏执与妄想。矿山每次清点仓库的时候，都会发现少量雷管炸药之类的危险品。

人们还说，威尔·凡特姆会装配原子武器。他从玛利亚·凯瑟琳矿偷了铀。他偷偷地翻过篱笆墙，把那玩意儿弄到了手。此话纯属无稽之谈。因为根本就不可能。玛利亚·凯瑟琳的铀矿离这儿好几百公里远，而且高墙环绕，岗哨林立，大门紧锁，外人根本就不可能接近。不过，谁知道呢？人们生活在这样一个纷繁复杂的世界，不再谈论公平交易，不再按规则办事，为所欲为，还有什么事情不可能发生呢？

哦，废话，废话，废话！不一而足。人们说，海湾停泊着许多外国船，船上装满了矿石。城里人做了种种推测。他们说，那些船有的来自同情黑人争取权利的国家，离海岸只有几公里的海面上还有海盗船随着波浪起伏跳荡。谁知道威尔·凡特姆趁着月色，从那些船上"走私"了什么东西？什么东西都有可能！什么东西都有可能！"也许威尔早就划着小船把那些东西运到了岸上。”他们宣称，谁都可以看到正在发生什么事情，“他要在海湾发动一场种族战争。”谁都知道这一点，知道必须密切关注看似表面现象的东西，特别是诺姆·凡特姆家的动向。从公路那边望过去，那座“城堡”或许会让你误入歧途。

“白痴！该死的白痴！”格里亚把楚斯福尔揪扯得团团转，就像把他丢进那台老式辛普森牌洗衣机，这边又扭又绞，那边拖出来挤干水、拍打平整。两个姐姐说，她纯粹是手痒痒想拿他开涮。自从凯文出事儿，她就一口咬定，那个老头约瑟夫·迈德纳特什么都知道。“他什么都看得一清二楚！难道不是吗？”这话他说了不下一百次。每天晚上，两个姐姐都听她唠叨这个约瑟夫·迈德纳特，直到午夜。

贾尼斯和帕特茜因为格里亚整夜不睡觉，走来走去瞎折腾，眼袋下垂，格外醒目。现在，她们坐在厨房一动不动，心里纳闷，格里亚这样一个反应灵敏的人怎么就没有注意到坐在餐桌对面的楚斯福尔被她这样大骂无能的时候，脸色已经大变。

起初，她只是想知道，他是不是快抓到那几个殴打凯文的坏蛋了。看到楚斯福尔一言不发，她心里便什么都清楚了。她们本来应该给他吃饭，可是格里亚坚决不给。“你就饿着吧。”她说，当着他的面儿，一口塞了半片面包。两个姐姐看到他的脸色由红润变得青绿，又由青绿变得灰白。她们想，真是太神奇了，他的脸色和狭窄的厨房瓦楞铁皮墙壁的颜色简直一模一样。“听我说，老约瑟夫·迈德纳特会告诉你的。”格里亚大张着嘴巴喋喋不休地说。

“那你为什么不去问他呢？”楚斯福尔终于像狗一样朝格里亚咆哮起来，汗水顺着面颊流下来，滴在桌子上。格里亚手里端着盘子跳了起来。她一把抓起酒杯，咧开大嘴冷笑。她觉得自己终于找到一个缝隙，暴露出自己的伤口，强迫他去感觉她的伤痛。在她的世界，没有容纳那些小男孩儿的空间。“说呀，楚斯福尔。”她觉得他满嘴谎话，一定无言以对。可是她要揪着他的舌头，让他开口说话。

两个姐姐坐在那儿吃饭，假装并没有看见发生了什么事情。她注意到，楚斯福尔又紧紧地闭上嘴巴。“谁听见他说什么了吗？”楚斯福尔把一根手指放到嘴唇旁边，暗示格里亚也别吱声。楚斯福尔那副样子看起来就像看见了鬼。这天早晨，他开车来凡特姆家的时候，看见老约瑟夫·迈德纳特沿着公路旁边泥泞的小路也朝这边走来。最近，凡是他去过的地方，总能看见约瑟夫·迈德纳特偷偷摸摸、鬼鬼祟祟的身影。这天早晨，那个老家伙只是站在那儿凝视着他，裤脚的泥水滴答得到处都是。楚斯福尔看他的时候，他恶狠狠地说：“该死的傻瓜！”

两个沮丧的姐姐像小老鼠一样悄悄地坐在那儿喝茶。她们突然惊讶地发现，楚斯福尔的厚嘴唇颤抖起来，好像他刚从电冰箱里出来，或者看到了鬼，或者二者兼有。总之，他一定是失去了理智。但她们还是像平常有白人来访时那样，小心翼翼，礼貌周全。帕特茜和贾尼斯直盯盯地看着他那张脸，更加密切地关注他潜藏着深处的人性急剧的变化。只有格里亚继续不予理会，仿佛已经走进他那迷失的心灵。隔着一张餐桌让他大声叫骂，谁能不心神迷乱呢？两个姐姐越发仔细端详起他那张脸来。他的肿眼泡不由自主地抽搐着，目光越过格里亚，投向远方。

楚斯福尔又看见黎明时分包围他汽车的那团东西。事情是这样的，他迎着晨曦在公路上行驶的时候，看见有一大团白蒙蒙、毛茸茸、轻盈跳荡的东西遮挡了前面的公路和乡村。起初，他以为是自己的视觉出了问题，以为那是一团雾。可是很快就发现根本不是什么雾，而且等到明白那不是雾的时候，想掉转车头已经晚了。他清楚地看到，自己已经落入一张像汽车一样高的蜘蛛网。仿佛一块很厚的白布包裹了他。也许楚斯福尔以前从来没有见过这样的东西，但那是一个古老的故事：头一天夜里，海风吹来一团云彩似的蜘蛛。蜘蛛落地开始织一张比墙还高的大网。蜘蛛非常聪明，它们趁着夜色织网，在空中飞来飞去，把银色的蛛丝挂在高处：电线杆子、篱笆墙、高高的茅草、刺人的灌木丛。这些肚子很大的家伙看起来像碟子一样大的星星，端坐在网中间，伸开长长的、可怕的腿，仿佛端着置人于死命的武器。他傻乎乎地、慢慢地朝前开。无数蜘蛛仿佛在他的脑子里爬。他不知道该怎么办。没法儿后退，他也不想后退。他仿佛完全陷入罗网之中，只能往前开，因为别无他途，也不可能掉头。

没有人告诉过他会发生什么事情，楚斯福尔做梦也想不到蜘蛛网连接到一起会有多么结实！汽车被一层又一层薄膜似的蛛丝包裹起来，除了爬在挡风玻璃上的愤怒的蜘蛛，眼前只有一片白，什么也看不见。车身上也爬满蜘蛛，他连忙摇起车窗玻璃，举起电话号码本拼命扑打那些在车里到处乱窜的蜘蛛。短短几分钟，坐在潮湿的、密不透风的汽车里，他已经汗流浃背。

他觉得连气也喘不过来。惊慌失措之中，仿佛看见无数细胞的神经元像白色的小蜘蛛在他的脑海里跳动。那些小玩意儿相互冲撞着，渐渐构成老约瑟夫·迈德纳特那张脸。那张脸愤怒地抽搐着，双眼逼视着他，骂他是个傻瓜。然后跳动着，变成针鼻儿大的一个小洞，又向他猛扑过来，速度比先前还快。

还有一件不可思议的事情发生在楚斯福尔身上。他突然变得轻飘飘的，连一点儿重量也没有，手指也变得像橡胶一样软。他紧握方向盘，才没有飘起来。一个使他身心麻痹的声音在耳边响起，告诉他，他要死了。可是他却不想窒息而死。他挣扎着，不让那股无影无踪的风把他吹到白色的远方。早已死去的亲人聚集在那里正在等他。

就在这时，命运发生了奇迹般的变化。他的身体律动着，又让已经停滞的头脑运转起来。生命的活力一定从他的灵魂喷涌而出。他的手像老虎钳一样紧紧握着方向盘，两只脚像铅块一样向前移动，然后，左脚猛踩油门，汽车飞一样地向前驶去。

正常情况下，楚斯福尔会同意格里亚的看法。如果你想知道发生在你周围的事情，就去问那些疯子。她总这么说，尽管前几天说得更多。“他们知道隐藏最深的秘密。”不过，约瑟夫·迈德纳特还高他们一筹。他知道的别人都不知道。而有些事情别人都知道了，格里亚却不知道。这是以眼还眼，以牙还牙。一个黑人对一个白人。报复才刚刚开始。那几个差点儿把凯文打死的坏蛋的父亲们在城里公开夸耀，为给戈蒂报仇，他们狠狠地揍了一个黑鬼。凯文为人们对往事的记忆付出了代价，为他曾经那么聪明付出了代价，也为他的家庭和哥哥威尔·凡特姆付出了代价。半夜五更拿起电话听筒，有人在电话那边轻声说："当心点儿！当心点儿！"另外一个声音警告："离楚斯福尔远点儿，别受他牵连！"

楚斯福尔知道，袭击凯文之后，没有人再对那三个被指控杀害戈蒂的闻汽油的男孩儿的案子感兴趣了。干吗要为三个因为长时间闻汽油，脑子已经严重损坏、什么也干不了的男孩儿费心劳神呢？楚斯福尔心里清楚，城里大多数人其实压根儿就不相信那三个孩子和戈蒂的死有什么关系。不过事情并非到此为止。警察局的电话不管白天还是黑夜一个劲儿地响。不同的声音在听筒里响起，多数是警告："你要是敢动我们孩子一根毫毛，就绞死你！"所以，每次电话铃声响起，他就觉得一股寒气从脊梁骨升起。夜晚，他躺在黑暗中，心里想，城里人千方百计把他塑造成他们需要的那样的人。因此，这种事情发生的时候，他便没有退路，也没有可以求助的人。不会有什么转机。他陷入进退两难的境地。情况就是这样，这个故事也该画上句号了。

三个男孩被逮捕、凯文出事后的一天夜里，电话铃声最后一次响过，楚斯福尔终于松了一口气，安顿下来准备睡觉。迷迷糊糊，他渐渐进入梦乡。睡梦中他听到有人敲门。楚斯福尔拿定主意不理睬，可是敲门声越来越大，他只得去看看到底是谁半夜五更打扰他的好梦。

他打开灯站在门廊，向玫瑰园望去。深红色的玫瑰正在怒放，但是让他惊讶不已的是，根本没有人。他的目光掠过眼前的黑暗，向马路那边的路灯张望着，看见好几条流浪狗伸长脖子，嗅垃圾桶里的垃圾。他向小城瞥了一眼，看谁家的灯还亮着，想以此判断那些讨厌的电话是从谁家打来的。他在心里记下那些亮灯的人家。他睡眼惺忪，但还是绕院子走了一圈儿，检查汽车是不是已经锁好，然后才回家，关好房门，闭了灯，转回身。

他之所以还能看见东西，是因为皎洁的月光透过窗玻璃，照进黑暗的办公室。他看见警察局里挤满了土著人，黑灰色的皮肤在月光下清晰可见。他眨一下眼睛，人就增加了许多。他紧贴房门一动不动地站着，寻思一动就会被那些人看见。那些人熙熙攘攘，紧挨着他，灰色的肩膀仿佛就在他鼻子底下晃动。他还看见他们身上沾满了海里那种绿颜色的、黏乎乎的东西。人头攒动的时候，那东西时不时蹭到他脸和胳膊上，冰冷、黏滑。

大海的气味从来没有远离过德斯珀伦斯，除了旱季，海水后退二十五公里，回到原先的海岸线。不过，即使那时候，微风也把鱼腥味儿送到小城。现在，楚斯福尔闻到一股死鱼内脏的臭味。他想起意大利妈妈关于死人的鬼魂缠绕你的故事。

过了一会儿，楚斯福尔心怦怦地跳着，焦急地想，他那几个囚犯，三个孩子呢？“对不起，对不起！”他喃喃着，仿佛自己就是个幽灵。他在人群中推搡着向前挤，一步一步地挪动着，心里焦急地想，如果那三个男孩儿也能看见他们，那就不是做梦。可是仿佛永远也去不了院落后面那间牢房。“对不起，对不起！”可是，那群灰颜色的人就像一团团云，在他身边慢慢地飘动着。

“要是他们的情况不好该怎么办呢？”楚斯福尔开始为那三个孩子的事情着急。可是他怎么走也走不快。

特雷斯措姆和鲁克・费希曼一个十岁，一个十二岁，亚伦・胡・库姆十一岁。被布鲁泽暴打之后，他们连滚带爬，钻到桌子底下，蜷缩在墙角，等待再被大声嚎叫的布鲁泽拖出来殴打。楚斯福尔觉得他的思想被一股巨大的力量冲击着，在半空中抛来抛去。他拒绝承认任何一种可能性，安慰自己：“没问题。他们不会出问题。”

鲁克年纪最大，他把T恤衫撕成布条，打了好几个结连在一起，然后仔细检查每一根布条是不是一样长。另外两个男孩儿一声不响，看着他的手在月光下做出的种种动作。终于一切准备停当。他们跟着鲁克走进一片黑暗，走向黑暗那边的光明，走向蓝色的大海，在没有一丝云彩的夏日的天空下游泳。楚斯福尔觉得他几秒钟之内就能追上他们，可是他的身体像铅一样沉，头像监狱旁边那棵根深叶茂的夹竹桃一样，把心里的想法毫不掩饰地暴露出来。周围的一切也都暴露无遗。三个孩子死了。他最先看到的就是他们撕成布条的T恤衫。牢房前面的横梁上吊着三根绷紧的绳索。“告诉我，这不是真的！”楚斯福尔对神灵说。突然之间，他又像先前那样孤独。这一幢房子空空荡荡，除了寂静什么也没有。

唯一的响动是涨潮的浪花拍打海滩的声音。看起来他们不可能上吊而死。牢房不够高，看到他们的脚耷拉在地板上，他无法想象他们怎么会就这样自己把自己吊死呢？可是谁也没有进过这个院子呀。如果有人进来过，他会知道的。他上床前，还亲眼看到他们在地板上躺着睡觉。现在居然死了。他真的不敢相信自己的眼睛，朝他们大声叫喊着：“你们在骗我！骗我！”他挨个儿摸他们的手腕儿，查了查脉搏，然后无可奈何地抚摸了一下他们的眼皮，闭上茫然失神的眼睛。但他还没有完全失望。他想，他们都是孩子。孩子喜欢恶作剧。“起来！”他说，像平常一样摇晃着他们，想让他们“醒”过来。

现在，他想不起临睡觉前，有没有检查过牢房。哦，当然检查过。以前即使牢房空着，他不是也每天都要进去看看吗？可是，此时此刻他吃不准了。也许是昨天的事儿？或者前天？他连忙跑到桌子跟前查看记录。谢天谢地，有记录在案，可他还是满腹狐疑，怀疑自己是不是伪造了记录。他对自己说，他只是在制造误解。为了尽职尽责，他又回到牢房，把孩子们从房梁上解下来，一个挨一个并排放倒在他们曾经躺过的地板上。仅仅一个小时前，他还看见过他们。他本来应该知道，同在一个屋檐下的三个人，不会在你全然不知的情况下，一起死去。早晨，情况可能会好一点，他对自己说。“吃什么早饭呢？”他会亲手为三个孩子做一顿“盛宴”。

“瞧，他的车停在那儿呢！”一帮喜欢饶舌的人聚集在“渔人酒店”

附近那个街角，似乎表示抗议。他们的目光越过马路，投向对面的警察局。有几个五大三粗的家伙站在早晨炽热的阳光下，皮肤越来越红。时不时有人说，无缘无故他觉得身上发冷。别人听了便说，他也觉得头晕目眩。警察局飘出一股难闻的臭味，飘到大街上，飘到整个小镇。在这臭气中等待可太难熬了。

“他一定嗅觉失灵，什么味儿也闻不到了。”卡门说。她已经人到中年，满头电烫的金发卷儿，是紧挨警察局的那家炸鱼和土豆片的小店的老板娘。“你们听见夜里狗叫了吗？”谁听不到呢？那些狗整夜都在汪汪汪地叫。好几天，卡门都在抱怨，警察局里一定死了什么东西，到处弥漫着臭味儿。正是卡门带头，发起这场“街头抗议”。她跨过马路，走到酒馆，告诉布鲁泽赶快把那个该死的地方收拾干净，否则她要向镇公所正式提出抗议。

警察局里，楚斯福尔仿佛置身于另外一个世界。他好像可以朝任何一个方向翻跟头打把式。约瑟夫·迈德纳特老人来了，说他隔着马路就看到警察局窗户那边的情景。说那个白痴正在一丝不苟地打扫监狱，照料那三个闻汽油的孩子。还说，那几个孩子已经死了。谁也没听见迈德纳特说了些什么，因为谁也没有注意他。迈德纳特说，他看见四份热气腾腾的饭菜放在警察专用的餐桌上。桌子就是他帮楚斯福尔搬进牢房的。他们的饭菜现在还在盘子里冒着热气。

布鲁泽喝完早晨最后一杯啤酒，走出酒馆，打了个哈欠，伸了个懒腰，就好像刚刚从窝里爬出来的狗熊。他对卡门和“街头抗议者”说，他到警察局看看到底怎么回事儿。他敲了三次门，声音很大，谁都听得一清二楚，可是楚斯福尔没有回答。没有什么事情能难倒布鲁泽。他二话没说，又大步流星回到大街这边，钻进汽车，在飞溅的泥水中来了个后轮平衡特技，冲向警察局。这次他没有敲门，而是端起步枪，打掉门锁，径直走了进去。

“你干什么呢？”他走进去看到楚斯福尔忙来忙去，问道。楚斯福尔神情恍惚，没有回答。布鲁泽立刻明白，他是和“小精灵”们一起忙着摆弄那几具尸体呢！他往后退了几步，远远地站着，被死亡的气息熏得头晕恶心。他极力让自己平静下来，看楚斯福尔轮番摆弄那几具僵硬的尸体。三个小孩儿原本“站立”着，楚斯福尔先是让他们在摆放在餐桌旁边的椅子上“坐”下，然后又一个接一个搬回到他们睡过的床铺上，用毯子盖好。

“他们死了？怎么死的？”布鲁泽话音儿刚落，就知道自己犯了个错误。

楚斯福尔茫然失神地凝视着地板，脸上挂着一丝微笑。

布鲁泽也勉强做出一个微笑，生怕溜出去之前，被楚斯福尔看见。他怕惊动他，希望像老鼠一样，不要突然之间发出任何响动。他听见自己心咚咚咚地跳，好像在打鼓。他终于走到门口，悄悄溜出去，轻轻关上门。钻进汽车之后，又来了个后轮平衡特技，掉转车头，开到酒馆，下车后径直走了进去。对卡门以及跟在他身后的那帮人一句话也没说。

“都死了。他们都死了。楚斯福尔探长也疯了。给我来杯酒，好吗？”

“不会是真的吧？”有人悄声说。

“里边的味儿……哦，听我说，简直能把人熏死！劳埃德，快给我拿酒来！”布鲁泽开始对围在他身边的人讲他看到的情景。人们看见他上气不接下气地说着，似乎想马上从震惊中解脱出来。劳埃德·史密斯一脸超然，把一大杯啤酒放到吧台上，布鲁泽一仰脖，灌到肚子里。

“不会是真的吧？”有人压低嗓门儿说。大伙儿都迫不及待地围在布鲁泽旁边，听他讲他看到的可怕的一幕，一个字也不想漏掉。布鲁泽并不理会他们，只是对劳埃德说，他现在觉得脑袋就像旋转木马在旋转。而生活本身转得不够快。他声音里充满了无奈和疑惑，说道：“他们要抓我！”这是解释他为什么要保守秘密的最好的理由。事实是，他从警察局出来的时候，好像看见那三个孩子在追他。“当心！”布鲁泽抽噎着说。从他嘴里说出的这样两个字，不但听他说话的人都大吃一惊，连他自己也十分惊讶。人们把他围得越紧了，他觉得要晕过去了。一阵凉风吹过他们的面颊。酒吧里滚过闷雷般的响声。那是大伙儿心脏跳动的声音。

“你会为这件事情死。”布鲁泽抓住劳埃德T恤衫的领子，把他揪到自己面前，轻声说。劳埃德目瞪口呆，因为他听见从布鲁泽嘴里说出来的是一个男孩微弱的声音。别人也都听见布鲁泽像个小男孩儿一样说话，觉得简直太可怕了。怎么会发生这样的事情呢？卡门用肘子碰了碰站在她旁边那个人。这几个男孩儿像天使。这是白人对这个奇迹唯一的解释。不过没有什么可怕的。因为那三个可怜的小精灵已经到大海。如果哪天你走运，就会看到他们在波峰浪谷间冲浪，把鱼高高地举过头顶玩。现在，谁也别想再动他们一根毫毛！

“不要说胡话，老兄！镇静，镇静！这样下去会很麻烦的。必须赶快对付这些家伙，”劳埃德压低嗓门儿对布鲁泽说，“不要理睬他们，摇头！”他鼓励道，因为他自己也会被鬼魂缠身，那时候就摇头晃脑。布鲁泽听了他的话，便开始摇头，好像这样就可以摆脱纠缠不休的小鬼。劳埃德凝视着吧台。布鲁泽突然举起拳头朝那块木板砸了下去，仿佛这样就可以帮助他驱走魔鬼。咚咚咚的响声一定让劳埃德也失去控制能力。他举起瘦骨嶙峋的拳头朝布鲁泽猛地打过去。这一拳让所有人都目瞪口呆，劳埃德自己也大为震惊。

就在劳埃德等布鲁泽回手打过来的时候，镇长面带微笑转过脸说，这一拳打得好。“哦，谢天谢地，他正常了。”卡门说，“快给瓦伦斯打电话，让他过来一趟。”布鲁斯向劳埃德发号施令。劳埃德连忙去拨，慌乱中拨错号，不得不重拨一次。大伙儿都支棱起耳朵，听大街那边镇公所办公室的电话会作出怎样的反应。

仿佛过了好久好久，瓦伦斯才到。酒馆里的人都眼巴巴地看着他迈着悠闲的步子，从马路那边走过来。“瓦伦斯，楚斯福尔疯了！你知道吗？”瓦伦斯一走进酒馆，布鲁泽便朝他大声嚷嚷，“他把他自己关在警察局，和那三个闻汽油的小家伙待在一起。那三个孩子已经死了。”瓦伦斯听了这个消息连眼睛也没眨。他早就从镇公所办公室听见布鲁泽十分凶残地殴打那三个可怜的孩子。“哦，”布鲁泽看到瓦伦斯想说话，连忙摆摆手，犹豫着该怎么说，“这件事我们得放聪明点。听我说，这位警察现在那个样子非得杀人不可。”

瓦伦斯还想说话，布鲁泽又朝他摆了摆手。很快他就想出一个抓捕楚斯福尔的办法。“你要做的事情是，用这儿的电话把所有工人集合起来，让他们带着枪或者别的家伙什儿来这儿。告诉他们，别管什么‘持枪法’。我们知道，他们手里还都有枪。在没有发生更大的流血事件之前，我们先得弄清楚，警察局现在情况如何，都发生了什么事情。”瓦伦斯反应冷淡，显得从容不迫。此刻，他心里什么也没有，只有深深的仇恨。那仇恨冲布鲁泽而去，没有与瓦伦斯并肩而行。瓦伦斯知道，他不可能杀死布鲁泽。

第十一章 矿山

诺姆出海的时候，费希曼决定离开小镇。护卫队像一条黑色的长蛇，突突突地响着，排放出一股股黑烟，穿过乌云笼罩的小城。画在溅满泥浆的车身上的白色十字比先前还多。费希曼对安吉尔说，他又要走了。他说，要在雨季到来之前，冲破正在聚集的团团乌云的包围。他在德斯珀伦斯郊外转了一圈儿，自信心十足地晃动着骨瘦如柴的胳膊，命令已经发动的汽车立即出发。然后，一脸凝重，比画着手指说："向南！"

自从回到德斯珀伦斯，费希曼就有一种不祥的预感，而且一直挥之不去。他还在苦思冥想那种预感到底意味着什么？可是越想那答案越难以捕捉。"该走了，"他对安吉尔说，"不能让那些鬼怪追上我们。"他痛恨那个虚幻的世界，特别是在德斯珀伦斯。因为那个世界和他的童年密切相连。他像任何人一样，怕看到鬼神。别人看到的是自己的身影，莫吉看到的则是跟在那些人身后寸步不离的黑色的神灵。这些神灵在每一幢房子里，听人家聊天儿，还会插嘴发表点自己的看法，认为这件事对，那件事不对。他看见那些神鬼把自己想说的话"塞"到活人嘴巴里，让他们说出来。他也知道，上路之后，汽车跑得远比人快，那些神鬼就很难继续他们的"评论”了。除此而外，护卫队里人太多，大伙儿都在没完没了地说这说那，淹没了他们的道德之心和那些活着的人们周旋时的呢喃细语。不管怎么说，莫吉宁愿探究人心的奥秘，哪怕有时候错误地理解了他们的意思。

最终，他从一种目光短浅的看法之中汲取了力量。然而，即使有可能穿透乌云笼罩的壁垒，走进沮丧的心灵，去寻找那些隐藏的信息，也将一无所获。没有时间去追赶像诺姆·凡特姆这样的老朋友。莫吉想起那位伏案工作、用各种颜色描绘银鱼、制作标本的人，脸上露出微笑。“哦，他才是真正的渔人。”他在车座上往后靠了靠。汽车一路向南驶去，而诺姆正在大海航行。

啊！好日月。莫吉更担心威尔·凡特姆。他一直为他着急。他出什么事儿了？自从威尔在环礁湖消失之后，莫吉再也没有在德斯珀伦斯看见他。他想，威尔一定已经听说古福瑞特国际矿业公司的人们正在四处搜寻护卫队在回德斯珀伦斯路上看到的那具死尸。安吉尔说，威尔就在附近。她听女儿们说，她们千方百计把楚斯福尔引开，不让他看到藏在鱼屋里的埃利亚斯的尸体。

这事儿可太玄乎了，费希曼想。他把自己的想法告诉安吉尔。他知道，如果继续在这儿待下去，这种挥之不去的、深深刺痛他的感觉一定会长久地留在心间，直到终于出了什么问题。他还记得在路上，他一直求威尔，远走他乡。事实上，莫吉为什么要带威尔走，首先就是因为，他知道这一走至少得两年。那次，威尔很走运，顺顺利利逃离了德斯珀伦斯。

两年前，威尔·凡特姆在十二个不同地方破坏了古福瑞特矿业公司那条一百五十公里长的输送管道。这条管道是用来把矿石从矿山运送到海岸线的。事情发生后，整个世界都乱了套。德斯珀伦斯，动动脑子吧！有人含沙射影地说。一定是有人经过许多次的调查研究才掌握了破坏管道的方法。起初，人们认为一定是管道穿过三齿稃草原时，自己爆炸的。因此需要对矿石在管道中传输时产生的压力进行校正，再校正。

每次管道爆炸，汗流浃背的工程师们都互相指责不称职，然后顶着仲夏炎炎赤日，踏着滚滚热浪去修复管道。那是一件非常辛苦的工作。如果想到这条耗资三千万元的管道用的材料不合格，更如噩梦一般。这到底是怎么回事呀？问题提得很好，可惜没有答案。哦，是的！费希曼的护卫队很走运，尽管每一个出口都有重兵把守，他们还是把威尔·凡特姆成功地带出了城。保安部门气得发疯，谁也没有想到会发生这样的事情。

这家大矿业公司停止进一步建设，威胁要从这里撤走的时候，小镇严加防守，人口好像一下子增加了一倍。州总理命令一个中队的警察从南边的首府坐飞机来帮助他们捉拿威尔·凡特姆。几十个警察腆着大肚子坐在塑料椅子上，将所有水陆码头、交叉路口把守得严严实实。等到这支充满宗教色彩的护卫队来到城边宽阔的、潮水滚滚的努玛河的时候，莫吉·费希曼立刻看出，想过这座大桥，绝非易事。

他先看那些人手里的步枪，再看那几十个身穿军装、荷枪实弹的人一张张僵硬的脸。他们一字排开，把守着大桥那边。警察身后是一辆辆警车，像路障一样横在路上，随时准备抓人。这时候，护卫队已经来不及后退，只得硬着头皮过桥。身穿军装的警察牵着德国警犬迎面走来。莫吉看见那几条狗因为口渴，耷拉着舌头直喘粗气。他赶快往后传话：“没关系，勇敢点，那几条狗只是吓唬人用的。他们什么都会搜查，别当回事儿就行了。”

警察让坐在没有牌照的汽车里的人把车推到波浪滚滚的河里。这时候，抗议也没用。有几个人虽然历来遵纪守法，此时此刻却并不情愿把自己的汽车推到河里。可是表示不满的话还没有落地，手牵警犬的警察就发出信号。警犬如狼似虎，冲过来，把他们扑倒在地。他们滚到桥边，抓住桥身上像枕木一样厚的木板，悬空吊在棕黄色的“大蛇”之上。“大蛇”一路呼啸，巨浪翻滚，向大海奔腾而去。他们一定听到那些白人警察在哈哈大笑。有一刹，这种水火不容的感觉让人难以置信——他们吓得要命，这些人却笑得前仰后合！可是来不及多想，那几条恶狗就已经龇开满嘴獠牙又扑过来，咬他们的耳朵和紧抓着大桥木板的手。他们的手鲜血淋漓，像黑鳗一样滑。如果还能在半空中坚持几秒钟的话，那是因为大桥的木头碎片刺穿了他们的掌心。可是最终，他们还是掉下去，掉进棕黄色的、愤怒的波涛之中，在流入大海的大河里漂了几米远，浮出水面回过头瞥了一眼大桥上一张张茫然失神的脸，眼巴巴看着他们消失在另外一个王国。

虽然发生了这样的悲剧，但也有颇具戏剧色彩的一幕。那就是护卫队通过大桥时，警察居然没有发现威尔。莫吉仍然认为，这是因为威尔那副模样并非一般人心目中那种典型的“黑人叛匪”、“游击队员”、“激进主义分子”、“煽动者”。他太普通了，简直就像个隐身人，从小到大从那座小镇走过，没有人会多瞅他一眼，看看他到底长了副什么模样。侦探长问那些负有公民职责的白人，威尔有什么特征的时候，他们几乎众口一词：“啊，在我看来，他们长得都一样。”“分不清谁是谁，从来分不清。”探长听了十分恼火，认为德斯珀伦斯人简直是脑瘫。

你可以说是神的眷顾！可以说是警察疏忽大意！想怎么说都可以。反正城里连一张威尔·凡特姆的照片也没有。敌对双方对威尔的描述相互矛盾。他们把“记忆库”里的东西都搬出来想派点用场，而且谁都跳着脚强调他们对威尔的描绘千真万确。他们能言善辩，巧于词令，不过说的更多的是两派的争端，是威尔和他那帮喽罗在他们身上犯下的罪行，而不是他长的模样。那位“年高德劭”的探长用生硬的英语至少大声说了一百次，他并不是来分析他们之间的矛盾或者上升到理论高度解决他们的问题。他根本就不想听他们说这些事儿。他是个非常严厉的人。

警察连忙给当地的报社打电话，可是他们也没有威尔·凡特姆的照片。他们所有资料里甚至连一张威尔的快照也没有。这简直让人无法相信。他在学校运动会上曾经年年夺冠，还被评为年度优秀学生。警察又跑到镇公所办公室查历史档案。是啊，他们肯定有威尔的照片。可是在哪儿呢？也许“野餐会钓鱼冠军”里有他。瞧，这个土著人男孩儿咧着嘴笑。他在复活节钓鱼比赛中抓到最大的鱼。不过不是威尔·凡特姆。你们听说过钓鱼比赛吗？在我们这一带很流行。哦，没有威尔。那年一定没有拍照片。真对不起。

警察已经去过学校了。“有全班的合影吗？我就不信威尔·凡特姆念书的那个班没有照过一张合影！”“年高德劭”的探长气得要命，一边嘶嘶嘶地说，他在这个种族混杂的小镇待够了！一边满腹狐疑地看着乱七八糟堆在绿色乒乓球案子上的照片。那堆照片足有几十张，可没有一张和他们要找的这个人有关，没有一张显示威尔·凡特姆曾经在这个学校念过八年书。“他难道不上学吗？”他们不无兴趣地问。

“上！上！从学校回家的路上，他总唱《美丽的卡罗琳》和《晚归》。”警察从老师那儿得知，威尔念书时是个好学生。他有一副好嗓子，喜欢唱内尔·达尔蒙德的歌。城里人都爱听他唱歌。经常是他引吭高歌、穿城而过的时候，全城人都跟着他唱。

于是警察径直去凡特姆家搜查。至少十二个经验丰富的警察仔细搜查了两次，也许三次，但是一无所获。安吉尔·戴那几个女儿在吹毛求疵、谨慎细心方面简直无人可比。威尔离家出走那天，诺姆就严令她们把能让他想起威尔的所有东西都处理干净。诺姆·凡特姆也没能帮那位探长的忙。他一口咬定，那个叫威尔·凡特姆的人和他们家没有任何瓜葛，过去没有，以后也永远不会有。

警察局里，凡特姆一家人排成一排站在那些外地来的警察面前。探长对他的手下说：“他们或许能帮你们找到点线索。”他在那些默然无语的人们面前走来走去。那些人对他怒目而视，目光中充满了鄙视。作为一家人，他们看起来不是特别像。人们对此都会有同感，可是探长却能看出一般人不易察觉到的相似之处。这应该归功于他多年来作为侦探的经验和技巧。四个年纪大一点的——银叟和多尼、贾尼斯和帕特茜似乎应该属于一个“体系”，尽管长相简直没有什么共同之处。老人们说这就是同母异父的证据。格里亚和凯文跟哥哥姐姐更是天渊之别。两个人都像流落街头的流浪儿一样骨瘦如柴，不过看起来更像他们的父亲。

安吉尔·戴也帮不了什么忙。发生在她身上的这一切简直像可怕的幻觉。这位莫吉·费希曼的“女神”非常恼火。她早就离开先前那个家了，现在又毫无道理地卷进威尔的案子。她对那位“德高望重”的探长说，她早就开始了新生活，她连自己的事情还忙不过来呢！“这还是个家吗？”她用嘲弄的口吻说，一字一句就像蝴蝶从她嘴里飞了出来，“我们什么违法的事情也没有做，警察就破门而入。还硬把我弄到警察局，游街示众，好像我只是牲口棚里一头小公牛！”

抱怨完警察“私闯民宅”之后，这位“女妖精”几乎是翩翩起舞，飞出她那幢房子。可是看到警车里坐着她的前夫，坚决拒绝上车。“我不会和这个杂种坐在一起！”她对那几个警察冷冰冰地说。可是警察怎么能知道她像躲瘟疫一样躲了他好多年。她就那样大热天儿在人行道上站着，把几辆警车挡在那儿，直到又来了一辆车把她接走。

一进警察局大门，安吉尔·戴就让诺姆说清楚，他那双贼眼在看什么？诺姆自个儿也很惊讶，他怎么会一直恶狠狠地盯着她那身打扮——衣服裹在身上，又紧又短。他想纠正她的行为举止——扭动着腰肢，一双胳膊摇来晃去，露出两条童子鸡似的腿，对所有的男人飞眼儿。他真想收拾她一顿，让她别在孩子们面前丢人现眼。可是转念一想，安吉尔已经不再是自己的老婆，没有必要和她大动干戈。更让人恼火的是，她居然严词拒绝和前夫站在一排。探长倚在办公桌旁边，诺姆走到他面前，很平静地告诉他，堂堂探长让他受了多么大的侮辱。他说：“你怎么能让这个娼妓和我们家的人站在一起？”

她朝探长脚上吐了一口唾沫。探长低下头，看见那口唾沫正好落在他擦得锃亮的棕色皮鞋上。他直盯盯地看着她。她朝他挤了挤眼睛，就像以前向许多男人飞眼一样，也朝他抛了个媚眼。诺姆以为探长会打她，可是没有。相反，他向手下发号施令，让他们安排安吉尔站到队伍里，离诺姆越远越好。她说，她自己能站，用不着警察多管闲事。于是面对最远处那堵墙站定，谁都不看。探长仔细打量他们——六个子女，父亲，母亲——命令站在周围的警察记下这家人每一个成员最明显的特征。“相信我，这个威尔·凡特姆总有和他们相像的地方！”是啊，傻头傻脑的乡下佬怎么能比得过他这样一位聪明人。他心满意足，拍了几下巴掌，说：“好了，小伙子们，这回我们有事儿干了。”

泥巴都干了……

黏土湖像人的皮肤随着呼吸起伏。你能感觉到生命的力量就在你的骨髓里流淌。老人们说，那是世界在躁动，就在大海之下。在德斯珀伦斯，有时候谁都能听见辽阔的黏土湖泥巴干裂开来的声音。你能听见大地在呻吟，表层土裂开一条条纵横交错、深浅不同的缝隙，看起来就像渔民的渔网。不过这张大网是红棕色的，它能打捞住从大地表面条条裂缝“渗漏”下来的任何东西。它能让你想到，生活在你脚下那块土地里的东西不管是什么，一定比你大得多，而且赋予古老部族真正的力量。老人们说，这就是为什么要继续生活在他们的繁衍生息之地的原因。是的，就是要在这里生活下去。每个人都得把那古老的“神灵之战”继续下去。“尽管一无所获，除了到小城非中心区，也不会有什么去处。”

约瑟夫·迈德纳特老人在他那幢单坡屋顶老房子出出进进，不停地对自己说：“这是唯一的安全之地了。”这幢用铁皮和塑料板搭建起来的房子伫立在一幢崭新的房子后面，显得格外破烂。新房子是政府为了奖励他和矿业公司的良好合作而无偿送给他的。但是他说，“房子好得没法住”。亲戚们都认为他是失去理智了，也就没有特别注意这件事情。他们认为，迈德纳特是他们的楷模，发生在他身上的事情迟早也会落到他们头上。在这个世界活了这么久，他们也应该这样做。生命之火最后一次摇曳就该是这样。

老约瑟夫不再到城里去了。他几十年如一日，天天进城。这个习惯对他的部族也是一种鼓舞。他这个人对自己的生活不闻不问，连吃的东西也没有，全靠亲戚们接济。他们嘴里嘟嘟囔囔着，把一个三明治或者一盘炖菜塞给他。“如果你不打算好好照顾自己，活着还有什么意思？”老约瑟夫哼哼唧唧，不领情不道谢。临了，给他一口饭吃的人说：“老头，你什么都不是，就是个吹牛说大话的骗子。”他对他们说：“一天吃你一顿饭，也犯不着这样出口伤人吧！”送饭的人骂骂咧咧，匆匆忙忙扬长而去。“老家伙，谁愿意背这个包袱呀！”他像个铅锤，一个空贝壳，亲戚们不高兴地说。可是从道义上讲，他们觉得对他有责任。即使在城东，这种家族、血缘的联系也还是剪不断。

老约瑟夫·迈德纳特听到早已死去的亲戚和他说话，好像他也已经到了阴间。他们说，他那些族人根本不值一提。“你看我们，我们只是活动在这一带的隐身人。”看着他对穿城而过吹向大海的风说话，族人们都说，他一定丢了魂。

谁也不谈论这些事情，谁也不肯动一点点脑子，看看迈德纳特心里到底在想什么。恶毒的话语像污染物一样流入江河。谁也阻挡不住炸鱼和炸薯片小吃店外面的流言蜚语。比方，费希曼手下的人说埃利亚斯死了。他们说，在已经干涸的礁湖看见他死在自己的小船里。这是些怎样的流言呀？

“这些人应该用马鞭抽打直到打死为止。”他一边大声嚷嚷，一边朝想象之中跟在他身后进进出出他那间破屋子的人摆着手，让他们滚蛋。他一看见那幢新房子，就朝它吐唾沫。错误的决定一直让他苦不堪言。好多天他一直不肯原谅自己。因为那完全是他心血来潮做出的决定。他做事从来都不会三思而后行。“为什么要让一个老人做这样的决定呢？为什么别人不能做呢？为什么要把他的整个世界送到远方呢？”他是在说他的孙女霍普和她的儿子巴拉。他让他们和埃利亚斯·史密斯一起逃往大海——趁着夜色，藏在一块防水油布下面。除了埃利亚斯别人都不知道他们在船上。黎明时分，埃利亚斯离开德斯珀伦斯，拉着船走向大海。

诺姆还没有载着埃利亚斯的尸体出发的那天夜里，老约瑟夫·迈德纳特一直弯腰曲背坐在海滩，等待着。他四处张望，搜寻戈蒂——那个行动像机器一样的人。那时候，这个家伙还活着。他对黑影下移动的任何东西都十分警觉——燕鸥、寄居蟹、沙滩上窜来窜去的海蛇。有时候，会满怀骄傲之情，抚摸他那条刚刷成红树绿的小铁船。

老约瑟夫·迈德纳特心里怀着一线希望。他知道，威尔一旦听到霍普和巴拉的消息就一定会去找他们。因为如果这个世界还有真情的话——天知道这种感情少而又少——威尔和霍普的爱，以及对他们对儿子巴拉的爱当属此列。威尔·凡特姆开着一辆借来的车无声无息地来到海滩。他在夜色的掩护下，溜到停泊在海边的小船旁边，想找一条适合他的，坐着出海。约瑟夫·迈德纳特的突然出现吓了他一跳。老头喜欢抽烟，嗓音粗哑，他在离威尔很近的地方说："我知道你需要一条船。我只有这么一条可以让你走完这条路的小船了，你就用它吧，不要打别人那些船的主意。我对自己说，最好在这儿等他吧，等他下定决心来到这块海滩。你一定要看护好我这条船。"威尔点点头，把行李扔到船上，然后收拾了一下老约瑟夫的小船，准备出海。"我可就剩下这一件像点样的东西了，你知道吗？"老头说。

老约瑟夫把自己听到的关于威尔的流言一股脑儿讲给他听。人们说他在环礁湖离开费希曼的护卫队后，就失踪了。"你回家的消息对于我来说，实在是太好了。一想到你可能正在回家的路上，我这个老头心里就乐开了花。"天黑之后，他坐在那条绿色小船旁边等了好几个小时，可是威尔一直没有来。不祥的乌云重新浮现，他对风儿抱怨。这也是他和那些派不上用场的亲戚们交流的方式。在别的问题上，他不愿意和他们有任何瓜葛。

"他们都是些傻瓜，对你根本没有用处——从来就没有过。这些家伙总以为他们什么都懂，根本用不着向我学习。对，就这么回事儿。他们对大海一无所知，不可能去找他们的妹妹或者那个小男孩儿。那些白痴！"

威尔从借来的那辆车上卸下他出海需要的东西，放到小船上。其实也只是很简单的行李什物——几桶淡水、捕鱼用的工具、一些罐装食品、几件衣服。老人家告诉他如何去往遥远故乡的安全之地。那是一首详细叙述他从未见过的"梦幻之地"的歌。"我成长在非常艰难的时代。可是那些家伙没有一个人爱听。"

他说的事儿威尔知道。老人们的故事可以说他早已烂熟于心。他随声附和，尽可能表现出他的话在自己心中引起了共鸣。“我知道，爹爹，他们惨无人道地对待你们。”可是迈德纳特老人想起他一辈子也没有举行过的一种仪式。现在，连他自己也十分惊讶，居然要把它传给威尔。他唱啊唱啊，相信自己按照正确的顺序唱出至少一千公里以内几百个地名。“唱吧，只有这个地方叫这个名字。记住，不要弄混。然后下一个地方，唱。现在听我唱。只有月亮升起的时候，像那轮明月。哦，比它稍微低一点儿。继续，再练一遍。记住，不要出错……”这首歌那么长，那么复杂，而且必须按前后顺序准确地记住每一个地名，记住哪儿的海水波涛汹涌，哪儿的洋流滔滔滚滚，甚至哪儿的乌云遮天蔽日。

“威尔，记住，你只有在大海让你通过的地方才能航行。”

直到唱完这首歌，老约瑟夫·迈德纳特才一边警惕地看戈蒂是不是在周围转悠，一边压低嗓门儿告诉威尔自从他跟费希曼的护卫队走后，在霍普身上发生了些什么事情。

显然，他们俩都具有猎人的本能，不但沉着冷静，还有一双能看穿黑暗的令人佩服的眼睛。两个人都支棱着耳朵，非常专注地听哪怕最微弱的声音。他们像被跟踪的动物或者鱼一样，下意识地保持高度警惕，一边注意从天空到一公里以外的丛林有什么动静，一边急匆匆走过“渔人酒店”，走过垃圾倾倒场，走过最远处停泊的那条小船，走过月光下盘旋的那群海鸥。今夜他们听见海水拍打站在海滩边的脚的声音。远处，停泊在一起的小船船身碰撞在一起，发出咯吱咯吱的响声。有一条船上挂着一个铃铛。船儿随着潮水跳荡的时候，铃铛就发出清脆的响声。再远一点，他们听见驳船发动机的响声。这些船正把矿石运到停泊在深水区的大船上。

他们还能听见水手在船上吆五喝六、发号施令的叫喊声，听见沉重的机器发出吱吱扭扭的响声，然后就是矿石倾倒到船舱里的隆隆声。海湾里也不安静，压舱用的水喷射到静静的水面上，鱼儿从浅水湾跳出，狗不停地对着月亮汪汪汪地叫。附近，一只猫头鹰发出凄厉的叫声。天空下，好几只杜鹃鸟盘旋着，鸣叫着，就像愤怒的老人，相互争吵。

“到底发生了什么事情？”威尔压低嗓门儿问，声音里充满焦急不安。他想再听老迈德纳特讲一遍事情的原委，连忙推了他一把，心里明白必须赶快驾着小船离开这里，因为潮水很快就会退去。他必须知道霍普的情况、巴拉的情况，必须弄清楚他到底失去了什么。他在外面的时候，无论和城东的营地还是城西的营地都无法联系。没办法打电话，也没有人给捎个口信。更没有办法回去。威尔知道，霍普不可能自己离开家乡去寻找他。被迫分离已经是注定了的事情。费希曼对他带领的那些人说，“把往事的记忆封存起来”是心平气静最好的办法。他说，如果他们不知道该如何面对与家人别离的痛苦，就应该向他学习。他是他们最好的楷模。威尔想象他不在家的时候，霍普一个人该怎么生活。约瑟夫·迈德纳特又把发生过的事情小声讲了一遍。不过他讲得很快，似乎生怕藏在后面草丛里的戈蒂突然向他扑过来。

“哦，这些话我都是听人说的。那几场火灾后，警察找不到你，就想抓霍普。费希曼的护卫队离开镇子之后，他们找到了从桥上掉下去的那些人。还在十字路口设卡，对所有的人都严密搜查。他们一直认为破坏管道、放火烧了镇公所之后，你还藏在周围，而且霍普肯定和你有联系。

“至于埃利亚斯，身为守夜人，他的职责就是看护这个地方，所以他们说，埃利亚斯看到你作案的时候，一定袖手旁观，没有干涉。他们自己调查这个案子。我是在酒馆里该死的‘袋鼠法庭’[①]听他们说的。后来，他们虽然把他赶出镇子，但还在寻找线索。这就是他们为什么要找霍普的原因。

“他们已经开始拷问她，威胁说，如果不说出你的下落绝对不会放过她。警察从来就不相信你已经逃离这个地方，他们一直认为你就在附近。整个小镇仿佛走马灯似的快速旋转，人们议论纷纷。‘谁也不知道这个威尔·凡特姆给我们带来多大的麻烦！’嗨！从镇子到矿山。我想关于你的传闻，一多半儿都是他们编的。其实谁都这么认为，我当然更不例外。我听见他

①袋鼠法庭：一种违反公认的法律程序设立的模拟法庭。

们说，‘哦，你们看，路上扔着个破玻璃瓶子。肯定是威尔·凡特姆干的！’这种话太多了。

“有的女人错把星期一当成星期二，也怪你。呀！谁把时间搞混了？肯定是威尔·凡特姆背后搞的鬼。他们甚至相信你有一次开玩笑说的话。你说，你能藏在稀薄的空气里。现在，他们觉得你也许藏在沙尘暴里，所以就到处找你。‘他能在哪儿呢？’谁都想第一个找到你，所以他们就来找霍普，希望她能把你交代出来。”

“哦，有人杀死了埃利亚斯。”威尔说，拢了拢头发，还是无法相信这是真的，但是心里清楚，他应该想到这种事完全有可能发生。在他们这个国家正在进行的这场新的“战争”中，死个把人根本算不了什么。这场“战争”不会按照诺姆·凡特姆的要求，或者约瑟夫·迈德纳特的要求进行。他们之间的争斗很简单，只要对方不在他们的地盘上捣乱，住到城那边就相安无事，而且他们知道“打仗”的规矩。和矿山的“战争”却没有规矩，更没有什么神圣、高尚可言，那是一场只为钱的“战争”。

“我知道他死了。那个可怜的家伙完蛋了。费希曼手下的人告诉我的。”老约瑟夫的精神气儿一点儿也没有了，说话声音很低，刚刚听得见。威尔看得出，老人自从听到埃利亚斯的消息，一直忧心忡忡。约瑟夫继续说，他不知道以后该相信谁，相信什么。“你不能再放火烧东西了，威尔。你应该知道这一点。纯粹是浪费钱财。”

“霍普没有参与任何事情，耶稣·基督。我们和城里失火的事情没有任何关系。”威尔解释道。老约瑟夫看着他，“那些事都是矿上的人干的。浪费的钱是他们自己的，别可怜他们。他们践踏我们权利的时候，从来没有可怜过我们。”威尔心里越发焦急起来。他决定不和老人说他认为霍普和巴拉如果现在还活着，处境会多么危险。他也没有说，他认为矿业公司杀死了埃利亚斯，然后故意把他放在礁湖那条船上，引诱他上钩。

“难道矿业公司真的想杀死埃利亚斯吗？也许是他自个儿死在外面的。”约瑟夫·迈德纳特老人停了一下，似乎无法忍受这样一个结果——

埃利亚斯还没有完成他的航行，三个人就都葬身大海了。他又把注意力集中到威尔刚才说的这番话上。“矿山上的人真的想烧掉镇公所，真的想放火烧别的地方？他们和小镇没有多大的关系，如果真的干了这种事儿，一定应该有充足的理由。”他又拖长了声音，不敢相信这是不是意味着，对于一个美好世界的希望最终也葬身大海。

威尔解开船，准备驶向大海。“你们这些家伙，”老迈德纳特说，“总是谈论什么新世界、现代世界。新世界，狗屁！什么叫现代世界？这个世界和我生活过那个世界，和我那个世界之前的世界没有两样。压根儿就没有什么现代世界。”为什么像他这样的老人认为那些城里人有足够的理由在他们白人内部杀人、放火？“我知道，我们的人互相打斗，”他说，指过去部落之间发生的那些纷争，“我们互相打斗，直到有一天大伙儿都厌倦了，不想再你争我斗。”威尔知道，他的意思是，其中一方放弃战斗，撤离战场。这是最终解决问题的办法，双方谁也无法做出决定。至于谁是失败者，不得而知。但这毕竟是结束过去四百年部落纷争唯一的办法。

“依我看，白人相互之间的关系还不错。我说得没错儿，对吧？你看，镇子里的人和矿业公司的关系就不错。俨然一对好邻居。没麻烦，也没有必要找麻烦。”

“老人家，他们管那玩意儿叫友邻政策。毫无意义。你知道吗？这个镇子被人家利用了。他们太傻，被人家利用了还不知道。”威尔很生气，他想赶快出发。

“哦，不是这样。依我看，矿业公司和镇子没有问题，反过来也一样。我看见过他们在一起交往的情景。谈啊，谈啊，好像总也没个够。矿山也往镇子里投钱。这一点，你看外表也看得出。所以，这回你可说错了，威尔，没有什么特别的原因。”

“他们当然有他们的原因……”威尔想解释所谓友邻政策如何排除异己，但是迈德纳特打断他的话。

“你知道吗？有一次我让那孩子给你父亲送过一个字条。”他说。

“后来呢？”威尔十分惊讶。这两位敌对部落德高望重的长者从来不说话，甚至不承认对方的存在。在他们的语言里，没有“妥协”两个字。“送字条”，这是不是他承认自己失败的信号？他仔细端详老人那张脸，想弄清楚他那满脸褶子里是否潜藏着什么阴谋诡计。不，看他那副坦荡的样子，似乎不会有什么恶意。不过这件事情确实很怪。一是因为威尔娶了霍普，诺姆一直不肯原谅他。二是威尔知道，巴拉是老约瑟夫·迈德纳特的心头肉，警察来找霍普之后，他居然想让诺姆照看巴拉！真有点不可思议。

“想想看，小家伙沿着那条路去找他的爷爷。城西路边的蛤蟆都屏声敛息，不再鼓噪，只是呆呆地看会发生什么事情。哦，就我听知，它们看到了发生的那些事情。那个老浑蛋心胸狭窄，连自己的孙儿都容不下。所以我别无选择，我责怪他，因为如果他能帮帮自己的亲骨肉，这些事情就不会发生了。

“你知道那个老浑蛋对他自己的亲孙子都做了些什么吗？不知道吧？没人告诉你！哦，他低着头东看看西看看，似乎在找什么。你能相信吗？他在找石头！他捡起一块小石头，朝小家伙扔了过去，又捡起一块，又扔了过去。接下去，扔了第三块。就好像我们小巴拉是谁家一条狗，他非要除掉不可。我们的小宝贝儿只好转身回家。我们这边的蛤蟆好高兴呀。沿路的蛤蟆！他走过的时候，就没有停止呱呱呱地叫！它们高兴得要命，一个个头晕眼花，没完没了地为他欢呼，歌唱。

“哦，我真希望我的小宝贝现在在这儿，真希望这些破事儿没有发生过。现在我孤零零一个人日子更苦了。听我说，威尔，我要不是像现在这个样子年迈体弱，一定跟你一起走。我只怪诺姆·凡特姆，别人谁都不怪。等我身体好了，我一定去找那个老狗，和他当面锣对面鼓把事情说清楚，和他算清这笔账。那时候，谁都会问我，‘那位大英雄诺姆·凡特姆怎么了？’我就说，‘他滚蛋了！你们再也看不到他了’。”

威尔听约瑟夫没完没了地唠叨，很想为迈德纳特的故事添一点“证据”，尽管想象之中，他说的都是真话。巴拉出生的时候，确实没有什么“反响”——

城西的营地连一点儿动静也没有。没有人欢呼雀跃，也没有报喜的歌手用歌声告诉大家，“一个孩子已经诞生！”没有人说，让过去的事就过去吧。谁也没有想过这个孩子诞生的意义——他也可能成为这两个敌对已久的部落达成和解的“粘合剂”。所以，威尔想，巴拉的出生不但没有给人们带来欢乐，而且遭遇了石头相迎的待遇。而刚才迈德纳特那个故事里所谓诺姆朝他扔石头的话，实际上就是一种隐喻。因为城西的黏土湖压根儿就没有石头。只有那些心里有病的人才抱怨什么石头。白人梦里想着石头。孩子们以为石头是用魔术变成的。

威尔很快就远远地离开海岸，孤零零一个人在茫茫大海之上寻找妻子和儿子。他很不耐烦地航行了好几天，没太费劲儿就找到老迈德纳特对他说过的洋流，终于看见那儿座地势平缓、山势不高的小岛。头天夜里，他就感觉到水的流动发生了变化——水流得慢了，而且还在上涨。这让他喜出望外。现在，陆地遥遥在望。海鸟越来越多，直到他觉得仿佛世界上所有的鸟都向同一个方向飞行。鸟儿嘈杂的叫声越来越大，盖过熟悉的海的喧嚣，简直震耳欲聋。

一时间，威尔觉得分不清东南西北。这种情况下，很难不被好奇心压倒。威尔一双眼睛不由自主地向天空望去。一群群鸟仿佛一朵朵羽毛织成的云，一路喧嚣低低地掠过天空。他觉得胃里翻江倒海，眼花缭乱，只有把注意力集中到大海，才能从那眩晕中逃脱。那一串小岛正像迈德纳特对他说的那样，“长满了红树林，和我的船一个颜色，是个好地方”。迈德纳特解释道。他的意思是，是个打猎的好地方，好伪装，也好隐蔽。

海岸长满灰绿色的茂密的红树，延伸到大海之后，又向一座座沙丘蜿蜒而去。红树林之间长着一簇簇棕榈树，像一个个哨兵，头暴露在风中，凝望着大海。浅水区的海水越发灰暗。威尔不记得以前见过这种颜色的海水，但是他不停地划着船向小岛驶去。后来他才意识到，这些小岛覆盖着厚厚的一层泥土，所以水的颜色才和从前德斯珀伦斯周围海湾里水的颜色相似。这个“从前”当然是指矿业公司来开矿之前。不一会儿，湛蓝的海水就留在身后，迈德纳特先前对他说过的那些话也抛到脑后。陆地遥遥在望，威尔怀着一种类似于荒漠中看到清泉的喜悦，被饥渴和爱燃烧着，穿过层层波浪，急切地驶向那座灰绿色的小岛。

小船飞快地驶到海岸线，威尔发现沙滩上有许许多多垃圾。阳光下，一群群海鸥中，几十个白色的塑料瓶子沿海岸线跳荡。威尔觉得这是这座小岛的守护神传递的不祥之兆。这倒是出乎他的预料之外。迈德纳特没有告诉过他，老祖宗留下的这座小岛有任何危险。

现在，航行结束了，他屏住呼吸，充满忧伤，期待着。在大海之上孤身一人航行，让他有时间深刻地反省，想自己的前半生，想有霍普和巴拉的未来和没有霍普和巴拉的未来会是个什么样子。向小岛驶去的时候，回首往事，他觉得“乐观主义”总也和他无缘；展望前景，恐怕也依然是避他唯恐不及。他们的生活中就没有过什么让人感到欣慰的事情。最后一个浪涛把他推上群鸟飞舞、噪声不断的沙滩，回忆与展望戛然而止。小岛已经成了难以计数的鹈鹕的栖息之地。它们愤怒地看着威尔，他想从它们的巢穴中间走过去的时候，鹈鹕伸长脖子，摇头晃脑，嗓子咕噜咕噜地响着，直到终于发出悠长、刺耳的尖叫。成千上万白色的海鸥在海岛上盘旋，像一团团大声叫喊的云掠过蓝天。天黑以后，他看见皎洁的月光落在鸟儿身上，微风吹着它们翅膀上的羽毛，长夜在一片嗡嗡声中消逝，就好像整个星球在印第安人的板鼓声中获得了生命。

他看到的、听到的仿佛都告诉他，应该赶快离开这里。于是，他又回到海滩，在心里琢磨下一步怎么办。这几座海岛都很小，不可能有人居住，可是，他得弄清楚到底怎么回事。他划着小船沿海岸线慢慢地走，在一个小海湾那边发现一片稠密的红树林。他把船在树下藏好，等待夜幕降临，生了一小堆火，抓了几只锯缘青蟹煮了充饥。

下午，暴风雨和威尔一样，一肚子不耐烦，向海岸线席卷而来。短短几秒钟，云彩就好像撕开一个口子，大雨倾盆而下。威尔松了一口气，趁机冒雨快步走上小岛。栖息在岛上的鸟儿被雨水淋得精湿，顾不得找他的麻烦。正如他想象的那样，岛上没有人留下火的痕迹，看不出霍普曾经在这里待过，也看不到有人曾经在这里住过的蛛丝马迹。

他又返回到船上，驶向下一个小岛，然后下下个。可是除了腿上留下那些愤怒的鸟儿啄出的伤口之外，一无所获。他划着船儿找了两天之后，来到一座大一点儿的小岛。天低云暗，大雨滂沱，他吃力地走上海滩。这座岛是五个小岛中最后一座。黎明前，他把船儿拖到岸上藏好。

从雨幕中走过的时候，他发现风雨中栖息的鸟儿少了许多，跟他捣乱的也不多。那些还待在窝里的鸟儿把头藏在翅膀下面躲避雨水。他看见海岸线漂浮着许多塑料瓶子，心里想，这些瓶子一定来自某条大船，也许是从亚洲来的集装箱没有装好，从船上掉进大海。箱子一旦裂开，成千上万个瓶子就漂浮到海面，直到漂流到这几座小岛。也许是许久以前的事情，也许只是几个月之前。也许就这么简单，这些瓶子漂过来之后，被困到小岛周围的前滩和礁石筑成的“防浪墙”之间的水面。

雨幕中传来一个男高音，威尔猛地收住脚步。那高亢洪亮的声音突然之间变化成为意大利歌剧里的歌声，而且离他只有几米远。真见鬼！他想到那些瓶子。也许这是什么人的鬼把戏？迈德纳特的？雨丝雨线、风雨中桉树噼啪作响的枝叶、高高的茅草，把那个音调优美、歌声舒缓的歌者和站在雨幕中浑身滴水的威尔分开。他既懊恼又惊讶，怎么会这样麻痹大意！刹那间，埃利亚斯、诺姆、迈德纳特、费希曼都出现在他的脑海之中。在威尔心目中，他们都是大师。他们会怎么说呢？谁会像他这么傻呢？他压根儿就没有特别注意周围都有些什么，一直认为这里荒无人烟。

他朝下瞥了一眼，看见自己的心在赤裸的胸膛里怦怦地跳。然后从眼角的余光看到那个唱歌的人。他几乎就站在威尔旁边，脸上表情丰富，充满期待，似乎在赞美这美好的一天：我们在黑暗中找不到他。幸运的是，这是一个月光明媚的夜晚。月亮近在咫尺。[①]那个意大利人块头很大，一个

①意大利歌剧作曲家普契尼创作的歌剧《波希米亚人》中的一句歌词。

人站在雨中，像他祖先信奉的神那样，张开双臂，雨水顺着金色的面颊流下，像珍珠一样，从黑色的胡须上滚落下来。幸亏他全神贯注地唱歌，目光落在直指“合唱队”——一群叽叽喳喳叫的喜鹊——的手指上。那群黑白相间的鸟儿落在旁边高高的桉树上。

矿工！威尔认出他们的蓝工作服。真该死！别人在哪儿呢？他悄悄地绕到那位歌者身后，又往后退了几步，直到完全走出那个人的视野，然后绕到远处，想弄清楚为什么矿业公司会派人来这座小岛。

沙土地、草丛中，到处都是瓶子，落入丛林和矮树丛里的瓶子则像很大的、奇异的果实挂在枝头。那个人还在唱歌，除了这些随处可见的塑料瓶子，这儿显然没有别人。威尔看见那些瓶子在一股股强劲的晨风中来回滚动着。风吹过小岛，卷起歌声和塑料瓶子，掠过丛林，最后落到海滩，滚入大海的怀抱。威尔想起自己先前想入非非，觉得挺好玩。他竟然以为是集装箱从轮船上掉下来，瓶子撒落出来，漂浮到大海之上。

威尔问自己，警惕性跑哪儿去了？关于矿山，他最初学到的、也是唯一的规则是，什么事情都不是偶然发生的。即使在海湾，在茫茫大海，在任何什么地方，都应该保持高度警惕。有一次，还是小孩子的时候，他和诺姆、埃利亚斯一起到大海捕鱼。他们看见一支由漂流物组成的庞大的“舰队”，宛如一座座活动的岛屿，在海面上漂流。那“岛屿”结实得你甚至可以上去走路。“舰队”顺着环绕海湾的洋流“航行”，发出一阵阵咔嚓咔嚓的巨响。威尔一行三人，从旁边驶过时，看见成千上万只海鸟尖叫着，围绕着这大海创造的奇观飞翔。诺姆和埃利亚斯立刻收网回家，把他们看到的情景告诉乡亲们。

这支奇异的“舰队”在海湾漂流了好几个月。人们添枝加叶，把这个故事演绎成一篇动人的史诗。这确实是前所未有的新闻。一位智者告诫大家，“舰队”消失之前谁也不要出海。老人们更是奔走相告，号召大家远离那一堆堆漂流物。他们说，那是发了疯的大海搞的鬼。大海发疯之后，死人的灵魂就被卷入这种幻梦般的地方。“不要去看大海干过的事情。”所以谁也不敢去看，除非他们希望后半辈子都被噩梦缠绕。看到这位意大利男高音用一种外语歌唱这个国家，使他觉得这块土地和茫茫大海对于他那么神圣。威尔知道，像和他背景相同的普通人那样，以老一套思维方式考虑问题是不对的。采矿业改变了人们在思考如何照顾好自己时的思维方式。如果一个人要生存下去，他就不得不首先想一想，矿业公司能为他做些什么。

约瑟夫·迈德纳特居然以为这座小岛是安全之地。不过，威尔觉得，这事儿怪不得他。因为老人对这个地方的看法还停留在久远的过去。他是从故事、传说、历史和神圣的土地了解他的家园的，当然比为这块土地唱一首爱情之歌的陌生人知道得更多。他的历史可以延伸到几千年之前。迈德纳特怎么能想到这个地方在矿业公司手里，会发生如此迅速的变化？恐怕谁也无法预料。威尔开始想霍普和巴拉面临的危险，他们是不是在埃利亚斯和他的小船一起被困在潟湖之前，就已经来到这么远的地方？

他穿过水雾蒙蒙的丛林向前走了几步，看见那个“男高音”正在敲打几排架子鼓一样的铁桶，好像在演奏小夜曲。那些桶一半掩埋在沙土里，另外一半罩在用粗重的绳子编织成的大网里。网上还纠缠着周围灌木丛攀缘下来的藤蔓。再往后，他看见桶旁边的丛林里支着一顶帆布帐篷，还放着几根钓鱼的鱼竿和别的工具。威尔想，也许这个地方已经成了矿上某些工人周末来钓鱼休闲的地方。他得走过去看看才知道那些桶到底做什么用的。他想那桶一定是盛水用的。宛如渔民储藏东西的地方。

那个矿工腰带上别着一个卫星定位电话。威尔心想，他一定是个警卫人员，不过喜欢来这儿钓鱼罢了。他更加仔细地观察起周围的情景。那地方不大，但还算开阔。茅草都被踩平，看起来周末人们常来钓鱼。沿海岸线巡逻的飞行队即使在航线上表明了这个弹丸之地的位置，飞过去的时候也不会对它感兴趣。能到荒凉的小岛钓鱼玩，对于那些远离故土的矿工自然是件快乐的事情。而所谓小岛不过是覆盖着沙土和植被稀疏的礁石罢了。来这儿的人必须自己带水。如何带？船或者直升飞机往来送！威尔看了看被踩平的草地，又抬起头瞭望天空。碧空如洗，只有几朵漂浮的白云和飞翔的小鸟。可是它们不可能踩平草地。

他又往前走了几步，眼前这个世界朦朦胧胧。各种可能性在他脑海里走马灯似的旋转，他觉得身体太沉重，无法向前移动。前面还有漫漫长路要走，他步履蹒跚，似乎已经决定不再去看前面到底还有什么，不再想弄清霍普和巴拉是不是来到这么遥远的地方，他们身上到底发生了什么？可事实上，他还是拖着沉重的脚步，离开那些桶，继续向前走。想到这儿显然是捕鱼人的宿营地，他脸上不禁露出充满讥讽的微笑。在海湾，矿业公司显然有人在搞黑市交易。谁卷入其中呢？谁知道这事儿呢？谁又在乎这些呢？对于这个历史悠久的国家，对于周围的环境，这会造成怎样的灾难？而那些想在退休时大捞一笔的矿工，干点儿这种小勾当，也是有利可图的。对于这个意大利人，回家后除了一座橄榄绿的农场，别的什么也没有。住在欧洲或者亚洲富丽堂皇的官邸里的达官贵人才是财富真正的所有者。

想起现在经常沿着北部海岸线驶来驶去的运输船，威尔嘴角就露出一丝轻蔑的微笑。在海湾，整个海洋世界似乎已经被占领。海面就像画家灰颜色的调色板，油轮运来采矿设备，运走已经拉到海边的矿石。大地被开膛破肚，埋下一条条管道，宛如新的梦幻之路切断了旧的梦幻之路，捆绑住这辽阔的原野。从世界各地来的大船、小船运来了干各种小修小补的人、裁缝、乞丐、盗贼。这些船停泊在德斯珀伦斯，等待驳船运来矿石。挖泥机在灰蒙蒙的浅水区为这些驳船挖开一条条通道，而这里曾经是漂浮着丰美海草的绿地。一条船停靠在一座遥远的珊瑚小岛，运走非法掠夺的货物，简直太容易了。铀？还是金矿石？威尔知识很丰富，在自己的“涅槃”[①]自由航行。

意大利人继续对着鸟儿歌唱，威尔在丛林里穿行。没有人看见他的踪影。是没有人看见吗？是的。他记得很清楚，这一点他可以肯定。可是他为什么睡着了呢？他头疼，脑子里嗡嗡嗡地响。一架直升飞机喧嚣着，从蓝天

①涅槃：不可言喻的终极，在此情况下一个人已达到智悲双运的境界。

飞过。他极力回想过去发生的事情。从他悄悄离开那个矿工的宿营地到现在都发生了些什么？他现在能看到的只是深不可测的黑暗。他面朝下躺在地上，周围是流动的声浪。他的两条腿仿佛被紧紧捆绑在一起，两条胳膊紧紧地贴着身体。想象之中，他的眼睛被一条带子蒙着，眼前一片彩虹般的黄色，就像公司用来封闭装化学物品的箱子或者冷冻保藏盒时喷枪喷射的火焰。那声音震耳欲聋。疼痛像一把锤子敲击着他的脑壳。他挣扎着想整理自己的思想。他坐在一架直升飞机上，螺旋桨和发动机的轰鸣粉碎了任何想要弄清楚到底发生了什么事情的企图。

他出于本能动了动，想活动一下身子，可是立刻意识到最好还是假装已经失去知觉。可是，太迟了。他觉得仿佛有人拽着他的头发往后揪他的脑袋。与此同时，一只靴子踢到他背上。蒙在眼上的布条被扯了下来。他的脑袋痉挛着，脸向阳光转过去。他先是看见镶着白边儿的一团蓝色，然后是九点钟的太阳。可在他的意识中，现在是下午三四点钟的样子。下面是茫茫无际的大海，他想回过头来看那个揪他头发的人，可是那只靴子越发凶狠地朝他踢去，脑袋又被揪到后面。

门砰的一声打开，一股冷风穿堂而过，吹在他的脸上。他知道她与他擦肩而过时的那种感觉。现在这种感觉怪怪的，原来是霍普跌倒在地。他看见她身穿蓝色长裙，脸上的表情十分平静。她喜欢海蓝色，也喜欢天蓝色。他挣扎着，调动身上每一块肌肉，想爬起来，再和她一起摔倒。他在呼啸的狂风中推搡着，揪扯着，搏斗着。可是身穿蓝色长裙的霍普悄无声息地融入一片湛蓝之中。从后面伸过来的手更加用力地揪住他的头发，大靴子使劲踩着他的脊背，他爬在地上动弹不得。唯一可能逃走的机会失去了。门被重新锁上。他侧耳静听，可是再也听不见惊涛拍岸的声音，也听不见霍普的叫喊声。只有飞翔着的“杀人者”相互呐喊。他不由得呕吐起来。面具从他嘴上扯下，他才没有被那些污秽之物呛着，这一次，当黑暗降临时，他觉得有一根棒子重重地打在后脑勺上。

神秘的、威力无比的命运之神时刻与你为伴……

生命的最后时刻，人们能意识到的东西其实非常正确。那些充当“解放者”的鬼魂从活人身边匆匆走过，带走最后一丝呼吸。眨眼之间，灵魂就乘着微风从躯体飘逸而出。天低云暗，微风中，一只蛾拍打着翅膀慢慢地飞。时光流逝，人们在想：什么是生？你不愿意相信死亡，你不愿意体会死神降临时那种奇怪的感觉。当一切结束的时候，等待你的是可怕的心灵的震撼。

时间一分一秒地过去，威尔问自己，他是不是真的看见了她？看见她倒下，却不能扶她一把。一个人居然可以那样轻而易举地怀疑自己。他不停地问，那个女人真是霍普吗？这是不是一场噩梦？他为什么连一点儿力气也没有？他认为未来尽在掌握之中，所以展望未来的时候，梦想从来不会戛然而止。他希望那只是一场梦，可惜不是。

直升飞机在蓝天飞行，他平躺在飞机上，螺旋桨在头顶发出嗡嗡嗡的响声。他从飞机燃料难闻的气味中，嗅到火的气味。他强忍着难言的悲伤，克制着眩晕和恶心的感觉，千百次地想象，蹒蹒跚跚走进门的那个人是别人。可是每一次，那个“别人”又幻化成霍普，面带微笑走进直升飞机敞开的门，然后摔倒，一次又一次摔倒……他不记得她倒下去那一刻脸上的表情，但是什么也改变不了，那个女人是霍普的事实。

他第一次看到她是在雨中。他坐在地上，她从他身边走过。他最先看到的是她那双哗啦哗啦地踩着泥水的赤脚。被雨水打湿的枯草在风中摇曳。他看见她远远地朝他走来，身上裹着一条肮脏的、被雨水湿透了的品蓝[①]色披肩。在那群和她一起走的孩子们中间，她看起来像个大孩子。他知道，他们住在城东边的营地，是来找和他一起坐在河边的那些老乡的。大伙儿已经谈论了好几个小时关于古福瑞特国际矿业公司的事儿。威尔倾听大家

①品蓝：比深蓝更深的一种蓝色。

的意见，收集各方面人士对矿山的反映。

他心绪难平，听到有位与会者说，就在他们坐在这儿东拉西扯、说三道四的时候，有人却在死亡线挣扎。“我们在埋葬自己的同胞，而我们唯一可以做的事情只能是坐在这儿说空话。”这人说得没错儿。就连这次会议也因为举行葬礼而被迫休会。威尔来这儿是为了找到一些支持者，和他一起为争取土地权而战斗。星星之火已成燎原之势。他必须小心翼翼弄清楚谁是可以信赖的人。在到底忠诚于谁的问题上，大伙儿的态度经常发生变化。其中的原因威尔自然知道。许多个月以来，他一直注意观察古福瑞特国际矿业公司如何和两个部落的“头面人物”玩故作清白的把戏。而那些人一次次伤害、又赢得了越来越多的亲戚和乡亲们的心——德斯珀伦斯城两边都算上。他深信，矿业公司对政府关于原住民权利的立法和具体程序一清二楚。他一直梦想能有最好的法律顾问，对从纽约远道而来的当地人的谈判代表——想象之中无知妄说的乔·布鲁一点一点提供法律咨询。

有的人说，矿上也许能给他们活儿干。有的人说：“你可是大错特错了。”有的人反对为争取土地权奔走呼号的“宣讲队”。“以前我们这儿谁听说过‘土地权’这玩意儿？我现在就可以告诉你，不会有什么‘土地权’。”有的人当面被骂作城里的黑鬼。另外一些人说，他们要让矿业公司把土地还给他们。还有的人说，他们神圣的土地压根儿就没有什么矿山。于是有人又说：“得了，到此为止！”有的人甚至讨论，如何杀死破坏他们这块土地的人。“我们可以弄得像是一场事故。趁他们喝酒的时候把他们弄死。也可以搞得像打架斗殴造成的过失杀人。”他们声称，可以把杀死某某人安排成一场事故。“嗬，嗬！吹牛吧！”一谈到无法无天的行为时，会场上的人就热血沸腾。

说说当然容易，用不着花钱。像切·格瓦拉那样的讲话让爱生气的人毛发倒竖，一股寒气从脊梁骨升起。那些忸怩作态的人只是喜欢在旷野里发出咯咯的叫声，一言不发，走了出去。那些不喜欢大谈动物疯狂的人们也悄悄地待在那儿，侧耳静听。他们什么也没说，但仿佛告诉你：那么，好了，就这样吧！谁也不想再说什么。一阵年轻人的笑声从这一小群人、从那条小路传来，穿过闷燃着的火堆升起的烟雾，在空中飘荡，打破死一样的寂静。

威尔几乎出于本能就知道，那架直升飞机会在哪里降落。它会一直向南，飞到矿山一个停机坪。直升飞机起降台是一块孤零零的平地。风在巨大的仓库和紧挨油泵建的飞机棚间呼啸。轻型飞机和巡逻用的直升飞机都停放在这些建筑物周边，飞机的保养和维修也都在这个相当宽敞的地方进行。这儿设备齐全，自成体系，用非常结实的围栏围起来，谁都看得出造价不菲。

直升飞机的发动机还没有完全停下，舱门就被打开。几个人七手八脚把威尔扔下飞机。他落地的时候，觉得尘土直往鼻孔里钻。他就势打了个滚，面朝下躺在地上。他看见呈螺旋状旋卷的红色尘土中，两双大脚朝他走来。每一个人都非常机敏。威尔知道，这意味着，如果他们给矿山干这种活儿，一定身强力壮、身手不凡。他估计他们俩的年纪和他差不多。直升飞机起飞后，他身上落了厚厚一层红颜色的沙土。

“你能确定吗？”费希曼想把事情弄清楚。“我们亲眼所见，当然能确定。”这是那两个贼讲的故事。他们在飞机棚附近晃悠的时候——按照他们自己的说法，检查“该死的矿山在干什么活计”的时候——看见了事情发生的全过程。费希曼手下那几个人回来时两手空空，一无所获，没有提供任何别的信息。“等一会儿。”他们都俯身向前，手放在大腿上，等喘过气来之后再说。他们不是什么身强力壮的人，跌跌撞撞在三齿稃丛生的草地跑了十五公里，腿上留下一道道口子，鲜血淋漓。虽然难以置信，但他们还是把这件该死的事儿的全部情况报告了费希曼。

尘土落定之后，直升飞机起降台上站着两个矿山上的人。一个命令另外一个“割断他腿上的带子！”威尔立刻觉得有一把刀子在他两条腿之间切割。那两个人弯腰把他拽起来。他觉得有一样硬硬的东西顶着他的脊背。

毫无疑问，是一支枪。“好了，黑鬼，走吧！”他们从他眼上扯掉胶带的时候，指甲很粗暴地划在他脸上。胶带还粘在头发上。威尔朝前面看着。还没有必要向捕获他的这几个家伙退让。还不到时候。他首先需要知道的是周围的地形。然后再对付这些刽子手。他已经知道他们穿着矿山工人的蓝制服。周围的景色证明了他先前的猜测。他对这一带太熟悉了，即使在飞机上，也能看清身处何方。还很年轻、办事还很鲁莽的时候，他就像一只夜间出没的猫头鹰，悄无声息地造访过这个飞机棚。他没有想到，把工业用的去污剂倒到油罐里居然那么容易。因为太容易了，后来他又对矿山实施了好多次破坏，然后悄悄地溜之乎也。

“把他关进去！左边那个飞机棚。第一个。”那个留很长的黄头发的家伙——不是意大利人——对满头红发的人说。他显然是个负责人。他在后面慢慢地走着，从腰带上取下手机，拨电话号码。一群喳喳叫的燕雀——身上布满白色小点儿的蓝、红、灰色的鹪鹩从草丛中飞出，在前面落下，又呼的一声飞起。几百只叽叽喳喳的雪白的葵花鹦鹉也加入到它们的队伍之中。那些鹦鹉金黄色的羽冠在头顶直立着，十分漂亮。它们一起向太阳飞去的时候，充满野性的呼唤还是那样激动人心。

这儿是翠鸟的天下。一只海蓝色的翠鸟惊恐地掠过天空。威尔看着它向远处连绵逶迤的群山飞去。它们飞行的路线是他经常看的那张老祖宗留下的“地图”的一部分。他用不着祈求神灵让这些鸟远离矿山。瞧，到处都是矿山的废料。大地覆盖着被污染了的碎石。让它们回江河去。让威尔百思不得其解的是，为什么这些鸟儿要成群结队地往矿山飞。

不管什么时候，看见那么多鸟围着矿山飞，他脑海里就会出现许多问题。什么时候它们才能意识到来这个地方会冒多大的风险？它们还得进化多少代才能把自然环境包括矿山列入需要远离的危险之地呢？他和老约瑟夫曾经坐在山上看一群群水鸟飞到化学废料堆成的大坝上，那里的水里铅的含量严重超标。后来鸟儿飞回到那条泉水汇集的河流，河水清澈见底，就像流淌的水晶。睡莲和芦苇在水中轻轻摇曳，古老的棕榈和无花果树之间，飞流直下。鸟儿正在经历变种[1]之苦。老“预言家”约瑟夫预言，变种之后的鸟儿会从天上掉下来。谁都不知道一群群候鸟身上以后会发生什么事情。威尔去看过远处那道铁刺丝密布的铁丝网，还有那道高三米半的高墙。这道很难穿越的高墙环绕直径至少六公里的采矿联合企业。鸟儿在那高墙上跳来跳去，野兽则在下面挖洞。

“你，在那张椅子上坐下！”那个满头黄发、肥头大耳、骨架很大的家伙厉声呵斥道。手机还贴在他的耳朵上。威尔坐下，等待着。他有足够的时间。

“喂？是的，我们回来了。已经抓到那个该死的家伙了。是！我想你一定会高兴吧。我跟你说过嘛，只是时间问题。我们已经抓住那个杂种了。”那个满头黄发的家伙戴着一副很贵的太阳镜，直盯盯地看着威尔那张脸。不拿手机那只手夹着一支香烟，不时抽上一口。

“他长什么样儿？你这话是什么意思？他们长得不都一样吗？我不知道。高个儿，一个很瘦的家伙。就是那种半夜五更你在僻静的小巷里肯定不愿意碰到的恶棍。还记得负责看守渡口的那个警察吗？九八年或者九九年。是的！没错儿！他说的对。这个杂种看起来和他那个所谓家庭的成员们长得很像……是的！就是他，没错儿……什么？没有。我们起飞的时候，她吓得要命。带那个泼妇回来有什么意义吗？没有！哦，不管怎么说，太晚了。好的。我们发现她一个人宿营。是的，就在仓库那边那座小岛。就是我们那次见到那个怪人的地方……对！埃利亚斯·史密斯。所以，你是对的。我们又返回去搜查一遍实在是太对了……孩子？那儿没有什么孩子呀。也许他压根儿就没有跟他们一起坐那条小船出海……我们发现他在仓库周围转悠。是的！那个家伙还好。我们上次看见他的时候，给鸟唱歌呢。好的！我们在这儿等那个杂种。”

威尔看见那个“黄头发”把手机放回到挂在腰带上的皮套子里。他走

①变种：生物体的基因或者染色体的突变，产生一种父代所没有的新的特征或者特性。

到门口，朝外面看了一会儿，然后转身走过来，看见威尔正凝视着他的一双眼睛。

“喂，臭狗屎！你看什么呢？”他一边问一边朝威尔脸上打了一拳，“想抽一口？是吗？想抽一口？好呀，来吧！”他把燃烧着的烟头猛地戳到威尔嘴唇间。

威尔一动不动，只是转动着眼珠。这时候，他听见身后由远而近传来一阵脚步声。和脚步声一起，从飞机棚那头的厨房飘来热咖啡和炸牛排的香味。那个红头发、身上散发着一股炸牛排香味的家伙开始用塑料带把威尔绑到椅子上。“免得你又想出什么鬼主意。”他咆哮着，一绺绺红头发耷拉到脑门儿上。

“来吃饭吧。”他说，把咖啡递给那个人，又回厨房做饭去了。

“你可以看看这个杂种那双眼睛，他恨不得朝我们扑过来呢！”那个“黄头发”说，一口喝完那杯咖啡。他在威尔面前晃了晃那个杯子，并不急着去吃饭。他现在不想吃饭倒不一定是因为不饿，而是他觉得有必要再折磨一会儿威尔。他需要好好体会一下今天取得的“伟大成就”带来的快乐。他还需要再制造点东西为描绘这件事情增加点材料。他凑到威尔脸前，大声叫骂，说他应该对埃利亚斯和霍普的死负责。他的声音那么高，似乎整个世界而不是威尔·凡特姆需要知道这一点。威尔不理睬那个家伙的胡言乱语，目光越过他，看着窗外那只蓝色的翠鸟。让他十分惊讶的是，几分钟之前这只唱着歌满天飞的翠鸟又飞进飞机棚，落到一根椽子上，好像就是为了和他作伴。威尔出于本能心里清楚，你无法扼杀海神的灵魂，比如霍普，比如埃利亚斯。他们来到人世间只做短暂的停留。也许小巴拉也是这样一个精灵。因为他是他们的孩子。

那个人的声音消失了。灵魂中的疾病在他身体里面膨胀，直到喷发出来，寻找一个与之相伴的东西，然后慢慢消退。他的阴影也分享主人胜利的喜悦。两个“人”都摘下昂贵的太阳镜。两张嘴都不停地叨叨着，大谈要进行一场圣战，消灭破坏矿山的人；大谈用不了多久，他们就能建成一条新的管道。

“正是因为你们这些家伙的破坏，矿业公司不得不花许多钱，建设一条新的管道。你听我说，如果你掏得起这笔钱，我立刻就放你走。没有钱吗？没关系。我们把你从这头送进‘磨坊’，你从那头出来。不过出来的时候，你已经变成一大堆鱼吃的肉泥。鱼会怎么吃你这样一个黑鬼呢？吧唧，吧唧，吧唧！”满头黄发的家伙被自己这个玩笑逗得哈哈大笑，直笑得露出满嘴黄牙，就像一条受伤的狗。心满意足之后，他才又戴上太阳镜，吃饭去了。

威尔压根儿就没听他的威胁。他在想谋杀者那双眼睛。他凝视着那双眼睛，看到自己的影像从那双眼睛里看着他。那是一双全然绝望的眼睛，是杀人者自己在镜子里看到的影像。那只翠鸟蹲在椽子上，梳理蓝绿色的羽毛。威尔看它的时候，它也凝望着他，后来，好像什么人给它施了催眠术，它居然闭着眼睛睡着了。那边炖肉的香味撩拨得他肠胃咕噜噜响，饿得难受。他这才想起，已经两天没吃东西了。他轻轻地念一首歌的副歌：别让狼进门，远离狼群，杀死狼，赶走狼。很快，他就不再想食物了。他从他坐着的地方张望，目光在这座建筑物里搜寻，在心里计算距离和速度。花多长时间就能到泻湖？如何走过三齿稃丛生的草地。直到他也终于累得进入梦乡。

厨房里的收音机吵醒了威尔。他又听到澳大利亚广播电台熟悉的声音。电波穿过老祖宗神灵漫游的辽阔的土地，传到遍及卡彭塔利亚湾、海峡两岸以及黛曼蒂娜河[①]沿岸孤独与寂寞的人们的耳朵里。阳光照在飞机棚的西墙上。那一道白光从威尔身上照过去，聚集在对面墙上的泥土和油污上。无线电的电波只有下午六点才能传到遥远的北方。这时候，滚滚热浪已经从高高的天空坠落到大地。巨大的能量幻化成光，附着在大地之上。威尔隐隐约约听到了新闻广播和天气预报。他很想弄清楚那两个家伙在他背后做什么，但是厨房里没有一点儿响动。

他们会不会出去了？他朝门口瞥了一眼。也许他们的老板已经从矿井

①黛曼蒂娜河：位于澳大利亚中东部的一条大约901千米长的河，作为沃伯顿河的支流向西南方向流去。

来这儿了。尽管他觉得不大可能。他应该已经被人叫醒。考虑不周！威尔咒骂管道破坏之后，他在电视里看到过的那个家伙。那个家伙当然会让他等着，让他流汗，并且做怎样实现他干掉这个“小浑蛋”的美梦。

威尔在电视里看见过那个名叫格雷厄姆·斯佩林的家伙。他脸虚肿，在电视屏幕上瞪着一双眼睛，似乎想要看到那个胆敢破坏矿山的人想要跳着脚，朝他扑过来。他慷慨陈词，大谈现在矿山受到严重的威胁。因为公司无法按时向海外精炼厂提供原料。没有原料，这家工厂就面临倒闭的威胁。这就意味着，成百上千的澳大利亚人将失业。他脸色一沉，停顿了一下，好像突然想起什么——他自个儿的工作也处于危险之中。过了一会儿，他又突然振作起来，继续说：“我发誓，我将提供几百个工作机会。因为我们全力支持阳光明媚的昆士兰州，我们想帮助那里的人们走在前头，更想看到‘发展进步’这样的好事儿能在我们这里发生，作为世界上同类企业中最大的公司，我悬赏一万元，奖励任何向我们提供那个罪犯信息的人……”他要继续说下去，可是声音颤动了一下，似乎谈到那个让他饱受折磨的家伙时，尽量不带个人色彩。但是威尔对于他想说什么，一清二楚。因为年轻的威尔·凡特姆从最初破坏矿山开始，就熟知了那张因为愤怒扭曲了的脸。但是对于破坏矿山的后果，那时他似乎没有多想。真正让他担心的是用葛里炸药[1]炸管道的那天。咣！咣！咣！可怕的爆炸声一声接着一声。他在爆炸声中跑得无影无踪。

威尔一直想，如果他被抓住，矿业公司的老板们一定会排着长队来看这个想破坏他们矿山的家伙是个什么样子。电视里的新闻广播员说他是北方最可怕的人。可是，他曾经在电视里看到的那个红脸格雷厄姆·斯佩林不会在光天化日之下匆匆忙忙跑到飞机棚来看他。颇具讽刺意味的是，像斯佩林这样的人，不会傻别人。只是这个人会因为自我陶醉而变成另外一个类似弗兰肯斯坦[2]那样的人，突然之间鼓起勇气，命令别人去冷酷地屠杀。

---

①葛里炸药：一种炸药混合物，由碳酸甘油、棉火药、木浆和钾硝酸盐组成。

②弗兰肯斯坦：英国女作家玛丽·雪莱（1797—1851）所著小说中主人公，系一生理学家，手创一怪物，但结果自己被怪物所毁。喻自作自受者。

是不是就如万籁俱寂的黑夜，好人也会去做见不得阳光的事情。

一个人只要不孤独，就会有信心。至少这是威尔的感觉。其实这样一种古怪的感觉毫无意义，但是它可以让你不觉得孤独。没有什么理由解释总想着别人是多么愚蠢。什么别人？能来帮助他吗？尽管他没有听到任何动静，但他相信，费希曼和足够的人在外面等待他发出的信号。现在，他看到的情景和被那些家伙从直升飞机上扔下来，又被弄到飞机棚之后看到的情景完全不同。直升飞机起飞的时候，费希曼手下的两个贼就平躺在飞机棚旁边的草地里。尘土飞扬，他看见他们在草丛中抬起头，打着手势问发生了什么事情。后来，他的目光跟着那只又飞回来的翠鸟转来转去的时候，看见从三齿稃丛生的草地到山脚的“全景画”。他看见驻扎在高墙那边远山里的护卫队有几个人也在行动。他们是为了夜间的行动接应侦察飞机棚的那两个贼的。威尔知道，如果他们还在周围活动，护卫队剩下的那些人就在泻湖。这有什么新鲜呢？他们缺油。

威尔又去找那只翠鸟，但是哪儿也看不见。他支棱起一只耳朵听收音机里的天气预报。一场龙卷风正在阿拉弗拉海①上生成。威尔对这个预报很感兴趣，想起早些时候有预报说，龙卷风已经在约克角半岛以东对面的海岸拔地而起。他听得见预报的声音：低气压系统已经形成低压带，正在沿阿拉弗拉海向东南方向移动。这让他大吃一惊。约克角半岛的龙卷风怎么了？只字未提。天气预报结束了。也许所谓约克角半岛拔地而起的龙卷风只是一场梦。

他离开老迈德纳特驾船出海那天，听到关于约克角东南，珊瑚海②什么地方已经生成龙卷风的天气预报。这场风暴到底怎么样了？最后，天气预报播音员只简单地说了一句“由于这一地区龙卷风的活动，潮水将急剧上

①阿拉弗拉海：澳大利亚和印度尼西亚之间的大海，

②珊瑚海：太平洋西南部一个狭长海湾，周围被新赫布里底岛、澳大利亚东北部和新几内亚东南部所环抱。第二次世界大战中美军于1942年5月在此取得海战胜利。

涨”，就结束了这次预报。威尔闭上一双眼睛，仿佛看见狂风大作，巨浪滔天。团团乌云夹带着属于另外一个世界的神灵巨大的身躯漫天飘飞。乡下人、老人都说，这是老祖宗伟大的魂灵从污染严重、粉尘肆虐的大海发出的愤怒的呼号。威尔相信这是真的。神灵看到的，大伙儿也都看到了。开矿、运输、驳船倾倒的废物、沿途撒下的矿石把这里的山山水水搞得很脏。干什么事都得冒风险了。“现在你可得步步留神了，”威尔出海时，约瑟夫·迈德纳特老人警告他。他的声音在海浪上飘荡，一只送到威尔的耳朵里。“这两年，隔几个星期就刮一场龙卷风。以前谁听说过这种事情？”

耶稣基督！天空聚集着雨水，除此而外，什么也没有了。天气预报结束了。现在，威尔被关在飞机棚里，距离大海二百公里远。想象着地球卫星在海湾上空飞行。现在世界上的间谍飞机能看见你鼻子尖儿上的粉刺，能听见你在自个儿家里说话的声音。是不是有人在监测古福瑞特国际矿业公司呢？如果有人在观察天气，为什么不提供更多的关于气候变化的消息呢？富人花钱从世界各地雇佣外国的货船来海湾装运矿石。

现在正是潮水高涨的时候。威尔只需看树的动静，看月亮从哪儿划过夜空，看白天的阳光有多么明亮，或者万顷碧波如何翻滚，就知道潮水运动的情况。他对潮水的了解仿佛与生俱来。甚至和费希曼的护卫队一起在远离大海千里之遥的沙漠，他也能感觉到潮汐的律动。

这种对大海的感觉是从诺姆那儿继承来的。威尔在和埃利亚斯一起“旅行”的时候，想起父亲。“我希望你能回到旧世界。”当然他会的。威尔想到自己对父亲不那么理解，不由得皱起眉头。诺姆似乎从来不愿意替孩子们负担什么。这个海水中生长的人坚持认为自己像鱼一样属于大海。“我经得起风吹雨打。”这位“风暴之母”经验丰富的宠儿一边对陷入困境的儿子说，一边突然走进飞机棚，回忆起从前的事情：“如果大自然的力量最终击败了我，那将是在陆地之上，永远不会在大海。我敢用我的生命打这个赌。”

父亲这种乡下人哲学有悖常情的疯狂让威尔迷惑不解，甚至十分生气。

他在椅子上扭动着，自言自语地喃喃着："如果你已经死了，那就是死了，没有必要赌咒发誓。"但是，对于父亲的记忆不会轻易消失，即使在这样的危难时刻。诺姆·凡特姆急于告诉这个已经好多年没有和他说过话的儿子过去发生的事情。那张名单。名单，孩子！你没记得带来那张名单吗？如果裤子后面的口袋里连那张傻瓜的名单也没有装，怎么去收取你赢得的东西呢？谁欠你的钱总得搞清楚吧。

"他怎么了？"费希曼手下的人一直想吸引威尔的注意力。

"不知道，扔个石子儿试试看。"

有人扔了一个石子儿，打在威尔腿上，让他清醒过来。威尔抬起头，看见费希曼护卫队里那两个人正站在门口朝他微笑。手机响了。

"恰克。""黄头发"对着电话报出他的名字。他已经从厨房出来，站在飞机棚背对威尔的什么地方。

"什么？起火了？你是开玩笑吧……好了，我这就去。"

"出什么事了？"

"格雷厄姆说，那边起火了。你在这儿待着，看好他，伙计。我去看看到底出什么事了？"

恰克回转身跑过去拿灭火器，还命令他的助手去拿靠门口那堵墙立着的一个灭火器。他们没有注意威尔，眨眼之间就不见了。费希曼手下那两个人早就做好准备，掏出刀子割断把威尔捆绑在椅子上的一圈圈胶带。几秒钟之后，他们就跑到飞机棚外面，回过头才看见威尔还没有拿定主意要不要跟他们跑。"你疯了？威尔！"必须马上离开这儿，威尔却让他们拖延了时间。

"给我一把刀！"威尔命令道，可是谁也不听。"操你妈！给我一把刀，要不然我宰了你们。他们杀死了霍普和我的儿子。我对天发过誓，不杀了他们，哪儿都不去。你把刀给我！"

威尔在几个长凳之间转来转去，看见一根卸外胎用的撬棍，抄起来就向门口跑去。两个小伙子看了吓得脸都发了白。这玩意儿打人倒是挺方便。

他们朝最后一个飞机棚望去。那里已是火光冲天，黑烟翻滚。

“听我说，我知道你心里难受。可是那些浑蛋已经死了。他们是死去的人了。我向你保证。千真万确！因为我就在现场。火一烧到竖井，这个地方就都要爆炸了。快走！我们必须马上带着你离开这个鬼地方，要不然都得死在这儿。你自个儿来看看这场大火。快走，伙计！要不然，我们会杀了你。”

两个年轻人都超不过十八岁，穿灰色短裤，头戴棒球帽，T恤衫上印着鲍勃·马利的头像。他们不折不扣地按照费希曼的命令行事。他们还穿着矿山发的靴子。费希曼的护卫队里许多年轻人都在矿山干过活儿。他们到处溜达，东瞧瞧，西看看，对矿山的情况门儿清，然后戴着矿山的头盔，穿着矿山的靴子——作为纪念品——溜之乎也。他们嘴角叼着香烟，采取从父亲那儿继承来的铁腕手段，劝威尔赶快离开这个鬼地方。

火很快就在草原上蔓延开来。长长的、红色的火舌向南边舔去。威尔看见黑烟滚滚，在天空旋卷。他想透过那道烟幕找到那两个手提灭火器的家伙。可是他纵然目光犀利，也穿不透那堵黑烟筑起的高墙。唯一能够看见的是远处那几个飞机棚燃起的冲天大火。那好像是一支巨大的蜡烛，一支会燃烧千年的火炬。滚滚热浪逼迫威尔和那两个小伙子赶快逃走。

“快跑，威尔，你快跑吧！”一个小伙子抓着威尔的胳膊大声叫喊着。另外那个小伙子抓着他另外一条胳膊，拖着他跟他们一起跑。他们在三齿稃丛生、砾石密布的山坡上跌跌撞撞地跑着，边跑边回头看有没有矿山的人追过来，有没有人看见他们？远处是那道铁丝网。他们知道，在跨过那道屏障、进入丛林地之前，矿山上的人如果开车过来，一眼就能看到他们。

“但愿那些该死的家伙千万别追过来。”一个小伙子对另外一个小伙子说。他们知道这是逃走的唯一的机会。可是再回头看的时候，他们看见“黄头发”和他的助手已经追过来了。

“分开跑，”威尔说，“一左一右，我在中间。赶快！”

“你知道哪儿能出去吗，威尔？往左跑，离这儿一百米，记住！”

“快跑吧。我知道在哪儿。快跑！”

于是三个人朝不同的方向跑去。两个年轻小伙子四处张望。援军在哪儿呢？参加这次行动的有几十号人。他们早就溜进来，分散到矿山各处，要打一场漂亮仗。起初，他们只是打算来偷东西。后来传下话来：费希曼改变主意了。护卫队的人头天夜里就来到这里。把汽油用塑料管从油罐里抽到简便油桶里，然后把这些装满汽油的油桶搬到铁丝网那边，运到丛林里。那儿有汽车等着接应。他们分散开来，按照费希曼的命令行动：“随便抢，工具、设备。路上需要的东西都要抢到手。”“天哪，那些该死的家伙在哪儿呢？”一个小伙子对他的同伴大声喊，“该死的援军在哪儿呢？天哪，耶稣基督！”

枪声大作。子弹从离他们的耳朵只有几英寸远的地方嗖嗖嗖地飞过。两个小伙子有生以来第一次经历这阵势，吓得大声叫喊：“低头！他们朝我们打枪呢！”两个人像长腿大野兔一样，拼命奔跑。威尔跑到哪儿去了？他们刚才看见他宛如一缕空气，消失得无影无踪。他们低头弯腰，东奔西突，把每一堆三齿稃都当作“掩体”，似乎那些枯死的三齿稃能挡住呼啸而来的子弹。但是他们只能这样继续奔跑，根本就没有什么“援军”，甚至不能回过头看那辉煌壮丽的大火已经烧到地下储油罐，更不知道再过一小会儿，如果他们不能越过那道铁丝网，逃到深山之中，就会尝到被炸到半空的滋味儿。

命运和宝贵的机会总是捆绑在一起。就像老话说的那样，无巧不成书：那个满头黄发的家伙绊了一跤，正好太阳穴磕在一块石头上，立刻血流满面。说也奇怪，这块岩石自从老祖宗把它安放在这里，几千个春秋过去了，没有一个人碰过它，可是现在，就像冥冥之中安排好了似的，不偏不倚，碰到这个家伙的太阳穴上。

这一切真让人难以置信。威尔离那个家伙一直很近，时刻准备报仇雪恨。那个人径直朝他冲过来，只有威尔看见要发生什么事儿了，看见那块石头已经做好准备，等待这个时刻的到来。那一瞬间，他做出什么样的反应都是自然的。可你该知道，威尔那一刻的感觉是那个家伙在骗他。他甚至冲到那个人面前想扶住他。可是太晚了，啪嚓一声，一眨眼的工夫，那个家伙就被打败了。威尔绝对想不到一块石头替他报了仇。他站在那儿，“拱悬”于那人之上，看见血从他的头上汩汩流出，流了一地。金灿灿的黄头发沾满血迹和泥土。他很希望自己有力量让他起死回生。这件事情的公理和正义何在？杀人凶手撞死了，没有痛苦一下子就死了，碰破了的脸上一脸安详，永远地去了。那块石头还在那儿，纹丝未动。

“威尔！你干什么呢？快跑呀！”一个小伙子回过头大声叫喊。“耶稣基督！”他叫喊着。“我从来也没有见过像你这样古怪的傻瓜！”看见威尔低头看着什么，那个年轻人断定，他要是回去救他，自己非死不可。似乎只是为了让费希曼满足，他大声叫骂：“你要让我们都去送死！操你妈！”

威尔听见他的叫骂，拔腿就跑。旷野里，他回过头看那个红头发的家伙，可是哪儿都没有他的踪影。威尔错过了从山里冲出来的那些手持步枪的援兵们目睹的那一刻：那个家伙只顾拼命奔跑，追赶他的猎物，没听见一颗铅弹在他胸腔爆炸的声音。他的眼睛朝左瞅瞅，又朝右瞅瞅，似乎拿不定主意走哪条路下地狱，然后扑通一声，倒在三齿稃草丛中。

护卫队里几十个人从山里冲出来，跨过一块块嶙峋巨石，顾不得手被三齿稃划破，飞跑到铁丝网跟前，打开一个口子，好让威尔和那两个小伙子钻过来。那一刻，仿佛整个世界为他们加油，呐喊：“快！快！快点，没问题。”然后，叫喊声变成奔跑。他们全然不顾自己的安危，朝那两个小伙子跑了过去。最后无数双手一起使劲，把他们三个人揪扯过去。这时，他们已经累得上气不接下气，肺都好像要炸了。大伙儿排成一行，把他们一个接一个“传递”到山上，安顿到非常隐蔽的巨石下面，送到统治这块土地的老祖宗的神灵的怀抱之中。

大火在飞机棚熊熊燃烧，一直蔓延到山上，连空气都变得非常热，烤灼着皮肤，人们好像置身于一个大火炉里。落满尘土的头发变成铁锈色，直立起来在热浪中摇摆，仿佛都充了电。好了，这个时刻到来了！正如费希曼曾经说过的那样，一定会到来。如果他们不愿意让脑袋在这个过程中被炸掉的话。“在这个过程中”是费希曼最近最喜欢说的话。

这一天，发生了那么多令人激动的事情，该说的都说了，该做的也都做了。莫吉·费希曼富有献身精神的护卫队的人们又要穿越“被偷走的大陆”，继续“梦幻之旅”。此刻，他们像沙袋鼠①一样，坐在山坡上，俯瞰被大火烧过的古福瑞特国际矿业公司的矿山。他们只是在落日的余晖中观望着，思索着。

矿山上的这一天已经变成和费希曼一起长途跋涉的现代传奇，变成一种民众的道德观……

这是怎样的一群人呀！嘀，我们现在真的很了不起了！我们烧了白人很重要的地方，浪费了他们的钱财。我们一定是昏了头，把什么都忘得干干净净。真是傻到了极点。因为那个白人是个很重要的人物，而且爱钱如命。哦，他是老板。我们不是老板。他说过，他喜欢当老板。他说他有开矿山当老板的钱。哦，我们可没这个钱。现在好了，弹指一挥间！咔嚓，咔嚓，咔嚓！最便宜的打火机“咔嚓”几下，就把拥有古福瑞特国际矿业公司的有钱的白人烧成穷光蛋。

坦率地说，我们一直应该问自己，你为什么不在白人面前羞愧满面地低下头？我们应该说：哦，不！你不能对这些……这些……哦，对不起，谢谢……对这些白人，做这样的事情。

就好像那天早晨，我们一定吞咽了太多的酸药丸，每一个人都从新的角度审视眼前发生的事情。现在我们看待世界，就好像那是全新的什么东西，邀请你纵身跳入，做你真正喜欢做的事情。我们可怜的老脑筋里处于睡眠状态的情感就这样被费希曼搅动。他用非常动人又颇有权威的声音对我们

---

①沙袋鼠：一种属于沙袋鼠属和与其有关种属的有袋动物，产于澳大利亚及其附近岛屿，与袋鼠有关，但总的来说体形更小，身上常有彩色斑纹。

说，一定要改变世界的秩序。改变世界的秩序？莫吉·费希曼！他毫无疑问是个发了疯的狂人。哦，我们都这样说。可是他继续用他那充满讽刺意味的声音讲述自从矿业公司破坏我们的土地、抢夺我们原住民的土地所有权以来发生的种种事情。“想想看！”他说。我们？他想让我们告诉他这样下去会出现什么结果！我们对莫吉那副高高在上的样子有点反感。他像全能的上帝一样，站在他那辆客货两用轿车上放着的一个生了锈的铁桶上。那辆车和车身上到处画着的十字图案都沾满红色的泥巴。

“你们知道我们一天到晚都是听谁发号施令？”他问我们，“国际矿业公司。瞧瞧我们如何讨好国际矿业公司的人。那些富人！我们是如何做这一切的？”就连我们这些目不识丁的老家伙也在谈什么全球化。我们帮助大英帝国赚钱。荷兰人领导全球讨论空气问题。亚洲的海运。美利坚合众国的工业。我们甚至知道德国人。“听我说，”他说，就像唱歌，“我们这些乌合之众要在当地开始行动。显示我们的梦幻。还有法——律！”他特别喜欢这两个字。一谈到全球化，就激动得面红耳赤，就会大谈“法——律！”

我们相互之间窃窃私语。别理睬他。堵上耳朵，别听他那些亵渎神明的话。别听他就是了！可他还在那儿喋喋不休，全然不管我们恳求他赶快打住的目光。最后，他用软得像缎子一样的声音说，他知道他是和谁打交道。还是用那样柔和的声音，他接下去说，是结束跟在白人屁股后头摇尾乞怜的时候了！最后的时刻到来了。举起手来！我们应该跟谁？跟白人，还是跟费希曼？这是最后通牒。哦，他简直要把我们逼疯了。我们当然无可选择。每一次都得跟着传统文化走。我们应该知道，他在为这一次破坏行动做准备。我们呢？我们像跟在后面的狗，很高兴这样做，不用动脑子。我们完全是被心里那股怒气所左右。

从世界上同类型矿业公司中最大的古福瑞特国际矿业公司的飞机棚传来的爆炸声是你在这个地球上能听到的最大的响声。轰隆！轰隆！一声接着一声，撕裂了大地，撕裂了山谷。我们躺在山坡上，闻着烟灰的气味。

我们的耳朵要是被炸坏了怎么办？聋了以后会是个什么样子？我们应当首先想到这一点。

活在世上宝贵的时间里，我们应该问个聋子，听不见声音是什么感觉？然后再在一片荒野摧毁自个儿的听力。可是没有回头路可走。因为谁也无法违背命运之手的指引。所以尽管我们穿着干活时穿的靴子，吓得浑身发抖，以为鼓膜会被震破，还是眼巴巴地看着大火像是另外一个世界跑出来的怪物吞噬青山绿水。也可能就是从地狱里跑出来的。就连魔鬼自己也没有想到，我们这些柔弱的人会打开地狱之门。但是我们像着了魔一样，看着那仿佛充满生命力的大火。咆哮着，宛如一条火蛇，疯狂的眼睛瞪着我们，停了一下，四处张望着，好像要决定下一步怎么办。然后，耳边传来我们再也不想听到的可怕的嚎叫声："好了！看我如入无人之境，把那些飞机棚夷为平地！肚子饿！饿！饿！不要挡我的路！"大火一路呼啸，烧毁墙壁、屋顶，飞机棚犹如一个个蘑菇炸开了花。然后火焰以每小时百万英里的速度冲天而起，火星四溅，像雨水一样落下。落在草地上，形成燎原之势。

大火蔓延到飞机棚后面，点燃了枯黄的干草，然后被东南风吹着，又烧到前面。这时候，这个魔怪嗅到撒在地上的汽油散发的气味，立刻冲过去，点燃了那块草地，迅速找到给飞机加油的油泵。然后停了一下。也许大火也有思想，无法相信它的运气会这么好。火"坐"在那儿，似乎在琢磨什么。那真是令人敬畏的时刻。我们的人在山里等待着，从藏身的巨石后面偷偷地瞥一眼。看到黑烟滚滚，心里想，也许火的运气已经消失了，下面发生什么事不得而知。

看起来火好像要熄灭了。它只是"坐"在那儿，闷燃着，不知道下一步该到哪儿去。因为风不大，还不足以把它吹到什么地方。我们的人从山上继续凝视着嘶嘶响着的、不停摇曳的火苗。他们能做什么呢？看起来失败即将来临。整两百年前被打败时的表情，又出现在他们脸上。可是现在太晚了，他们已经尝到了胜利的滋味。他们让自己的意志力跨越那块三齿稃丛生的平原，毫无愧色地呼喊："快点！快点！"希望那小小的火苗不要再嘶嘶作响，相信奇迹即使在他们这样的可怜人身上也能发生。

就在这时，有人喊了起来："瞧！瞧！开始动了！"让人难以置信的奇迹发生了。大山里，一股好几天没有见到的旋风，仿佛理所当然地拔地而起。这股旋风从那些人身后卷起，刮掉他们头上的棒球帽，夹带着他们的希望，和一团团三齿稃、一阵阵尘土一起向大火旋卷而去。矿业公司在飞机棚前面摆放着几个敞开盖儿的垃圾桶。旋风刮过，卷起桶里的垃圾。硬纸板箱子，到处乱扔的报纸，油腻腻的破布，都被那股风刮到正在燃烧的飞机棚的废墟上。

事情发生得那么突然，那股旋风带着火刮到加油泵上。立刻，油泵像蜡烛一样燃烧起来。哦，也许是有人把比萨饼屋的餐盒扔到那个加油泵上。餐盒里还有点油，天知道怎么会有个火星正好蹦了上去。反正不管怎么说，"蜡烛心"点着了。

那场面宏伟壮丽。乖乖，爆炸声惊天动地。一切都完蛋了。整个矿山——香蕉王国的骄傲——像一幅巨大的烧煳了的"炒杂烩"的全景画。着火的范围当然非常之大，因为我们的国家本身就辽阔无边。真是奇观。耳朵贴在大地上，听老祖宗呢喃细语，大地震动着躺在山上的人们。烟和尘土仿佛笼罩了整个世界，天地间一片黑暗，好长时间死一样寂静。

"你们说，德斯珀伦斯能听到爆炸声吗？"有一个小伙子压低嗓门儿小心翼翼地说。尘土纷纷扬扬落下，他不敢大声说话是因为害怕自己第一个打破寂静，吓着了别人。在这不可思议的寂静中，他需要说话听听自己的声音。他想起了家人，现在他唯一能听到的是记忆中他们的说话声。

这个年轻人第一个说话，让大伙儿松了一口气。他们一直以为耳朵聋得什么都听不到了。现在，他们虽然得到慰藉，放下心来，还是想听人说话。谁都在侧耳静听。听这个世界还留下什么声音。啊！这是丛林喘息的声音，是风在树梢上啸吟，是草发出窸窸窣窣的响声。我们想听到鸟的啁啾，听到老鹰在滚滚热浪之上的呼唤。可是周围还是那样怪诞的寂静。看不见鸟的踪影，也听不到鸟的鸣叫。就连总是喜欢唱歌、从一块石头飞到另外一块石头上的鹡鸰，或者爱在人脚边跳来跳去的八哥也都消失得无影无踪。我们向尘土飞扬、烟火熏黑的天空望去，看不见成群结队的虎皮鹦鹉宛如朵朵绿云上下翻飞。风停了。云无声无息地从头顶飘过，在宁静的树上投下令人沮丧的阴影。茅草和三齿稃一动不动，好像世界变成了虚假的东西，几乎是舞台布景。我们这些人在超现实的宁静和现实的繁忙中漂浮——蚂蚁、蜥蜴、甲虫以及别的昆虫在乱石丛中爬行，好像什么事情都不曾发生。谁也没有说话，没有回答那个小伙子的问题。因为我们都认为这爆炸声一定传到了地球那边了，别说德斯珀伦斯了。

谁也不知道那天到底真的发生了什么。谈起这件事情，费希曼脸上的微笑从来不会消失。他说，他的“诀窍”是最高机密。人们不管什么时候，见了他都满怀敬畏之情。因为了解他似乎也成了特权。大伙儿都为他头脑里那些想法而敬佩他。太正确了！谁也不能知道那些高度机密的事情，生怕像莫吉那样的人心血来潮什么时候再来一次。那些无知的人总是问：“你是怎么阻止矿业公司开矿的？”他会直盯盯地看对方好长时间，似乎要拿主意是不是应该把这个秘密告诉他们。最后，他会说：“我已经拿定主意告诉你真相。”而所谓真相就是自从矿业公司要在我们传统的土地上开矿以来，他逢人就说的那些要和矿山较量的话。“我把破玻璃瓶子扔到公路上，不让那些家伙的车过去。我就这么干！”从某种意义上讲，这话也没错。真相需要相信他的话的人去解读。他们可以自己找到答案，弄清楚费希曼做过的那些事情。与此同时，他给大家另一个忠告，那就是，微笑可以让人长寿。他也的确是这样一个“乐天派”。

熙熙攘攘的“大南方”的媒体好像发了疯一样，给他们的直升飞机加满了油，在矿山上空飞来飞去，活像一群苍蝇。和苍蝇不同的是，这些记者以纯洁的眼光眺望海湾。这个地方很少有澳大利亚人来过。更不用说被卡彭塔利亚湾阻隔的其他州的新闻记者。这里仿佛是一个远离红尘的世界。在这个新世界，任何事情都会被重新编造，放在电视上播放，好像一场梦，或者说是一场噩梦。

让他们灵魂颤动的是，他们坐着单引擎包机在德斯珀伦斯机场降落时感觉到的那种死一般的寂静和这种寂静与偏远在心中激起的那种非常复杂的感觉。这里，时间也在流逝，但是唯一发生的事情似乎只是风斗子在铁柱上碰撞发出的响声：咣！咣！咣！在这种环境里，为了新闻报道更有吸引力，那些人对海湾大加渲染，将一个充满神秘色彩的卡彭塔利亚湾呈现在世人面前。

大火烧过的矿山像倒下的英雄，躺在大地之上。现场直播的画面充斥了这个国家所有电视机的屏幕。每一次新闻节目都要插播拼凑起来的嫌疑犯威尔·凡特姆的画像。遗憾的是这幅画像和威尔毫无共同之处。德斯珀伦斯许多人开始提出疑问。他们想知道，每天晚上在电视上看到的这个到处乱跑、宣称自己是威尔·凡特姆的人是谁？这个问题提得好。因为如果连德斯珀伦斯人都认不出那个人是谁，这个案子的真实性恐怕就无从谈起了。值得注意的是，他们还没有完全从矿山大火的震惊中恢复过来。紧张空气依然笼罩这一地区。任何事情、任何时候，都可能引发一场争论。什么事都可能让人歇斯底里大发作。

一座价值连城的矿山从“幼年”到“壮年”的发展过程被调查、描绘，展示给网络上的读者。实地采访、矿山景色的连续镜头以肥皂剧的热情和强度出现在荧屏上。最后将一幅“全景画”呈现在观众面前。看到的人深受鼓舞，开始仔细剖析展示了这个国家风采的“橱窗”。他们观看身穿白色防护服的科学工作者冒着生命危险在碎石间搜寻。观看这些勇敢的男人、女人像蚂蚁一样小心翼翼地、慢慢地探测那一块块碎片、残骸。变成一个精心设计的电视节目，正如那个偶像之死，和现场互动交织在一起的节目“任天堂”。观众可以打电话给电视台。他们可以通过人造卫星和地下电缆听到自己的声音。那声音是从电视屏幕上的矿山传到他们耳朵里的。普通人住在千里之外，原本对矿山以及它所处的地方毫无兴趣，现在也加入到越来越多的失去亲人的观众之中，时不时瞥一眼还不能被驯服的穷乡僻壤。

一个头戴玻璃面罩的科学家成了新闻节目主持人，担负起介绍事态最新发展的重任。隔着面罩，他说话闷声闷气，听不清楚。只能像 SBS 频道那样，在屏幕下面用英文打出字幕。第一天，他报道说，大火从停放运输机的飞机棚燃起，蔓延到加油泵。所幸没有人员伤亡。第二天，晚间新闻要结束的时候，主持人说的还是开头那番话：位于遥远的卡彭塔利亚湾世界上同类型最大的矿业公司——古福瑞特国际矿业公司发生大爆炸。科研人员正在寻找引起爆炸的原因。爆炸没有造成重大伤亡，等等。

头戴面罩的科学家当了一个星期“主持人”之后，另外一个秃顶、脸像罗马神话中的战神一样的科学家出现在电视屏幕上。他在家里，浅黄褐色的衣服映衬着那张表情悲伤的脸。他对矿山着火的原因做了科学的解释：“古福瑞特国际矿业公司的大火是荒火引起的。三齿稃燃起大火，很快就蔓延到加油泵（停顿了一下）。这就引起地下油罐大爆炸。根据我的判断，爆炸通过地下输油管道一直波及矿山，引发了主油罐爆炸，最终造成整个矿山和机械设备的重大损失。

“通往矿井的输油管道和大油罐相连，这就造成了巨大的破坏。最初的爆炸产生巨大的热量，冲向天空，在整个矿山引起连锁反应，爆炸此起彼伏（画面转向被大规模摧毁的矿山）。通往海岸的三百公里长的输油管道因为燃料泄漏，致使这场事故造成更为严重的后果（又停顿了一下）。这场毁坏是埋在地下的管道爆炸而造成的。事故发生时，只有三分之一的管线在运营。爆炸产生的巨大力量将全部管道炸开，以至于许多公里之外还能找到从管道炸过来的碎片。（全景画面：管道残片遍地都是，周围未开垦的森林地带一片狼藉。好像澳大利亚国家美术馆和伦敦泰晤士河畔泰特美术馆外面的后现代派雕塑。）管道最后通向水厂。水厂几乎夷为平地，那儿的储油罐也被炸得七零八落。”

爆炸结束之后，费希曼的人从地上爬起来。大家一致认为是伟大的祖先救了他们。山摇地动之后他们还活着，简直是奇迹。他们以为爆炸会一直继续下去，大地会一直摇晃下去。他们起身离开的时候，看到红色的烟雾和尘土遮天蔽日，能见度只有几米远。细密的尘埃落得很慢，落到那些试图弄清楚卡彭塔利亚湾到底发生了多么巨大的变迁的人身上，个个面如土色。他们被尘土“伪装”着，小心翼翼地快步离开山坡，向神灵舞蹈的泻湖走去。烟尘很快就覆盖了他们的足迹。

泻湖边，老祖宗手里传下来的树木被夹带着烟尘的风吹拂着，婆娑起舞。费希曼坐在地上，朝矿山的方向凝望着，因为疲倦，两眼通红。他这样一直坐了好几个小时，想象矿山现在是个什么模样，等待他的人回来。他们似乎好长时间才回来。这些非同寻常的追随者看着他们的导师，发现了某种难得一见的变化。他们相信，随着宝贵的时间一分一秒地流逝，费希曼就在他们眼前变得越来越小，越来越小。如果他就这样一点儿一点儿缩小下去的话，不等他们被迫逃跑，他就缩得什么也没有了。在这个充满危险的地方，他们相互点了点头，他将变成一只不引人注意的甲虫，在泻湖旁边爬来爬去。

莫吉·费希曼确实是在寻找一个光线昏暗的地方。他天生的特性就是趋利避害，至少危难时刻能够及时隐退，化为乌有。他这种很复杂的个性是怎么形成的呢？据他自己说，一和白人打交道，他称之为“愚蠢的头脑”就变得疯狂。听他的口气似乎是白人揪扯着他的道德之心，让他堕落成这个样子。实际上，莫吉·费希曼是在退缩，等待他的人。“哦！伟大的上帝，不要让我们有伤亡！”他自言自语，盼望平安度过这一劫。他那么焦急，缩成一个甲虫，没有看见那几个年轻人跑过丛林，像兔子一样非常熟练地跳过块块山石，寻找隐蔽的地方，希望能躲过追捕的人。

然而，思想深处，他像得了狂犬病的狗，把自己想象成一条章鱼，所有的“胳膊、腿”都会引导他走向伟大的胜利和成功。以这样的观点看世界，对于命运之神的安排，便没有怀疑的余地——他们永久的家园早已镌刻在这块土地上，镌刻在这个地方。没有人能够收买这些只属于莫吉的“胳膊、腿”。他仿佛已经伸出一只手，接住什么人扔过来的一块石头。总体上说，他心情沮丧，有一种孤独凄凉的感觉。不过尽管制造了这样一场灾难，他一个人坐在那儿沉思默想的时候，心里还是觉得很平静。

第十二章 远方来信

车队按照莫吉的命令，清晨离开泻湖。他已经把安吉尔·戴接了出来，准备派手下几个心腹把她送到南方任何一个大城市，让她在那儿住一段时间。作为分别时良好的祝愿，他对她说："你一定要快乐起来。"她却回答道，她可不想让别人祝福她快乐不快乐。尘埃落定，她终于要钻进那辆正在路边等候的汽车时，他说，他会去看她的。"这就是生活。"安吉尔叹了一口气说道。她一滴眼泪也没有再落到那块已经湿透的手帕上，只是预料到从现在开始，日子将过得一团糟。她只能怀着渺茫的希望，在那一幢幢过分拥挤的房屋之间四处流浪。因为莫吉郑重其事地承诺，等到平安无事，他一定立刻接她回家。

费希曼命令护卫队成员到偏远地区过冬。"赶快解散，"他说，"不要回家。"他费了好多口舌描绘他们的新身份。他们都要隐姓埋名，变成饲养场和磨坊的改革者。等接到他的命令之后——这一天一定会到来——再"重新集结"。这是严格的指令。其重要性比祈祷文有过之而无不及，必须牢记心头。只有逐字逐句严格按照他的指示办事，才有机会安全地隐藏起来。

“按我说的去做！”他警告道，目光严厉，“要不然，最终的结果就是落到警察手里。”

是的，情况就是这样。所谓“最终的结果”意思就是：大伙儿要记住，鱼会被各种网捕到。如果被看作是犯了罪的鱼，你们就应该弄清楚，最终会落到谁的盘子里。“一定要搞得清清楚楚！”他的警告在人们耳边回荡。他继续晓之以理。因为他喜欢说理。他认为，作为一个领导者，不能总是把道理藏在自个儿的脑子里。

“我不是说德斯珀伦斯那张毫无用处的、看不见的大网。我说的是真正的网，尽管也是一张无形的大网。这是警察撒下的网，他们想消灭你们这样的人，就像想捻死一只讨厌的蚊子。”他还在“晓之以理”，护卫队的人一个接一个钻进汽车，沿着那条蜿蜒曲折的崎岖小路驶出峡谷，然后顺着一条条坑坑洼洼、长长短短的路向沙漠驶去，从人们的记忆里消失，似乎从来没有存在于世。

后来，费希曼看到那几个浑身上下落满红色尘土、眼睛布满血丝的人从丛林那边走了过来。他们从矿山逃出来，已经徒步走了三十多公里，一个个累得精疲力竭、气喘吁吁，扑通、扑通倒在费希曼面前，半晌说不出话来。过了好长时间，那一堆“尘封”、烟熏的躯体中才传出一个声音：“干完了，老板。”费希曼只是点点头，似乎对这伟大的一天取得的成就不太满意。他点了点头，满脸严肃转了一圈儿，轮番拍了拍那几个人的脊背。又过了一会儿，年轻人才爬起来，离开费希曼，走到泻湖跟前，拂开漂浮在湖面上那层灰色、红色相间的“浮萍”，露出下面清澈、冰冷的湖水。

“威尔在哪儿？”费希曼朝四周张望着问道。他知道这几个人里面没有威尔，可还是不由自主地数了数人头。那几个在水边洗涮的小伙子回过头朝泻湖那边的丛林张望着。丛林依然覆盖着火场飘来的灰烬。看起来仿佛没有人从那里走过，也不可能再有任何人从那里走过。可是他们敢肯定，那两个年轻人和威尔一起向泻湖跑了过来。我们看见他们三个人在前面跑，老板，就朝他们喊：“让威尔上前面去，免得出问题！”可是解释也没有用。

时间太紧迫了，他们还得想办法隐蔽呀！

问题就出在这儿。他们慢慢地汇报当时发生的情况，还在泻湖旁边的泥地上画出他们几个人的位置。他们在地上画了两个十字，那就是矿山上看守威尔的那两个家伙倒下去的地方。

“爆炸之后，我们想等着看看结果。后来，我们之中有几个人跑回去，找那两个家伙的尸体。”

他们说得没错儿。烟火刚过，几个人便壮着胆子向滚滚热浪跑去。他们回到那一片平地，踏着还在燃烧的三齿稃，想确定那两具尸体的位置，但是不得不赶快离开。

“你瞧，老板，我们没法儿找到他们。我们亲眼看见他们在那儿倒下，就径直朝那个地方跑去，可是怎么找也没有那两个杂种的踪影。没了，就像在空中蒸发了一样。”

“那可是血肉之躯呀，怎么会在空中蒸发呢？”费希曼满腹狐疑，打量着这个五大三粗的“编故事的家伙”。

“该怎么说呢？我们想，他们一定是被大地吞没，滚到地狱里去了。听到爆炸声之后，我们立刻朝四周张望。哦，天老爷！那时，我就对天发誓，从来没有看到过这样的情景。大地仿佛向我们扑面而来。好像一头野兽在奔跑，皮毛波浪般起伏。碎石飞溅。紧跟着移动的大地，泥土和岩石到处乱飞。哦，我们不得不猫下腰，躲开那些从天而降的乱石。我们趴在地上，感觉大地在身下颤动。好像魔鬼来到地面。

“魔鬼交响乐队的成员们撞击着自己的脑袋，演奏出可怕的、地狱般的音乐，为燃烧的大地伴奏。咣！啪！咣！我们以前从来没有听见过那么恐怖的声音。我们知道，那只能是地狱里最可怕的声音。唯一可能发生的事情是，爆炸的冲击波先把他们送到天上，然后把他们从天上摔下来，落到地上。他们掉下来的时候，魔鬼看了一眼，说，‘把这几个坏家伙抓到地狱！’要不就是他们自己把自己活埋了。”

莫吉匆匆忙忙瞥了一眼那几个胡吹乱侃的家伙。他还是坐立不安，十指交叉，两个大拇指不停地绕圈儿，好像这个动作就能让那个简单的事实从他们胡编乱造的故事中“脱颖而出”。不过，在考虑整个事情安排的过程中，谁说的是实话已经无所谓了。“嘿，你！为什么和命运开玩笑呢？这儿的人谁也不会再回去看个究竟。现在只剩下希望了。”是的，谁都可以怀抱希望：不管他们倒在哪儿，反正谁也没有找到他们的尸体，但愿他们平安无事，已经离开那个地方。人们又开始窃窃私语。真实的思想就这样在你脑海里转来转去，对于他的言谈，很少加以控制。

莫吉凝视的目光穿过沙沙作响的树木，落到一个仿佛是树的神灵召唤他看的地方。在那烟火熏黑的风景中，他看见另外一种真实。这种真实他以前就看见过。那时候，他朝矿山望去，看到的是已经变成常态的、劫后余生的山岭。他们称之为地狱。现在，展现在眼前的景象浩瀚无际，好像这个奇迹唯一的目的就是让他相形见绌，觉得自己那么卑微、渺小。燃烧过的黑色的余烬中，玫瑰色的人的血肉落到大地之上。那一刻，看到这幅情景，他真希望这一切不曾发生。然而，可怕的事实并没有因为一个卑微的人的愿望而改变。

在野狗出没的同一块土地上，算命人的时间过得很快。夜半时分，他和他的人马走了之后，野狗就在荒野里四散开来，寻找那几个死人还残留的什么东西。它们抽着鼻子，窜来窜去，一副可怜相，然后回到隐藏在大山深处的石头巢穴里。悲惨的景色继续在他眼前展开，他无法承认自己的罪责，希望能用人的鄙俗把自己包裹起来。他不愿意看到自己弱点，更不想承认这种弱点。他只能求助于时间，让时间冲淡这一切。费希曼又感到一阵疼痛撕扯着他的心。优柔寡断、犹豫不决把他撕成两半儿。现在，他无法确定，是否应该相信现在已经真的平安无事。他应该知道真相吗？然而“真相”是，他已经不能再回去了。

海湾上空，乌云翻滚，本来已经烟雾弥漫的海滩愈发昏暗。大朵大朵的云触摸着风中摇动的丛林。人们的注意力被一个顽童吸引。他用刺耳的声音叫喊着，就像一个基督教的圣战者。“在那个即将到来的王国，你们会被消灭。谢谢主，他们来了！”

费希曼从眼镜框上面张望着，不管是他那只好眼睛，还是那只玻璃眼儿，看到的都是真情实景。那几个年轻的追随者正在奔跑，还有几个人从不停摇摆的树枝间跑过来。这些信仰拉斯特法里教的小伙子满身是灰，和威尔·凡特姆一起踉踉跄跄地奔跑着，几乎完全是靠了拉斯特法里神的意志力支撑着。

那两个年轻人还在向费希曼吹嘘他们是如何克服重重困难回到营地的。对着他的耳朵解释都发生了些什么事情。“就像你吩咐的那样，我们找到他，说，‘我们给你带来费希曼的礼物，让你活着离开这里！’他们说，威尔·凡特姆似乎下定决心要离开这个世界。‘你最好去找找他吧。他真的想死。大概和死神约会了。拦也拦不住！’”

“我们应该把他留在那儿。”两个年轻人说，态度还有点傲慢，尽管被烟呛得呼吸困难，连话也说不出来。威尔躺在他们前面的地上，他们还在解释遇到的困难。“为了救他，我们简直要死了一百次！”

“我们想让你知道，他什么话也听不进去。”

最后，他们又解释，他如何返回去找矿上那两个死人，他们不得不追赶他。“我们肚子贴在三齿稃丛生的草地上，差点儿被滚滚热浪活活烤死。我们只想着把他往回拉，吸到嘴里的除了烟火，还是烟火。”两个小伙子精疲力竭，终于闭上嘴巴。他们没有再理睬费希曼，弯着腰，两手放在膝盖上，喘着粗气，两个人都怀着敌意，瞥了威尔一眼。

“好呀，好呀！说呀！”费希曼催他们说下去。他急着想听后来发生的事情。

“我们当然发现那两个家伙已经死了。我们把它们拖出来，放眼望去，到处都是一团团熊熊燃烧的三齿稃。该死的火追赶着我们。”

“还有呢？”

“他们就在那儿，”一个小伙子从膝盖上抬起一只手，朝泻湖那边指了指，“我们没有再碰他们一下。”费希曼走到威尔身边，很慈爱地拍了拍他的脊背。“干得好，小伙子。”他给他喝了点水，然后叫来几个人，让他们把那两具尸体从丛林抬到这儿。没多久，那两具烧焦了的尸体就放到费希曼的脚跟前。

“我想，最好把他们埋了吧。”他说，“最好现在就动手把他们埋了，埋到丛林那边。”他最后说，回过头朝那条大路望了望。

“不，根本就没有必要埋葬他们！”费希曼听见威尔这样说，连忙转过脸来。他看见威尔站在那儿，身上落了一层灰烬、尘土，还有一片片凝固了的血迹。但是，毫无疑问，还是那个熟悉的、自信心十足的威尔·凡特姆。第一眼看上去，费希曼就想起三十年前诺姆站在他面前那副样子。同样的自信、同样的威严，要和他一起引领这条宗教之路。

“你还记得埃利亚斯那条船吗？”他悄悄地对着费希曼的耳朵说，似乎怕风听见告诉树。

费希曼点点头，想起那个闷热的、令人不快的日子。他们发现可怜的老埃利亚斯坐在泻湖中间的小船上，以为他在那儿钓鱼。后来才知道他早已经撒手西天。

“你是怎么想的？你是不是想把那条船从山上搬到这儿，把这两个家伙扔到里面喂乌鸦？”威尔继续说下去，全然没有注意到费希曼脸上的表情越来越显得忧心忡忡。

费希曼无意中瞥了一眼那两具仿佛从地狱拖过来的、烧得焦黑又皮开肉绽的尸体。他们的灵魂已然不能运动，锁在躯体的监牢里。烧焦了的脑袋上，吓坏了的眼睛随着丛林里沙沙的响声，骨碌碌地转。威尔就想让他们在那里受到惩罚。突然，一阵悲凉之情在费希曼心里涌动，忘记自己的悲伤，做出一个明智的决定。他没有复仇的渴望。即使有过，那复仇之火也暂时熄灭了。他不再同情威尔，不再同意他的想法。“我们要把他们很体面地埋葬。体面。你明白我的意思吗，威尔？”

“不，我尊重你。你是老板。但是这件事情我一定要按自己的意思办。”威尔斩钉截铁地说，“他们杀死了埃利亚斯。把他放到船上，制造他在钓鱼的假象。还有，昨天！昨天他们杀死了霍普。那些杂种，把她从直升飞机上扔下去。现在，巴拉死活不知，也许他们把他也杀死了。所以，我要去把埃利亚斯的船弄回来。即使只有我一个人，也要去。我要让他们烂在船里，直到矿上的人发现这两具尸体。”

“威尔，你是要以牙还牙，以眼还眼吗？”

“是的，从现在开始我就要这样做！”

“你难道不知道如果把他们扔在船里，会发生什么事情吗？他们的鬼魂会在水里缠着你，你无论到哪儿，都不会放过你。你如果把他们留在船里，他们就会划着船在海里到处漫游，给你带来厄运，直到把你杀死。我不和你再讲这些道理了。听我的！你一定要把他们体体面面地埋葬，不管他们以前做过多少坏事。”

“我管不了那么多。你要是想把它们体体面面地埋葬在我们神圣的土地上，就先把我杀了。如果有人给刽子手在哪儿准备了葬身之地，就让矿山上的人把他们弄到那儿埋葬去吧。这是我们神圣的国家，不是他们的。他们在这里活无立足之地，死无葬身之地。”

“好吧，该说的我都说了，你自个儿看着办吧，反正命是你的。不过，我还是要警告你，你还是要谨慎从事，等待时机。我已经老了，还能对你说什么呢？用不着听我在这儿唠叨。我能做什么呢？我把我仅有的儿子再加上另外一个不认识的小伙子，都埋葬了。”

威尔满怀同情地看着费希曼。老人家还在滔滔不绝地讲，因为现在终于能把德斯珀伦斯发生的事情讲给大伙儿听。他回想起护卫队怎么来到泻湖。进入湖区的时候，他一一点名，给大伙儿安排车辆。他对谁开车，谁的技术如何，车况如何都了如指掌。大伙终于在泻湖安营扎寨，树神也终于知道在这儿“下榻”的都是谁。当风吹过丛林，树神突然婆娑起舞的时候，你便知道，一定是哪儿出了问题，就像电话突然铃声大作，吓你一跳一样。

“接下去发生的可不是什么好事儿。只有风在树木间呢喃细语。后来，突然之间大伙儿都说，‘这是什么声音呀？好像是汽车发动机在响’。大伙儿都有点着急。因为我们知道这不是我们的汽车发动机的声音。

“不管怎么说，一辆迟到的车出现在我们眼前。那是一辆七十年代产的霍尔顿牌客货两用车。‘当心！’漫不经心的驾驶员开着车沿公路向泻湖径直驶来。大伙儿都问，这是护卫队的车吗？我说，不是。我知道这辆车是谁家的。这是那个总爱找事儿的老傻瓜约瑟夫·迈德纳特家的。于是，等那辆车开到眼前、大伙儿还都没有下车的时候，我就对他们喊道，‘你们这副样子跑到这儿，我可不敢恭维。我不喜欢你们来这儿找事’。”

威尔完全理解这个故事的意义。因为谁都知道，老约瑟夫·迈德纳特和费希曼两个人之间并没有太多的成见。他们俩都像他父亲诺姆·凡特姆一样，犟得像头骡子。死抱住老观念不放，都认为那块土地是他们部落的地盘儿。费希曼声称泻湖属于他们，当然还不只是泻湖。古老的战争一直围绕着从海岸线到德斯珀伦斯以及到大海的归宿展开。威尔记得，费希曼一直说他是这块土地历史的活字典。“我正指着我的脑袋，”他一边说一边用手指指着他的脑袋瓜，“这里面装着你们政府的全部历史。我能告诉你亚当和夏娃之前、开天辟地以来发生的事情。我能把四百年以来发生的事情桩桩件件都告诉你。迈德纳特部落的人干的都是错事。”费希曼曾经把威尔·凡特姆带到三齿稃丛生的草地，矿业公司将在那里开矿。威尔顺着老人那双猫一样的黄眼睛望去，看见好斗的神灵在午夜时分从天而降，在平原打仗，直到天快亮的时候，才消失在晨光熹微中。“我什么都能看见，”老人说，态度特别真诚，你跟我来，我会告诉你一切，因为我一直就活着，还会永远活下去。”

开发矿山的时候，情况更加恶化。因为这件事情为约瑟夫和他的家族创造了机会。他们乘机宣称对这块土地拥有主权。所以费希曼说，他曾经当着约瑟夫的面告诉他：“如果我看见你在泻湖周围转悠，我就用长矛杀了你！”老诺姆没有参与他们争论，但威尔记得，他对这些“贪婪的迈德纳特蠢猪”一直恶语相向。指责他们“想证明什么都对”，想拿出一大堆早已忘记的理由为两个家族的世仇辩解。老约瑟夫·迈德纳特家族的生活方式变成人们的笑柄。说他们像一群猪，在猪栏的烂泥里走来走去，等待矿山送来残汤剩饭。

“就这样，不等迈德纳特家的小伙子们下车，我就对他们说，‘这儿不会有人跟你们说客套话。回你们的地盘儿去。约瑟夫·迈德纳特的地方在西面很远的地方。那儿有咸水，有水牛，还生活着野人。如果你们想找麻烦，就去那儿和他们斗。也许你们很走运，能从他们手里把土地夺回来’。”

费希曼说，那一天虽然只有一个月牙儿挂在夜空，但他那双目光犀利的眼睛还是看清了那几个小伙子眼睛中的惊恐。他不由得心软了一下，就让他们把话说下去。终于从汽车里传出一个年轻的声音：“老人家，别生气。我们马上就走。是爷爷让我们来告诉你点事儿。真对不起，我们给你带来的可不是什么好消息。”

费希曼停下他的故事，讲离开德斯珀伦斯之前不祥的预感时，威尔就明白他的意思。他说，他不是天使，但是当你感觉到要有坏事发生的时候，他就能听到天使唱歌的声音。向泻湖驶去的路上，费希曼说，不知道怎么回事儿，他总觉得有什么东西控制着自己的思想，好像什么事情要发生。他说，陷入想象的泥沼时，他极力捕捉某个单一的形象，但是不停旋转的“万花筒”总是无法形成一个固定的图案。

“一定在某一辆车里，离我那么近。”提到控制他思想的那种感觉时，他这样说。现在，这种感觉已经弥漫到四面八方。现在他只能想护卫队里可能有一辆车要翻。“一路上，我至少让车队停了十次，嘱咐大家一定要小心开车。”一辆辆汽车从他脑海中闪过。他一心想弄清楚那个幽灵到底是谁，开车的时候就有点心不在焉。

“想想看！”他静静地说，“实在是太难了。因为我不相信我的预感，所以我看不出到底怎么回事。他们是我最小的孩子，我的亲骨肉。这就是我为什么看不到他们，为什么无法解释，为什么描绘不出他们的未来。因为他们从来就没有过未来，可怜的孩子。

“于是，那个声音对我说，‘警察也许把他们打死了，还有布鲁泽。

他们俩确实把那三个孩子打得死去活来’。哦，我知道布鲁泽是个什么玩意儿。你也清楚，自从矿业公司来开矿，镇子变得越来越糟。他们杀死三个男孩儿，还是小不点儿呀！我的孩子。因为那个傻瓜戈蒂。当然，你不能责备他。他也是个倒霉蛋儿，可怜虫。我一直在想。想我们这儿为什么会发生这样的事情？想为什么是我的儿子而不是他们的儿子无缘无故惨死在皮鞭之下？我一直在想，为什么自从他们来开矿，这样的怪事儿就不断发生？为什么我们普通老百姓会被他们杀死？像这三个无辜的孩子。我的孩子。我有生以来第一次今天不知道明天会发生什么事情。过去如果有人被杀死，我们总知道来龙去脉。知道到底发生了什么事情。所以，我问自己，我们这个地方，从什么时候变成这个样子？我第一次弄明白，他们之所以除掉埃利亚斯，是因为他是你的朋友。”

威尔点点头，听费希曼回想他的故事，继续说下去。他们走进丛林，最后站在那三具用毯子包着的、小小的尸体旁边。

“布鲁泽，肯定是布鲁泽干的。”他说。

“我想，是布鲁泽杀死了戈蒂。因为戈蒂的工作干得很出色，而且一定在什么时候得罪了布鲁泽。他便杀死他，然后嫁祸于人，把罪责推到三个孩子身上。我让迈德纳特家那几个小伙子从车上下来。我手下那几个家伙就把他们从车里拖出来，让他们说出事情真相。可是看起来他们什么也不知道。他们说，谁也不知道，为什么有人要杀死戈蒂。人们都认为是那三个孩子干的。可是，威尔，你知道，我也知道，他们绝对不会干这种事情。我虽然算不上一个好父亲，可我的儿子不会干这种伤天害理的事！

“不管怎么说，我让迈德纳特家的小伙子们回家了。其实可以不让他们回去。他们想加入我们的护卫队，可是我没有同意。我对他们说，‘我帮不了你们什么忙，还是回你爷爷那儿去吧’。我能想到的只是他们在路上会遇到好多麻烦，就对他们说，还是回德斯珀伦斯去吧。但是他们说，爷爷告诉他们，一直往前走。他说，德斯珀伦斯不是年轻人待的地方了。他们说，他们要永远离开这里，要到南方去。”

费希曼说，他带着护卫队出发的时候，挑选了十二个年轻人留在家乡。他对他们说：‘即使我完成不了这个使命，我们的事业也要继续下去。没有什么力量能够阻挡我们书写这段历史。明白吗？他转身离开地上放着的那三具尸体。向正等着他们的人走过去的时候，莫吉又滔滔不绝地说了起来。

“我派人到矿山去传我的命令。后来，两个年轻人飞也似的跑回来，报告说，‘我们的威尔被抓到那儿去了’。我就叫他们立刻回去救你。剩下的人回德斯珀伦斯，一路上我们走得很慢，似乎很安逸，根本不像是要去和什么人打仗。我们像老鼠一样，悄悄地驶进德斯珀伦斯。有两辆车中午时分驶上大街。

“镇子里空空荡荡，没有人注意到我们在这儿做什么。他们也许还在心里琢磨到底发生了什么事情。我们知道，镇子里的人现在应该是在酒馆里开会。他们想讨论镇子里的大事儿，比如如何清理垃圾，如何对付我们这些人的时候，就凑到酒馆开会。

“我说过，我希望能变成落在墙上的一只苍蝇。哦，我变成了，所以他们说的话听得一清二楚。他们像沙丁鱼一样满满地挤在屋子里，正在讨论该怎么处理楚斯福尔的事。他们说，他在监狱里疯了。于是我决定，把他一起带走。可是他已经死了。他的绳子荡来荡去，还有点温乎气儿。我们轻手轻脚把我的两个儿子和那个小家伙一起抬走，开着车慢慢驶出小镇。他们还在开会。”

威尔四处搜寻，也许他是想在树林里找到楚斯福尔的尸体，或者寻找乌鸦栖息的树枝，它们在那儿呼吸死亡的气息，或者侧耳静听什么东西嗡嗡叫的声音。但是他只看见一团黑云似的苍蝇在那个金黄色头发的家伙和他的伙伴的尸体上空飞来飞去。他上哪儿去了呢？威尔想。莫吉讲的那些事情还让他震惊。但他还是什么也没有找到。费希曼心里想，最好还是给他解释一番吧。“别费心找他了。他们问我，‘你要把他也带走吗？’他们是指楚斯福尔。我说，‘凭什么我要把他带到这儿呢？’他这种人不属于我们这块圣洁的土地，不能靠近我的孩子们。让他们安息吧。所以，你别找了。你永远也找不到他的。我们把他留在布鲁泽家里了。他现在就在那儿。我们把他安放在布鲁泽自己坐的躺椅上渐渐变凉，等布鲁泽回家，给他唱老迪安·马丁的歌。这首歌将永远缠绕着布鲁泽。这辈子，他一躺在床上睡觉，耳边就会响起楚斯福尔的歌声。不，我对他们说，‘让他们照料他们自己的事情，我们照料我们自己的事情’。”

谈到德斯珀伦斯发生的这些事情，费希曼最后又说：“我们从来没有杀死楚斯福尔，他也没有杀死自己。就像我们那几个孩子也没有杀死他们自己。他们是被别人的手杀死的，就像戈蒂和埃利亚斯。矿业公司制造杀手，威尔。现在我让矿业公司完蛋了。但愿伟大的神灵对我们开恩。我就想说这么多。”

就这样，就这样，他们非常快乐……

费希曼捻着手指让大伙儿赶快和威尔一起把埃利亚斯的船从山上弄下来。并不是他们想浪费时间，帮助威尔·凡特姆干这件近乎疯狂的事情。他们和这个想以如此怪诞的方式复仇的人有多少共同之处呢？泥土泛起的“浮渣”覆盖大地，就如死灭了的东西一样。那两具应该体体面面埋葬了的焦黑的尸体，和那些“浮渣”相比，也强不了多少。

他们一直嘟嘟囔囔，抱怨自己被人利用，好像谁都可以指使他们。现在却认为，他们是别的什么东西了，一种巨大的变形已然发生。在这新的无穷的变化中，有一点很清楚，那就是，在“为什么”这个问题上，似乎有了一个明确的答案。他们头脑膨胀，觉得自己堪与世界上同类矿业公司之最相媲美。他们已经征服了这个公司。仿佛矿业公司的宏伟已经传递给他们。因此，他们非常快乐。这些“义务警员”一边轻轻哼着《星球大战》里的主题曲，一边发了疯似的在“大鱼肚子”上小试“刀锋”的时候，似乎没有什么东西可以称之为正常。帮助威尔！好呀！他们觉得，这样做好像钝了他们狂热的“刀锋”；他们觉得这种事情不应该发生在他们身上。

于是，这些快乐已极的人们像一堆蛇，拖着对于埃利亚斯唯一实实在在的记忆——“选择号”，走过那一片林地和乱石，就像那是德斯珀伦斯后院里的一堆垃圾。小船颠簸着，在枝叶繁茂、不肯弯曲的灌木丛中滑行。他们一边拉那条小船，一边嘻嘻哈哈，叫骂着，开粗俗的玩笑，吓跑了栖息在灌木丛中几百只食腐肉的乌鸦。这些鸟儿发出粗粝的叫声，急匆匆飞上赭红色的云团。还有些不知道从那儿飞来的鸟儿落到地上。一群群鸟儿为了抢占晃晃悠悠的干树枝相互争斗着。混乱中，树枝在拖船人的耳边折断，发出刺耳的响声。他们急于离开，加快脚步，直到看见那一轮红日。

该说的说了，该做的也做了，这些人便不想再和死亡打交道。死亡有自己的空气。在那红色的薄雾中，那非尘世的空气在大地之上发出长长的、圣乐似的元音。莫吉手下的人加快脚步离开的时候，听到一种从来没有听到过的声音。当他们走过三齿稃丛生的平原时，那召唤神鬼部落的幽灵的诗歌，在他们身边回响。在这诗卷打开的季节，在这风、雨、风暴、太阳、猫头鹰、成群的飞蚁、乌鸦、老鹰、野狗、蜣螂、鱼卵繁殖的月份，一切的一切都宣称自己是没有被保护的神灵，直到只剩下被风雨剥蚀的白骨。

“当心点儿，别弄坏小船。”威尔说。

“为什么？”有人问，“谁也不会再用它了。”

“这不是理由。”威尔生气地说。没有必要对费希曼手下的人费口舌解释自己心中的伤感。

那条绿色的小船在岸上停下之后，费希曼过来最后看了一眼那两个杀手。头顶，一团苍蝇像黑色的云飞来飞去，打搅他们最后的安息。他看见死人的灵魂祈求把他们从腐败的尸体中释放出来。他面无表情，谁都看得清楚，他已经没有兴趣再为他们向威尔求情。

眨眼之间，人们已经把那两个死人从地上抬起。“好了吧，老板？一，二，三，起！”他们把两具尸体并排放到船上，没有人流眼泪表示哀悼。费希曼站在旁边看着，紧咬烟草熏黄的牙齿，不高兴地嘟囔了几句，转身走开。人们没有多想，继续干手里的活儿。他们在锚架[1]上拴了一块大石头，

①锚架：从船头伸出的作为提升锚的支架的横梁。

然后把小船推到泻湖中心，让它完全彻底暴露在“光天化日”之下。

费希曼手里拄着一根很长的棍子，沿着一条肉眼看不见的古老的小道，走过山麓小丘。毫无疑问，他几乎是出于本能，沿着父亲之前的父亲的父亲……蚀刻在他心灵深处的那条路往前走。他手下的人们跟着他的脚步走着，思想的云朵一团一团随风而去。他们想起遥远的故乡，想起人们的说话声，孩子们的欢笑声，想起跑到路边看离它们远去护卫队的车队。他们走过金黄色的衰草。那草开着白花，在风中摇曳，发出飒飒飒的响声。走过绿中透出金黄的三齿稃草地，走过枝叶啸吟的枯拉巴树[①]，走过寂然无声的红色花岗岩、白色石英石、灰白色石英岩，俯身看着为那三个孩子举行的葬礼。他们的死为一段历史画上一个句号。

三个孩子都用崭新的红格呢毯子包裹着，然后用绳子捆绑好。费希曼把红土地上长着的芳香的药草塞到毯子里。那浓烈的、类似薄荷的气味在空气中弥漫，盖过死亡的气味。那是一种奇异的、明快而又单调的景色。大多数人还都穿着古福瑞特矿业公司的工作服。很早以前，只要不在矿山干活，他们立刻就把衬衫袖子扯掉，把长裤剪成短裤。身穿T恤衫上印着面带微笑的鲍勃·马利的年轻小伙子们用一根长棍子抬着一个棕黄色的箱子。这个箱子是费希曼最喜欢的玩意儿。小伙子们满脸严肃。因为，为费希曼抬这个宝贝箱子是他们的荣耀。

箱子里装的东西已经不太多。有几卷铁丝，一些帆布，一把屠夫用的刀，一把袖珍瑞士军刀，火柴，手电筒用的电池，一个小无线电收音机，一个笔记本和一支钢笔，还有一罐没有喝的可乐。还有几个人背着黑色的马口铁罐，里面装着便于携带的随身用品。他们走过一条又一条狭窄的山谷，沿着一条泉水汇聚而成的河流向前跋涉。河流两边长着白千层属树木。在峡谷里走得很慢。湿气很重，他们一个个汗流浃背。这些人已经被告知做些什么。所以他们对下一步的任务心知肚明。他们要把这三个孩子的尸

---

①枯拉巴树：澳洲胶树，尤指小药室桉。是澳洲土著语。

体运到深山里的一个岩洞。“旅行”到那儿便告结束。三个孩子将从那里开始他们自己的旅行。到达目的地之后，他们将和老祖宗和睦相处。

他们走了好几个小时都没有休息，直到费希曼终于停下脚步。他告诉人们在后面等着。“你们先在这儿待一会儿。”他说，指了指童话中才会有的小相思树林。树林里一片寂静，你一定能听见爬在树枝上晒太阳的蜥蜴做白日梦时的呢喃细语。这是他们离开泻湖，向西走了十八个小时以来第一次真正意义的休息。他们看见莫吉独自一人孤零零走进深山，消失在灌木丛中。那里唯一的活物是野狗和袋鼠。他肚子贴地，匍匐前进，爬进一个散发着臭气的野狗的洞穴。这个洞隐藏在草丛、灌木和野香蕉藤后面。人们从远处听见仿佛是回响的钟声，从面目狰狞的崇山峻岭中传来。

“野狗怎么会发出这样的叫声？”有人问，显然不止一个声音。

“就像一群猫在哪儿叫春。”他们侧耳静听，担心又会发生什么不测。

“听！好像有人在说一种很奇妙的语言？听！”

“听见了吗？”

“一定是周围来了好多野狗。”

“别胡猜乱想了。是他。莫吉在说一种已经死亡了的语言，和他已经过世的亲戚说话。他们部落的人在这儿被打死许多。”

他们站在那儿等了好长时间。时间一点一点过去了。他们坐下来等待着。更多的时间过去了。他们在荫凉下打起瞌睡。直到因为饥饿醒来。他们都在想，还得等多长时间，莫吉才能回来？渐渐地大家都放松了，一个个四仰八叉躺在地上，听莫吉的声音在空谷回荡。终于，他不再叫喊，崇山峻岭间一片长久的寂静。人们都站起身来，伸长脖子，向山洞望去，想看看究竟发生了什么事情。

有人朝威尔·凡特姆瞥了一眼，看他是不是要去帮费希曼的忙，或者干点别的什么。可是，无论空谷间回荡的声音还是死一般的寂静对威尔·凡特姆都没有任何影响，他还像一尊雕像坐在那儿，满脸悲伤，凝望着远方。小金翅雀在他脚边跳来跳去，把人们的目光都吸引过去，直到一个没有注意那些小鸟的人突然说："瞧！"有两个比老鼠大不了多少的羽毛翠绿的小鸟在旁边的草地上从一根嫩枝跳到另外一根嫩枝上。这种鸟非常罕见，是一种夜间出没的鹦鹉。大伙儿议论纷纷，不过并不真的感兴趣。威尔听到他们的说话声，抬起头朝那只从头顶飞过的翠鸟望去。别人也扬起眉毛，看着那只小鸟朝海岸飞去。

不一会儿，他们就听见费希曼回来的脚步声。他用手里的棍子拨开灌木的嫩枝，发出沙沙拉拉的响声。该走了，他用威严的声音宣布。他们抬起三个男孩儿的尸体，走过野狗的巢穴，走进赭红色石壁的山洞。洞里积满尘土，一迈步便扬起团团红色的粉末，在极不新鲜的空气中飘飞，显示出它的古老。他们看见一小块一小块的兽骨，年代久远的破玻璃瓶子，生了锈的铁火柴盒，古老的石头工具——用来研磨的石头，矛头，斧头，还都完好无缺。洞顶留下烟火熏黑的痕迹。许久以前，一定有人在这里做过饭吃，在火堆旁边睡过觉，千年、万年的梦幻随着缕缕青烟升起，在洞顶留下一层厚厚的烟灰。

梦幻时代神秘的、如在画中的神灵在洞壁对你呼喊。洞壁里面，神灵在运动。他们向前，向前，一直向前。所以，洞壁的表面好像要落入费希曼手下那些人吓坏了的眼睛。他们都站在里面，紧紧地挤在一起。老费希曼仿佛在另外一个世界，用那种已经死亡了的语言叫喊着，诉说着。他走来走去，轻轻地推开挡住他去路的人。他用手里的棍子不断敲打着那有生命的洞壁。人们把目光移开，投向积满尘土的地面。然后，看见费希曼穿过洞壁一个狭窄的缝隙，走进神灵的休息之地。那个入口一定早就在那儿了，不过不可能看见罢了。因为山洞里那么拥挤，到处都是古往今来留下的遗物。那首祭献、祈祷的歌像雨前的蝉鸣一样，日复一日从这个古老的、发了霉的山洞里流淌而出，人们觉得那声音在他们的脑袋里回荡。

所以，这些人们怀着惊讶和敬畏，张口结舌地看着展示在他们面前的景象，进入那个强有力的精神天地。这个天地比华丽的大教堂、修道院以及欧洲和圣地[1]对圣人的遗骨以及其他物品顶礼膜拜的地方古老得多。

像有的老巫师一样，费希曼回转身，挥舞了一下手里的棍子，示意大家跟他走。昏暗中，人们继续前进，走进大地深处，走进人们的过去。费希曼一副大无畏的样子，左右挥舞着手里的棒子，在岩洞的曲径迷宫大踏步前进。光线像树根一样从洞顶照射下来，一点点地变细。宛如荒原上的无花果树，或者宝瓶树[2]。这些树根在岩缝里扭曲攀援，顽强地伸下来，寻找水分。它们经过在岩脊[3]上安息的逝者的遗骨，深入到岩石的缝隙里。还有的逝者靠在洞壁坐着，好像他们是特意来到最后的安息之地，坐下小憩的。

费希曼手里拿着他平常总是挂在腰带上的永备牌手电筒，在前面带路。大伙儿跟在后面，在黑暗中小心翼翼地走着。这是一个由不断滴水的石灰石组成的方解石[4]的世界，脚下水淋淋的石头很滑。一个个“密室”里传出宛若铙钹和钟撞击的叮咚声。那声音传得很远，在几公里之下的地下河道回响。这水正是阳光明媚的世界里股股清泉的源头。终于，一个个黑魆魆的身影在手电筒昏暗的光亮下一动不动了。

“好了，就是这儿！”费希曼宣布。眼前的景象把聚拢在他身后的人们看得目瞪口呆。这个小小的豁口那面，手电筒的光柱掠过一个巨大的地下海。微风在黑暗中吹，地下海泛起层层涟漪。手电筒的亮光下，银白色的海鸥大睁着能穿透黑暗的眼睛，凝视墨绿色的水。这些鸟靠一种人们从来没有见过的鱼为生。

一道道微弱的光时断时续，从遥远的、昏暗的“天顶”照射下来，那是这个世界的星星。人们听莫吉用他那沙哑的、不和谐的声音继续他的“梦幻曲”。也许神灵为此而高兴，至少有人远道而来，表达对那个古老世界

---

①圣地：圣经中的巴勒斯坦地区。

②宝瓶树：生长在澳大利亚昆士兰州的一种形如瓶子的树。

③岩脊：悬崖或岩石墙上组成平台的切口或凸出物。

④方解石：以自然形式存在的碳酸钙的一种常见晶体形式 CaCO3，是石灰石、大理石和白垩的基本组成成分。

的虔敬。

这片水似乎无边无际。“这儿是什么地方呀？”大伙儿心里想。这些只会盲从的人头脑都很简单。他们发现很难适应这个莫吉一直对他们秘而不宣的世界。等到习惯了周围的黑暗，他们便四处搜索，发现一座码头。码头的边缘爬满萤火虫，就像霓虹灯装饰的什么建筑物。

沿着这座石头雕刻出来的码头，停泊着一条条制作精良的独木舟。一望而知，是远古时代的遗物。每一条独木舟上都落满了海鸥的粪便和蜘蛛网。船头上一根草绳和水里另外一条布满蛛网的、宛如水蛇一样从水里冒出来的绳子连在一起。谁也不知道这几条属于那些语言早已死灭了的人的船在这里停泊了多久。也许已经许多、许多个世纪。这些为自己刚刚拯救了祖传的土地而满怀喜悦、骄傲的人，此刻似乎被这样一种久远、宏大完全吞噬，只剩下一缕缕裸露的神经。“如果我们唤起这儿的死人怎么办？”不知道是谁喃喃了这样一句。他的声音很低，可是站在洞里的人一定都听得清清楚楚，因为大伙儿都吓了一跳，谁也说不出话来。好像那是对他们的一声呼喊。

“威尔·凡特姆在哪儿？他在哪儿？土地的权利！他在吗？”费希曼突然大声叫喊起来，好像他在这个世界已经没有多少时间了，好像他们必须马上离开这个地方。威尔从黑暗中走出，走到费希曼身边。老人的脸像一座宁静的灯塔，闪闪发光。他把一条独木舟拉到码头一块很平的石头旁边，让它停稳，然后帮费希曼把他的儿子放进去。别人也七手八脚帮起忙来。这样一来，费希曼可以腾出手来，为儿子举行仪式。这是他的责任。威尔用绳子把三条独木舟串连到一起。他非常惊讶地发现，绳子还是那么柔韧、那么结实，就像刚刚编结而成。而事实上，它或许已经存在于世几千年了。这绳子一定是许久许久以前，一个阳光明媚、天空湛蓝的日子，一群老奶奶、老妈妈、姑妈、姨妈、姊妹坐在芦苇塘旁边编结而成的。她们一边编绳子一边聊着身边发生的事情。这就是威尔对费希曼说的话。他们俩并排站在码头上，看独木舟像摇篮一样轻轻地摇晃，做好穿越地下大海、驶向永久长夜的准备。

老人说，他想，该出发了，该带着孩子们穿越大海了。“我得让他们学会古老的语言，这样他们才能和先人融洽相处。”威尔说，没错儿，该出发了。他把手里的绳子轻轻地扔到水里，而不是把它交给那只向他伸出的手。

“能做的事，你已经都做到了，他们现在可以安息了。”威尔说，伸出一条胳膊，搂住老人，让他站稳。他们俩凝望着三条独木舟离开码头，随着水流飞快地漂走。人们默默地向前走了几步，对无声无息漂向黑暗的独木舟表示敬意，然后回转身离开码头。费希曼向儿子们道别，希望他们在那个即将奔赴的新世界一切都好。他那悲凉的声音在山洞里回荡，渗透到每一个人的血液里。“当个好孩子！”他说。他还说，处理完他自己的事情之后，他很快就会再回来看望他们。“特雷斯措姆·费希曼、鲁克·费希曼，还有你，亚伦·胡·库姆。”他解释说，他已经把这个已经去世的孩子当作自己的亲骨肉，他就是特雷斯措姆·费希曼和鲁克·费希曼的亲兄弟。

领着费希曼离开码头的时候，威尔回过头朝身后张望着，听见一种奇怪的声音。“听见了吗？听！”他听见一种嗡嗡嗡的声音，觉得那声音是从许多不同的方向聚集到这里的。那声音仿佛是有人在很远的地方吹迪吉里杜管[①]，别人以他们自己优美的旋律呼应，缠绵悱恻，就像长长的预言未来的圣乐。费希曼说，他也听到了。“听！”他用胳膊肘子捅了一下威尔。威尔回过头，睁大那双猫一样的眼睛，向黑暗望去。他看见海鸥像一团闪闪发光的、银白色的云在独木舟上飞翔。他看见许许多多翅膀扇动着，制造出它们自己的气流，直到水面泛起层层涟漪，掀起朵朵浪花。在这朵海鸥的祥云陪伴下，独木舟穿越地下大海，向神灵的世界漂去。

---

①迪吉里杜管：澳洲土著人的乐器。

“是老祖宗的神灵接他们回家吗？”费希曼问。他知道威尔有“特异功能”，眼睛在黑暗中看得很远。

“是的。”威尔说，脚步不停，领着老人向已经走在前面的人群走去。很快，他就能像丛林动物那样，领大家沿原路走出这座曲径迷宫。

走到入口的时候遇到了麻烦。威尔示意大伙儿往后退。耳边传来野狗的嚎叫声。那声音顺着脚下的流水漂到洞里，在洞壁之间回荡，放大了许多。“你们在这儿等着，我去看看出什么事儿了。当心老爷子。”

威尔慢慢地向前走着，如果他贸然向前冲去，被山洞里不断回响的狗吠声引错方向，误入迷宫，简直就是个傻瓜了。他估计，第一个山洞的出口要比狗吠声传来的地方更远。他凭记忆一个人走了十五分钟之后，不只听到充满哀怨的野狗的嚎叫，而且闻见一股兽穴的臭味。兽穴前面有一泡泡尿的痕迹。他不想让野狗闻见自己的气味。他知道，倘若它们闻到，就会因为害怕而从洞里跑出来。

突然，威尔听到发动机的嗡嗡声。他有点着急，相信是被活人而不是死人包围了。而且这些人知道在哪儿能找到他。他突然觉得自己陷入灾难性的黑暗之中，不得不像野兽一样拼命冲出洞穴。野狗听见直升飞机的声音之后，都跑回到它们的窝里躲避。飞机在离洞口不远的地方盘旋时，把一团团尘土旋卷到洞里。野狗吓得直往后退，而且开始大声嚎叫起来。它们十分敏锐的耳朵无法忍受飞机近距离发出的巨大的震颤声。威尔望过去，看见那些狗挤在一起，几乎一个压着一个。

过了一会儿，直升飞机飞走了。声音远去之后，威尔向野狗的洞穴走去。那一群野狗惊恐地看着他，不再呜咽，然后冲出洞口，冲进丛林。他看见直升飞机向东飞去，改变了方向，从北向南完成了一次搜索，然后向东转了个弯，开始下一次搜索。

“天哪，他们已经开始追捕我们了！”莫吉的人已经聚集在山坡上看直升飞机向远处飞去。

“他们怎么知道我们在这儿呢？”

“我认为他们根本就不知道，”威尔若有所思地说。“我想，他们只是为了到丛林里撒尿，才降落的。”他朝附近的灌木丛指了指，还有尿液往下面一摊湿泥上滴答，“只是碰巧我们在这儿罢了。”

“他们也许一直在追踪我们。”费希曼说，用手里的棍子抽打灌木丛。

“我看未必。当地人不会帮助他们。不管怎么说，我把我们走过的路都掩盖得不露痕迹。方圆几英里，没有一个追踪者能找到这儿。”

“你能确定吗？”费希曼问道，声音里有一种坚持。他嗖嗖地挥动着手杖，在想自己走过的路和留下的踪迹。对于威尔来说，这是个好兆头。谢天谢地，费希曼从悲伤中解脱，又回到尘世。大伙儿也都面带微笑，松了一口气。

剩下的这一天莫吉的护卫队会在洞口附近怎样度过？他们好好地睡了一觉。做的也都是美梦。应该这样。莫吉施了什么魔法，让他手下做的梦都是关于青年时代、美好姻缘和儿孙满堂的美梦。

后来，红日西沉，满天飘着火烧云，预示暴风雨即将来临时，几个人冒险出去，到山里打猎。第一个回来的人说，他到了一个长满三齿稃的地方，看到一只正在啃三齿稃草根的很大的红母袋鼠。他详细叙述了自己如何悄悄接近那只袋鼠，正要举起长矛朝它心口窝刺去的时候，那个家伙回转头，用世界上最温柔的目光看着他。他觉得非常对不起这个可怜的袋鼠妈妈，就放跑了它。啊！袋鼠肉非常好吃，他们正饿得难受。但是，如果一个人因为爱动物而挨饿，大家都非常理解。

第二个猎手从乱石丛生的山里回来，说他看见一只很大的红母袋鼠坐在一块大石头上，清理它的爪子。啊，不！“我定睛细看，这只袋鼠根本就不是清理它的爪子！它两个爪子并拢在一起，正在祈祷。它的左肩膀上有一个形如十字的、很大的伤疤。”他说，他跟了它好长时间，因为肚子饿。不过最后还是拿定主意不杀这个圣人似的袋鼠。他解释说，看到这只袋鼠，他觉得心里非常舒服，真想狂欢一场，就放跑了它。

面色苍白的威尔也两手空空从山里回来。虽然有点奇怪，但是谁也没有问他，他也没有主动讲什么故事。他对莫吉说，他看见霍普在山里和一群金翅雀玩。他相信，她想把他领到什么地方。她总是在他目光所及的地方，不时回过头看他是不是跟了过来，可是又不让他靠近。她脚步匆忙，向暴风雨来临前、海岸涌动着的深紫色的云走去。

“那群金翅雀不停地向我飞，向南飞。那儿的大山里是水乡人的天堂，有充足的食物。太阳鱼、肺鱼、石鲈在清澈的河水里游来游去。大小乌龟在水面上、睡莲叶子间漂浮着。打鱼人总是满载而归。”

整整一晚上，威尔一趟又一趟地跑出去看那些来搜索的直升飞机。那些飞机开着探照灯从北到南飞行，然后再回过头来搜查一遍。他数了一下，看到矿业公司至少出动了六架飞机，嘴角不由得露出一丝微笑。哦，这就是现代科技！他想，真是可笑至极！“谁能找到我们？这片土地我们了如指掌！”费希曼也出来看热闹，“我可以在这儿藏几个星期也不会有人发现。只要我愿意，我可以像一团烟消失得无影无踪。”

这是非官方的搜寻，高度机密。古福瑞特国际矿业公司的老板已经知道，矿山这场灾难不是因为事故引起的。他对此有一种预感，觉得这好像是短时间内进行的一场不公平的比赛。费希曼和他的人马在崇山峻岭消失几个小时之后，矿上的人就发现泻湖里放在埃利亚斯船里的两具尸体。斯佩林对这件事情有一种说不清道不明的感觉，径直向泻湖走去。想想当时的情景，格雷厄姆·斯佩林大骂这是可怕的谋杀。“王八蛋！我要是抓住那些该死的黑鬼，绝不留情！”他一路咆哮，回到直升飞机，说出的话像砖头一样，砸在地上。他开始打电话。

“不要叫警察来！听我的，谁也不要去找那些该死的警察。不要对任何人提起这件事情。让该死的媒体滚蛋！记住，我们是矿业公司的人。矿业公司的事矿业公司自己解决。矿业公司的人必须守口如瓶。我们要自己抓住那些杂种！”他一字一顿地说。这时候，命令已经从纽约，从摩天大厦传到格雷厄姆耳朵里。他正站在泥泞的泻湖旁边，苍蝇像一团云，飞来飞去。

手机不停地响着，把指示送到格雷厄姆的耳朵里，他的脸色变得苍白。真奇怪，纽约摩天大厦里发出的指令会像巫师使了魔法，把这些人镇得连话都说不出来。古福瑞特国际矿业公司监视器上的开关扳上扳下，就会影响地球这边人们的生活和工作。它可以撒下一张大网，监视整个德斯珀伦斯的社会生活。密切注意电冰箱里有多少食物，谁刚刚换了城里的路灯灯泡，或者监测躺在医院里的生死未卜的凯文·凡特姆的脉搏。它可以左右城里人的生活，编造出许多故事。它可以把镇公所办公楼夷为平地，烧毁女王的画像，试探一下人们的反应如何。哦，正如运气非常重要，时机的选择决定一切。大自然精彩的一笔救了费希曼和他的护卫队。使他们逃脱了直升侦察机的眼睛。而下午的暴风雨更是打败了纽约的监视器。

午夜之后，护卫队开始准备踏上向西而去的漫漫征途。费希曼慢慢地嗅了嗅山洞外面让人郁闷的空气，对大家说，他们要穿过遍地乱石的荒原，跟着“梦幻”前进。遥远的北方电闪雷鸣。借着闪电的亮光，他看了一眼威尔·凡特姆。发现他也在考虑天气的问题。他们俩都想到低气压正在海湾形成，从骨子里认识到，异乎寻常的事情将要发生。费希曼抽了抽鼻子，从小相思树上嗅到浓浓的雨意，觉得这即将发生的不同凡响的事情会非常严重。

人们都急于离开，想躲过成百上千万只飞蚁的袭击。费希曼朝天空努了努嘴，很平淡地宣布道：“这儿很快就要发大洪水了。”分散开的云通常都飘得很快。现在越发从海洋向内陆蜂拥而来，就像有个巨大的魔鬼推动着它们。成群的海鸥离开海岸线，向内陆飞来。葵花鹦鹉和粉红凤头鹦鹉也尖叫着，夹杂在海鸥的队伍中，“乘风破浪”，向南飞去。费希曼看着从头顶飞过的一群群鸟，互相碰撞着，消失在黑暗中，自言自语地说，用不了多久，直升飞机就得降落。“或者被这一群群鸟逼迫着降落。”

“或者被风。”威尔回答道。

“好了，我们还在这儿等什么呢？现在出发，离开这儿！”大家都松了一口气，终于要上路了，哪怕等待他们的将是瓢泼大雨。他们越加快脚步向内陆走，就会越远离天神的愤怒。在洪水溢出大河，漫过平原之前，到达高地。

“哦，老人家，我要在这儿和你先分手了。”威尔说，拍了拍费希曼的肩膀，“我要到北方去。你知道我还有些事情没处理完。老人家，你有这些人跟你一起走，他们会照顾你的。你不会有任何问题。”

“我不在乎会不会有人照顾我。我们有我们自己的法律。法律会照顾我们大家的。你打算怎么办？”

“我向你保证，过一段时间，我会追上你们。或者等你们回来的时候，我在这儿等你们。这要看我们分开多长时间。我要去找巴拉，看他是不是出了什么事儿。现在，我除了这件事情，什么也做不了。”

“好吧，小伙子。”费希曼说，最后看了他一眼。他太清楚了，威尔如果去追寻他家族的神灵，就再也不会回到他的身边。就这样，他们分手了。“向西，向西南。”护卫队的人跟着费希曼出发了。暴风雨来临前的丛林弥漫着红木和药草散发出来的刺鼻的气味。

他们走的和一条几公里宽的地下河完全相同。他们是从大陆一边走到另外一边。费希曼，集乡下人和占卜者于一身、追寻伟大梦幻的旅行者，感觉到脚下就是很深的地下水，非常清楚地知道，他要去何方。等到黎明，他们已经逃脱无论在远处还是在近处搜索的人的眼睛。那些人在他们早已离开的丛林里展开地毯式的搜索，但是一无所获。

安吉尔·戴认为他应该待在家里。大多数人都想象不到和护卫队一起旅行有多么艰难。离开德斯珀伦斯，刚刚跨过铁路桥，她就开始想家。不过已经太晚了，莫吉不肯送她回家。每一次颠簸都让她畏缩不前，一个劲儿在心里问自己，是不是应该离开。她从来不让自己在别人眼里看起来像是犯了什么不可宽恕的错误。现在，她只能坐在白色鹰牌轿车后排座，跟着大伙儿向南驶去。她搜肠刮肚地想，为什么自己待在德斯珀伦斯不能快活点儿？直想得脑袋疼。

结果，她总是因为同样的答案自责。就连莫吉也说，她之所以想离开德斯珀伦斯是因为她受不了那个地方。“你的情况难道不是这样吗？”他不得不带她走。哦，不要对此产生疑问——事实将证明，这是怎样的错误。诺姆·凡特姆总是知道那些莫吉从来不知道的事情。安吉尔·戴不是一个普通女人，而是女王。女王让男人尴尬、不舒服。不习惯于全力以赴服侍别人的男人在安吉尔面前只能彻底失败。

她就这样被丢在白色鹰牌轿车里，几个好像从来没有开过车的小伙子发了疯似的开着那辆车。她似乎对莫吉没有亲自来路边和她道别不是特别在意。整个局面都让她无法容忍。她对坐在前排座的三个小伙子说话时，他们尽量不理睬她。“命令就是命令，宝贝儿。”轻佻的荡妇，他们扬了扬眉毛，彼此会心地看了一眼。尽管他们用“宝贝儿”这个词讨好她，她对这几个长得五大三粗的小伙子，或者对莫吉让她陷入其中的这种令人难以置信的困境，一点儿也不看好。

她想起离开德斯珀伦斯时，莫吉那番甜言蜜语。他极力让她相信，这次长途跋涉好像是去度假。可是现在，他在哪儿？她又在哪儿？就像小鱼落到了盘子里。他一句话也没说，就让车队出发了。几个陌生人对她说，他们要带她先到医院看看凯文。她想起了小凯文，那个本来前途无量的凯文，后来变得不再听她的话的大小伙子凯文。凯文为那些不值一提的事情毁了自己的一生。她已经好几年没有见凯文了，不知道他为什么会住进医院。如果他真的有什么事儿，和她也没有什么关系。看着坐在前面、仿佛进入雷鬼[①]世界的年轻人，她的目光里燃起怒火。为什么会是这三个家伙呢？他们都是这副德性吗？懒懒散散，哼着另外那个世界的歌——《布法罗的士兵》。很快，他们就四仰八叉、半仰半卧，在前排座舒舒服服安顿下来。落满灰尘的盒式录音机里传出鲍勃·马利催眠曲似的歌声。

---

①雷鬼：源于牙买加的流行音乐，含有民间音乐、黑人布鲁斯音乐、摇滚乐的成分，带有强有力地强调非传统的特点。

他为什么要派这三个漫不经心的小伙子送她走呢？甜言蜜语就是甜言蜜语。他是不想让她碍事罢了。谁都会甜言蜜语。实际上，他就是想除掉她。终于，某一天，“尘埃落定”，费希曼沾沾自喜地说：“大伙儿往后站，看看这幅图画。”看！那几个小伙子走错了路，白色鹰牌汽车掉进魔鬼之地的一个窟窿里。只有那几个满脸愧疚的小伙子回来向费希曼亲口解释汽车出了什么问题。费希曼是对的。正像他说的那样，他们掉进世界上最鬼气森森的窟窿。

让我们看看安吉尔·戴灵魂落地的准确位置。有人说，你还能在那儿看见这灵魂，等待她来“认领”，然后一起回家。按照那个故事的说法，白色鹰牌汽车一直向安吉尔将要居住的那个矿区重镇疾驰。遗憾的是，她最终也没有到达那个地方。三个小伙子头脑简单，不是天真无邪，只是头脑简单，没有经验。

小伙子们解释说，他们开着白色鹰牌汽车离开土路驶向柏油路的时候，没有超速。“我们一路上开得都很顺利。”可是后来出事儿了。过十字路口的时候，开车的那个小伙子睡意朦胧中踩了一下刹车，可是车没有停下，方向盘却向左打了过去。汽车沿着那条穿越许多城镇、记录了先驱者历史的公路向前行驶，直到看见东海岸的灯塔才停下。这不是那条通往矿区小镇和另外一个州的边境的路。鹰牌汽车表现出的“倔强”让三个小伙子激动不已，把费希曼的命令忘得干干净净。

“离那座镇子不远了，很快就到了。”司机对安吉尔说。这个家伙一头鬈发、金鱼眼。他朝后排座看了一眼，但是尽量不看安吉尔。他又回转身，朝前面的路望去。另外两个家伙互相推搡着，从汽车里下来，伸开瘦骨嶙峋的胳膊撑着懒腰，打着哈欠，走进丛林。他们眺望留在身后的干旱的荒原，目光越过那辆汽车，又向海湾望去。安吉尔待在车里，但是一直看着那三个漫不经心爬上小山的小伙子。这座小山俯瞰那个镇子。有一个小伙子穿一件藏青色紧身汗衫、短裤，另外一个穿彩虹色T恤衫、短裤。两个人都穿凉鞋，但是并不影响他们爬那座砂砾遍地的小山和那座瞭望塔。

这个地方是年轻恋人幽会的地方。他们会半夜开着汽车来这儿，弄不好就会怀上第一个孩子。这儿是镇子的制高点，也是心痛欲绝的失恋者纵身一跃，自杀身亡的地方。这儿也是一个制造毫无来由的“神话故事”的地方。人们可以声称，隔壁邻居从高高的塔顶推下了某人，或者没有推下某人。现代文学技巧为这个小尖塔增添了色彩。写在标牌上的简短的话语把小镇的故事告诉从这条公路经过的来自四面八方的车辆。为了子孙后代，他们把“杀死所有黑鬼”或者类似的标语牌留在山里。

安吉尔对开车的小伙子说，她还记得，莫吉把山顶上这些种族主义者对原住民卑鄙污蔑的标语牌叫作他们的“土地所有权证书”。“他说，白人就是这样亵渎我们和我们的权利。莫吉说，当老人指给他看这些玩意儿的时候，他就已经知道这里到底发生过什么。”

她把莫吉对这个镇子的恨深深地记在心底。他从来没有为它说过一句好话。他说，他再也不会走进那个镇子，还对大伙儿说，如果他们还有点良知，也应该这样做。她的沉默让那个开车的小伙子十分紧张。他朝那座小山望了望，纳闷那两个伙伴在那儿干什么？希望他们赶快回来。如果畅通无阻，只需一分钟他们就可以离开这里，向海岸开去。他们已经决定到南方的城市：布里斯班、悉尼或者墨尔本。就像费希曼说的那样，刚开始或许会迷路，过一段时间就好了。

“真该死，这两个家伙在那儿干什么呢？”他没有对安吉尔说什么，但是想起他们上次被弄到这儿的情景。当地的警察曾经半夜三更把他们抓到这儿。那时候，他们还是孩子。抓土著人的孩子从来用不着手电筒或者别的什么玩意儿。抓就是了！对于那些抓黑孩子的人而言，抓这些小黑鬼和追赶袋鼠没有两样。“应该给他们上上课。”明白吗？“在他们长大之前就好好教训教训他们。”男孩儿先被扔下车。为了取乐，他们把女孩儿拉到离城好儿英里远的郊外。这些女孩回家后，哭着说她们被白人强奸了。“只是逗个乐罢了，”他们说。我们这儿是大城市，不会发生那种事情，“我们至少给她们个教训。你不能说那是强奸。快滚！”住在城边儿的黑人发现，唯一的办法是把女孩子送走。他们说："我们不想再找麻烦。"

警察把孩子们带到山上。男孩轻轻地拍着方向盘，想起当年他们怎样站在山顶，俯瞰山下的镇子，看见城里灯光闪闪。那天他和他的同伴在一帮醉鬼的包围中奋力反抗，保护自己。后来，家里人开着破车，把三个孩子解救回家，让他们坐在旧报纸上。乡亲们都七手八脚忙了起来。他们买来一瓶瓶烈酒，一瓶瓶煤油，一瓶瓶醋。但是什么东西都弄不掉那帮白人男孩子涂抹在他们身上的沥青和鸡毛。沥青是那些家伙从工地偷来的，鸡毛是他们从房车后面扔着的枕头里掏出来的。他没有告诉安吉尔·戴他们怎样被脱得精光，粘了鸡毛用火烧。往事历历在目，他仿佛又看到三个黑孩子被白人折磨的情景。后来，他们被送到地区医院的烧伤病房，因为疼痛，不停地叫喊。想到这里，他的手指停在方向盘上，一动不动。

男孩儿没有对安吉尔说这些事儿。她一定以为他心无所思，所以才坐在那儿一言不发。他也没有告诉她，这正是莫吉收留他们到护卫队的原因，也是那两个小伙子上山还没有回来的原因。对于令人伤心的往事的回忆应该打断。他的回忆则是因为听到什么人的叫喊声戛然而止。"快跑！快跑！"他和安吉尔都听到那叫喊声，连忙向山上望去。他紧握方向盘，准备发动汽车。本能告诉他赶快逃命。他们看见那两个小伙子满脸惊慌，踉踉跄跄，踩着松散的砂砾，从山上跑下。

整个世界仿佛都在呼喊："快跑！快跑！"可是太晚了。他已经看见警车沿着公路向他们飞驰而来。眨眼之间，已经停在白色鹰牌汽车旁边。他们只瞥了一眼这辆没有牌照的车，就决定了三个土著小伙子的命运。"好了，好了！你们三个跟我走！"三个孩子当场被捕。安吉尔默默地看着他们被推上警车。

有一个警察绕到汽车后面，从车窗看了看坐在后排座的安吉尔。安吉尔的心提到嗓子眼儿。她非常紧张地看着那双上下打量她的冷冰冰的眼睛，紧紧地抓着放在膝盖上的手提包。因为她估计自己也会被警察抓走。如果真的发生这样的事情，她唯一能做到的就是把自己的包拿走。那个警察什么也没有说，又绕到司机座位那边，拔出车钥匙，扬长而去。警车也呼啸着开走了。

安吉尔坐在那儿，不知道该怎么办。她应该待在这儿等那三个男孩儿回来吗？能不能自己步行到城里去呢？到一个自己一无所知的镇子？不可能！她对自己说。这个想法太荒唐了。她怎么能走进一座完全陌生的镇子呢？白人会盯着她看。谁能帮助她？她在那儿连一个认识的人也没有。应该做什么，不应该做什么，心里一点儿数也没有！她两眼盯着面前的柏油路，左看看，右看看。越看越觉得那条路告诉她快走。快走！快走！就像那儿个小伙子对她说。她后悔自己不该离开家。现在，她只能坐在这儿回想过去，等待未来，听天由命。

她坐在空车里，慢慢地梳头，就像猫舔着皮毛，想着心事，打扮自己，花费了那么长时间。她用瓶子里剩下的一点儿矿泉水洗了洗脸，抹了点口红。口红是凝结了的血的颜色。她照了一下镜子，吓得差点儿叫出声来。她看见两个儿子的血在镜子上流。她看见他们的血一直流到监狱地板上。她对儿子后来的情况一无所知。莫吉怕她伤心，没有告诉她两个孩子已经不在人世。她坐在车里又等了一会儿，最后决定下车。她的计划是，既然这一天最热的时候已经过去，她就可以搭顺车，走西边那条公路，到小伙子们原先准备送她去的那个大城市。在那儿等莫吉。“他要是来了就好了。他要是来了就好了。”女人总爱左思右想。如果搭车，速度快一点，一个小时就能到那个地方。可她只知道步走要花多长时间。

她穿高跟鞋走了一公里就再也迈不开步了。将她的灵魂装在一个袋子里的幽灵又悄悄地走到她身边。“想搭车呀，宝贝儿？”她心里想。“宝贝儿！好呀！没错儿。是想搭车。”她的腿已经累得抬不起来了。她没有再多想，就去搭车。她多舛的命运在一辆美国生产的马克牌大卡车牵引的闪闪发光的、黑黝黝的公路列车的车轮下走到终点。那车里当然坐着白人司机。这时候费希曼的人正好走到这个交叉路口，发现安吉尔·戴在前面走。他们大声叫喊，让她注意安全。可是已经太晚了！大卡车发动机的轰鸣淹没了他们惊恐的叫喊声。好像那是蚂蚁的叫声。他们的生命进入了另外一个世界。

命运之神经常在夜间走进徒步行走的护卫队成员的梦中。那些人说，他们看到过安吉尔·戴在他们的梦幻世界生活。他们对费希曼解释说，他们在她之前就看到了她的一生。她活了几十年。如果必须说实话的话，她是活了几十年。安吉尔现在闷闷不乐地生活在一个魔鬼横行的地方。她再也看不到海湾上空的点点繁星。充满痛苦的梦包裹着那个神秘的、风起云涌的世界。在那个世界，颜色灰暗的鱼身上黯淡的银色条纹在乌云笼罩的大海闪着幽幽的光。这些形状如蛇的鱼被钓在钓鱼线上，在微风中来回摇摆，一串一串地拖上岸来。在这个灰蒙蒙的世界，许多满脸悲伤的孩子来来回回地走着。有的孩子看起来长得像她，有的和那些她从来没有看见过的人相像。这一切是怎么发生的呢？现在，人们对安吉尔·戴的赞美不绝于耳。她有一种非同寻常的感觉，早已梦到别人不曾领悟的东西。

人们摇着脑袋，连声叹息，都对费希曼表示同情，也表达他们的敬意。在那一双双目光刺人的眼睛里，你再也不会看到对那个被遗弃的女人的轻蔑。他们都开始念她的好。在大伙儿的脑海里，她栩栩如生，扭动着屁股走过德斯珀伦斯。她像这座保存最好的小镇的纪念品，是美好季节呈现在人们面前最美丽、最丰硕的果实。当然，也是最让人痛苦的记忆。但是，燃烧的蜡烛将永远照耀她，把她留在当地人的记忆里。

就这样，她消失在另外一个世界。就像我们看见一头豪猪从空心原木中跑过去便消失得无影无踪。就那么简单。真是让人难以置信，一个活生生的人就那样仿佛在空中蒸发了。安吉尔就这样没了。在不知道通往何方的漫漫长路上没了。莫吉·费希曼无法离开他的梦幻之路，一直没有去找她。通灵的人重任在身，不能总是生活在自己的悲伤之中。

很自然，在他们那个世界的范围之外，她变成他们生活中的一个传说。那些狂热的追随者中，有个从来不做梦的怪人声称他收到一封信。他立刻拿着这封信去见莫吉·费希曼。他看那封信。信上说，安吉尔·戴现在生活在一个很冷的地方。那儿有一条水流很急的感潮河。她就住在河边，对周围的环境漠不关心。莫吉觉得，对于他，这一切充满神秘色彩。那条灰绿色的河散发着臭气。河里漂浮着家禽家畜割下来的脑袋、熙熙攘攘的市场摆放的装水果的大板条箱、当垃圾扔掉的腐烂了的水果蔬菜、谁都认为一钱不值的白人的尸体和许多世纪前留下的让人心碎的陶器。显然，安吉尔·戴到海外去了。

那封信还说，安吉尔和另外一些像她一样失去人类信任的人一起生活在一个被遗弃的灰色仓库里。仓库顶灰色的瓦上长满苔藓。有时候，乌云密布的日子里，成千上万只灰颜色的鸽子不知道从哪儿飞来，聚集在屋顶上，挤得连气也喘不过来。因为一直在下雨，雨水从屋顶的窟窿漏到屋里，或者从生了锈的落水管流下，溅到滑溜溜的绿色地板上。夜里的情况更糟。天一黑，人们就上床睡觉。为了暖和，他们挤在一起，和衣而睡，而那衣服就是一堆潮乎乎的、散发着霉味的破布。

每天早晨，不等别人像老鼠一样钻进那堆破衣烂衫，从床上爬起来，安吉尔·戴就悄悄地溜出仓库，像幽灵一样消失在晨雾中。她是出去干活儿的。天不亮，她就和多得难以计数的人们一起，像粉笔一样，密密麻麻排成一行又一行，站在潮水漫过的沼泽地。就连费希曼也承认，有时候他能听见他们把看起来很古怪的塑料绳子扔到水里时发出的响声。费希曼说，他觉得离安吉尔那么近，以前从未经历过的寒冷把他冻得浑身青紫。他说，他好几次都想问她在那儿做什么，可是她根本就不理他。后来，有一个陌生人向他提出同样的问题，她回答道："钓蛇。"要不然，她什么都不会说。

语言是她生活的那个朦胧世界的敌人。在她那个世界，谁也不愿意说话，除了回答陌生人的提问。每天，莫吉都观看着，直到安吉尔的钓丝在水里抽动着，发出拨弦似的声音。而那些更有经验的捕蛇人的钓丝早已发出这样的响声。他看见她钓起一条蛇，脸上露出微笑。那条蛇像鳗鲡东扭西扭，绕着钓丝攀援，一直爬到她手跟前。她悄悄地把蛇从钓丝上取下来，扔到旁边一个柳条筐子里，然后盖上盖子。她一次又一次把钓丝甩到那块空空荡荡的沼泽地里，似乎根本就没有意识到自己站在结了冰的水里。

等到灰色的潮水退走，沼泽地变成一潭死水之后，安吉尔知道蛇已经到大海里去了，自己最好还是离开这里。她涉过很深的水向家里走去，碰到一个开运输鱼的卡车司机。这个家伙的卡车上有一个很大的养鱼缸，足有驾驶室高。水箱里装满灰颜色的鱼。人们要想看他的鱼，就得往他放在地上的灰帽子里扔钱。但安吉尔可以免费观看。回到仓库之后，她就坐在那儿晒太阳，一直晒到日落西山。这时候，她那冰冷的身体已经吸收了一些热量。仓库外面有两棵缠绕在一起的树。她心里想的只有费希曼或者安吉尔。哦，那是谁的梦？

夜幕刚刚降临，一只老猫头鹰就从藏在树枝间的窝里飞了出来。安吉尔跑出去藏了起来。猫头鹰吓了一跳，拍打着闪光的翅膀猛然飞起。谁也无法想象那个潮水中海蛇漫游、萤火虫飞来飞去、冰冷的躯体躺在潮湿的破衣烂衫中的世界。但是，他看的那封信描绘的就是这样一个世界。

听说像安吉尔·戴这样一位妇人的任何消息都非常特别，尽管我们很难想象她的新生活。那些狂热的追随者编出新的故事送给她。如果她睡在一个那样潮湿的地方，身上覆盖着一层磷光闪闪的东西，就会像那只猫头鹰一样，在夜幕下闪闪发光。也许她那个洞穴曾经是一座闪闪发光的宫殿。

费希曼对这个世界大声宣布，他从来都不认识一个叫安吉尔·戴的女人，不管她是谁。“不要给费希曼先生写信。”写信只是白人和白人之间的勾当。“我是什么人？”他说，他是黑人。不会有人给他写什么该死的信。

第十三章 龙卷风

和海湾里的鱼不一样……

一声随风飘来的鸟的尖叫把威尔·凡特姆吓了一跳。他停下脚步，侧耳静听。那只鸟在蒙蒙雨雾的推动下，不停地叫着，越飞越远。自从离开费希曼，这是他在重返大海的路上第一次停下脚步。也许那只是一只因为离开伙伴，心里害怕，从他头顶低低掠过的海鸥。到此刻为止，威尔脑子里一片空白，什么也不想。吃饭的需要，或者睡觉的需要，都躲着他。他好像只是一首歌里唱的海湾里的鱼：远洋鲑鱼，一心一意逆流而上；或者肺鱼，被看不见的绳子牵引着，挣扎着往海里游。

威尔不再全神贯注。这一阵子，他什么都不想，一门心思——他唯一可以把握的救生索——往前走。走得那么快，那么远，完全不合乎逻辑。直到此刻，举目四顾，寻找那只鸟的时候，他才对自己提出疑问。他为什么要往龙卷风筑起的“高墙”上撞呢？没有找到那只鸟。因为它无力和风搏斗，已经被风刮跑。天空什么也没有，只有山一样的乌云翻滚着，向海岸城镇中最让人不可思议的小镇——德斯珀伦斯扑去。

他站在杂草丛生的、湿淋淋的山坡上，在心里想象那声音。那是一种很简单的声音，连小孩儿也发得出。他翻来覆去地想这声音可能意味的许多事情。他能够说，那只鸟被吓坏了吗？他犹犹豫豫，又在心里琢磨这事儿。为什么会有那么可怕的东西，把一个根本无害的生命吓得半死呢？他开始想那些更对自己胃口的事情，扬弃那些属于“偏执狂”的玩意儿。这没有什么不好。更像是人们表示怀疑时嗤之以鼻的声音。这有什么关系呢？听到这样的声音就足够了。以前他还没有听到过这样的声音呢！

风不分白天黑夜演奏着老祖宗的音乐，聚集着破棉絮似的乌云，在天空下翻滚，呼啸着掠过雨水浸泡的三齿稃草地，咆哮着席卷怪石嶙峋的高地和弯弯曲曲的河流流过的峡谷。躺下来的时候，威尔会睡得很沉。但是因为思绪纷乱，他的梦支离破碎。从那梦中醒来之后，他觉得浑身没有力气，心情也十分沮丧。他对自己说，还得硬着头皮往前走。

这一声鸟的啼叫是呼唤人们远离浪涛翻滚的大海的警钟。陆地上所有物种听到这叫声就一定会逃离海岸。现在，威尔听见这一声尖叫，越发意识到海湾巨浪排天，正向远处的海岸滚滚而来。他感觉到自己的身体正和要继续前进的极端愚蠢的想法抗争。

他摇摇晃晃，弯着腰，顶着吹过海岸线的狂风，返回他刚刚离开的山岭。他回过头，穿透雨雾，极目远眺。尽管视力有限，他还是能看见百里之外的远山。风的巨手推着他的脊背。它的歌像魔鬼的呼啸，从他的耳朵眼儿进去，一直深入到心底。它威胁着要把他刮回到山里。他向远处眺望，清楚地看见费希曼的人马正在风雨中跋涉，好像他刚离开他们不久。是的，的确这样。老人平安无事，正带领着他的人马走另外一条路。那条路没有风，向西通往内陆。

在费希曼艰难跋涉的那条小路上，威尔听见一首日本经典歌曲。歌声渗透到他的灵魂。他看见那歌是一只神话里的苍蝇围着费希曼的脑袋转圈儿时，用歌剧嗓子，即席演唱的。与这只苍蝇的歌声相伴的是从费希曼那个半导体收音机里传出来的传统的长笛演奏的乐曲。矮小的三齿稃草丛和小相思树组成的风景由于距离遥远似乎发生了某种变异，在音符流动中，幻化成神秘的、晨露莹莹的东方花园。

费希曼的人穿着破烂的牛仔裤、短裤、褪了色尽是窟窿的T恤衫，走过干涸的河床。他们跟在那个手拿收音机的老人身后，脸上的表情高雅，仿佛梦幻中的灰鹤，一副天人合一的架势。威尔渴望他们那种轻松之感。费希曼面对世界微笑，好像什么都很容易。然后，就像他也看见威尔一个人站在离他不远的地方，费希曼喊道："你要是走快点儿，就能追上我们。快来呀，威尔！"

有那么一刹，威尔觉得整个身体都充满一种想要放弃的愿望。"快点儿，快回去吧！"一个声音催促他赶快回到费希曼的车队。他开始计算要多长时间才能回去。"五分钟，甚至连五分钟也用不了。"时间看起来那么无关紧要，任何成就都可以在短时间内完成。威尔意识到，有的事情说说容易，做起来却很难。他知道，他正在变成自己失败的牺牲品。一种被挫败的感觉让他停下脚步。他觉得自己无遮无拦，完全暴露在狂风暴雨之中。被自己仔细包藏起来的缺陷和不足炸裂开来。虚弱。不对。他想，自己不是一般的虚弱，而是虚弱得要命。世人看清了他的真面目：家族的叛徒。现在是关键时刻。他觉得父亲把手放在他的肩膀上，在他的耳朵旁边叹了一口气，仿佛在说："我们看到什么了？儿子。"像平常一样，他又一次感觉到诺姆的脸就在身后，用他那双目光犀利的眼睛看他正看的地方。威尔经常在梦里看到父亲。他总是像影子一样站在他身后，仔细打量他的后脑勺。"你能配合一下吗？"这样说实际上就是将他完全置于对立面儿。威尔回转身，注意力集中在卡彭塔利亚湾。他知道，如果自己还想成为故乡的一员，就不能与莫吉·费希曼为伍。"只能选择一条路。"想到这儿，他彻底打消了再回到费希曼"避难所"的念头。

雨雾蒙蒙，笼罩着远山近岭。他像一条风雨中漫游的鱼看到了这一切，往事的记忆涌上心头，通过父亲之口一遍又一遍地重复。"家乡，"伟大的造物主创造了覆盖这崇山峻岭的一切，"是一个美好的故事……"威尔觉得，也制造出他感觉到的紧张。

甚至在梦中，疲惫不堪的时候，他也感觉到一种巨大的、神秘的变化正在发生。他的心灵在大海深处呼唤霍普和巴拉，但是毫无用处。朦朦胧胧，他仿佛在梦中看见洋流在几百公里宽、几万英尺深的大海旋转，变成移动的水柱，相互交错，上下翻腾。什么也没有停止。他被看到的景象搞得连气也喘不过来，但是继续在万顷波涛中寻找前进的路。

出于本能，他知道自己正在准备迎接某种变化。就像一个小动物 嗅着空气，感觉到危险正在逼近，感觉到某个地方未来将要发生的事情。他纳闷自己是不是真的有一种感知万物的能力。他是不是敢描绘出这样一种前兆——类似成千上万只鹈鹕在没有受到雨水影响的千里之外的内陆盐湖地区对某种反季节变化的感知。他和费希曼有一次在大雨下过一个月之后，站在洪水漫过的沼泽地，看鹈鹕从很远的地方飞到内陆生儿育女。像他们一样暂时放弃了生活中的朵朵海浪。

他又想起他看不见的什么东西，也许是一种气味，在微风中飘荡。这种气味或许会在二十五万只海鸥的脑海里引起联想，毫无疑虑地叼着像食物一样从天上掉下来的鱼，向那些洪水泛滥的湖泊飞去。他想，这是极度信任的根，是对周围环境最轻微的颤动的感知和理解。鸟儿即使在机会渺茫的情况下，也会和大自然保持和谐，宛如在钢琴上敲响一个琴键，和他自己没有什么不同。虽然是一个简单的生物，但也就这样注定了下一代的命运。

他继续走过露水打湿的草地和散发着松脂气味的灌木丛，爬上几块嶙峋怪石，想看得更清楚一点。就在他走到下面泥泞的平原之前，站在最高处极目远眺的时候，他看见云雾渐渐散开，德斯珀伦斯时隐时现，阳光洒在那座小镇。他估计还有一段距离要走，希望黄昏前能到达德斯珀伦斯。

然而，在这一很简单的发现过程中，威尔·凡特姆也看到小镇的“精神病”一闪一闪地对他眨眼睛。他叹了一口气。这座白人小镇的疯狂创造出另外一种刺眼的东西，让人无法忍受。他生气地问自己：难道那儿就什么都不可以改变吗？他知道自己对德斯珀伦斯的冷嘲热讽与它的质朴无知相比，有点残酷。但是和父亲不同，威尔努力不让自己落入那张让世人，特别是让普瑞克尔布什神情恍惚、无法自持的“抓蝴蝶的网”。他知道一件事情。在这件事情上，他的态度依然坚定。他不愿意到了垂暮之年，对人说，一辈子都是个躲在茅草里看城里白人的“观察者”。

德斯珀伦斯辛勤劳动、忙忙碌碌的人们像百灵鸟一样早早地起来，穿上伐木工人的工作服，为澳大利亚劳动者的形象画下点睛之笔。他们立刻出发，去砍伐已经所剩无几的可怜的老树。人手一把链锯，几十把链锯同时旋转。芒果树——呜呜呜，咔嚓！雪松——呜呜呜，咔嚓！猩猩木——用链锯锯开！这些树，这些壮美的树、炎热的夏天绿荫覆盖的千年古树，一下子颓然倒地。他们把这种活动称为“驱除蝙蝠节”。威尔喃喃着城里人为一年一度举行的这种仪式而取的这个名称。那时候，成千上万只狐蝠[①]顺着这条大河向海岸铺天盖地地飞来。它们像苍蝇和跳蚤，环绕着那张网飞来飞去，瘟疫随之降临到小镇。

威尔·凡特姆小的时候，认为那条狗应该为这种疯狂负责。从来没有一条活着的狗被它自己的愚蠢毁灭。“干得好，活该！它是被狐蝠咬死的！”显然这条狗是约瑟夫·迈德纳特老人的。可是狐蝠咬死它之后，老人声称狗不是他的，是诺姆·凡特姆的。一般来说，狗是不会碰狐蝠的。可是事情就这么发生了。因为像德斯珀伦斯这样一个小地方，狗和狐蝠实在太多了，所以肯定要发生冲突。

狗和狐蝠互相咬的时候，狐蝠东倒西歪、摇摇晃晃、耷拉着被狗咬坏的翅膀飞起来，好像喝醉了酒一样，重心不稳，但是嘴里叼着狗身上的肉。狗立刻倒在地上，蹬着四条腿，大声嚎叫。好像在不停地抽搐。狗非常痛苦，高烧不退，大汗淋漓，口吐白沫，眼球突出。谁也不敢碰它。这时候，

①狐蝠：构成大蝙蝠亚目的多种蝙蝠的一种，主要生活于热带或亚热带的非洲、亚洲和澳大利亚。

一群人围拢过来看热闹。狗摇摇晃晃站起来，围观的人们直往后退。“往后，往后，给它腾地方！”

于是，大家都远远地躲开那条狗，看它发了疯似的一瘸一拐、跌跌撞撞，在大街上跑过来跑过去。后来，威尔突然跑过去，当着大伙儿的面，举起一根棒子，朝狗脑袋打过去。如果这条狗是他父亲的，他一定会把它拖回家。可是不是他父亲的，是迈德纳特老人的狗。什么鬼东西？别理它！他们把那只受了伤的狐蝠拿回家，在后院儿生了一堆火，美美地来了一顿烧烤野餐。凡特姆家的孩子一个不落，全都参加。

在德斯珀伦斯，自从这场狗和狐蝠的恶斗，蝙蝠就留下一个坏名声。来自幽僻之地的关于狐蝠咬人、咬狗的传说不胫而走，精心编造的故事广为流传。自从威尔打死那条狗已经过去许多年了，但是人们一直在说，狐蝠的尿如果滴到皮肤上，或者吸入了狐蝠的飞沫，或者接触到狐蝠的毛皮，都会给你带来麻烦。狐蝠被列入害虫、害鸟之列。人们都认为狐蝠身上带着致命的病菌，可以通过家禽的围栏传到人的身上——如果你凑得太近往里看的话。

没有人再看到狐蝠，但是关于狐蝠尿到人们身上的想象却丰富多彩。芒果成熟的季节，夜里谁也不敢在大街上走。因为大家都想象着狐蝠在小镇上空撒尿的情景。城里的孩子们每天夜里都可怜巴巴地哭喊。那哭喊声清清楚楚地传到普瑞克尔布什的营地里：“别让我们睡觉！”七点钟便上床睡觉的时候，人们都担心第二天早晨全城人都已经死在床上。那是一个很悲惨很悲惨的、自己为自己哀悼纪念的小镇。谁也不知道这个小镇的孩子将如何在这样一种可怕的氛围中长大。

这便是狐蝠和狗的故事，一个人们亲眼目睹并且消化吸收了的故事。谁也不再在狗的主人到底是谁的问题上纠缠。镇公所也不再追究。不过这个故事在当地流传甚广，威尔·凡特姆落了个“凶暴的人”的名声。一个人如果像某种病毒击垮另外一个人的时候，就用威尔·凡特姆在狐蝠大战恶狗时的表现打比喻。城里人把威尔举起棒子砰的一声打在狗脑袋上描绘得十分生动。他们一遍又一遍地说，“那声音听起来是这样的：砰！”威尔还记得，小时候他如何回应城里人这些说法。传说中的他似乎和街坊邻居格格不入，但他喜欢这个角色。为了取乐，他在城里跑来跑去，边跑边唱。所以，因为人们总也不会忘记那个故事，总戴着有色眼镜看他，就特别容易怀疑他。

于是开始了驱赶蝙蝠的战斗。长枪短枪向天空扫射，鞭炮炸响，链锯轰鸣。卖炸鱼和土豆片的女老板卡门，还不时朝天空放烟花爆竹，爆炸声惊天动地。所有这一切都让人们想起以前小镇和狐蝠的遭遇战。驱赶狐蝠的战斗会持续一整天，直到个个头疼难忍，药店里的扑热息痛全都卖光。蝙蝠也累得在镇子上空飞来飞去，想找个地方落下来歇歇脚。可是又被炸回到空中，回转头，眨巴着棕黄色的小眼睛看那条河，心里充满渴望，散发着臭味的尿从天而降。最后，狐蝠掠过被砍伐的树木，飞到大河上空。河边的桉树刚刚开出淡黄色的花，像蜜糖一样的香气在微风中飘荡。它们将在那儿吃东西，排出一股股臭气，然后向几百公里远的内陆飞去，回到清泉潺潺的岩洞里。

大团大团的乌云向海岸飘来，足以告诉陆地上的人们，龙卷风正向他们袭来，大树茂密的枝叶将被狂风吹得干干净净，只剩下骨架一样的躯干矗立在大地之上。可是城里人对这一切视而不见，继续他们自己发明的仪式。这实在是太不协调了。威尔从山上走下来的时候，城里那种种响声和他思想深处的种种想法相互碰撞。白色的雨雾继续向他脚下那条小路吹来。狐蝠、海鸥、大大小小的海鸟从他头顶掠过，向内陆飞去。他还看见一只黑色的大鸟，那是老祖宗创造的大蛇派来的信使，告诉人们暴风雨即将来临。

城里的种种响动消失在云雾之中，呼啸而过的风占了上风。威尔·凡特姆走在泥泞的道路上，直到进城。他还有许多公里要走。走在通往德斯珀伦斯的大路上，他又开始想霍普那张美丽的脸和她在水里游泳的情景，满头棕色的长发在水里漂。有时候，他觉得离她那么近，似乎一伸手就能摸到她的头发。与她相拥的幻景离他那么近，他相信，她一定是在催促他赶快到他们可以终于团聚的那个地方。他向她保证，他愿意跟她走遍天涯。他看到他们在茫茫大海相聚。他坚信，他和她会在那儿活下去。

乐观主义精神使得威尔觉得成功近在咫尺。可是当那幻影像微风吹散的薄雾一样，渐渐消失之后，他不得不重新考虑他们的团聚，努力捕捉平静的大海上他刚刚看到的那些不大起眼的东西，查明精确的位置和前进的方向。可是破碎的梦没有再浮出水面。那些形象无法像一张地图或者一个地方的照片那样清楚地记在脑海中，供你仔细查看。

好几个小时过去了，他继续做着白日梦，直到什么声音打断他的思路。大雾弥漫的道路上，响起轮胎从泥水中碾过的沙沙声。意识到汽车是从镇子方向开过来的，威尔向后退了几步，侧耳静听。他听见几个司机在做他们应该知道不该做的事情——在一片泥泞中驶过黏土湖的道路。

他立刻明白，镇子里的人正在疏散。气象局已经诠释了老祖宗的神灵传递来的信息，号召这一带的居民赶快疏散。开车的人很着急，因为他们无法尽快离开。车轮打滑，在淤泥里空转，泥巴四溅，发动机大声吼叫，陷在泥塘里的车束手无策。他听见那些人在叫骂："真倒霉！操这条破路，这辆破车！要不然早离开这儿了！"

路两边长满了灌木丛和三齿稃，一直延伸到泥滩，目光所及没有更高的树木，但是足以让威尔有个隐蔽的地方。他像影子一样站在离那条路不远的浓雾之中。现在要想跑开已经太晚了，不过谁也看不见他。逃离德斯珀伦斯的大队人马越来越近，浓雾中嘈杂声越来越大。突然，一辆警车上红色的灯光划破雾霭，照亮仿佛在云团中艰难前进的车队。

布鲁泽脸色灰白开着那辆警车。这辆车是他从已经无人值守的警察局私自开出来的。他身边坐着学校的老师丹尼·瑞尔，那模样看起来就像要死了一样。威尔注意到布鲁泽那只抓方向盘的手上套着一串蓝色玻璃念珠。车上的警报器发出刺耳的叫声，布鲁泽那双玻璃球似的蓝眼睛紧紧地盯着眼前的路。在警报器震耳欲聋的尖叫声中，威尔清清楚楚听见从德斯珀伦斯开出来的一辆辆汽车不停鸣笛的声音。蓝色汽车后面跟着红色汽车。红色汽车后面又是各种颜色的汽车。长长的队伍一直排到南面那条公路。车上都坐满一脸惊慌想赶快逃命的城里人。他们头也不回，似乎对城里的家没有丝毫留恋。一个个嘴唇抖动着在车门紧闭的汽车里大声祈祷。谁也不看周围被雨水浇透了的田野。大伙儿只是盯着眼前那条路。汽车不耐烦地鸣笛，惊慌失措的司机都想超过前面那辆车。谁都叫喊着，让别人快点开。

威尔看见那些人——从最友善的到最卑劣的——都把脑袋伸到车窗外面，发了疯似的朝前面的人叫喊，让他们快走。“我们都会因为你送命！”前面的人回过头来，骂骂咧咧地说，他们也动不了。“你要是不闭上嘴巴，我们就全都完蛋了！”他看见那些一辈子也没有走过这条路的德斯珀伦斯人静悄悄地坐在自己的车里，神情茫然，一副希望破灭、听天由命的样子。他也看出大部分人都没有时间收拾东西，只是随身带着家里最值钱的玩意儿。一个天主教徒的车上卧着一条看家狗。一只淡赤黄色老猫。许多人还带着德斯珀伦斯第一流的公鸡和母鸡。白人车队后面是土著人。他们坐在大叔家的汽车里：一辆红黑相间的“西风”牌轿车，一辆奶油色和棕褐色相间的“福特猎鹰”牌轿车，一辆太阳晒得褪了色的深蓝色“福特”牌轿车。这些车底盘都很低，朝烂泥喷着尾气。后面跟着装牲畜的大卡车。不过车里坐的是老人。也有一些年纪不大的男人，但大多数是带孩子的妇女一路上又唱又叫。他们是普瑞克尔布什所有的“乌合之众”。

最后一辆大卡车里，老约瑟夫·迈德纳特慢慢地晃来晃去。这辆卡车蜗牛似的慢慢往前爬。威尔极力想开车的土著人会是谁？奇拉！奇拉或者穆奇。中年，头上总戴一顶蓝色尖顶帽。穆奇干活儿一直非常卖力。你从他大肚子上套的那件沾满泥巴的汗衫就能看出。对于穆奇来说，最艰难的一段路程已经过去。他漫不经心地抽着香烟，那张脸就像鳕鱼。他仿佛是唯一做好充分准备，接受这条艰难之路的人。

穆奇正在对大伙儿说，以前白人就多次告诉他们：“龙卷风要来了。我们迟早得死在这儿。不信走着瞧。”“这些话让你听得烦死了。”他大声说，似乎要让整个车队的人都听见。尽管他只是和一个名叫费希的人聊天儿。

“城里人对你说，照看好你们的生活。‘啊哈！总有一天你会把生活弄得凌乱不堪！’”他打了个哈欠，想安慰坐在驾驶室里那几个已经被他安慰好了的人。费希没有说话。穆奇继续高谈阔论。

“上次他们就叫我们疏散，结果呢？一场虚惊。你要是问我的话，老老实实待在家里就行，根本没有必要瞎折腾。”

坐在穆奇车上的人这辈子都经历过许多次这种龙卷风要到来的“虚惊”。因此，尽管这次的预报一再强调会造成巨大的破坏和所谓的“残骸和废墟”，他们还是觉得没有必要惊慌失措，也没有必要因为自己的家园被毁而心痛欲绝。“我想，能平平安安到那儿就行了，没有必要难过。”穆奇懒洋洋地说。他压根儿就没把城里人的惊慌当回事儿。当代替警察发号施令的布鲁泽要他开着这辆卡车去疏散乡亲，而且确保一个人也不落下的时候，他只是淡淡地说：“怎么都行。”他还对人们说：“谁指定他当警察了？楚斯福尔哪儿去了？组织疏散不是他的任务吗？”

约瑟夫·迈德纳特和几十个老人坐在卡车车厢临时摆放的木头长条板凳上。只有他向周围张望。他看见威尔站在大雾中，起初差点儿把他错当成一棵死树的树干。但他对这一带的一草一木了如指掌，清楚地知道这一段公路两边一棵死树也没有。不过，想到自己眼神儿不好，就又定睛细看。还没有认出是威尔，他就说：“有个人站在那儿看我们。”谁也没有注意他说了句什么。

“你在那儿做什么？”他打了个手势问威尔。

“回家。”威尔用手语告诉他。

“不行！特大龙卷风要来了，大伙儿都在逃命。你最好跟我们一起走吧！”老约瑟夫又比比画画，用手语告诉他。

“不行，我要去找巴拉和霍普。”威尔回答道。

“快点吧，用不了多久龙卷风就到了！”

“还要多久？”威尔开始计算离城里可以遮风挡雨的地方还有多远。

“不知道，谁也没有告诉我。可我听他们说，这次可是非常非常大的龙卷风席卷这座小城，什么都会被卷走。听大海的涛声，暴风雨很快就会到来。”

“好吧，老人家，下次再说吧。”威尔回答道。

“你那个老爹呢？他在哪儿呢？谁知道呀！‘下次再说吧’，嗨！”

老人的谦卑让威尔很受感动。他一直看着老人的背影，直到卡车像神话故事中的战车摇摇晃晃驶入云端。威尔沿着那条路向德斯珀伦斯走去。他又一次意识到前面的大海正在做什么，尽管知道离他还有几公里远。他听见浪涛的神灵被洋流中老祖宗传下来的水中巨兽推动着，和天空与风的神灵勾结在一起，砸到陆地上，发出一阵阵爆炸声。大地呻吟着，居住在几公里宽的地下河流里的大蛇发出充满敌意的嚎叫。这是老祖宗让他们在越刮越大的龙卷风中相互争斗的古老的战争。

风越刮越猛，越来越大。快到德斯珀伦斯的时候，威尔挣扎着让腰板儿挺直。他扶着电线杆或者水泥桩子跌跌撞撞朝前走着，抓住能抓到的任何东西，以免被风刮跑。地面已经积满狂风吹来的水，和雨水一起打到他的腿上。不过他还是设法躲过狂风掀掉的屋顶，没有让瓦楞铁皮砸到头上。也躲过在空中飞舞的一块块木板、大大小小蓝色的或者无色的塑料板、风刮断的树枝的袭击。塑料娃娃、孩子们的玩具、普瑞克尔布什营地的纸盒子、板条箱，从垃圾堆吹来的绿色塑料袋漫天飞舞。威尔还碰到城里几百只家禽。那是它们的主人在最后宝贵的几分钟冲到后院，打开笼子把它们放出来，让它们各自逃生。可是这些家禽已经被碰撞得血肉模糊，就像发了疯的肉球，被狂风夹带着一路向南，飞出小镇。

踉踉跄跄来到酒馆门前时，从海岸线涌来的潮水已经没过膝盖。他弯着腰扶住游廊的柱子。这时候狂风骤雨铺天盖地而来，他看出，这条游廊马上就会坍塌下来。威尔知道，他必须到早已关门的酒馆里面才能躲过这一劫，便向酒馆入口冲去，心里祈祷那扇门没有上锁。真是奇迹，门开着。他简直无法相信自己的运气会这么好，用不着太费劲儿，就能找到一个栖身之地。

酒馆里面比外面更黑。现在已经很难判断是几点。酒吧里水已经很深。他看见一个香烟头的红光一闪一闪。非常惊讶居然有人也把这里当作避难所。

“劳埃德·史密斯！”

“天呀，你吓了我一跳，我还以为你是鬼呢！”劳埃德生气地说。

威尔一屁股在椅子上坐下，什么也不说。

“你怎么跑到这儿来了？镇子里已经没人了。你要是想找什么人，那可是白搭。要是想趁火打劫，就来吧。我不会拦你。”劳埃德看着威尔。威尔还在凝视他，“你看起来好像是从龙卷风里逃出来的。”他笑着扔给威尔一条毛巾，让他把身上的雨水擦干，特别是擦干小腿划破的口子流出来的血。“你难道不知道全城的人已经疏散了吗？”

“为什么你还在这儿？”威尔问道。酒吧老板看起来在头脑清醒的时候做出留下来的决定让威尔十分奇怪。可是看到绑在吧台上的绳子，他就明白怎么回事了。他想起女人们曾经讲过劳埃德崇拜美人鱼的爱情故事。她们说那是一个很浪漫的故事，当时他还以为她们是在开玩笑。现在，他显然是为了和他的美人鱼待在一起才不肯离开这里。威尔看了一眼那几块木板，然后把目光移开。是不是风影响了他的想象呢？由于某种很奇怪的原因，他看见木头里面有什么东西在动。那似乎是一个很丰满的女人虽然犹如被困的鱼，但还想自由自在地游。

他又看了一眼，想看准确到底有没有这样一个女人。可是他又把目光移开，因为他发现劳埃德正在看他，感觉到这个人正在怀疑他。他们的团聚完全是他们俩自己的事情。除此而外，现在屋子里进的水越涨越高。威尔走到吧台后面，劳埃德呷着杯子里的啤酒，一言不发。威尔没有理睬他。

威尔把能拿到的食物尽可能多地拿到手，装进一个绿颜色垃圾袋里。从玻璃冰柜里拿走几个装在塑料袋里的三明治，从加热器里拿出几个用玻璃纸包的焰饼，从电冰箱里拿出几罐饮料和几包薯条、花生米。他看见水上漂着一个绿色的邮包。他把邮包里的东西倒空，然后把那个绿塑料袋装进去，背到背上。

“好了，我上楼去了！你想上来，还是想待在这儿？”威尔问道，看了一眼劳埃德。看得出，他哪儿都不想去。现在，水从每一个缝隙涌到酒馆里。威尔由此想到，水渗透到混凝土建筑物里简直太容易了。他知道，玻璃窗很快就会被洪水冲开，但是劳埃德对此没有任何反应，还稳稳当当坐在吧台旁边。

威尔离开酒吧的时候，又回头瞥了一眼，看见劳埃德在吧台上躺下，开始用绳子把自己往台面上绑。没费多大劲儿，他就和吧台紧紧地捆绑在一起，现在即使他改变主意，不想跟他的“美人鱼”到她要去的地方，也得花太多的时间才能解开绳子。

威尔想打开后门。可是墙外面都是水，根本推不开，只有一股股的水从墙缝里喷射进来。威尔觉得浑身直冒冷汗。有一会儿，他想到潮水会把门冲开，把整个酒吧淹没。他必须赶快离开这里。他朝劳埃德大声叫喊，问他还有没有上楼的通道。

“到储藏室拿梯子去！”

“储藏室在哪儿？”

“酒吧后面。那儿有一把折叠梯子。靠那扇门的走廊有一个天窗。你登梯子上去，打开天窗，就能离开这里了。”

眨眼之间，威尔已经打开天窗，把装食物的袋子扔到楼上。“你走吗？”风雨交加，他扯开嗓门儿，朝劳埃德大声叫喊。没有人回答。他又大声喊道：“洪水一进来，这个地方可就全完了！”

劳埃德还是没有回答。威尔不得不决定是再下楼把劳埃德绑在身上的绳索解开，带他一起离开酒吧，还是任凭他和他的“美人鱼”一起留在这里。他想，即使解开他身上的绳子，他也不会离开。于是把梯子拿了上来。这幢房子的顶层是用木料建的。威尔出生几十年前，它就已经存在于世。日久年深，干透了的木头在炎热的夏天发出吱吱嘎嘎的响声。现在，时速一百八十公里的狂风和骤雨抽打着这座不堪一击的房子。镀了一层锌的屋顶发出呜呜叫的哀鸣。狂风呼啸着横扫面朝北的游廊，穿过北门，向海岸扑去。它又张开血盆大口，宛如一只痛苦中挣扎的野兽，嚎叫着，掠过走廊，吹开游廊南面那扇门。

威尔在雨水淋湿的油地毡上打着趔趄，扶住一间间卧室的门，挣扎着跑到北面那扇门跟前，把门关上。然后把窗户关上，把所有房间的门都关上。那些房间的窗玻璃已经被风雨打破。他又跑到天窗那儿，觉得这幢房子已经被他保住了，便朝劳埃德大声叫喊。他一次又一次地朝楼下喊，可是没有人应答，只有他自己的声音在这幢房子里回荡。楼下一片黑暗，什么也看不见，但是他听见哗哗的水声，立刻意识到洪水已经冲到楼里，底层完全淹没。他估计，吧台一定也已在水中。老埃德和他的美人鱼待在一起，直到最后的时刻。他仔细地听，什么也没有听见，只好关上天窗。楼房里越来越黑，他等待着，默默地嚼着从袋子里顺手掏出来的食物。

他知道，必须吃东西，尽管并不觉得肚子有多饿。他极力不让自己注意到这幢房子顶层上并不是只有他一个人。他想起小时候龙卷风袭击德斯珀伦斯近郊的海岸线时，他们全家和城里别的人都疏散到一个旅馆里。大家都挤在那幢潮湿的房子里等待着。他拖着脚很不舒服地走来走去，寻找一个幽灵能进来的地方，直到发现一个裂缝。新鲜空气正从那儿吹进来。

他坐在走廊尽头，听洪水从房子旁边冲过去时的咆哮。他听见水拍打地板的声音。他等待着。风已经停息，但水还很高。他没有动。伸手不见五指，可是每听到一次吱吱嘎嘎的声音或者砰砰砰的响声他就觉得还有什么人在这幢房子里。他断定离他不远的地方就有别人。他仿佛看见城里被淹死的船员来到酒馆，围着这幢房子转来转去。他特别担心自己再变成个小孩，藏在鱼屋墙后面，听父亲和别人讲龙卷风刮来时死在大海里的渔民。他的耳朵紧紧地贴在冰凉的墙上，急着想知道那些死人后来怎么样了。

人们说，当一个谦恭的人真的洗耳恭听，并且对一些显而易见的东西视而不见的话，就可以随着音乐一起飞向未知世界。诺姆的声音就像滚滚的波涛，讲述他和他的父辈、祖辈在大海上看到的情景。威尔紧贴墙壁的耳朵听到诺姆说，一个人在大海孤零零地死去也没有关系，因为龙卷风总会指引你回家的路。那些死去的人躺在很深的海底坟墓，当老祖宗的巨蛇掀起巨大的龙卷风，他们就像从海底连根拔起的水草，和泥沙一起旋卷着，冲天而起。现在，就连早已淹死的水手，也被龙卷风从沉入海底的货船的货舱里吸出来，脱离了矿石污染了的灰色死水。

诺姆说，当龙卷风在暴雨生成前，拔海而起时，只有上帝知道他在密切关注风云变化。为了逃生，他从大海驶向陆地，有时候千钧一发之际，他才设法进入河口，让小船停泊在红树林里。他就这样救了自己好多次，没有被席卷河口的龙卷风卷到天上去。这也不是迷惑人的做法，因为别的渔民倘若遇到暴雨，从来都看不到它来救他们。他们的船被狂风卷起来扔到几公里之外。幸存下来的人说，他们连人带船被抛到陆地上，船居然完好无损。他们说，能活下来实在是太幸运了。所以，诺姆警告说，他待在红树林里——鱼也藏在那儿——看那些死去的渔民被卷上云端。威尔想象着父亲看他们在云团里转来转去，和大海上空的老祖宗谈判，直到电闪雷鸣，滚滚翻腾的大海掀起巨大的涡流向海岸线涌去，把他们扔进海水的高墙。那高墙也许足有二十米高，像炼狱之火直扑德斯珀伦斯。

夜已经很深，威尔靠墙坐着，等待着，听震耳欲聋的风雨声、洪水的咆哮声，仿佛有一股巨大的电流袭击这座房子。但是他觉得自己一直就不是一个人待在这儿。那些已经死去的船员踏着沉重的脚步，在房子周围走来走去，折腾了整整一夜。威尔听见他们在下面的酒吧里转悠，嘲笑自己的命运，碰倒家具，扶起来之后又朝墙上扔去。然后走进他们曾经在那里睡过的房间。他知道，洪水退去，大海就会再把他们招回去，所以，不等天亮，他们就会消失得无影无踪。

当全能的神来临时……

在那个仿佛整个世界都发了疯的夜晚，他时睡时醒。威尔·凡特姆心里想，有一个鬼魂在他的思想里找到一个避风港，就像一条狗，在泥土中打滚儿。他渴望走出去，走到那洪水之中，逃离那个强加于他身上的世界。一种强烈的愿望压倒了他。他想剥掉自己身上的外壳，这样就能走出那么压抑的思想。他觉得自己简直要疯了。可是，在这种疯狂之中，一个计划渐渐变得成熟。别的主意也从他那被扭曲的头脑中浮现出来。一个类似逃跑的计划像跳蚤一样一路挣扎，从那灾难性的意象中蹦了出来。这个计划看起来不难实现，可是也“滑溜溜”的，不好把握。因为它看起来类似某种真实。所以，他徘徊着，寻求一个正当的理由。他问自己，一个人寻找他实际上已经全然忘记的妻子和孩子，是不是一种错误？这是一个忠贞不渝、坚守在这里的男人面临的问题。他几乎不认识他们娘俩了。

他找不到提给自己的这个问题的答案，但仍然在灵魂深处搜寻。搜寻的过程中，心灵终于平静下来。威尔·凡特姆也许有巫师的本领，能上天入地，因为他看见所有他能记得起的死人都冒雨回到城里，聚集在游廊外面。他透过玻璃天窗看见他们，听见一个声音——威尔·凡特姆，有消息告诉你！

风雨中，他听见他们相互说话。后来，他突然吓了一跳，清醒过来，告诉自己，那只是游廊的木板在风雨中发出呻吟。他知道那些老人即使被雨水浇透，也不敢走进白人家。于是他又听见他们的声音：“哦，我的孩子。你真是圣者，吓跑了他们。”风夹带着雨从每一个缝吹进来，敲打着天窗每一扇玻璃，直到终于玻璃爆裂。一个骨瘦如柴的老太太走了进来。她穿一条脏兮兮的花裙子，头戴一顶毛线织的无檐小便帽。好呀！为什么不呢？这个老女人也会在威尔的梦里与他擦肩而过，因为她有权利走进任何一个乡亲的梦中。

在很远很远的地方，在梦幻时代的土地上，威尔曾经看见她，和洪水一起犹如瀑布般流泻而来，用沙哑的声音为噩梦般的龙卷风引吭高歌。扳着手指头在一个账本上记下死人的数目。她仿佛对他施了符咒，让他的思想像摩天轮一样旋转，直到时间和地点融为一体。看到她走过来，威尔连一句问候的话也没有。这种没有礼貌的行为一定惹她生气了。他至少应该打声招呼："喂，老太太，见到你真高兴！"或者类似的什么话。现在他不想再让她不高兴了，便不管对方是否能够听见，嘟囔着说："别介意，老人家。我实在太累了，不想和任何人说话。"威尔意识到，老太太想用什么符咒镇他都可以，所以她径直向他走过来的时候，最好什么也不要说。就这样，普瑞克尔布什王国的女王站在他面前凝视着他。她眼睛周围有一圈儿黑，就像涂了睫毛膏。然后她用手里那根打猎用的棍子敲了敲他的脚，用让人心悸的声音说："老乡，你好！"

她身上散发着一股海龟油的气味。她说，她刚从大海回来。那儿很好。她说她的儿子们都是好猎手。他们的身体状况都很好，因为他们和别人不一样。他们能捕到足够的海龟吃。威尔知道她说的都是真话。听她不无傲慢的言谈比女王本人给威尔的感觉更好。听她说话，你会觉得是在收听女王从白金汉宫发表的圣诞节祝辞。唯一的区别是，她不像真正的女王那样身穿浅色佩斯利螺旋花纹呢长裙。但是，这无所谓，不管怎么说，她就是女王。她对威尔说：

"记住海湾真正的人，那些生活在普瑞克尔布什的可怜的、在痛苦中煎熬的黑人。因为只有他们真正了解龙卷风。他们不像城里那些没有主见、奢侈放纵的家伙，只会舒舒服服地坐在安乐椅里看电视，从来不出海向海洋之神表示他们的尊敬，就想和大海建立可以传宗接代的联系。他们就像普瑞克尔布什被称之为中流砥柱的老人一样，告诉你龙卷风不是'空穴来风'。因为龙卷风有许多事情要做，才从世界'屋脊'席卷这块土地，它们犹如最富创造力的神灵，架着狂风骤雨从天而降，寻找那些破坏天条、作恶多端的人。"

"耶稣基督。"威尔希望她赶快离开这里。

他努力不让自己进入梦乡，只是不由自主地想起孩提时代那些像这个"海龟老太太"一样的老人。对孩子们慈眉善目的老巫师，满脸皱纹，走过来看威尔。他们头戴彩色小圆帽，伸长脖子，头顶架着一挺玩具机关枪，一说话，那玩意儿就上下跳。普瑞克尔布什的孩子们看了高兴得围着他们又跳又叫，不听话的时候，大人就举起棍子狠狠地揍。如果你在那儿坐的时间足够长，而且仔细看他们的眼睛，就能看见一个令人惊讶的、亮光闪闪的世界。他们争先恐后地给孩子们讲故事。“不，孩子，先听我说。不是那个老傻瓜说的那样。别听他的。他是头号大骗子。我对你讲的才是实情。因为从头到尾我都在场。他说的那些事儿都是听我说的。”普瑞克尔布什流传的故事都十分离奇。每次走进一位老人的家，你都会听到他在讲关于大海的故事。这些故事很长很长，一讲就是好几个月，如果你不经常去他家的话，永远都不会知道故事的结尾会是怎么样。威尔知道许多讲了半截的故事。天窗外面，老人们看起来都不顾一切地相互竞争，声音一个比一个高，争着要给他讲故事。

“喂！喂！你在里面吗？你听过我的故事吗？”

“你还没听完我给你讲的那个故事呢，可你再也没有来看我。”

一个头戴好多种颜色的小圆帽的老太太开始重新讲她的故事。威尔仿佛又看见她手里拿着一铁罐牛奶，在泥土上画河流图。他还记得那条线宛如一条大河，弯弯曲曲地向前延伸。她生气地说：“还记得那次的事儿吗？”以前，谁也没有见过龙卷风那么凶猛。那一次，威尔已经长大，见证了狂风暴雨如何在那条弯弯曲曲的大河上盘旋，寻找她说的那些“破坏天条、作恶多端”的人。龙卷风在水面上向前盘旋的时候，集聚了越来越大的力量，所以没有像平常登陆之后便渐渐变小。这一场异乎寻常的龙卷风席卷了崇山峻岭，洪水泛滥一片汪洋。河岸上，一株株古老的桉树和千年无花果树被狂风连根拔掉，卷到天空之上，然后像一根根柴草，落到几公里之外的三齿稃草地上。那条大河好像被无数枚炸弹轰炸过一样，满目疮痍。龙卷风终于找到它要找的那个人。他藏在一座小镇里。这座小镇因为在内陆，离大海很远，从来没有被龙卷风袭击过，他便以为藏在这里平安无事。可是这一次，龙卷风把小镇夷为平地。有趣的是，虽然片瓦无存，却只死了一个人。这个人就是那个“破坏天条”的家伙。

威尔觉得龙卷风在袭击这幢房子，一把把大锤猛烈地击打着墙壁、屋顶，要把它砸烂，找到他或者别的什么人。他相信，这幢房子某个房间里一定还有一个人。或许是个魔法师或者巫师。他想象那个人正弯腰曲背，头戴用雨水浸泡的草编成的环，戴顶礼膜拜，呼风唤雨。内心深处，威尔猜测那个人是老约瑟夫。可是他一次又一次提醒自己，不可能是他。因为他亲眼看见老约瑟夫坐在通往大山的卡车里。像他这样一个颤颤巍巍的老人不可能穿过暴风雨来到这里。天窗上传来轻轻的拍打声。威尔连忙回转身。"你知道，人们都说他是个巫医。"

"谁？"威尔问道。

"老约瑟夫。你以为我是在说谁呢？"一个头戴小圆帽的老人对他大声说出普瑞克尔布什的秘密。

这时候，威尔相信这幢房子很快就会坍塌。他听见那个男人嘴里念念有词，还在按照仪式的程序，呼风唤雨。他还听到诺姆的声音在天花板下面回荡。那是他从来不会撒谎的、给孩子们夜晚讲故事的声音。低沉谦和。这声音能够压倒暴风雨的喧嚣，犹如咒语刺激威尔不要飞向白百合盛开的沼泽地，不管管弦乐团在演奏什么乐曲。

威尔一直想着父亲，发现他现在在模仿那些指责他与凡特姆家族若即若离的人。他一直在想小时候诺姆对他说过的每一句话，而且纳闷为什么会这样。如果忘记往日的一切，他的生命是不是就会远离。威尔又想起老人的预言。不管发生什么事情，老人总说："父亲叫儿子回家。儿子们坐着思乡之船回家。"他想起费希曼。他渐渐把他看作自己的父亲。和他握手告别的情景却淡出了记忆。时间和距离总是让人忘记。可是现在，就好像这个更加年长的人对威尔施了什么魔法，把他送还给诺姆。站在不知名的海滩上，威尔远远地看着他。

诺姆忙着干活儿，威尔从远处看他。虽然很远，可是清清楚楚地看见海滩上立着一根根杆子，杆子上拴着绳子，绳子上吊着一串串银鱼，缕缕青烟在闪闪发光的银鱼间缭绕。这情景让威尔想起从前远远地看见父亲在灯光昏暗的工场干活儿。房顶吊着一排排银鱼。银鱼在微风中不停地晃荡，仿佛在空中游动。他喊诺姆，就好像离家不久现在又回来了。“喂！爸爸，是我，威尔。你做什么呢？”那个身穿黑色汗衫和短裤的大个子男人没有抬起头看，而是继续干活儿。

威尔听见他的声音在空中回荡着扑面而来，好像一记耳光打在他脸上。他立刻意识到，父亲还不愿意和他说话，不愿意和他交流。威尔脑子里一边想着这事儿，一边琢磨怎么样才能引起父亲的注意。但是站在陌生的海滩上，他受了伤的耳朵只能听见龙卷风震耳欲聋的咆哮。耳鼓在气流的重压下辨别不清方向，声带发不出足以让人们听到的声音。谁也听不见他在说什么，就连他自己也听不见自己在说什么。诺姆继续干活儿，凝视着他那个四十四加仑的大桶，用一根棍子搅动着。诺姆估计他又在制作染鱼标本的颜料。

海浪拍打着荒凉的海岸，几分钟过去了，威尔看见诺姆从桶里拿出棍子，向细碎的浪花走去。他朝四周张望，发现海滩上还有什么东西在动。定睛细看，翻滚的云团下，他看见霍普。她还活着，身穿跟诺姆一样的黑布汗衫和短裤。只是比她瘦小的身子大出几个号码。他眨了眨眼睛，无法相信眼前的情景。是不是变幻莫测的云彩在玩什么把戏、迷惑他的眼睛？他揉了揉眼，再望过去。没错儿，就是她。他大声喊她的名字。可是，和诺姆一样，她听不见他的喊声，继续走自己的路。浪涛拍岸，她消失在覆盖在水面上的云彩里。过了一会儿，他又看见她小心翼翼、一步一步地从云端里走过。他不敢打搅她，蹑手蹑脚穿过那一排排银鱼，生怕她滑倒，跌进大雾笼罩的海水。

他看见她向大海走去，在水面上小心翼翼地移动。当乌云轻轻飘动时，他看见灰色的海水。浪花滚滚，她就在那水面上走着。他惊讶自己居然不觉得这有什么不可思议。但他意志坚定，唯其如此，他才是父亲的儿子。紧靠这座随时都会被龙卷风摧毁的房子的墙壁坐着，除了自己的存在，他对任何过往的幻影都不相信。眼巴巴看着她回到大海，他的心情越来越沉重。这像是另外一场噩梦，他极力想把她留在视野之中，可是越是想接近她，越是找不到穿过那一排又一排的银鱼的路。“霍普！等等我！”他叫喊着，可是毫无用处。她听不见他的声音。虽然风很大，但她伸开手臂，保持平衡，每一个掌心上都放着一个闪闪发光的红颜色的球。喇叭裤。喇叭裤。他想，她穿着喇叭裤。他想，他们都活着。这就是标志。她，诺姆，巴拉？巴拉在哪儿？他一定在什么地方，威尔向四周张望，看见乌云笼罩海滩，然后又看见她。

这一次，她走进深水区，但还是在水面上走，走得小心翼翼，仿佛是在海里一根很粗的绳子上走。这根绳子是大船上用的，绷得很紧，就在水面下。他自然看不见，可是确确实实就在水面之下。霍普不是在水面上，而是在绳子上泼溅起朵朵浪花。她踩着这根很粗的绳子，从陆地走向一条绿色的船。这是他童年记忆中的救生船，在细碎的浪花中摇晃。那是诺姆的船。抛锚之后，穿过绿色的海草，在沙滩上滑动，数以千计的水泡吸引了他的目光。他看见巴拉那张脸在水面下时隐时现，一串串水泡从他紧闭的嘴角冒出。他的勇敢的小男孩儿那双小手看起来很可怕，没有血色，紧紧抓着一块沾满泥土的岩石。

“喂，爸爸！我在这儿，你看！”

威尔发了疯似的摇晃着胳膊，诺姆还在埋头干活儿。“天哪，他要淹死了！”威尔大声叫喊，想冲破无声世界那堵墙。突然，浪涛分开，巴拉骑在一条灰色海鱼的背上冲出水面。男孩儿从那条巨大的鳕鱼身上纵身一跃，落在拴船的绳子上，然后沿着这条绳子去追他的母亲。威尔看着他们。霍普消失在云团之中。眨眼之间，一切都结束了。可是威尔还在一排排银鱼中奔跑，心里清楚，永远不会跑出银鱼摆下的长蛇阵。

他觉得肺好像要炸，停下脚步，从梦境回到黑暗之中。他知道，他可以跑过世界上所有的渔网，但永远不会找到他要找的东西。就像他跑得再快也追不上自己的过去。梦境又出现在眼前。他觉得一定能在大海什么地方找到他们。可是，“怀疑”又抬起丑陋的头，逼迫他检查那条船。他弓着腰，走过那堵墙，坐下来研究那梦境。他以黄貂鱼一样犀利的目光从水里上上下下观察。“怀疑”在刚才是绿油漆的地方看到一团团海藻。海藻在船身下面、绳子上面飘动着长长的绿发，软绵绵地耷拉在船里船外，犹如一个小小的绿色花园。诺姆已经走进齐腰深的灰乎乎的水中。

威尔等待着，一阵狂风刮开乌云，他的一双眼睛朝着海滩搜索，看到父亲用他手里那根长棍搅动泥水。他立刻明白诺姆在做什么。他以前来过这儿，看到过父亲做和眼下正做的一模一样的事情。而且在同样的地方。诺姆和埃利亚斯曾经带他来这儿捕鱼。他们三个人在辽阔的大海漂泊了好几天。他一次又一次地问两个大人哪儿才是头？他们告诉他，没个头。上岸之后，诺姆坐在海滩上什么也不做，只是看着大海。活儿都是埃利亚斯干，身边跟着威尔。埃利亚斯打猎、捕鱼、取水、做饭。威尔看着父亲的光脊梁。从早晨醒来，他就一动不动坐在沙滩上。夜里，埃利亚斯背对海滩躺着，保护他们不被风沙袭击。威尔看见诺姆在看鱼鹰。那只鱼鹰盘旋着，向它的巢飞去。他等待着，说：“看见那只鱼鹰做什么了吗？”“看到了。”威尔说。还说，他也想待在这儿看。“别，你和埃利亚斯去吧。”“为什么？”他一直看着那只鱼鹰。“帮埃利亚斯。”

鱼鹰飞回来，又叼走一条鱼。整整一天，它都这样飞来飞去。后来，诺姆突然站起来走到水里。威尔记得诺姆站在礁石上，搅动海岬一角的海水。那天和那天夜里，他一遍又一遍地跑去搅礁石下的泥沙。威尔问埃利亚斯，父亲干吗要搅那儿的泥沙？埃利亚斯说：“不关你的事，也不关我的事。你和我在这儿只干一件事：捕鱼。”

早晨，他们三个人看见弄脏了的水流向远处流去。许多年以后，费希曼用沙哑的声音——他声称是因为总唱乡村歌曲和西部歌曲变哑的——对他说，诺姆是在一个呼风唤雨的地方。“他在呼唤水里的神灵，为他的敌人制造一场风暴。”尽管费希曼从来没有去过大海，但他却把去那个“兴风作浪”、消灭敌人之地的路线说得一清二楚。费希曼如数家珍般说出上百个这种他从未涉足的地方的地理位置。他解释说：“我去不了这些地方。可是有的人去得了。你父亲就行。因为他能像天使一样穿越狂风暴雨。”

费希曼不情愿地叹了一口气。他不愿意承认有人比他强，“你知道，只有一两个人能做到这一点。总会有男人和女人为了得到魔法交换血液。就是这么回事儿。他们血管里就流淌着魔法。我只会那么一点点。可是他们想去哪儿就能去哪儿。”

威尔知道，换血之说纯属无稽之谈，但他还是想按照莫吉说的那一大串地名中他尚且记得的几个名字找到那些地方。他知道，有几个地方，每逢旱季，位于距离大海许多公里的内陆，可是到了雨季，那儿便变成海滩。还有几个地方在海滨沙丘。如果季节对了，你知道潮水涨落的时间，知道洋流在海湾流动的路线，就看得见它们。或者如果你知道如何根据天上的星星辨别方向，夜里航行的话，也可以找到这些地方。莫吉说，在海上航行非常危险，这就是为什么他面对大海总是退避三舍的原因。“你一定要冲破传统。你一定得像一个魔法师一样疯狂。你必须是一条鱼……一个巫师，才能找到这样的地方。至于我嘛，我只想在陆地当个普通人。”

威尔看见那股弄脏了的水向东流去——向德斯珀伦斯流去。看到那一股浊流，威尔知道，他一定要记住这个地方，记住这片海滩，以便下次再来。可是他很难平静下来。他觉得自己正从梦中漂流而出。他又一次听见走廊那头那个房间里仿佛有人在唱单调的圣歌。楼下酒吧里的水声越来越大，甚至比外面的风雨声、洪水声还大。他强迫那只鱼鹰再回来，看它在海空盘旋着，突然潜入水中捉鱼。它就这样一次又一次地捕捉着，直到威尔看见它跟着那股水远去。这一次，他想起一些和他寻找诺姆时在乌云的缝隙之间看到的海滩全然不同的事情。那一刻，他惊讶地看到诺姆站在水里。海滩上发生了很大的变化。现在再让他回想究竟是什么变化已经很难。

这幢房子在风雨雷电中发出的种种响声不仅穿透了他的思想，而且仿佛让他的身体中毒，他越是想回忆起往事，记忆越模糊。楼下，酒吧的凳子、椅子、桌子，漂在水上互相碰撞，发出噼噼啪啪的声音。酒瓶撞在墙上打得稀烂。这种种响声又让他想起劳埃德的命运。他是不是还绑在吧台上，还是要和他的“美人鱼”一起漂向大海的美梦已经实现？他知道，他必须下楼看个究竟。雨水敲打着屋顶还在不停地响。每一间房门紧闭的卧室的地板都在吱吱作响。浊浪滔天的大海没有丝毫的仁慈，咆哮声似乎永远不会停歇，没有片刻的安静。洪水啸叫着满载这个世界的残骸向大海奔腾而去。被洪水淹没的土地呻吟着。房屋的梁架、船、汽车、树木、石头、电线杆、篱笆桩、船上掉下来的货物、塑料集装箱、死牲畜，都在湍急的洪水中翻腾着、碰撞着，流向大海。海滩上一片狼藉，龙卷风席卷的地方到处都是垃圾、臭气冲天的棕色泡沫。意识到这是父亲对小镇的报复，他大为震惊，动弹不得。

他们当然还活着，威尔对自己说。真是无法想象，他们三个人——霍普、巴拉和诺姆会在一起。他们在这样一场巨大的灾难中幸存下来，正准备离开这里。他跳起来，激动地大声说："该离开了！"他跑过去，打开头天夜里关上的那些卧室的门。种种响声破门而出。他没有停下脚步转身看看身后发生了什么，只见一群猫跌跌撞撞跑过非常滑的地板，一群燕子发了疯似的在走廊上下翻飞，想逃出这幢房子，但徒劳无益。他本来应该意识到见过那个骨瘦如柴的人，可是已经太晚了。这是一个真正的流浪汉，像吉卜赛人一样四海为家。他们不想让任何人看见，必要时简直能钻到地缝儿里。他们悄无声息地出没在丛林里，从来不和自己部族以外的任何人说话。这天夜里，他们一个个破衣烂衫、蓬头垢面，悄悄地躲进这个旅店，爬到楼上，挤到一个屋子里，躲避这场百年不遇的龙卷风。

他在走廊尽头的一个房间门口停下脚步。他曾经想象迈德纳特在那儿唱圣歌。尽管这个房间现在连一点儿动静也没有，他还是觉得老人那种令人毛骨悚然的力量凝聚在紧闭的房门后面，一股寒气顺着他的脊梁骨流遍全身。起初，他不想打开这扇门，因为他觉得或许有个鬼化装成老约瑟夫坐在里面。可是，他必须进去看个究竟，于是小心翼翼地转动门把手，准备说："早上好，老人家！"也准备被坐在里面的老约瑟夫吓得灵魂出窍。门开了，里面空无一人。然而，无论谁曾经在这里待过，威尔都觉得他的出现不是什么好兆头。一股甜丝丝的、被践踏过的湿淋淋的青草的气味扑面而来，他觉得自己简直要晕过去了。他砰的一声把门关上，拔腿就跑，把走廊那边卧室的门一口气全都打开，然后跑到通往北面游廊的那扇门前，使劲打开。

几千对燕子像一大团灰色的云，蓦地飞起，他还没有意识到怎么回事儿，那群燕子便像离奇的梦消失在云端。鸟儿留下一股浓重的湿乎乎的羽毛味儿，威尔呆呆地站在那儿大声叹了一口气。新鲜的海风伴着朵朵乌云向内陆吹来，成千上万只海鸟却向大海飞去。他看着远去的鸟，又想起自己做的那些梦。过了一会儿，他相信自己看到了最宝贵的东西。他当然终于看到了。他抓住了正在逃离的支离破碎的梦。他向被海水淹没的北边的土地大声呼喊。他的声音一圈一圈地扩展开来，从头顶飞过的一群群海鸟在他的叫喊声中轻轻颤抖。

他又朝海滩望去，看见一条条要晾干的鱼在绳子上晃荡。他知道，诺姆准备离开这儿了。霍普和巴拉跟他一起坐船走。她举着火焰边儿是蓝色的火把，给巴拉照亮脚下的路，让他跟自己一起向绳子那头停泊在深水区的小船走去。一切都会好的，因为他们和诺姆在一起，他会带着他们劈波斩浪，穿过狂风暴雨平安回家。

他该做些什么呢？威尔认为，他应该做的事情就是踏着滚滚而去的潮水去找他们。是的！是的！是的！一定要在半路找到他们！他要走了。“我现在就走。我发誓，我已经离开了。”他首先想到，下楼和劳埃德打个招呼，告诉他发生在自己身上的这些事情。他感觉良好，甚至记不得还有过比此刻心情更好的时候。活着真好。他要下楼找到劳埃德，告诉他这一点。他要告诉劳埃德：“美人鱼”不可能生活在木头里。告诉他，他差点儿为此送了一条命。“敲敲木头，劳埃德！告诉我你还活着。”他俯下身朝天窗下面大声叫喊。可是回答他的只有哗啦啦的水声。水拍打着墙壁，朵朵水花溅在他脸上。

威尔向楼下爬去，四周一片黑暗。迎接他的是浑黄的泥水和湍急的漩涡。

洪水以巨大的力量推动着他，要把他冲出这幢房子。他挣扎着，抓门口和墙角可以抓住的比较坚硬的东西。他向他认为是吧台的那个位置爬去，结果发现吧台早就无影无踪。这才意识到，他是在找劳埃德的尸体。“美人鱼”已经把劳埃德带走了。他们已经随着潮水向大海飘去。她早就撞击那扇门，让门轴松动。现在，他们已经从敞开的大门漂流出去，和滚滚滔滔的洪水一起，回到大海。

威尔在水下潜泳，向天窗游去。游了一会儿，把头探出水面换气。他尽可能不让自己撞到墙上，或者被房子里的什么东西撞得晕了过去。他在浑黄的泥水的喧嚣声中奋力向前游。仿佛过了许久，才到达酒吧和走廊之间那道门。门已经没有了。他在旅馆后面浮出水面，运气不错，水位很高，足以让他够着天窗。而且他胳膊很长，身体很瘦，一个“引体向上”，便回到楼上。他气喘吁吁坐在地板上，心里想劳埃德的“美人鱼”会是个什么样子。她一定像个鬼，在深黄色的水里游泳，背上用绳子绑着一个死人。

从游廊的门望去，他看见洪水咆哮着向辽阔的大海奔涌而去。只有这座旅馆还矗立在洪水中，宛如一个奇异的、被扭曲了的众神栖息的小岛。屋顶上，难以计数的海鸟在乌云的华盖下，紧紧地挤在一起，仿佛一朵巨大的白花，撒满红色的坚果。狂风已经把破旧的木头游廊吹倒，像衬衫领子，耷拉在楼房四周。威尔听着吱吱嘎嘎直响的木头框架，心里想，这幢房子没有坍塌真是奇迹。

他俯身看那洪水的时间越长，就越觉得自己要放开手，掉进那水的世界。他断定奔腾的洪水中随时都可以看见有活物、活人在漂流。他几乎想让自己掉下去。仿佛洪水在召唤他，催促他相信，只要顺流而下，他就可以看到诺姆那条绿颜色的船，就可以在洪水之中找到自己的归宿。

威尔·凡特姆认为自己还算幸运，一点儿也没错。他瘦削的身体倚靠着这座摇摇欲坠的房子，连门框也不抓，全然不在意自己是否会掉下去。因为他知道随时都有可能落入他为自己设定的命运之乡。当脚下的地板突然晃动起来的时候，他一点儿也不觉得意外。地板越发剧烈地晃动起来，他被抛出去，重重地落到水里，在滚滚翻腾的巨浪中、在让人窒息的真空里挣扎。就在因为喘不过气而发狂的时候，他才浮出水面。无情的洪水把他推向大海。他挣扎着回过头，看他那避难之地到底发生了什么事情。

他看见那座旅馆早已不复存在，只有一座神灵消遣娱乐的小小的城堡。这座城堡和人的生活秩序毫无关系。德斯珀伦斯也已经无影无踪。一个巨大的怪物跟着他。一幢幢房屋、装货港口的设备、船、汽车、说不出名堂的机械设备这个或者那个部件儿，矿山输送带，甚至被龙卷风卷到陆地的驳船和船上的货物，都向大海倾泻。一切的一切都被挤压成一道山一样的"高墙"，"高墙"里就包括威尔·凡特姆几分钟之前还在上面站着的旅馆。

就在这一刻，他意识到，当众神发难的时候，历史那样轻而易举就被湮没、被涂抹。他亲眼看到历史在大洪水中翻滚，重组。造物主按照自己的意志，重新构建这个世界。他感到震惊吗？去，那座旅馆，他想。它可以和别的那些东西一起销声匿迹。神灵的"防波堤"从水中升起。他没有从这新的创造看到任何丑恶或者可怕的东西。他只看见它在水里移动、翻滚、不停地改变它的外观，吱吱嘎嘎响着，以一种美回归到汪洋之中。

就他而言，看到这幅城镇被毁灭的景象也没有太多的伤心和痛苦。那些令人毛骨悚然的被毁坏了的建筑物宛如水底世界一场久远的梦。而那个水底世界就在古老的神灵创造这个世界时的休养生息之地的下面。人们都认为土著人喜欢陆地。他绞尽脑汁想象未来会是怎样一幅情景。洪水退去之后，人们会到盐碱覆盖的湿地去寻找什么吗？他们会挖开一层层淤泥，宣称发现被污染了的鬼的宫殿吗？这些想法瞬息之间就消失了。

他又回到滚滚的漩涡之中，此刻唯一想到的自救的办法就是不要被什么东西纠缠。要是被一道铁丝网裹挟该怎么办？如果那座漂浮在水上的巨大的"宫殿"追上他，把他拖到水底，又该怎么办？仿佛过了许久许久，他才有机会回过头，向暴风雨构筑的巨大的建筑物望去。可是它已经消失。他一次又一次地寻找那座城堡，然而，只有滔滔滚滚的水尾随着他。

希望……

滚滚奔腾的洪水向大海流去，对于这场浩劫的悲歌响彻天际。他听见几百个上帝的天使在歌唱：为至高无上的上帝自豪，为善良人们的安宁祝福。[①]洪水里有许多死鱼，黏乎乎的三齿稃，木头棍子、绿色的树干、树枝、塑料瓶子、盛着垃圾的绿袋子。洪水像腐烂的鱼熬成的粥散发出让人恶心的臭气，但他还是迫不及待地、深深地吸了几口。无数蓝色和橘黄色的塑料布在水面上搭成一座似乎没有头的迷宫。没有任何阻力，他便被装进这座迷宫。水面上漂浮着一具具尸体，惨不忍睹。浑身肿胀的动物从他身边漂过，时不时撞他一下。绿色的青蛙蹲在死尸身上，朝他叫喊："再会！"山羊牧场冲来的一群母山羊。再见了！布鲁泽的牛和马。一群群狗、猫、鸡、鸭。对于丛林里的动物这也是悲伤的一天。袋鼠、沙袋鼠、野熊、野猫、负鼠、袋狸、毛鼻袋熊、鸸鹋在洪水中沉浮。他看着那些鬼气森森的东西喷吐着棕色的泡沫，向他伸长胳膊，仿佛要把他拉进它们那个巨大的、让人窒息的群体之中。

别的东西也碰撞着他。那种疯狂在继续，继续……

洪水奔流，直到终于退回到大海。又是夜色朦胧，威尔觉得自己被冲到一个湿乎乎、滑溜溜的东西旁边。黑暗中，他不知道抓到什么，但是他觉得漂了起来。他不由得往后缩了缩。似乎一样活物碰了他一下。在大洪水中感到的那种恐惧又一次袭上心头。他挣扎着浮出水面，抓住那滑溜溜的东西爬上去，不知道是不是爬到一条海蛇的身上。他越爬越高，在不知道是什么东西的油滑的背上滑了几下。他不能停下，尽管一波一波的浪花抽打着他，要把他再拉回到水中。这时候，乌云拉开一个缝隙，一弯新月洒下清辉。借着这一缕月光，他发现自己爬上一座巨大的垃圾堆成的岛。

当那些迂回、盘旋的漂浮物在波峰浪谷间相互碰撞、摩擦的时候，渐渐纠结在一起，形成一个巨大的、结实的、难以言状的物体。任何落入这

①原文为德语，是德国著名作曲家J.S. 巴赫的 B 小调《弥撒曲》中的歌词。

个物体张开的罗网的海洋生物都被挤压得粉身碎骨，散发出难闻的臭气。威尔倾听这个像胚胎一样渐渐形成的怪物在黑暗中发出古怪的哀叫声。后来，他觉得这巨大的响声对于他并不陌生。他感到非常惊讶，可是后来，这种惊讶的感觉被无助冲淡了。这是一个男人听到女人生孩子时发出惨叫时的感觉。他觉得自己好像依附在胎儿身上的闯入者，在产道里倾听产妇阵痛时的呼喊，亲眼目睹了造物的历程。

云开月出的时候，他就看见许许多多海鸥盘旋着，远远近近，闪烁着点点银光。他想象着这座新的“岛屿”一定绵延许多公里。他把“岛屿”的命运和自己的命运联系在一起，心里充满惊奇。他在思考如何在这一堆废墟上生存。他想象着那是驳船、船的外壳、渔船、捕虾船、塑料集装箱、木头和不可名状的什么东西挤压在一起形成的。

他想，虽然他不是很聪明，但是如果更务实一点的话，还是可以生存下去。他可以用能够找到的坛坛罐罐或者别的什么容器积攒雨水。他要赶快找到积存下雨水的坑坑洼洼，免得被鸟喝光，或者被海水污染。明天！天一亮他就要给自己搭个遮风挡雨的窝棚。当然，必须这样做！乌云总要散去，如果他什么也不做，就会被太阳暴晒。他还要打捞材料，给自己造一条船，去找霍普和儿子。用一天的时间？哦，快点！快点！

来吧，鱼！来吧，海神，魔鬼，海怪。如果他想生存下去，就必须了解他们。他必须在脑子里描绘出航海的路线。他必须像父亲诺姆·凡特姆一样，牢记日月星辰的位置，牢记微风吹来的方向。必须理解“小岛”下面水流的感觉，画出一张洋流图。然后，某一天，他将去找她。他将坐着他的木筏去找她，找她，直到他们目光相遇的时刻。或者直到它沉入海底。

最后几个“部件”脱离主体，和他道别，沉入海底之后，“小岛之家”还有一公里长。按季节迁徙的鸟儿来来去去，在它们眼里，这个漂浮的庞然大物就是一座新的岛屿。

它们用死鱼骨头搭建成的窝和粪便最终厚厚地覆盖了整个“小岛”，

形成一个“土地肥沃”的栖息地。随着时间的流逝，居然长出枝繁叶茂的草木。椰子树生了根，棕榈树绿荫覆盖。潮水把红树、露兜树的枝条和沿海沙丘的草木送到“小岛”，别的植物种子也在这里生根发芽，没有一样枯萎，都长得非常茂盛。一群蜜蜂和别的昆虫在这里安营扎寨。所有被“放逐”到这里的生命现象都在这废墟与残骸之上茁壮成长。一粒花生也许在大海漂流了十年，某一天与“小岛”邂逅，在肥沃的土壤里扎下根，长出藤蔓般的枝叶，四处攀爬，寻找深入下去的缝隙。

一个胶合板水果箱子里有一个已经烂了的西红柿，还有一条蚯蚓。没过多久，西红柿就像野草一样，在“小岛”疯长。蚯蚓像野火一样在腐烂的垃圾里蔓延，多得难以计数。很快，厚厚的一层、营养丰富的腐殖质覆盖了整个“小岛”。哦，你还有什么呢？桃，杏这儿都有。鸟儿带来番石榴、无花果种子，长成美丽的树。一个香蕉根在海水里浸泡了好几个月也没有死，最后在“小岛”安家落户，在芒果树和无花果树之间抽出一根又一根枝条。没多久这就结出一串串让人垂涎欲滴的香蕉。

哦，威尔注意到这一切了吗？他高兴吗？是的，他很高兴。他是一个生活在讲求实际的人的天堂里的讲求实际的人。他有吃有住，装淡水的容器里，水总是满满的。他变得越来越强壮，越来越健康，每天都有许多事情要做。储藏在脑海里的信息随着时光的流逝越来越多。他毫不畏惧地探寻脚下海水流动的模式。他每天都在审查那些信息，回忆自从在“小岛”上生活以来的每一个细节。他用锐利的目光观察天上星星的运动。从星星从东边的地平线升起，到在西天落下，整夜里唱费希曼举行仪式时的那些颇具神秘色彩的歌。然后，他就睡觉。这就是他生活的节奏，好像一首诗。

当生活的节奏因为季节的变化而变化时，他不再测量、计算星星的运动和洋流的关系，也不再没完没了地绘制鸟儿迁徙的路线图。随着变化的节奏，他会改变日常生活的内容。有时候，他全神贯注地照料他那些树木、蔬菜和别的植物，比如草、花、野草。干完这些活儿，他就利用剩余的时间在他住的那个木筏上造他那条船。造船用的木料都是他从“小岛”搜集来的。

在这个他用绳子绑、钉子钉、铁丝缠的“玩意”儿里，他保存着从这座漂浮的“岛屿”上搜集到的所有宝贝。他的窝棚里还放着他花好多个小时，甚至好几天，清理出的钓鱼线。小盒子里还装着非常宝贵的钩子、钉子和他自己制作的工具。塑料布下面放着晒干了的食物。他在这座诞生中的“小岛”度过的第一个夜晚做的最糟糕的噩梦是，如果这座废墟和残骸组成的“小岛”一旦解体，他该如何自救。现在他放下心来。因为他已经做好木筏，如果发生紧急情况，他就能坐着木筏离开“小岛”。

在这个小小的世界，有时候他用打捞到的铁片做饭。用宝贵的漂木生火做饭时，他特别节省，尽管已经储藏了许多，堆得像座小山，而且海面上漂来的木头似乎源源不断。什么东西都很富足。如果他想找木头，只需把手伸到浅浅的水里，便像施了魔法，那宝贝玩意儿就会跑到他手里。他把希望都寄托在“小岛”身上。值得担心的事情很多。可是最初几个月，威尔一心想着如何在“小岛”生存下去，顾不得害怕。他靠希望活着，像食物和水这样的“小事儿”只是维持他活命的东西。

那是他的黄金时期。他想象着只要做好小船，就可以扬帆远航。就这样，他靠希望生活了好长时间。他每天都在研究洋流随着季节的交替如何变化，研究自己的航线如何适应变化了的洋流。可是，后来才发现，那转着圈儿的洋流只能把他带到大海深处。其实，好几个月以来，灿烂的星空都在告诉他这一点，可是他太愚蠢了，对于星座的提示视而不见。

他只能责怪自己，可是谁能想到洋流本来很可靠的“流程图”会发生变化，而且自相矛盾呢？面对这变化了的现实，他没有自圆其说，更没有自艾自怜，而是坚持不懈地测量星星的起落。这时候，就连月亮也 在肯定他的怀疑。那就是，他的“小岛之家”陷入了风和洋流周期性震荡的怪圈。现在的问题是如何才能回到陆地？他心里没底。有一天，一个很大的绿海龟拖着笨重的身体往他的“小岛”上爬。它还在挣扎着向上爬的时候，威尔就杀死它，美餐了一顿。后来他想到，自己生命中唯一真正拥有的，是夜里停泊在他梦中的鬼船。那条绿颜色的船驶入他睡梦中的次数越来越多。直到后来，每天夜里都会驶入梦中，宛如雾里响起的钟声唤醒他，告诉他鬼船从很远很远的地方来了，停泊在他熟悉或者不熟悉的码头。

天哪！在这些梦中，他看到自己像一个永远都在值守岗位的更夫，等待小船从黑暗中驶来。他听见船桨划水的声音和桨柄在铁环里转动时发出的吱吱扭扭的响声。他等待着，虽然心里清清楚楚地知道一条空船从黑暗中滑行过来之后，会发生什么事情。这个梦一次又一次地出现，到后来他甚至相信这一切都是真的。有时候，他断定自己听见绿船上有鬼在叫喊。借着月光，他去“小岛”的“海岸线”搜索。这样的搜索当然不会有什么结果，但抹不掉那令人困惑的幻影。他期盼着小船驶入梦中，仿佛这是他活下去唯一的理由。

每天夜里都是这样。他害怕睡觉，但疲惫把他送入梦乡，他又一次梦见那条船，那条永远不会靠岸的船。威尔开始怀疑自己的梦。他一辈子也理解不了，为什么会有近在咫尺、而又不能唾手可得的东西？那么逼真，但是永远不会逼真得成为现实。他在他的“小岛”到处寻找那个装病以逃避责任的人。他潜行于这个巨大的残骸上每一个潮湿的洞穴，寻找是谁或者什么施了魔法，让他因为这个永远无法到达的目标而烦恼。这样的寻找成了他的主业，全然忘记他书写在心里的那部编年史。

他迫切地想要结束和这条绿船有关的梦。他四处搜寻，生怕这场梦会误导他。他是一个需要比一百万还要多的基督徒为他祈祷的人。在他梦想离开这座“小岛”之前，还有许多神秘需要破解。他在想，那条绿船上会不会有一位乘客已经登陆，藏在“小岛”什么地方？他相信，“小岛”上一定会有未曾祭奠的亡灵四处游走，有一天就决定为他们举行葬礼，让他们的灵魂永远安息。他搜肠刮肚，想起在德斯珀伦斯教堂做礼拜时的只言片语，凑成葬礼用的祈祷词。那天夜里，睡梦中他又听见钟声响起，而且非常清楚。他披衣而起，在一片黑暗中寻找，看到那条绿船徐徐靠岸。他伸手去抓，船没有消失。一条空空荡荡的船就在眼前。

忧郁开始在“小岛”富庶的土壤和氛围中滋长，而且像别的种子一样，相互竞争，要为自己争得生存之地。威尔的郁闷也与日俱增。距离增长为无法完成的旅行。旅行？他怎么能旅行？一想到他根本就不可能再回到卡彭塔利亚湾，他就要发疯。他觉得束手无策，患了幽闭恐惧症。虽然“小岛”上阳光明媚、其乐融融，但他已经不为所动。他就像一个被终身监禁的囚徒，努力躲避那种孤独。他希望能到一个更好的地方。日复一日，他满怀渴望眺望西边的大海。别的地方已经在他的脑海里变成海市蜃楼，而“小岛”变成了一座地牢。

有一天，坐在海边，向西边的水平线眺望的时候，他开始思索自己的未来。他的幸福已经被毁灭，“小岛”也只是一个暂时的栖身之地。第一场风暴就会把它打得四分五裂。他相信，“小岛”被毁只是个时间问题。威尔·凡特姆的日子变得十分凄凉，每天做的那些事情都索然无味，应付而已。

先前那么努力建造的船，现在似乎已经没有什么意义，只是重复检查一下结构上还有什么问题。他觉得这条小船根本就经不住海上的风浪。而且认定不会有扬帆远航的一天。凌晨四点，他就会被吓醒，看见海水正从那条满身窟窿的船涌进船舱，仿佛那船是草做的。

威尔在“小岛”度过的夜晚仿佛是一个了不起的、大师级剧作家。这位剧作家急不可耐地让威尔进入梦乡，很不耐烦地等待他打开思想深处血红色的帷幕，上演另外一个剧本，另外一个崭新的恐怖片儿。威尔思想深处这个角落隐藏着一个巫师，一个天才的魔法师。他像魔术师眨眼之间从帽子里变出一只兔子一样，能用魔法招来灵魂最底层的恐惧。威尔相信，噩梦最终会杀死他，于是决定尽量不要睡觉。他要变成一个破解任何和他作对的魔法的大师。他开始实现自己的计划。稍稍碰一下他的船，一枚又一枚的钉子就会从钉子眼儿里掉出来。他把钉子捏在手指间，稍一用力，就变成生锈的铁片。他看着自己搜集来的一堆铁锈，意识到命中注定，他要在“小岛”之上，过隐士的生活。查看自己干过的那些木工活儿，他越发相信这便是他的命。他曾经用铁丝那么精心绑扎过的接口，现在又都散架，船身下面更是锈渍斑斑。

他绞尽脑汁地钻研，终于发现他最担心的、阻止他离开“小岛”的原因。他精心制作的那条近乎完美、经得起风浪的小船原来是被白蚁蛀坏了一块块船板。你能相信吗？这“狗杂种”是从哪儿来的呢？威尔·凡特姆开始在“小岛”上寻找白蚁。他像雪貂一样，用两只手到处挖，直到手指流血。后来，他证实，“小岛”本身将被白蚁彻底毁灭。梦变成现实。自然是噩梦！噩梦里他看到凌晨四点，“小岛”沉没到海底。他坐在那儿，脑子里只有一个想法：被救。他坚信，会有人来救他。一定会！在这茫茫无际的大海上，有无数不为人知的海岛和漂浮物，但他希望，他的“小岛”能被人发现。

他坐在那儿，眺望海天相接的地方，希望看到过往的船只。毫无疑问，一天又一天，一月又一月，许多大船、小船曾经出现在碧波之间。他看见过满载集装箱的货船和满载矿石的大轮船。它们都按照自己的航线劈波斩浪，绝对想不到这座垃圾堆成的“小岛”会有什么生命存在。他还看见过海盗船和贩卖人口的走私船。那些船上挤满绝望的、在噩梦中痛苦挣扎的难民，但是他们根本没有心思去看一眼这一座废墟、残骸组成的“小岛”。有时候，他们从那么近的地方驶过，他几乎看得见他们四处扫视的目光。不管他们来自何方，现在只是在搜寻一个更安全的地方。

他看见一张张满是伤疤的脸。那是海盗手里的刀砍的。这些可怜人有的衣衫褴褛，有的一丝不挂，浑身上下鞭痕累累、血迹斑斑。不管他们要被丢弃到哪儿，他们也不会把这座废墟、残骸组成的“小岛”当作逃生之地。眼巴巴看着他们与“小岛”擦肩而过，他觉得一阵窒息，好像没有足够的空气供他们一起分享。从他们神情茫然的眼睛，他仿佛看见一个梦魇的万花筒。他，或者他们能够相信所有的噩梦都属于他吗？

每逢这样的时候，人的幽灵坐着鬼船，乘风破浪，又回到梦中。他们穿过被扭曲得更加厉害的种种形象，在水面上行驶，好像“小岛”被一个巡回杂耍班子的镜子环绕着。不等这些大灾难的牺牲者站在眼前，他就已经看出他们的命运。他们是前往地狱的死人。这儿是地狱吗？这儿是地狱吗？他从梦中惊醒之后，吓得大声叫喊，要那些充满绝望的眼睛永远消失。

他等待的救赎是一个陌生人的声音。一个水手，渔民，或者海岸上的监测官叫喊："喂！喂！"他呢？他看见自己急忙向那堆因为潮湿早已破败不堪的衣物跑去，好让自己在得救时稍微体面一点。除此而外，他还能怎么样呢？他曾经无数次想象自己获救时会是怎样一幅情景。他一定会挥舞双臂，沿着海岸线跑来跑去，大声叫喊："看我！看我！"他心里想，他会是个什么样子呢？看到这座正在下沉的"小岛"上唯一的居民，那些发现他的人会管他叫什么呢？土著人？然而，唯一真正发现他和"小岛"的是一群群海鸥。来这儿栖息的海鸥一天比一天多，直到他这座由垃圾堆成的漂浮的"小岛"每一个缝隙，每一个坑洼里都挤满海鸥。

第十四章　回家

大海深处，风平浪静，一艘独桅艇[1]行驶了四十个昼夜。智者诺姆·凡特姆两手掌舵一直没有合眼。他弃绝了夜的召唤，没有投入睡神的怀抱。

所有幸运的乡亲们都躺在干燥的陆地上熟睡着。这儿离德斯珀伦斯老城区很远。他们躺在一块块塑料泡沫上，四海为家。雨水打湿的毯子裹在那些躺在地上的肮脏、穷苦的老人身上。在梦中，你或许以为他们又回到了德斯珀伦斯。他们和诺姆·凡特姆不一样。诺姆在他尽可能快地赶回家的路上，一直没有睡觉。因为患了肺炎咳嗽得喘不过气，或者因为饥肠辘辘难以成眠，或者因为别的什么原因，他们做不了什么好梦。他们滑过金色的月光，或者银色的星光，进入时间黑色的大海下面那个梦的世界，回到卡彭塔利亚湾古老的、变成化石的家园。如果人们一天到晚只是想这种事情的话，就会引发对土地的争夺，以及诸如此类的事情。

诺姆在朦胧的海面上划船，和那些在幻梦中挣扎的睡乡里的人的确有很大的不同。他能四十个白天，四十个黑夜，不打一个盹。白天，微风徐

①独桅艇：在其前桅杆上仅挂一面帆的宽舷船，通常备有垂直升降板。

徐鼓起风帆，阳光照在绿色的小船上，他连眼帘都不会低垂。黑夜，他像夜晚最活跃的猫头鹰，大睁着一双眼睛。如果你看到他在大海上，他一定是坐在小船横隔板上，看着天上的星星，寻找回家的路。

让人百思不得其解的是，诺姆在海上航行的第四十个夜晚，他离陷入困境的儿子威尔·凡特姆那么近，居然没有看到他。他在威尔那座正在沉没的小岛西面四公里远的地方航行。然而，茫茫大海，谁能在乎距离的远近呢？在一把尺子上，一英寸就是一英寸，在苍茫的大海，可就是两码事了。

诺姆并不是兴高采烈地向自己的宿命驶去，也没有因为迷路而感到痛苦。在这片完全陌生的水域，他觉得很舒服，就像在家里，头顶灿烂的星空。他默默地航行，因为他是个不喜欢多言多语的人。他例行公事似的总是做着这辈子许多许多年每天夜里都做的那些事情——和浩瀚星空交流，从东到西，横跨天球[①]。

早已抛弃耶路撒冷的明亮的南十字座[②]此刻低垂在西边的地平线上。诺姆想记住所有星星的名字，他也知道像南十字座、南极光这样一些星座的编队。它们最明亮的星星架起一座桥梁，和巨大的鳕鱼居住的水洞相连。天空上有一个黑色的云团，被叫作“煤袋子”。他举目远眺，看见四等星和大熊星座中的两颗指极星——阿尔法星[③]和贝塔星[④]。埃利亚斯一定离那儿不远，因为诺姆觉得他正在天上和他们一起旅行。他还看到普勒阿得斯[⑤]，或者说“七姐妹星”。是的，还有猎户座[⑥]，已经在东边地平线升起。他立刻认出斜排在一起的那三颗俗称“长柄炖锅”的星。他知道，一月份这三颗星的出现就意味着大雨倾盆。再早一点，他还看见猎户座的杀手天蝎座[⑦]

①天球：一个想象假设的无限大球体。

②南十字座：一个位于南天球半人马座和苍蝇座附近的星座。

③阿尔法星：星座中最亮的星或主星。

④贝塔星：星座中第二等最亮的星。

⑤普勒阿得斯：变成星星的阿特拉斯的七个女儿：迈亚、伊莱克特拉、塞拉伊诺、泰来塔、梅罗普、亚克安娜和斯泰罗普。

⑥猎户座：在天球赤道上靠近双子座和金牛座的星座，包括参宿四和参宿七。

⑦天蝎座：黄道十二宫的第八宫。

在西边的天空巡游。很快，他就能清清楚楚地看见“猎人”那两条狗——大犬座和小犬座。他应该知道，早就该到德斯珀伦斯了。但是显然，他已经经过了人马座[1]，看到了火星。他对那灿烂的群星说，他非常高兴一直在洋流平稳的大海航行。

他时不时瞥一眼睡在小船甲板上的霍普。她虽然时睡时醒，但是自从金星从夜空升起，就一直躺在那儿一动不动。她低着头，面对船舱，生怕看到水里的倒影。她说，她不能看金星。诺姆相信，她一定对巴拉无数次讲过这个故事不同的版本。他不看夜晚的星星或者任何天上的星星[2]。真是胡扯！你在哪儿听到过一个姑娘说这样的话？啊！纯粹是无稽之谈。她说的每一句话都是出自老约瑟夫那张爱撒谎的嘴。你什么时候听那个老家伙说过一句真话？哦，诺姆·凡特姆真想粘上他那张嘴巴。谁能相信约瑟夫·迈德纳特对任何人说的话呢？哦！让她睡吧，耳根子清净一会儿。

诺姆很快就想到，如果她害怕夜晚的星星，她也会害怕早晨的星星。如果黎明前醒来，她就会面对东方，直到星星在西天消失。“嗨！看那边！”他会大叫一声，假装在星光闪烁的天空看到什么东西。她就假装没有听见。

她还会对他说，她说的都是真话。比方说，有人看了一眼星星，结婚时就死了。“天哪，照这么说，我早该死了！”他故意逗她，想让她继续和他争辩。他们俩的信仰截然不同。诺姆想知道的是，她到底如何看待那些事情的因果关系。她列举了她知道的夫妻一方死亡的所有例证。人总是要死的，这没有什么稀奇。“是呀，可是某某怎么样了？他不是也没死吗？还有某某某呢？所以，你怎么能对看星星的人说这样的话呢？”他会兴趣盎然地这样问。这样的对话对于诺姆·凡特姆很重要。他在寻求变化，但他希望她的回答不会有变化。她会说，当然会说的。因为这些事情也是别人告诉她的，又不是她自己瞎编的。“我想一定是你的老爷爷告诉你的吧！”

---

①人马座：南半球位于天蝎座和摩羯座附近的一个星座。

②原文为澳大利亚土著语。

是的，没错儿。很好！诺姆·凡特姆喜欢她的真诚。

即使这样，他还是惊讶地发现她那么怕海。他还从来没有见过一个人那么害怕海水。离开那座海岛第一天，从打夜幕降临、凉风扑面而来，她就变得越来越沉默寡言。她说，夜晚的凉风就像死人抚摸她。他看见每天夜里，她都用白天遮阳的那块帆布把自己和巴拉盖好。小男孩儿扭动着身子整夜翻来覆去，她就一次又一次地重新盖好那块帆布。等到晨星沉入西边的水平线，她彻夜的躲避才终于结束。

诺姆没有心情也没有耐心听她唠叨，便告诉她，把那些在他看来近乎疯狂的想法留给自己吧。她说，她会的。这是她的问题之所在。她说，这是她的问题。有人要求他介入她的问题吗？他们首先需要自己救自己。诺姆说："你知道，我们不是鱼。"她说，她知道他们不是鱼。还说，"我不是傻瓜"诺姆什么也没说。没有必要总去考虑迈德纳特家族的基因。"你是个好孩子，巴拉。"他大声说。

在回德斯珀伦斯的漫漫长途、日日夜夜，霍普一直在梦中和威尔团聚。诺姆利用晴朗的夜空进行他的天文计算。万籁俱寂，他坐在黑暗中，伸长胳膊，手指对着水平线，计算日月星辰的变化和运动。这是他唯一可以计算出离家还有多远的办法。可是她拒绝看天上的星星。她说，她害怕，生怕什么人会死。他在沙滩上给巴拉画了好多星图，离开小岛前天天考他，让他回答问题。他一看到霍普那副傻乎乎的样子，心里就生气。他知道，如果自个儿出点什么问题，靠霍普是不可能把巴拉带回家的。她会改变航向，向大海深处驶去，寻找威尔。他只希望一件事情。希望如果霍普因为父亲那些故事而毁了自己，如果巴拉没有和她一起毁灭，男孩还能记住回家的路，还能活下去。

在大海漂泊的时候，她经常夜里哭醒。他心烦意乱，低头看着儿媳妇，叹口气，说："安静点儿，不要害怕。"然后，继续他夜间观察天象、测量星星的工作。这之前，他看了看男孩儿，生怕他被吵醒。从打夜幕降临，她就把巴拉搂在怀里，就像搂着一条吓坏了的小狗。她那张脸似乎很容易让人怜惜。自从和她的祖父约瑟夫·凡特姆反目，霍普是他第一次近距离看到的小城那边的人。那是敌人营垒中一张秀丽的脸、一个弱不经风的女人。这样的人从来都不会是“单数”，而是“复数”。而所有这一切他都已经离开。很难解释为什么这样一个整天以泪洗面的弱女子能够历经狂风暴雨、惊涛骇浪而幸存。啊，诺姆！不要再搜肠刮肚地想三想四了，虽然她也活了下来，但是不会和你站在同一个水平线上。她思想犀利、思维敏捷，这一点一望而知。他的脑海里仿佛刮起沙尘暴，对此她却一无所知。她并不受老人们思想的束缚，只是紧紧抱着儿子。男孩儿也不往天上看。如果他亲眼看见妈妈从天上掉下来消失在大海，谁还会再向天空眺望呢？

龙卷风过后，他们看见她在小山般的碎石和泡沫翻滚的海滩上慢慢地走。她不承认自己是从天上掉下来的。她说，她只是出来遛遛。她说，她根本记不得什么时候从什么地方掉下来的。第一次见面的时候，她甚至转过脸责备诺姆不该不请自来。她说，她刚转过头五分钟，他就来了。

她说，她知道自己在做什么。“那是什么？”他问道，纳闷她到底怎么回事儿？她用约瑟夫·迈德纳特那种目光看着他。她说他想在她鼻子底下偷走儿子。“我知道你是用那些晦涩难懂的玩意儿玩弄他的思想。”“谁从天上掉下来，还会活着呢？”他笑了起来，说她是个白痴。

就像任何一个正常人一样，诺姆的问题让她笑了起来，一脸迷惑不解的表情。因为他是诺姆·凡特姆，喜欢我行我素，他越问她问题，她就越想让自己的行为举止“正常”起来。而他对她越发心生疑问。真是个怪物！只有迈德纳特这样的家族才会生出这样的姑娘。她朝他耸了耸肩，弓起腰。想起一条新的进攻路线，便说，她知道发生了什么事情：他想把她妖魔化，把她和海底世界的神灵联系到一起。她说，她觉得他挺可怕。于是她走开，在海滩上的碎石堆安顿下来过夜。她待在那儿，满脸不高兴，直到他们之间在那些重大问题上达成共识。渐渐地，潮水开始侵袭那堆碎石。那上面放着他们救命用的东西。她开始帮助诺姆打捞他要修理那条绿船需要的材料。

他们干活儿的时候，互相没怎么说话。没有就“怎么干”，“为什么这样干”发表意见，因为没有必要。灰色的页岩、花岗岩、方解石遍布海岛。他们修补诺姆那条已经严重受损的绿色小船，干得非常辛苦。可是除了“地质”上的问题，还有另外一些问题也“浮出水面”。回到德斯珀伦斯之后，他们是否还要像以前那样，分别住在小城两边呢？诺姆敲敲打打，小船渐渐成形。这当儿，他越来越觉得霍普没有葬身大海实在不可思议。即使她确实是从天上掉下来的，普通人（毫无疑问，她是普通人）谁也不可能在波涛汹涌的海湾活多长时间。“这难道不是真的吗，爸爸？”她像个孩子很认真地问道。有谁听过这样的问话吗？离开德斯珀伦斯，“自由权”有了新的含义。他们越熟悉，他向她提问题时越小心翼翼，而她回答问题时，越发大大咧咧。终于有一天，诺姆再也忍受不住了，他大张着鼻翼，生气地对她说：“我怎么能什么都知道呢？我只是阅读基督教的《圣经》，受到一点教育。”心里想，他可没有听说谁允许她踏进他的家门！难道不是吗？

哦，不管怎么说，他觉得这个姑娘很傻。那天夜里早些时候，他想叫醒她看海水里闪烁的磷光。这是老祖宗的大蛇显灵的好兆头。“你怎么这样呢？”她在船里缩作一团，以为随时都会翻船，落入大海。他不得不告诉她，大蛇已经走了。她这才安静下来。他不得不承认，这个姑娘太怕水了，而且她会让自己的孙子也怕水。所以，用不着多想，也用不着和她商量，他要带走巴拉，并且照顾他。不能让巴拉和一帮傻瓜待在一起。别人如果愿意这样成天胡说八道，对好的东西视而不见，就让他们去吧。他瞥了一眼霍普，心里还很生她的气。“他娶了这样一个疯疯癫癫的老婆，只怪他没有眼力！”他对着空阔的大海说，好像是对自己的儿子说话，“只要我还活着，就不能让我的骨血跟着别人走。”

他们出海前几个星期的一天，两个人正在做那件特别耗费精力——修补那条小船的时候，他终于对她说：“昨天发生的事情你就忘得一干二净，更别说几天前的事情了。”她又开始奚落他，而且像鹦鹉学舌一样，说的都是他说过的话。“如果都像你这样，谁能走出大海？”后来他再没有提起这事，因为他突然想起埃利亚斯，好像他正在看他。他想到，在这片陌生的、布满垃圾的海滩，涨潮的时候，浪花拍岸，发出哗哗啦啦的响声，一定有一双指引他的手操纵着那些绳子，他们不过是几个提线木偶。有的人用嘴巴说出他们自己想说的话，有的手和思想相结合，演绎出生活中一段不受欢迎的插曲。他凝视着那张翕动的嘴巴，因为阳光照射，眯缝着眼睛。他凝视着奇异的、不停说话的玩偶。他说的话就像一条河流，滔滔不绝。

但是，他知道，要想离开小岛，就必须继续工作，而且必须和她一起干活儿。起初，她说这条船是她的，因为是她在她的岛上发现的。诺姆听了没有理睬她。后来，为了打破沉闷的局面，他问霍普信不信《圣经》里说的话。她说："当然不。白人那些玩意儿，我什么都不信！"他说，他相信《圣经》。因为白人按《圣经》里说的话做事，他们就繁荣强大。你还记得海水分开，让人们从中间走过的故事吗？不记得？当然不记得了。你们那边的人压根儿就不知道那个故事。你们的人总是没完没了地说呀说呀，就是不学习。

"大海可以分开，人能在水上行走。"他还告诉她，她没有出生的时候，他自己一双火眼金睛就看到过白人《圣经》里说的这种现象。

"我从那个属于海洋生物的世界和那些在幻梦时代的历史长河中就和人类结怨的神灵中间走过。但是，这种事不会发生在你的身上，因为你不知道这些故事。上帝不会在血管里流淌着低贱的血液的人身上创造奇迹。"

她问他为什么这样认为？他说，因为他知道，血液和任何别的东西一样，也是一个喜欢公开辩论的科学家。她的某些行为举止之所以不好，就是因为她血统低贱。事实上，诺姆相信，像约瑟夫·迈德纳特这样的人，身上流淌的不是真正的血，即使是，他们的血水也很稀。所以他们不会预测未来，也不懂得许多变故的预兆，比如谁要死了，谁还能活下去。遇到危险，也不会召唤人们去寻找到他们。这都是因为他们的血液不稠。人的血液如果很稀，在大海上就很难受。他一直在研究他说的这些事儿，现在感谢上帝给了他一个验证自己研究成果的机会。他说，他料想万能的上帝一定把不好的血给了浑身疥癣的狗，让他们一辈子只能过猪狗不如的生活。她非常生气，一句话也没说，只是抄起手跟前的东西摔了出去。他说，如果这是上帝的意愿，他就只能硬着头皮听她那些疯话，直到母牛回家。他料想，那都是鬼话，没完没了的废话。在这种情况下，诺姆·凡特姆认为，最好还是尽量少理睬她。但是他也清楚，自己现在处于困境，需要她的帮助。

诺姆干活儿的时候管她叫“说疯话”。她一天到晚催他赶快走，好去找威尔。“不管威尔现在怎么样，我们都得赶快找到他。”他懒得听她成天这样唠叨。他得为自己的心智健全着想，要不然他也会发疯。所以就假装她压根儿不存在。她求他听她说话。她似乎产生了某种幻觉，硬说她在梦里看见威尔在远处站着，想走到他们身边。她开始详细讲述每一个细节，一讲就是好几个小时。直听得诺姆连气也喘不过来，好像有一股开水从心头流过。听到后来，他实在忍受不了，扔下手里的工具，气咻咻地走了。她会一整天地哭，说她看见威尔那座垃圾堆成的小岛越漂越远。诺姆说，他这辈子听到的海上的奇闻轶事太多了，那些事情像她这样的姑娘做梦也不会想到。可是从来没有听说过她说的这种事情。他说：“我以前从来没有听说过这种事情，以后也不会！”

让他非常惊讶的是，她把那座漂浮的小岛描绘得非常详细，就好像她参与过“建设”。她能把那堆“垃圾”相互之间的角度、位置说得一清二楚，就像那是她熟悉的一块地毯。她告诉他，那座“小岛”是德斯珀伦斯的房子倒塌后，一块块木板、一根根房梁“纠结”而成的。她说，那里面甚至有他家房屋的“零部件”。他听了之后非常生气，说她真是疯了，怎么能想到那座小镇已经没了？“这事儿什么时候发生的？”她说，她还看见死人被“搁浅”在“小岛”。这个故事太离奇了，连诺姆也被它迷住了。有时候，浪花拍岸，把许多离奇的故事送到你脚下。但是她没有做过一个可以解释她到底是不是从天上掉下来的梦。他不能被她愚弄自己的判断。这个奇怪的梦诱惑他去找威尔。她一定是神经错乱了，他不能让自己被她诱惑。这些奇谈怪论没有什么用处，也不会有什么结果。诺姆知道，他得赶快把船修补完。他不顾一切顽强地工作着，以便早日出海。

就这样，诺姆、霍普和小孙子巴拉坐上船开始远航。正赶上顺风潮，计划中的航线将穿越银河闪烁的天空。诺姆·凡特姆从来不愿意和别人一起出海，除非万不得已，找一两个帮手。现在，霍普一天到晚在他脸前晃，真让他受不了。她总是找茬儿，可是他别无选择，只能忍着。诺姆从来就是一个警惕性很高的人。现在虽然背着这么沉重的一个负担，但他还是有许多时间让自己沉湎于寻寻觅觅之中。他那副样子很可笑。他在寻找暗藏在小船什么地方想要谋害他的什么东西。记住，你并不是总能看到你要寻找的东西。

从许多方面看，那都是一次可怕的旅行。他在脑子里把这条船和船上坐的人翻来覆去想了无数次之后，告诉自己要耐心。永远不要放弃！这就是这个男人的精神。虽然并非"昭然若揭"，诺姆还是真诚地相信，船上还有个人。这个人可能就是约瑟夫·迈德纳特，来追赶他自己的骨血。他觉得，更奇怪的事情还会发生。他说，有的人能把自己缩得很小很小。就像那些很有能力的敌人那样。哦！没错儿！他们会藏在火柴盒或者别的什么东西里，得意扬扬，哈哈大笑。他听过这种事儿。她说，对于她这可是新闻。

"你把什么东西带到船上了？"他一天能问霍普一百次。如果她心情好，想和他搭话，答案也没有两样。

"我跟你说过，什么也没带！我不会再回答你这个问题！"她生气地说。一有机会，她就唇枪舌剑，绝不说什么讨好的话。

她对他说，别和她说话。她再也不想听他那些愚蠢的故事。他倒是闭上嘴巴了，不过这并不意味他把自己的感觉烂到了肚子里。他的脑子像一辆汽车快速旋转，告诉他：一，二，三。如果他不当心点儿，也许永远都不会回到德斯珀伦斯。他看着她带着自己的秘密睡在那里，真希望上帝能给他一把钥匙。但是奇迹不会在任何人身上自动发生，除非他们已经掌握了这把钥匙。埃利亚斯是个奇迹。他从大海走了出来。可她是怎么从天上掉下来的呢？他认为她不是什么奇迹。他可以和任何人说这一点。一定是有人给了她一把钥匙。

啊，巴拉！想到孙子，他心里甜甜的，不由得俯下身来看熟睡中的巴拉。小家伙缩作一团，躺在船里。在他身上，他看到与海为伴的人们的特点，但是他也意识到由于生物遗传的原因，另外“那边人”的血液和“城西人”的血液一起，在小孙子的身上流淌。优势和劣势并存，这会产生什么结果呢？这个孩子一定需要特别的呵护。

他看着黑暗笼罩的大海，心里非常清楚，不管霍普怎样绞尽脑汁催促他去找威尔，恐怕也很难找到。从内心深处讲，他不相信霍普能领他找到威尔。因为她不是来自大海。他知道，他们不能永远这样在海上航行下去。他们相互之间没有信任。洋流正在变化，雨季将再次带来龙卷风。如果真的发生这样的事情，谁知道最后的结果会是怎样。再回到他们出发的地方？到了地球那边？他们会变成和埃利亚斯完全相反的人，在炼狱里度过余生，重现漫长岁月中人们相互之间的斗争。

好多天他都觉得热血沸腾，又体会到他曾经体会过的那种感觉——大海正把他送回家。他知道离家已经不远。快到了，快到了！他一直对自己说，驱除掉心里的烦躁不安。他等待着，观察与鳞光闪闪的大鱼交相辉映的星星在德斯珀伦斯上空消失的那一刻。这是埃利亚斯追随多年的星星，直到在那个可怕的夜晚，他在暴风雨中丢了那条船。这位老水手说这颗星星是星座中最明亮的星，跟着宝瓶座中那颗“拿水瓶子”的星走。诺姆知道，它也是“航海者之星”，或者“南鱼星”那是这年某个时候游到天上的鳕鱼变的，过一段时间它会从天上掉下来，落到鳕鱼昏暗的洞穴里。

这就是那颗星。前面，正南——“鱼儿”沉入水中。看到那颗星沉入大海，他立刻准确地记下它的位置。现在他知道离陆地已经很近。黎明时分他就能回到德斯珀伦斯。他收起风帆，让自己放松一会儿，等待晨曦从天边升起。宁静的海面万籁俱寂，他听见从陆地隐隐约约传来蛙的鼓噪。他侧耳静听，非常惊讶这种两栖类的小家伙的叫声会传得这么远。虽然他还记得德斯珀伦斯的青蛙很多，但认真地听下去，他觉得今年小镇的青蛙一定繁殖得非常非常多。啊！一定是因为今年雨水太多，他心里想。在这个寂静的夜晚，坐在小船上，微风把青蛙的叫声送来，这合乎逻辑。他纳闷，水手辛巴达远航归来时，是不是也这样满怀喜悦？哦，这蛙声听起来那么悦耳。他无法相信，在他离开家的这些日子里，他最想念的居然是这蛙声。

黎明的曙光从大海升起时，诺姆向南边的陆地望去，可是他看到的不是心仪已久的那片土地。没有沙洲，没有红树林。再往远看也没有绿荫覆盖的原野。透过渐渐变红的晨曦，他看到龙卷风横扫过后的平展展的海滩。霍普和巴拉也都醒了，三个人凝视着沿南边地平线伸展开来的一道低低的沙梁。巴拉说，那是一条黄色的大蛇。霍普什么也没说。诺姆告诉他们，现在离德斯珀伦斯已经很近。

几个小时后，沿着海岸线又向前航行了一会儿，他便准备登陆了。那张用盐腌过的、干鲨鱼皮做成的破破烂烂的帆被微风鼓起，很快就把小船带到岸边。霍普和巴拉凝望着眼前的风景，心里一片茫然。他们已经习惯了诺姆那张从容、淡定、刚毅的脸，并不指望他会对他们将要踏上的这块荒凉的土地说点什么。诺姆坐在他们身后，右手小心翼翼地掌舵，脸上的表情显得很谨慎。不过他们都没有看见。

风平浪静，小船好像从丝绸上滑过。巴拉看着船下漂浮的水草，突然看见一条大鱼，高兴得叫了起来。诺姆向船边望去，两个人都看见上百条鳕鱼在船下游。这些鱼跟着小船游过深水区，一直把船送到沙滩。诺姆跳下船，淌着泥水，拖着小船向还有一公里远的高潮位标志走去。

诺姆把小船安顿好之后，向远处眺望，希望看到熟悉的风景和地标。可是四处张望，都没有发现德斯珀伦斯熟悉的身影，甚至连一点蛛丝马迹也没有。他回转身看了一眼霍普，心不在焉地说：“也许我们很快就能看到点什么。”有一会儿，他想霍普不吱声也许因为对他的判断表示怀疑。是不是他搞错了？“没错儿！没错儿！德斯珀伦斯就在这儿，就在这儿！”他喃喃着，相信他的航线完全正确，现在已经踏上家乡的土地。

他们在空旷的海岸上走着，前面什么也没有。诺姆看见小男孩因为终于平平安安踏上陆地而满脸喜悦。他高兴地疯跑着、叫喊着，青蛙蹦蹦跳跳给他让路。霍普看着这块像月球表面一样的土地，似乎对小镇发生过什么事情毫无兴趣。诺姆出于本能把巴拉唤回到身边，把他举起来，让他坐在自己肩膀上，踩着满地泥泞，向那座消失的小镇走去。

诺姆走着，走着，突然意识到只有自己一个人在泥泞中稀里哗啦地前进，霍普不见了。他几乎想停下脚步，回转头看个究竟，但是最终还是径直朝前走去。他想喊她，让她回来。想告诉她，她这样做太傻。他几乎要大发雷霆，身上每一块肌肉似乎都在命令他去把她追回来，拖回来。可是每次回转身要去找她的时候，强烈的阳光都把他晃得睁不开眼睛。那耀眼的阳光照射在水面上，反射回来，像一道屏障挡在他和霍普中间，迫使他把头再转到陆地这边。

由于阳光的照射，瞬息间，除了炫目的黑暗，什么也看不见。他牢牢地把着坐在肩头的巴拉，跌跌撞撞地离开大海，向前走着，直到那个炫目的时刻过去，才睁开眼睛，眼前仿佛一片红色的雾霭。他知道，不能打搅别人的梦。就让她去吧！他什么也没说，不想让巴拉不安。但是他听出她非常害怕。她喘着粗气，向那条小船跑去。他听见她拖着小船走过沙滩，走向正离开海岸的潮水。

就在那一刻，他开始信任她，尽管她和城那边那些厚颜无耻的人没有两样，想要在空虚的灵魂里找到希望。他脸上露出一丝微笑，知道她是要趁脑子里那张疯狂中“绘制”的海图还没有消失去找威尔。这次航行将按照她的航线去完成。“祝你好运，姑娘！”他在心里默默地说，“但愿你把他带回家。”

小船周围红光闪闪的海水突然翻腾起来，好像有什么巨大的力量在后面推着那条船。原来是那群鳕鱼绕着船游来游去。它们时而加快速度，在船下交叉着游，时而齐心协力推着小船穿过汹涌的潮水。霍普乘风破浪，用尽全身的力气划船，只顾想着自己营救丈夫的崇高使命，没有注意到鳕鱼正在帮她。

诺姆知道，他没有必要再旅行了。哦，至少现在不必了。他继续沿着记忆中的德斯珀伦斯大街往前走。他碰见几条瘦得只剩下一把骨头的流浪狗。暴风雨来临时它们逃到山里，龙卷风过后又回到这里。它们沿着已经不复存在的大街四处游走，寻找主人。它们不再吠叫。龙卷风巨大的威力把它们变成这样一副模样：完全“失语”，连一声也叫不出来。虽然嘴巴大张，却说不出“话”来。诺姆气咻咻地骂了它们几句，把它们赶回到早已被夷为平地的院子里。它们可怜巴巴地蹲在那儿，等他离开。他把巴拉从肩膀上放到地上，两个人开始向城西边走去。

“总有一天，”他对男孩说，“等到草绿了，成群结队的蚂蚱飞来，吃了这些草，再在冬天里死去，你在泻湖抓到一条又大又肥的肺鱼，你妈妈和爸爸就会来接你。你能等到那时候吗？”

男孩儿想着这些天发生的事情，想象着那一个个迷团避开心中的愿望，从梦中逃走。他看着这个大个子男人环顾洪水冲刷过的田野，脸上露出一丝明朗的微笑。然而，所有的梦都变成现实。诺姆喃喃着，在心里丈量着这块平展展的土地，开始规划在老房子矗立过的地方、在鬼城里冤魂四处游走的地方，重建家园。那条巨大的蛇就睡在下面。

“我想，我们该回家了。”他说。于是，他们走过那一片泥泞，离开小镇，留下那几条狗吠叫着找他们的主人。他们俩谁也不说话，因为蛙声不绝于耳，谁也听不清对方说什么。那些绿色的、灰色的、斑点儿的、条纹的、大的、小的青蛙聚集在两位航海家周围，足有几十个品种，跟在他们身后跳来跳去。

一种神秘的色彩笼罩着这块海水、雨水浸泡过的土地。歌声此起彼伏随风飘荡，歌唱这块土地的新生。诺姆和巴拉手拉手，走出那座曾经的小城，沿着那条路，向西边走去，向他们的家走去……

图书在版编目（CIP）数据

卡彭塔利亚湾 / (澳) 亚力克西斯 · 赖特著 ; 李尧
译. -- 青岛 : 青岛出版社, 2017.11
（李尧译文集）
ISBN 978-7-5552-6344-9

Ⅰ. ①卡… Ⅱ. ①亚… ②李… Ⅲ. ①长篇小说－澳
大利亚－现代 Ⅳ. ①I611.45

中国版本图书馆CIP数据核字(2017)第290603号

书　　名	卡彭塔利亚湾
著　　者	（澳）亚力克西斯 · 赖特
译　　者	李　尧
出版发行	青岛出版社
社　　址	青岛市海尔路 182 号（266061）
本社网址	http：//www.qdpub.com
邮购电话	13335059110　0532–85814750（传真）0532– 68068026
责任编辑	刘　坤
整体设计	刘　欣
印　　刷	青岛国彩印刷有限公司
出版日期	2018 年 1 月第 1 版　2018 年 1 月第 1 次印刷
开　　本	32 开
印　　张	14.25
字　　数	330 千
书　　号	ISBN 978–7–5552–6344–9
定　　价	58.00 元

编校印装质量、盗版监督服务电话　4006532017　0532–68068638